Sur l'auteur

Né en 1956 à Calcutta, Amitav Ghosh a passé son enfance au Bengladesh, au Sri Lanka, en Iran et en Inde. Après avoir enseigné à l'université de Delhi et aux États-Unis, il vit aujourd'hui à New York. Il est l'auteur de plusieurs romans dont *Les Feux du Bengale* (prix Médicis étranger 1990), *Le Chromosome de Calcutta*, *Le Palais des miroirs*, *Le Pays des marées*. *Un océan de pavots* est le premier roman d'une trilogie, dont la suite, *Un fleuve de fumée*, a paru aux éditions Robert Laffont.

AMITAV GHOSH

UN OCÉAN
DE PAVOTS

Traduit de l'anglais (Inde)
par Christiane Besse

ROBERT LAFFONT

Du même auteur
aux Éditions 10/18

LE PAYS DES MARÉES, n° 4121

Titre original :
Sea of poppies

© Amitav Ghosh, 2008.
© Éditions Robert Laffont, S.A., Paris, 2010,
pour la traduction française.
ISBN 978-2-264-05345-9

Note de l'éditeur

Brassant à bord de son navire l'*Ibis* une multiplicité de personnages aux origines et aux parcours différents, l'auteur brasse aussi une multiplicité de langues et, surtout, fait résonner l'anglais comme une langue multiple dans sa nature même, multipliée encore par l'histoire des empires anglophones. L'attention méticuleuse prêtée ici au langage se reflète dans certains partis pris formels : utilisation minimale de l'italique, absence de guillemets ou de tirets dans les dialogues entre les personnages ne parlant pas anglais. Amitav Ghosh refuse aussi le recours aux notes et autres glossaires. Ces choix, qui peuvent surprendre le lecteur, sont dictés par la volonté de se soustraire à toute normalisation lexicale ou grammaticale, de ne pas créer de hiérarchie entre les langues, c'est-à-dire de ne pas encourager une lecture exotique, ni accréditer l'idée d'une langue pure, universelle.

À Nayan
Pour ses quinze ans

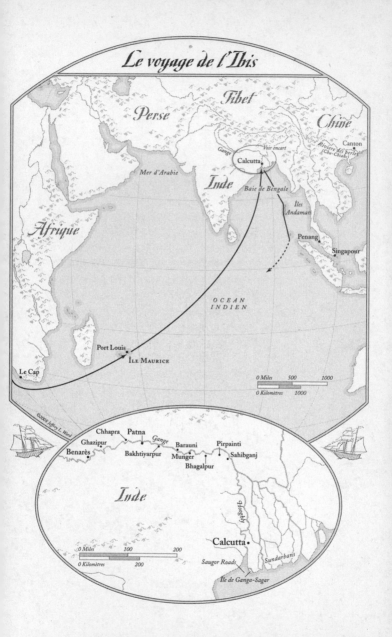

Première partie

Terre

Un

Cette vision d'un grand voilier sur l'océan, elle lui vint par un jour très ordinaire, et pourtant Deeti sut aussitôt qu'il s'agissait d'un signe du destin car elle n'avait jamais encore vu pareil navire, même pas en rêve : comment l'aurait-elle pu, vivant ainsi, dans le nord du Bihar, à plus de six cents kilomètres de la côte ? Son village se trouvait si loin à l'intérieur des terres que la mer, cet abîme d'obscurité où disparaissait le Gange sacré dans le Kala-Pani, l'« Eau noire », paraissait aussi distante que l'enfer.

L'hiver touchait à sa fin, une année où les pavots se montraient étrangement lents à perdre leurs pétales : kilomètre après kilomètre, de Bénarès à Patna, le Gange semblait couler entre des glaciers, ses deux rives noyées sous d'épaisses couches de pétales blancs. À croire que les neiges des sommets de l'Himalaya s'étaient déversées sur les plaines dans l'attente de la fête de Holi et de sa profusion printanière de couleurs.

Le village se situait aux abords de la ville de Ghazipur, à quelque quarante-cinq kilomètres à l'est de Bénarès. Comme tous ses voisins, Deeti se souciait du retard de sa récolte de pavots ; ce jour-là, elle se

13

leva tôt et accomplit les tâches routinières quotidiennes : préparer un dhoti et une kameez propres pour Hukam Singh, son mari, ainsi que les rotis et les achars qu'il mangerait à midi. Une fois le repas empaqueté, Deeti s'échappa pour une rapide visite à sa chambre-sanctuaire ; plus tard, après s'être baignée et changée, elle procéderait à une vraie puja, avec fleurs et offrandes ; pour l'heure, encore vêtue de son sari de nuit, elle se contenta de s'arrêter devant la porte et de joindre les mains dans une brève génuflexion.

Bientôt un grincement de roues annonça l'arrivée du char à bœufs qui emmènerait Hukam Singh à la factorerie où il travaillait, à Ghazipur, à moins de cinq kilomètres de là. Bien que pas très grande, la distance l'était quand même trop pour que Hukam Singh la fît à pied : il avait été blessé à la jambe alors qu'il servait en qualité de sepoy dans un régiment britannique. Il pouvait néanmoins se passer de béquilles et il gagna la charrette sans aide. Deeti le suivait un pas en arrière, portant sa nourriture et son eau. Elle lui tendit le paquet emballé dans un linge après qu'il eut grimpé à bord.

Kalua, le conducteur, était un colosse mais il n'esquissa aucun geste pour assister son passager ; il veilla au contraire à cacher son visage : il appartenait à la caste des tanneurs et pour Hukam Singh, rajput de haute volée, apercevoir les traits de ce chamar eût été un mauvais présage pour la journée à venir. En montant dans la carriole, l'ex-sepoy s'assit face à l'arrière, son baluchon sur ses genoux afin d'éviter tout contact avec les possessions de Kalua. Ainsi installés, tandis que le véhicule avançait en grinçant sur la route de Ghazipur, conducteur et passager converseraient aimablement sans jamais échanger le moindre regard.

Deeti aussi eut soin de se voiler la face en présence du conducteur : ce n'est qu'en rentrant chez elle pour réveiller Kabutri, sa fille de six ans, qu'elle laissa glisser de sa tête le ghungta de son sari. Kabutri dormait recroquevillée sur sa natte et, à ses moues et sourires fugaces, Deeti comprit que l'enfant était plongée dans un rêve : au moment de l'en sortir, elle renonça. Sur le visage endormi de sa fille, elle reconnaissait le dessin du sien – les mêmes lèvres pleines, le nez retroussé et le menton rond –, à ceci près que, chez l'enfant, les traits étaient fermes et nettement tracés, alors que les siens étaient devenus brouillés et indistincts. Après sept ans de mariage, Deeti n'était guère plus qu'une enfant elle-même, mais quelques fils blancs avaient déjà fait leur apparition dans son épaisse chevelure noire. La peau de son visage, parcheminée et brunie par le soleil, commençait à se craqueler à la commissure des lèvres et autour des yeux. Pourtant, en dépit de la banalité d'un physique fatigué par le souci, quelque chose la faisait sortir de l'ordinaire : ses yeux gris pâle, si inhabituels dans cette partie du pays. D'une telle couleur – ou plutôt d'une telle absence de couleur – qu'on avait l'impression qu'elle était à la fois aveugle et omnivoyante. Ce qui avait pour effet d'énerver les jeunes, de renforcer leurs préjugés et leurs superstitions, au point de les inciter parfois à lui lancer des quolibets – *chudaliya, dainiya* – comme à une sorcière : mais il suffisait à Deeti de tourner son regard vers eux pour qu'ils s'enfuient à la débandade. Tout en tirant un certain plaisir de sa capacité à décontenancer ses tourmenteurs, Deeti se réjouissait de ne pas avoir légué cette particularité de son physique à sa fille – elle adorait les yeux noirs de Kabutri, aussi noirs que son éclatante chevelure. En regardant le visage baigné de rêve de la fillette, Deeti sourit et décida de ne pas la réveiller ; dans trois ou quatre ans, l'enfant serait mariée et partie : elle aurait bien assez le temps de travailler quand elle habiterait chez son mari ; autant qu'elle se repose un peu durant les quelques années qui lui restaient à passer avec sa mère.

À peine une bouchée de roti avalée, Deeti sortit sur le seuil de terre battue qui séparait la masure en briques de boue des champs de pavots au-delà. À la lumière d'un soleil tout neuf, elle découvrit, à son grand soulagement, que quelques-unes des fleurs avaient commencé à perdre leurs pétales. Dans le champ voisin, Chandan Singh, le frère cadet de son époux, était déjà dehors, sa nukha à huit lames à la main. Il utilisait les minuscules dents de son outil pour inciser certaines des cosses nues – si la sève s'écoulait librement pendant la nuit, il amènerait demain sa famille afin de saigner le champ en entier. La précision du moment était d'importance car le précieux liquide ne s'écoulait que durant une période très brève dans la vie de la plante : un jour de plus ou de moins, et les cosses n'auraient pas plus de valeur que des floraisons d'herbes folles.

Chandan Singh avait vu Deeti aussi, et il n'était pas homme à laisser quiconque passer en silence. Ce jeune type aux joues molles, avec déjà cinq enfants à lui, ne ratait jamais l'occasion de rappeler à sa belle-sœur son manque d'une nombreuse progéniture.

Ka bhail ? cria-t-il tout en léchant une goutte de sève fraîche sur le bout de son outil. Que se passe-t-il ? Encore en train de travailler toute seule ? Combien de temps pourras-tu continuer ainsi ? T'as besoin d'un fils pour te donner un coup de main. T'es pas stérile, après tout...

Habituée aux manières de son beau-frère, Deeti n'eut aucune peine à ignorer ses railleries : elle lui tourna le dos et pénétra dans son propre champ, un grand panier d'osier à la taille. Entre les rangées de fleurs, le sol était tapissé de pétales parcheminés qu'elle ramassa à poignées. Une semaine ou deux auparavant, elle aurait pris soin de se glisser doucement de côté de façon à ne pas déranger les fleurs, mais aujourd'hui elle fonçait, impatiente, et ne se désolait pas que son sari balayât des grappes de pétales sur les cosses mûrissantes. Une fois le panier plein, elle alla le vider près du chula extérieur où elle faisait le plus gros de sa cuisine. Cette petite cour de terre battue était ombragée par deux gros manguiers qui commençaient tout juste à montrer des fossettes annonciatrices des premiers bourgeons. Soulagée d'être hors de portée du soleil, Deeti s'accroupit près de son four et jeta une brassée de petit bois sur les braises de la veille qu'on voyait encore luire au cœur des cendres.

Kabutri était réveillée à présent et, quand elle montra son nez dans l'encadrement de la porte, sa mère n'était plus d'humeur à faire preuve d'indulgence.

Si tard ? dit-elle d'un ton brusque. Où étais-tu ? *Kám-o-káj na hoi ?* Tu crois qu'il n'y a pas de travail !

Deeti chargea sa fille de faire un tas des pétales de pavot tandis qu'elle-même s'occupait de ranimer le feu et de chauffer un lourd tawa en fer. Une fois la grille brûlante, elle répandit une poignée de pétales dessus et les pressa avec un chiffon en boule. Les pétales brunirent et s'agglutinèrent les uns aux autres, de sorte qu'au bout d'une ou deux minutes ils ressemblèrent exactement aux rotis de farine de blé, rondes et plates, que Deeti avait empaquetées pour le déjeuner de son mari. Et «roti» était précisément le nom qu'on donnait à ces galettes souples de pétales de pavot, bien que leur usage en fût totalement différent : elles étaient vendues à la Sudder Opium Factory de Ghazipur, où on les utilisait pour tapisser les récipients de terre cuite dans lesquels on emballait l'opium.

Kabutri, entre-temps, avait pétri de l'atta et aplati quelques vraies rotis. Deeti les fit cuire rapidement avant d'étouffer le feu et de les mettre de côté pour être mangées plus tard avec les restes de la veille – un plat d'alu-posth, des pommes de terre cuites dans de la pâte de graines de pavot. Puis elle repensa à son sanctuaire : l'heure de la prière de midi approchait, il était temps d'aller faire ses ablutions. Après avoir enduit d'huile de graines de pavot les cheveux de Kabutri et les siens, Deeti drapa son sari de rechange sur son épaule et précéda sa fille vers le fleuve, à travers champs.

Les pavots cessaient de pousser au bord d'un banc de sable qui descendait en pente douce vers le Gange. Réchauffé par le soleil, le sable l'était suffisamment pour brûler la plante des pieds nus. Abandonnant son sens du décorum maternel, Deeti se mit à courir après sa fille échappée en avant. À un mètre ou deux du bord de l'eau, elles entamèrent un hymne au fleuve – *Jai Ganga Mayya ki...* – et avalèrent une grande goulée d'air avant de plonger.

Elles riaient quand elles refirent surface : c'était l'époque de l'année où, passé le choc initial, l'eau se révélait merveilleusement fraîche. Bien que la pleine chaleur de l'été fût encore à des semaines de là, le Gange avait commencé à décroître. Se tournant en direction de Bénarès, à l'ouest, Deeti souleva sa fille pour qu'elle verse un peu d'eau en guise de tribut à la ville sainte. En même temps que l'offrande, une feuille glissa des mains en coupe de l'enfant. Mère et fille se retournèrent pour regarder le courant l'emporter vers les ghats de Ghazipur.

Les murs de la factorerie d'opium étaient en partie cachés par les manguiers et les jaquiers, mais le drapeau britannique qui flottait au sommet était juste visible au-dessus du feuillage, tout comme le clocher de l'église dans laquelle priaient les contremaîtres de l'entreprise. Près du ghat de la factorerie une barge pateli à un mât arborait l'enseigne de l'East India Company. Elle venait d'apporter une cargaison d'opium *chálan* de l'une des sous-agences de la compagnie, cargaison que déchargeait une longue file de coolies.

Ma, demanda Kabutri à sa mère, où va ce bateau ?

C'est la question de Kabutri qui suscita la vision de Deeti : soudain elle eut devant elle l'image d'un immense navire à deux mâts portant de grandes voiles d'une blancheur éblouissante. L'avant du vaisseau s'amincissait en une figure de proue avec un long bec pareil à celui d'une cigogne ou d'un héron. Un homme se tenait en arrière-plan et, bien qu'elle ne pût le distinguer très clairement, Deeti eut l'impression d'une présence particulière et inconnue.

Deeti savait que cette vision n'avait rien de matériel – au contraire, par exemple, de la barge ancrée près de la factorerie. Elle n'avait jamais vu la mer, jamais quitté le district, jamais parlé d'autre langage que son bhojpuri maternel, pourtant elle ne douta pas un instant de l'existence du navire ni qu'il se dirigeât vers elle. De le savoir la terrifia car elle n'avait jamais posé son regard sur quoi que ce fût qui ressemblât à cette apparition et n'avait aucune idée de ce qu'elle pouvait annoncer.

Kabutri comprit que quelque chose d'inhabituel s'était passé : elle attendit une minute ou deux avant de demander :

Ma ? Qu'est-ce que tu regardes ? Qu'as-tu vu ?

Son visage devenu un masque de peur et de pressentiments inquiétants, Deeti répondit d'une voix tremblante :

Beti, j'ai vu un jahaj – un navire.

Tu veux dire, ce bateau, là-bas.

Non, beti. C'était un bateau comme je n'en ai jamais connu. Un grand oiseau avec des voiles en guise d'ailes et un long bec.

Kabutri jeta un regard curieux en aval du fleuve.

Peux-tu me dessiner ce que tu as vu ?

Deeti fit signe que oui et elles regagnèrent la rive en pataugeant. Elles se changèrent rapidement et remplirent une jarre d'eau du Gange pour la salle des prières. De retour à la maison, Deeti alluma une lampe avant de précéder Kabutri dans le sanctuaire. La pièce, aux murs noirs de suie, était sombre et sentait fortement l'huile et l'encens. Il y avait un petit autel à l'intérieur avec des statues de Shivji et de Bhagwan Ganesh, et des gravures encadrées de Ma Durga et de Shri Krishna. Sanctuaire mais aussi panthéon personnel de la jeune femme, l'endroit recélait de nombreux souvenirs de sa famille et de ses ancêtres – des reliques telles que les sabots de son défunt père, un collier de perles rudraksha que lui avait légué sa mère et les empreintes à moitié effacées des pieds de ses grands-parents, prises sur leurs bûchers funéraires. Les murs autour de l'autel étaient réservés à des esquisses au charbon de portraits dus à Deeti elle-même, exécutés sur des disques parcheminés de pétales de pavot : ceux de deux frères et d'une sœur, morts dans l'enfance. Quelques parents encore

vivants n'étaient représentés que par des images sché-
matiques tracées sur des feuilles de manguier – Deeti
pensait que tenter des portraits trop réalistes de ceux
qui n'avaient pas encore quitté cette terre portait malheur. Et donc son frère aîné bien-aimé, Kesri Singh,
était esquissé en quelques traits qui indiquaient son
fusil de sepoy et sa moustache retroussée.

En pénétrant dans sa salle de puja, Deeti ramassa
une feuille verte de manguier, trempa son doigt dans
un pot de sindoor vermillon et traça le contour de ce
qu'elle avait vu : deux triangles en forme d'ailes suspendus au-dessus d'une longue forme incurvée se ter-
minant par un bec crochu. Ç'aurait pu être un oiseau
en plein vol mais Kabutri reconnut aussitôt l'ébauche
pour ce qu'elle était – celle d'un deux-mâts aux voiles
déployées – et s'étonna que sa mère ait dessiné cette
image comme si elle représentait un être vivant.

Vas-tu le mettre dans la salle des prières ?
demanda-t-elle.

Oui, répliqua Deeti.

L'enfant ne comprenait pas qu'un navire puisse
prendre place dans le panthéon familial.

Pourquoi ? insista-t-elle.

Je ne sais pas, dit Deeti, elle-même surprise par la
fermeté de son intuition. Je sais juste qu'il doit y être ;
et pas seulement le navire, mais beaucoup de ceux qui
sont à bord. Eux aussi doivent figurer sur les murs de
notre sanctuaire.

Mais qui sont-ils ? demanda l'enfant, étonnée.

Je ne sais pas encore. Je le saurai quand je les
verrai.

La tête sculptée d'un oiseau au long bec qui soute-
nait le beaupré de l'*Ibis* était suffisamment inhabituelle pour prouver, à ceux qui en auraient besoin,

qu'il s'agissait bien du navire qu'avait aperçu ce jour-là Deeti, à moitié immergée dans les eaux du Gange. Plus tard, même de vieux loups de mer admettraient que son dessin était une incroyablement bonne interprétation de son sujet, surtout si l'on considérait que son auteur n'avait jamais vu une goélette à deux mâts – ni même, en fait, le moindre navire de haute mer.

En temps voulu, parmi la légion d'individus qui en viendraient à regarder l'*Ibis* comme leur ancêtre, on conviendrait que c'était le fleuve lui-même qui avait réservé cette vision à la jeune femme : l'image de l'*Ibis* avait été transportée en amont comme un courant électrique, dès que le navire avait pénétré dans les eaux sacrées. C'est-à-dire au cours de la deuxième semaine de mars 1838, date à laquelle l'*Ibis* avait jeté l'ancre au large de l'île de Ganga Sagar, là où le fleuve divin débouche dans la baie du Bengale. C'était à cet endroit, alors que le navire attendait qu'un pilote vienne le guider jusqu'à Calcutta, que Zachary Reid avait aperçu l'Inde pour la première fois : un épais fourré de palétuviers et un banc de boue qui lui parurent inhabités jusqu'à ce qu'en dégorgent des bumboats – une petite flottille de youyous et de canoës, tous décidés à vendre fruits, poissons et légumes aux marins venant d'arriver.

De taille moyenne, robuste, un teint de vieil ivoire, Zachary Reid avait une masse de cheveux bouclés d'un noir de laque qui lui retombaient sur le front et les yeux. Ses pupilles étaient tout aussi noires, à ceci près qu'elles étaient mouchetées d'étincelles couleur noisette. Quand il était enfant, les étrangers disaient souvent qu'une paire d'yeux pareils pourraient être vendus comme des diamants à une duchesse (plus tard, lorsqu'il serait inclus dans le sanctuaire de Deeti, grand cas serait fait de l'éclat de son regard). Parce qu'il riait beaucoup et affichait une légèreté insouciante, les gens le prenaient souvent pour plus jeune qu'il n'était, mais Zachary s'empressait toujours de corriger cette impression : fils d'une esclave affranchie du Delaware, il s'enorgueillissait fort de savoir précisément son âge et la date exacte de sa naissance. À ceux qui se trompaient, il expliquait qu'il avait vingt ans, pas un jour de moins ni guère de plus.

Zachary avait pour habitude de penser chaque jour à faire l'éloge de cinq choses, pratique instillée en lui par sa mère en fait de remède à une langue souvent trop bien pendue. Depuis son départ de Baltimore, c'était l'*Ibis* lui-même qui figurait le plus souvent dans sa liste quotidienne d'événements dont se féliciter. Non qu'il fût spécialement élégant ni racé d'apparence : au contraire, l'*Ibis* était une goélette à l'allure vieillotte, ni fine ni élancée comme les fameux clippers de Baltimore. Il avait une courte plage arrière, un gaillard d'avant surélevé, avec un pont entre les bows et un rouf par le travers qui abritait la cambuse et la cabine réservées aux maîtres d'équipage et aux stewards. Avec ce pont encombré et sa largeur sous barrots, les vieux marins prenaient parfois l'*Ibis* pour une barque gréée en goélette ; vrai ou non, Zachary l'ignorait, mais il ne pensait jamais au navire autrement qu'à la goélette carrée que c'était lors de son engagement dans son équipage. À ses yeux, il y avait quelque chose d'inhabituellement gracieux dans le gréement de style yacht de l'*Ibis*, avec ses voiles alignées le long plutôt qu'en travers de la coque. Il comprenait pourquoi, une fois sa grand-voile et ses focs déployés, l'*Ibis* pouvait évoquer un oiseau blanc en plein vol : d'autres navires aux grands mâts, avec leur masse de voiles carrées, paraissaient presque disgracieux en comparaison.

Une chose que Zachary savait à propos de l'*Ibis*, c'est qu'il avait été construit pour le transport d'esclaves. Raison pour laquelle il avait changé de mains : depuis l'abolition officielle de l'esclavage, les vaisseaux de guerre anglais et américains patrouillaient en nombre croissant la côte de l'Afrique occidentale, et l'*Ibis* n'était pas assez rapide pour espérer leur échapper. Comme beaucoup d'autres bateaux de son genre, il avait été acquis en vue d'être aménagé pour un commerce différent : le transport d'opium. En l'occurrence, l'acheteur était une compagnie du nom de Burnham Bros., une firme avec de vastes intérêts en Inde et en Chine.

Sans perdre de temps, les nouveaux propriétaires de l'*Ibis* l'avaient expédié à Calcutta où le fondateur de la compagnie possédait sa résidence principale : l'*Ibis* serait remis en état à son arrivée, et c'était dans ce but que Zachary avait été embauché. Zachary avait travaillé huit ans sur le chantier Gardiner, à Fell's Point, Baltimore, et il était éminemment qualifié pour superviser l'aménagement du vieux transporteur d'esclaves ; toutefois, côté navigation, il ne s'y connaissait pas plus qu'un menuisier ordinaire, et c'était là son baptême de la mer. Néanmoins, bien décidé à apprendre le métier de marin, il avait embarqué avec beaucoup d'enthousiasme, nanti d'un petit sac de toile ne contenant guère plus que des vêtements de rechange et un flûtiau que lui avait donné son père quand il était enfant. L'*Ibis* l'avait gratifié d'une éducation rapide, quoique sévère, la traversée ayant présenté pratiquement dès le début une litanie de problèmes. Mr Burnham était si pressé de ramener son nouveau schooner en Inde qu'il l'avait fait partir sans compléter l'équipage : l'*Ibis* avait quitté Baltimore avec dix-neuf hommes, dont neuf, y compris Zachary, inscrits comme «nègres». Malgré ces effectifs réduits, les provisions s'étaient révélées déficientes à la fois en quantité et en qualité, ce qui avait provoqué des confrontations entre marins et stewards, officiers et équipage. Puis le navire avait rencontré du gros temps et embarqué des masses d'eau : c'est Zachary qui découvrit que l'entrepont, où la cargaison humaine avait été autrefois logée, était criblé de trous et de conduits d'aération creusés par des générations d'Africains captifs. Afin d'amortir les frais du voyage, l'*Ibis* transportait du coton; après l'inondation, il fallut jeter à la mer les ballots trempés.

Au large des côtes de Patagonie, une tempête força le navire à changer sa route – qui devait l'emmener en Inde à travers le Pacifique et la pointe de Java – et à faire voile vers le cap de Bonne-Espérance, avec pour résultat qu'il se retrouva cette fois encalminé pendant quinze jours. L'équipage, réduit à des demi-rations, des galettes charançonnées et de la viande pourrie, fut victime d'une épidémie de dysenterie : avant que le vent se lève à nouveau, trois hommes moururent et deux Noirs furent mis aux fers pour avoir refusé la nourriture qu'on leur servait. Les bras faisant défaut, Zachary avait mis de côté ses outils de charpentier de marine pour devenir un gabier à part entière, grimpant les enfléchures afin d'aller enverguer le hunier.

Puis le lieutenant, un type bizarre, détesté par tous les Noirs de l'équipage, passa par-dessus bord et se noya; chacun savait que sa chute n'avait rien d'accidentel, mais les rapports entre officiers et matelots s'étaient envenimés à un point tel que le capitaine, un Irlandais de Boston à la langue acérée, préféra laisser tomber l'affaire. Zachary fut le seul à faire une offre quand les effets du défunt furent mis aux enchères, et il hérita ainsi d'un sextant et d'une malle de vêtements.

Bientôt, n'appartenant ni au gaillard d'arrière ni au gaillard d'avant, Zachary devint le lien entre les deux parties du navire et se chargea des tâches du disparu. Il n'était plus tout à fait le novice du début de la traversée mais pas encore à la hauteur de ses nouvelles responsabilités : ses efforts maladroits ne remontèrent pas le moral des troupes. À l'arrivée au Cap, l'équipage se fondit dans la nuit pour aller se répandre en propos désobligeants sur un enfer flottant et une paie de misère. La réputation de l'*Ibis* en fut si atteinte que pas un seul Américain ou Européen, pas plus les pires voyous que les ivrognes patentés, ne put être persuadé de signer : les seuls marins prêts à s'aventurer à bord furent des lascars.

C'était la première fois que Zachary rencontrait ce genre de marins. Il avait pensé que les lascars étaient une tribu ou une nation, comme les Cherokees ou les Sioux : il découvrit alors qu'ils venaient d'endroits fort éloignés les uns des autres et n'avaient rien en commun, à part l'océan Indien. Il y avait parmi eux des Chinois et des Africains de l'Est, des Arabes et des Malais, des Bengalis et des Goanais, des Tamils et des Arakanais. Ils arrivaient par dix ou quinze, chaque groupe avec un chef qui s'exprimait en leur nom. Diviser ces groupes tenait de l'impossible : on prenait les équipages en bloc ou pas du tout et, même s'ils coûtaient moins cher, ils avaient des idées bien arrêtées sur la quantité de travail qu'ils feraient et la manière dont ils la partageraient – ce qui obligeait à engager trois ou quatre hommes pour des tâches qu'aurait pu accomplir à lui seul un bon marin. Le capitaine affirmait qu'il s'agissait là du ramassis de négros les plus flemmards qu'il ait jamais vus, mais Zachary les trouvait surtout ridicules. Par leurs vêtements d'abord : ces types avaient les pieds aussi nus qu'au jour de leur naissance, et beaucoup semblaient ne posséder rien d'autre qu'un morceau de batiste à enrouler autour de leur nombril. Certains se baladaient en culotte à taille coulissante, d'autres avec un sarong flottant comme un jupon autour de leurs jambes maigrichonnes, ce qui donnait parfois au pont des allures de salon de bordel. Comment un homme pouvait-il grimper pieds nus sur un mât, emmailloté dans un bout de tissu comme un nouveau-né ? Ils avaient beau être aussi agiles que n'importe quel marin de sa connaissance, cela déconcertait Zachary de les voir là-haut dans le gréement, pendus tels des singes aux enfléchures, leurs sarongs soulevés par le vent, ce qui vous obligeait à détourner les yeux de crainte d'apercevoir ce que vous risquiez d'apercevoir en les levant.

Après avoir changé plusieurs fois d'idée, le commandant décida d'engager une compagnie de lascars menée par un certain Serang Ali. Un personnage de formidable apparence, un visage à rendre jaloux Gengis Khan, fin, long, étroit, avec des yeux noirs au regard vif au-dessus de pommettes très pointues. Deux mèches d'une moustache duveteuse lui tombaient jusqu'au menton, encadrant une bouche perpétuellement en mouvement, les commissures tachées d'un rouge vif étincelant : comme s'il se léchait constamment les lèvres après avoir bu aux veines ouvertes d'une jument, tel un Tatar des steppes assoiffé de sang. La découverte que la substance en question était d'origine végétale ne rassura guère Zachary : un jour où le serang crachait un jet de jus rouge foncé par-dessus la rambarde, Zachary remarqua que l'eau s'agitait sous l'effet des ailerons d'un requin. À quel point ce prétendu bétel était-il inoffensif si un requin pouvait le prendre pour du sang ?

Confronté à la perspective de gagner l'Inde avec pareil équipage, le commandant en second disparut la nuit précédant la date prévue pour le départ, oubliant derrière lui dans sa hâte un ballot de vêtements. « Il a largué les amarres, hein ? grommela le capitaine, informé de l'envol de son adjoint. Peux pas le blâmer non plus. Bon Dieu ! Si j'avais été payé, j'aurais mis sac à terre moi aussi ! »

L'escale suivante devait être l'île Maurice, où le navire échangerait une cargaison de céréales contre un chargement d'ébène et de bois dur. Faute de pouvoir trouver un remplacement avant le départ, l'*Ibis* leva l'ancre avec Zachary promu premier officier et ainsi passé, au cours d'une seule traversée, en vertu de désertions et autres disparitions, de la position de simple novice à celle de marin patenté, de charpentier à commandant en second. Son seul regret quant à son passage du poste d'équipage à une cabine bien à lui fut que son flûtiau s'égara quelque part en chemin et fut déclaré définitivement perdu.

Jusqu'alors, le capitaine avait insisté pour que Zachary prenne ses repas en bas – « pas question de renverser de la couleur sur ma table, même si ce n'est qu'un peu de jaune pâle ». Mais à présent, plutôt que de dîner seul, il insista pour inviter Zachary dans le carré où les servait un respectable contingent de jeunes lascars – mousses et garçons de cabine courant comme des dératés.

Une fois en mer, Zachary fut soumis à une autre éducation, moins en termes de manœuvres maritimes qu'en us et coutumes du nouvel équipage. À la place des jeux de cartes et de bras de fer habituels, il y avait le cliquetis des dés, avec des parties de parcheesi se déroulant sur des damiers en corde ; le son joyeux des chansons de marins céda à des refrains d'une autre sorte, criards et dissonants, et l'odeur même du navire se mit à changer : le parfum des épices s'infiltrait dans les membrures. Chargé de l'intendance, Zachary dut se familiariser avec une nouvelle catégorie de provisions sans aucune ressemblance avec le biscuit de mer et le bœuf salé auxquels il était accoutumé ; il dut aussi s'habituer à dire «resum» au lieu de «ration», et à tourner la langue autour de mots tels que «dal», «masala», «achar». Et aussi «malum» en place d'«officier», «serang» pour «maître d'équipage», «tindal» pour «quartier-maître» et «seacunny» pour «timonier» ; il dut mémoriser un nouveau vocabulaire marin qui avait des résonances d'anglais et pourtant n'en était pas : le gréement devenait «ringeen», «Baste ! tenez bon !» «Bas», et le cri du quart du matin, «Tout va bien !», «Alzbel». Le pont s'appelait désormais un «tootuk», un mât un «dol», un ordre était un «hookum» et, au lieu de «tribord» et «bâbord», «avant» et «arrière», on disait «jamna» et «dawa», «agil» et «peechil».

La seule chose qui n'avait pas changé, c'était la division de l'équipage en deux quarts de veille, chacun sous la responsabilité d'un tindal. La majeure partie du travail à bord retombait sur les deux tindals, et l'on vit fort peu Serang Ali durant les deux premiers jours. Mais à l'aube du troisième, Zachary fut accueilli sur le pont par un joyeux :

— Tchin-tchin, lutnan Zikri. Vous prendre chow chow ? Quel sale truc vous trouver dedans ?

Quoique décontenancé tout d'abord, Zachary se mit très vite à converser avec le serang avec une aisance inhabituelle, à croire que le parler étrangement contourné du lascar avait délié sa propre langue.

— Serang Ali, d'où viens-tu ? s'enquit-il.

— Serang Ali lui appartient Rohingya, côté Arakan.

— Et où as-tu appris cette manière de parler ?

— Serang Ali lui appris côté Chine. Sur bateau afeem. Côté Chine, gentleman yankee lui parler tout le temps cette façon, lutnan Zikri.

— Je ne suis pas lieutenant, corrigea Zachary. J'ai embarqué comme charpentier du bord.

— Ça fait rien, répliqua le serang sur un ton indulgent, paternel. Ça fait rien : tout ça pareil. Malum Zikri bientôt-bientôt lui devenir gentleman garanti. Alors dites : vous attraper femme déjà ?

— Non ! s'exclama Zachary en riant. Et toi, alors ? Serang Ali attraper femme ?

— Serang Ali femme, elle mourir. Elle partir tête première. Tanpi bientôt Serang Ali lui attraper autre femme...

Une semaine plus tard, Serang Ali accosta de nouveau Zachary.

— Lutnan Zikri ! Pauvre cap'tine lui faire caca partout. Lui très malade beaucoup ! Besoin un doctor. Lui pas manger tiffin. Tout seulement faire caca, pipi. Plein puer cabine cap'tine.

Zachary se précipita dans la cabine du gaillard d'arrière où le capitaine lui affirma qu'il allait bien : juste un peu de diarrhée des familles – pas la chiasse, car il n'y avait aucun signe de sang, pas de gouttes dans la moutarde.

— Je sais comment me soigner, c'est pas la première fois que j'ai un accès de courante et de mal au ventre.

Mais le capitaine fut bientôt trop faible pour quitter sa cabine, et Zachary fut chargé de la tenue du journal de bord et des cartes marines. Ayant été à l'école jusqu'à l'âge de douze ans, Zachary était capable de produire, encore que lentement, une écriture ronde bien formée : la tenue du journal ne posait aucun problème. La navigation était une autre paire de manches : même s'il avait acquis un peu d'arithmétique au chantier, Zachary n'était pas à l'aise avec les chiffres. Néanmoins, au cours du voyage, il s'était donné la peine d'observer le capitaine et son second lorsqu'ils procédaient à leurs relevés à midi ; il avait même, de temps à autre, posé des questions qui lui avaient valu, selon l'humeur des officiers, soit des réponses laconiques, soit un bon coup de poing. À présent, utilisant la montre du capitaine et le sextant hérité du mort, il passait beaucoup de temps à essayer de calculer la position du navire. Ses premières tentatives s'achevèrent dans l'affolement, ses calculs le plaçant à des centaines de milles de sa route. Mais en lançant l'ordre de changer de cap, il découvrit que la conduite du navire n'avait jamais été entre ses mains.

— Malum Zikri pense pauvre lascar pas pouvoir naviguer bateau ? lança Serang Ali, indigné.

Zachary protesta qu'ils avaient déjà dévié abondamment de leur cap, trois cent milles d'erreur sur la route de Port Louis, à quoi il lui fut répliqué avec impatience :

— Pour quoi Malum Zikri lui faire tellement sacré ramdam et plein tamtam et grands commandements ? Malum Zikri apprendre encore pidgin. Lui pas savoir pidgin bateau. Lui pas pouvoir comprendre Serang Ali trop beaucoup malin-malin en dedans ? Va emmener bateau à Por'Lui en trois jours, voyez voir !

Trois jours plus tard exactement, comme promis, les montagnes tourmentées de l'île Maurice surgissaient à tribord, avec Port Louis niché au creux de la baie dessous.

— C'est à en avaler mes couilles! concéda Zachary avec admiration mais réticence. C'est plus fort que de jouer au bouchon, non? T'es sûr que c'est le bon endroit?

— Qu'est-ce que j'ai dit, hein? Serang Ali numéro un connaître pidgin bateau.

Zachary devait apprendre plus tard que Serang Ali avait tout du long suivi son propre cap, utilisant à la fois la navigation à l'estime – ou «tup ka shoomar», comme il disait – et une lecture fréquente des étoiles.

Le capitaine était désormais trop malade pour quitter l'*Ibis* et il incomba donc à Zachary de conduire les affaires des armateurs sur l'île, dont la remise d'une lettre au propriétaire d'une plantation, à quelque dix kilomètres de Port Louis. Zachary se préparait à débarquer avec la missive quand il fut intercepté par Serang Ali qui le toisa de la tête au pied, l'air inquiet.

— Malum Zikri lui attraper plein d'ennuis si lui va à Por'Lui pareilfashion.

— Pourquoi? J'vois rien de mal.

— Malum Zikri regarder voir.

Serang Ali recula et examina Zachary d'un œil critique.

— Quel foutu vêtement vous dessus?

Zachary portait ses habits de tous les jours, un pantalon de toile et le banyan classique des marins, une tunique ample taillée en l'occurrence dans de l'étoffe rude et délavée d'Osnaburg. Après des semaines en mer, il n'était pas rasé, ses cheveux bouclés étaient épais de graisse, de goudron et de sel. Pourtant rien de tout cela ne lui semblait fâcheux, il allait simplement remettre une lettre, après tout. Il haussa les épaules.

— Et alors ?

— Malum Zikri va pareilfashion à Por'Lui, lui pas revenir, décréta Serang Ali. Trop beaucoup racoleurs dans Por'Lui. Plein marchands d'esclaves vouloir en attraper une pièce. Malum lui être embarqué de force pour esclavage. Touletan battu, fouetté. Pas bon.

Cela donna à réfléchir à Zachary, qui retourna dans sa cabine et examina de plus près les objets qu'il avait accumulés à la suite de la mort et de la désertion des deux officiers du bord. L'un d'eux avait été du genre élégant, et sa malle contenait tant de vêtements que Zachary en fut intimidé : qu'est-ce qui allait avec quoi ? Qu'est-ce qui convenait pour l'heure du jour ? C'était une chose que de voir ces belles tenues de sortie sur les marins en goguette, mais les mettre soi-même était une autre affaire. Une fois de plus, Serang Ali vint à la rescousse. Il se trouvait que parmi les lascars beaucoup avaient d'autres talents que le pied marin – et parmi eux un kussab qui avait autrefois travaillé comme valet pour un armateur ; un steward qui était aussi un darzee et se faisait des suppléments en cousant et raccommodant des habits ; enfin un topas qui avait appris le métier de barbier et servait de balwar à l'équipage. Sous la direction de Serang Ali, l'équipe se mit au travail, vida les sacs et les malles de Zachary, tria les vêtements, mesura, plia, tailla et découpa. Tandis que le tailleur et ses assistants s'affairaient sur retouches et parements, le barbier mena Zachary vers les dalots sous le vent et, aidé de deux moussaillons, le soumit au plus sérieux des décrassages. Zachary n'offrit aucune résistance jusqu'à ce que le topas brandisse un liquide sombre, parfumé, et qu'il fasse le geste d'en verser sur les cheveux.

— Hé ! Qu'est-ce que c'est que ce truc ?

— Champi, expliqua le barbier, faisant semblant de se frotter le crâne. Champoo-uiner trop bon.

— Champoing ?

Zachary n'avait jamais entendu parler de cette substance ; bien qu'il hésitât à en autoriser l'usage sur sa personne, il céda et, à sa propre surprise, il ne le regretta pas car jamais sa tête ne lui parut ensuite si légère ni ses cheveux sentir si bon.

Deux heures plus tard, il faisait face dans le miroir à une image presque méconnaissable de lui-même. Il portait une chemise de lin blanc, une culotte de cheval et un paletot d'été à double boutonnage avec une cravate blanche joliment nouée autour du cou. Sur sa chevelure coupée, brossée et liée à la nuque par un ruban bleu, trônait un chapeau noir étincelant. Rien ne manquait, dans la mesure où Zachary pouvait en juger, mais Serang Ali n'était pas encore tout à fait satisfait. :

— Ding-dong, vous pas voir ?

— Quoi ?

— Horloge.

Le serang fourra sa main sous son tricot de corps comme pour suggérer qu'il cherchait sa montre de gousset. L'idée qu'il eût les moyens de se payer une montre fit rire Zachary.

— Non, répliqua-t-il. J'ai pas de montre.

— Ça fait rin. Malum Zikri lui attendre ici.

Après avoir chassé tous les lascars de la cabine, le serang disparut dix bonnes minutes. À son retour, il tenait quelque chose de caché dans les plis de son sarong. Il ferma la porte derrière lui, défit le nœud à sa taille et tendit à Zachary une belle montre d'argent.

— Excusez du peu !

Zachary demeura bouche bée à la vue de la montre, pareille à une huître luisante dans la paume de sa main : les deux côtés étaient couverts de fins dessins en filigrane et sa chaîne était faite de trois minces fils d'argent. Il ouvrit le couvercle et contempla avec stupéfaction les aiguilles et les rouages.

— C'est superbe.

À l'intérieur du couvercle, Zachary remarqua un nom, gravé en petites lettres. Il le lut tout haut :

— Adam T. Danby. C'est qui, ça ? Tu le connaissais, Serang Ali ?

Le serang hésita un instant, puis secoua la tête.

— Non. Non sauoir. Acheter horloge chez prêteur Cape Town. Maintenant appartenir à Zikri Malum.

— Je peux pas te prendre ça, Serang Ali.

— Ça va bien, Zikri Malum, répliqua le serang avec un de ses rares sourires. Ça va bien.

Zachary était très touché.

— Merci, Serang Ali. Personne m'a jamais donné kekchose comme ça.

Il se posta devant le miroir, montre à la main, chapeau sur la tête, et éclata de rire.

— Hé, dis donc ! Ils vont me nommer maire, pour sûr.

Serang Ali opina du chef.

— Malum Zikri maintenant grand morceau sahib complet. Tout bien comfaut. Si foutu planteur vient attraper, vous faire andouille.

— Andouille ? De quoi tu parles ?

— Vous falloir trop beugler : Foutu planteur ! vous aller faire voir votre sœur. Moi sahib complet, personne pas m'attraper. Vous prendre pistolet dans la poche ; si salaud vouloir vous shanghaïyer, vous tirer dans sa figure.

35

Un peu nerveux, Zachary prit un pistolet et descendit à terre mais, dès qu'il eut mis pied sur le quai, il se vit traiter avec une déférence inhabituelle. Il alla louer un cheval dans une écurie, dont le propriétaire, un Français, lui fit des courbettes, lui donna du « milord » et se mit en quatre pour lui plaire. Zachary partit avec, en remorque, un groom censé lui indiquer le chemin.

La ville était petite, juste quelques pâtés de maisons qui se fondaient plus loin dans un ramassis de baraques, cabanes et autres huttes ; au-delà, le sentier serpentait à travers d'épaisses parcelles de forêt et de hauts fourrés enchevêtrés de cannes à sucre. Les collines et les rochers autour avaient des formes étranges, tourmentées ; elles dominaient la plaine tel un bestiaire d'animaux gargantuesques figés au moment où ils avaient tenté d'échapper aux griffes de la terre. De temps à autre, en traversant les champs de canne, Zachary tombait sur des équipes d'hommes qui posaient leur faucille pour le regarder : les contremaîtres le saluaient, portant avec respect leur fouet à leur chapeau, tandis que les coolies le fixaient en silence, sans la moindre expression, l'amenant à se réjouir de la présence d'une arme dans sa poche. Alors qu'il en était encore loin, la maison de la plantation apparut à l'horizon, à travers une avenue d'arbres à l'écorce couleur de miel. Il s'était attendu à un manoir, comme sur les plantations du Delaware et du Maryland, mais ici il n'y avait pas d'imposantes colonnes ni de fenêtres à pignons : c'était un bungalow en bois, sans étage et entouré d'une véranda sur laquelle le propriétaire, M. d'Épinay, était assis en petite tenue – pantalon et bretelles. Zachary, qui n'en pensait rien, fut d'autant plus décontenancé quand son hôte, s'excusant pour ladite tenue, expliqua, dans un anglais hésitant, qu'il ne s'était pas apprêté à recevoir un gentleman à cette heure du jour. Laissant son invité aux soins d'une servante africaine, M. d'Épinay rentra à l'intérieur pour en émerger une demi-heure plus tard, fort bien vêtu, avant de régaler Zachary d'un repas aux nombreux plats arrosés d'excellents vins.

C'est avec une certaine réticence que Zachary consulta sa montre et annonça qu'il était temps pour lui de partir. Alors qu'ils sortaient de la maison, M. d'Épinay lui tendit une lettre à livrer à Mr Benjamin Burnham à Calcutta.

— Mes cannes sont en train de pourrir sur pied, monsieur Reid, dit le planteur. Dites à Mr Burnham que j'ai besoin d'hommes. Maintenant que nous ne pouvons plus avoir d'esclaves à Maurice, il me faut des coolies, ou je suis condamné. Glissez-lui un mot en ma faveur, vous voulez bien?

Tout en lui serrant la main, M. d'Épinay offrit à Zachary un mot d'avertissement :

— Prenez garde, monsieur Reid, ouvrez l'œil. Les montagnes alentour sont pleines de déserteurs, de desperados et d'esclaves en fuite. Un gentleman seul se doit de faire attention. Assurez-vous que votre fusil n'est jamais loin de vous.

Zachary quitta la plantation avec un sourire sur le visage et le mot de «gentleman» résonnant dans ses oreilles : il y avait d'évidence beaucoup d'avantages à être ainsi étiqueté – et un certain nombre d'entre eux se firent très visibles quand Zachary arriva sur les docks de Port Louis. Avec la tombée de la nuit, les ruelles étroites autour de Lascar Bazar regorgeaient de femmes, sur qui la vue de Zachary, dans son paletot et son chapeau, eut un effet galvanisant : les vêtements devinrent pour le jeune homme le nouvel ajout à sa liste de choses dont se féliciter. Grâce à leur magie, lui, Zachary Reid, si souvent ignoré par les putains de Fell's Point, avait à présent quantité de dames pendues à ses bras ; il avait leurs doigts dans ses cheveux, leurs hanches pressées contre les siennes et leurs mains jouant avec les boutons en corne de son pantalon de drap fin. L'une d'elles, du nom de Madagascar Rose, avec des fleurs derrière l'oreille et des lèvres peintes en rouge, était la plus jolie des filles qu'il ait jamais vues : combien il aurait aimé, après dix mois sur un bateau, être traîné chez elle, fourrer son nez entre ses seins parfumés au jasmin et passer sa langue sur ses lèvres au goût de vanille – mais soudain voici que surgit Serang Ali dans son sarong, bloquant la ruelle, son long visage d'aigle comprimé en une dague de désapprobation. À sa vue, la Rose de Madagascar se fana et disparut.

— Malum Zikri n'a pas foutue cervelle là-dedans ? s'indigna le serang, les mains sur les hanches. Lui avoir delo lahaut dans sa tête ? Pourquoi vouloir fille des fleurs ? Lui pas grand sahib complet maintenant ?

Zachary n'était pas d'humeur à se faire sermonner.

— Va au diable, Serang Ali ! Personne ne peut arracher un marin à un nid de chattes.

— Pourquoi Malum Zikri vouloir payer pour dansejupon ? Octopousse pas avoir vu ? Lui poisson trop content !

Là, Zachary perdit pied.

— Une pieuvre ? dit-il. Qu'est-ce que ça a à faire ici ?

— Vous pas voir ? répliqua Serang Ali. Mr Octopousse lui avoir huit mains. Y se fait trop content dedans. Sourire touletan. Pourquoi Malum fait pas cette fashion ? Lui pas avoir dix doigts ?

Il ne fallut pas longtemps à un Zachary résigné pour baisser les bras et se laisser emmener. Sur le chemin du retour au navire, Serang Ali ne cessa pas de lui brosser ses habits, d'arranger sa cravate, de lui lisser les cheveux. À croire qu'il avait acquis une sorte d'hypothèque sur lui dans la mesure où il avait aidé à sa transformation en sahib; Zachary eut beau jurer et lui taper sur les mains, le serang refusa de s'arrêter : comme s'il était devenu une image du bon ton, équipé de tout ce qu'il fallait pour réussir dans le monde. Il lui vint à l'idée que c'était la raison pour laquelle Serang Ali avait montré autant de détermination à l'empêcher d'aller coucher avec les filles dans le bazar – ses accouplements seraient désormais organisés et supervisés. Du moins c'est ce qu'il pensait.

Le commandant, toujours malade, souhaitait désespérément atteindre Calcutta et lever l'ancre dès que possible. Cependant Serang Ali n'était pas d'accord.

— Pauvre cap'tine plein trop pas bien, affirma-t-il. Si pas attraper doctor lui mourir. Lui partir tête première trop beaucoup vite.

Zachary s'apprêta à aller chercher un médecin mais le commandant refusa.

— M'en vais pas avoir un sac de sangsues me tripoter le trou de balle. J'ai rien de grave. Juste la chiasse. Je me sentirai mieux aussitôt qu'on aura levé l'ancre.

Le lendemain, la brise ayant forci, l'*Ibis* prit dûment la mer. Le commandant réussit à gagner en titubant la plage arrière et se déclara en pleine forme, mais Serang Ali fut d'un autre avis :

— Cap'tine lui attrapi cop'raléra-Forbes. Regardez voir – sa langue toute noire. Mieux Malum Zikri rester loin cap'tine.

Plus tard, il apporta à Zachary une décoction puante d'herbes et de racines.

— Malum lui boire : no attrapi maladie. Cop'raléra, lui une pièce méchant salopard.

Sur les conseils du serang, Zachary procéda à un changement de régime, passant du menu habituel du marin, composé de ragoûts de viande et de biscuits de mer, à une nourriture lascari faite de karibat et de kedgeree – bien relevés –, de masses de riz, de lentilles et de pickles, mélangés à l'occasion avec des petits morceaux de poisson frais ou séché. Le côté emporte-gueule fut au début difficile à passer, mais Zachary sentait que les épices, en récurant ses intestins, lui faisaient du bien, et très vite il en vint à aimer ces saveurs.

Douze jours plus tard, juste comme Serang Ali l'avait prédit, le capitaine mourait. Cette fois il n'y eut pas d'enchères pour les effets du défunt : ils furent jetés par-dessus bord, la cabine fut nettoyée à grande eau et laissée ouverte pour être désinfectée par l'air salin.

Lorsque le corps fut jeté à la mer, Zachary lut un passage de la Bible. Il le fit d'une voix suffisamment retentissante pour s'attirer un compliment de Serang Ali :

— Malum Zikri numéro un pour parler encens. Chanson église pourquoi lui pas chanter ?

— Rien à faire, dit Zachary. J'ai jamais pu chanter.

— Tanpi, répliqua Serang Ali. Moi avoir un foutu chanteur. – Il fit signe à un grand jeune matelot dégingandé du nom de Rajoo. – Ce brigand un jour lui garçon mission. Homme prêtre lui enseigner un somme complet.

— Un psaume ? s'étonna Zachary. Lequel ?

Comme pour lui répondre, le jeune lascar se mit à chanter :

— Pourquoi les païens s'enragent-ils tous si furieusement...

Au cas où la signification lui en aurait échappé, le serang s'empressa d'en fournir une traduction à Zachary :

— Ça veut dire, lui chuchota-t-il à l'oreille, pourquoi les foutus païens font trop beaucoup de ramdam ? Y zont pas d'autre travail à faire ?

Zachary soupira :

— Je crois que ça résume bien la situation.

*

Quand l'*Ibis* jeta l'ancre à l'embouchure du fleuve Hooghly, onze mois s'étaient écoulés depuis son départ de Baltimore, et les seuls membres restants de l'équipage d'origine étaient Zachary et Crabbie, le chat roux du bord.

Avec Calcutta à juste deux ou trois jours de traversée, Zachary n'aurait été que trop heureux de mettre les voiles immédiatement. Mais on dut attendre un certain temps l'arrivée d'un pilote. Zachary dormait dans sa cabine, vêtu seulement d'un sarong, quand Serang Ali surgit pour lui annoncer qu'un remorqueur venait de les accoster.

— Mr Grandgueule lui venir.

— Qui ça ?

— Pilote. Lui trop beaucoup grandgueuler, dit le serang. Écoutez.

Zachary tendit l'oreille et perçut les échos d'une voix retentissante sur la passerelle :

— Que les yeux me tombent si j'ai jamais vu un tel ramassis de misérables voyous ! Vous réduire les intestins en purée, c'est tout ce qu'il vous faut, espèce de bons à rien. Qu'est-ce que vous foutez à vous tripoter les oripeaux et à astiquer vos lauriers pendant que j'attends là au soleil ?

Après avoir enfilé un tricot de corps et un pantalon, Zachary sortit pour voir un gros Anglais en colère frapper le pont de sa canne de Malacca. L'homme était habillé d'une manière extravagante, très vieille mode, chemise au col relevé, veste coupée aux basques et foulard de soie autour de la taille. Son teint couleur de jambon cru, ses favoris en côtelette et ses joues de gros bœuf donnaient vaguement l'impression d'un visage assemblé sur un étal de boucher. Derrière lui se tenait un petit groupe de porteurs et de lascars trimballant un assortiment de malles, grosses valises et autres bagages.

— Est-ce qu'aucun de vous, espèces de chiffes molles, n'a un peu de cervelle ?

Les veines se dessinaient sur son front tandis qu'il hurlait à l'équipage immobile :

— Où est le patron ? L'a-t-on averti que mon remorqueur était là ? Restez pas plantés la bouche ouverte ! Foutez-moi le camp avant que je fasse tâter à vos fesses le goût de ma canne. Je m'en vais vous faire dire vos bismillah avant que vous sachiez ce qui vous arrive !

— Je vous présente mes excuses, monsieur, intervint Zachary en s'avançant. Je suis désolé que vous ayez eu à attendre.

Les yeux du pilote se plissèrent de désapprobation à la vue de la tenue débraillée de Zachary et de ses pieds nus.

— Par tous les saints, mon ami ! s'écria-t-il. Vous vous êtes pour sûr laissé un peu aller, non ? C'est pas à faire quand on est le seul sahib à bord – pas si vous voulez pas être détroussé par vos Noirauds.

— Désolé, monsieur... juste un peu chamboulé. – Zachary tendit la main. – Je suis le commandant en second, Zachary Reid.

— Et moi James Doughty, répliqua le nouveau venu, secouant la main offerte avec une certaine réticence. Ex-Bengal River Pilot Service, pour l'heure pilote et superviseur chez Burnham Bros. Le burra sahib – c'est-à-dire Ben Burnham – m'a demandé de prendre en charge le navire.

D'un geste désinvolte il désigna le lascar debout derrière la barre.

— Voici mon timonier là-bas. Sait exactement quoi faire – pourrait vous remonter le Brahmapoutre les yeux fermés. Que diriez-vous de laisser la manœuvre à ce matelot et d'aller nous dégoter un peu de loll-shrub?

— Loll-shrub? – Zachary se gratta le menton. – Je suis désolé, monsieur Doughty, mais je ne sais pas ce que c'est.

— Claret, mon garçon! lança le pilote d'un ton léger. Vous n'en auriez pas une tit'goutte à bord, par hasard? Sinon, un petit coup de cognac fera très bien l'affaire.

Deux

Deux jours plus tard, Deeti et sa fille prenaient leur repas de midi quand Chandan Singh arrêta son char à bœufs à leur porte.

Kabutri-ki-má, cria-t-il. Écoute : Hukam Singh s'est évanoui à la factorerie. Ils disent que tu devrais y aller et le ramener chez lui.

Sur ce, il claqua des rênes et s'éloigna en hâte, impatient d'aller manger puis de faire sa sieste : ne pas offrir la moindre aide lui ressemblait bien.

Un frisson glacial parcourut la nuque de Deeti tandis qu'elle digérait la nouvelle : non pas que celle-ci fût totalement inattendue – Hukam Singh était malade depuis quelque temps et son malaise n'avait rien de vraiment surprenant. Le mauvais pressentiment de Deeti venait plutôt de la certitude que cet événement était plus ou moins lié au navire qu'elle avait vu ; comme si le vent même qui le poussait vers elle avait soufflé aussi le long de sa colonne vertébrale.

Ma ? dit Kabutri. Qu'allons-nous faire ? Comment le ramènerons-nous à la maison ?

Il nous faut aller chercher Kalua et sa charrette, répliqua Deeti. *Chal*. Viens, allons-y.

Le hameau des chamars, où habitait Kalua, se situait non loin et on était sûr de l'y trouver à cette heure de l'après-midi. Le problème, c'est qu'il s'attendrait sans doute à être payé, et Deeti se demandait ce qu'elle pourrait bien lui offrir : elle n'avait ni grain ni fruit en réserve, quant à l'argent, pas même une poignée de cauris dans la maison. Après avoir examiné les possibilités, elle comprit qu'elle n'avait pas d'autre choix que de puiser dans le coffre de bois sculpté où son mari gardait sa réserve d'opium ; la boîte était en principe fermée, mais Deeti savait où dénicher la clé. En soulevant le couvercle, elle fut soulagée de trouver à l'intérieur plusieurs boules d'abkari dur et un bon morceau de chandu mou, encore enveloppé dans des pétales de pavot. Choisissant l'opium dur, Deeti en coupa un bout de la taille de l'ongle de son pouce et l'emballa dans une des rotis qu'elle avait fabriquées ce matin-là. Le paquet coincé à la ceinture de son sari, elle prit la direction de Ghazipur, précédée de Kabutri courant et bondissant le long des levées qui divisaient les champs d'opium.

Le soleil n'était plus au zénith et une brume de chaleur flottait au-dessus des fleurs. Deeti tira le ghungta de son sari sur son visage mais le vieux coton, bon marché et mince pour commencer, était désormais si usé qu'elle pouvait voir au travers : le tissu délavé brouillait les contours de toute chose, teintant d'un halo vaguement cramoisi les bords des belles cosses pleines. Tandis qu'elle allongeait le pas, elle s'aperçut que, dans certains champs, la récolte était très en avance sur la sienne : plusieurs de ses voisins avaient déjà entaillé leurs cosses et la sève blanche se coagulait autour des incisions parallèles de la nukha. L'odeur douce et forte des cosses blessées avait attiré des armées d'insectes et l'air bourdonnait d'abeilles, de sauterelles et de guêpes ; beaucoup seraient piégés dans le latex et le lendemain, quand la sève changerait de couleur, leurs cadavres se confondraient avec la gomme noire, ajouts bienvenus au poids de la récolte. La sève semblait avoir un effet apaisant même sur les papillons, qui battaient des ailes de manière un peu erratique comme s'ils ne pouvaient se rappeler comment voler. L'un d'eux atterrit sur la main de Kabutri et refusa de redécoller jusqu'à ce que la fillette le chasse en l'air.

Tu vois comme il est perdu dans ses rêves ? dit Deeti. Ça signifie que la récolte sera bonne cette année. Peut-être que nous pourrons même réparer notre toit.

Elle s'arrêta pour jeter un coup d'œil dans la direction de leur cabane, tout juste visible au loin, pareille à un minuscule radeau voguant sur une rivière de pavots. Le toit avait un besoin urgent de réparations mais désormais, en cet âge de fleurs, le chaume était difficile à trouver : autrefois, les champs regorgeaient de blé pendant l'hiver et, après la récolte au printemps, la paille était utilisée pour réparer les dommages de l'année précédente. Maintenant, avec les sahibs forçant tout le monde à cultiver le pavot, personne n'avait plus de chaume en réserve – il fallait l'acheter au marché, à des paysans qui vivaient dans des villages éloignés, et la dépense était telle que les gens remettaient les réparations au plus tard possible.

Quand Deeti avait l'âge de sa fille, les choses étaient différentes : les pavots étaient un luxe, alors, cultivés en petits bouquets entre les champs qui portaient les principales cultures d'hiver – blé, masoor dal et légumes. Sa mère envoyait une partie de ses graines de pavot au pressoir et elle gardait le reste pour la maison, quelques-uncs pour replanter et les autres pour cuisiner avec de la viande et des légumes. Quant à la sève, elle était filtrée afin de la débarrasser de toute impureté puis mise à sécher jusqu'à ce que le soleil la transforme en afeem abkari dur ; à l'époque, personne ne songeait à produire l'opium chandu sirupeux, fabriqué et emballé dans la factorerie anglaise avant d'être expédié par bateau au-delà des mers.

Autrefois, les fermiers conservaient un peu de leur opium maison pour leurs familles, à utiliser en cas de maladie, de fêtes ou de mariages ; le reste, ils le vendaient à la noblesse locale ou aux marchands de pykari de Patna. En ce temps-là, quelques plants de pavot suffisaient à répondre aux besoins d'une maisonnée, le surplus étant vendu : personne n'était enclin à en planter davantage à cause de tout le travail qu'en exigeait la culture – quinze labourages, et chaque motte restante à broyer à la main avec un dantoli ; construction de clôtures et de bunds ; achats d'engrais et arrosages permanents ; ensuite, la panique de la récolte, chaque bulbe devant être incisé un à un, drainé et gratté. Une telle corvée était supportable si on possédait un ou deux champs de pavots – mais quelle personne saine d'esprit aurait voulu multiplier ces travaux alors qu'il y avait des choses bien plus utiles et rentables à cultiver, comme le blé, le dal et les légumes ? Pourtant, ces succulents produits d'hiver occupaient de moins en moins de surface : l'appétit d'opium de la factorerie semblait ne pouvoir jamais être satisfait. Le froid venu, les sahibs anglais ne permettaient guère d'autres plantations : leurs agents allaient de maison en maison, obligeant les fermiers à accepter des avances en liquide et à signer des contrats asámi. Impossible de leur dire non : si vous refusiez, ils laissaient leur argent caché dans vos affaires ou ils le jetaient à travers la fenêtre. Inutile d'affirmer au juge blanc que vous ne l'aviez pas accepté et que vos empreintes étaient fausses : il touchait des commissions sur l'opium et ne vous acquittait jamais. Et, en fin de compte, vos gains ne se montaient pas à plus de trois roupies sicca et demie, juste de quoi rembourser l'avance.

Deeti se pencha, arracha une gousse de pavot et la porta à son nez : l'odeur de la sève séchée ressemblait à celle de la paille mouillée, rappelant vaguement le parfum riche, terreux, d'un nouveau toit de chaume après une averse. Cette année, si la récolte était bonne, elle en consacrerait tous les bénéfices à la réparation de son toit – sinon, les pluies détruiraient ce qu'il en restait.

Sais-tu, dit-elle à Kabutri, que voilà sept ans que notre toit n'a pas été refait ?

La fillette tourna vers elle son regard brun et doux.

Sept ans ! N'est-ce pas quand tu t'es mariée ?

Deeti hocha la tête et pressa la main de sa fille.

Oui. C'est cela.

Le toit neuf avait été payé par son père, au titre d'une partie de sa dot – bien qu'il n'en eût pas vraiment les moyens, il n'avait pas hésité à la dépense car Deeti était le dernier de ses enfants à se marier. Les espérances de Deeti avaient toujours été gâchées par son horoscope, son destin étant gouverné par Saturne – Shani –, une planète qui exerçait une forte influence sur ceux nés sous son signe, apportant souvent dissension, malheur et mésentente. Avec cette ombre menaçante sur son avenir, les attentes de Deeti n'avaient jamais été très élevées : elle savait que si jamais elle devait se marier, ce serait probablement à un homme beaucoup plus âgé qu'elle, peut-être un veuf récent en quête d'une nouvelle épouse pour s'occuper de sa progéniture. Hukam Singh, en comparaison, avait semblé un bon parti, d'autant plus que c'était Kesri Singh, le frère de Deeti, qui avait suggéré cette union. Les deux hommes avaient appartenu au même bataillon et servi ensemble dans deux ou trois campagnes outre-mer ; son frère avait donné sa parole à Deeti que le handicap de son futur mari était mineur. Avaient aussi joué en la faveur du prétendant ses relations familiales, dont la plus notable était un oncle ayant atteint le rang de subedar dans l'armée de l'East India Company ; depuis sa retraite, cet oncle occupait une situation très lucrative dans une entreprise commerciale de Calcutta et ne cessait de trouver d'excellents postes à sa parentèle – c'était lui, par exemple, qui avait procuré la position très convoitée qui était aujourd'hui celle de Hukam Singh à la factorerie d'opium.

Il apparut très vite, au fil des discussions, que cet oncle était bien la force motrice de la proposition. Non seulement il dirigea le groupe venu finaliser les détails, mais il mena aussi toutes les négociations au nom du promis : de fait, quand les pourparlers eurent atteint le point où Deeti devait être présentée et laisser tomber son voile, c'est à l'oncle, avant le fiancé, qu'elle montra son visage.

L'oncle était sans conteste un personnage impressionnant : Subedar Bhyro Singh avait dans les cinquante-cinq ans et d'abondantes moustaches en guidon de vélocipède qui rebiquaient jusqu'à ses lobes d'oreille. Le teint rose, éclatant, gâté seulement par une cicatrice au travers de la joue gauche, il portait son turban, d'un blanc aussi immaculé que son dhoti, avec une arrogance désinvolte qui le faisait paraître deux fois plus grand. Sa force et sa vigueur étaient aussi évidentes dans l'épaisseur de son cou de taureau que dans les contours de sa bedaine, car il était de ces hommes sur qui un gros ventre n'apparaît pas comme un poids inutile mais plutôt comme une réserve de puissance et de vitalité.

La présence du subedar était telle que, en comparaison, le prétendant et sa famille immédiate semblaient plaisamment timides, ce qui ne compta pas peu dans le consentement de Deeti à l'union. Au cours des négociations elle examina avec soin les visiteurs, à travers une fente dans le mur : elle n'avait pas éprouvé de grande sympathie pour la mère, sans pourtant ressentir la moindre peur à son égard. Pour le jeune frère, en revanche, elle avait conçu une détestation instantanée – mais c'était juste un petit jeune malingre sans importance et elle avait supposé qu'il serait au pire une source d'irritation mineure. Quant à Hukam Singh, Deeti avait été favorablement impressionnée par sa prestance de militaire, une prestance qu'augmentait curieusement sa légère claudication. Ce qu'elle avait préféré encore plus, c'était son comportement alangui et son élocution lente ; il lui avait paru inoffensif, la sorte d'homme qui vaquerait à ses occupations sans causer de problème, pas la moins désirable des qualités chez un mari.

Tout au long des cérémonies et ensuite, durant le long trajet en amont du fleuve en direction de sa nouvelle demeure, Deeti n'avait ressenti aucune appréhension. Assise à la proue du bateau, son sari de mariée tiré sur son visage, elle avait éprouvé un frisson délicieux en entendant les femmes chanter :

Sakhiyā-ho, saiyā moré písé masála
Sakhiyā-ho, bará mítha lagé masála
Ô mes amis, mon amour est en train de se moudre
Ô mes amis, comme cette épice est douce

La musique l'avait accompagnée tandis qu'on la transportait de la berge au seuil de la maison dans un nalki : sous son voile, en gagnant le lit nuptial enguirlandé, elle n'avait rien vu de sa nouvelle demeure, mais ses narines s'étaient remplies de l'odeur du chaume frais. Les chansons étaient devenues de plus en plus suggestives alors qu'elle attendait son époux, son cou et ses épaules raidis par anticipation du geste qui l'étendrait sur le lit. «Résiste dur la première fois, autrement il ne te laissera jamais en paix après, lui avaient répété ses sœurs. Bas-toi, griffe-le et ne lui permets pas de toucher à tes seins.»

Ág mor lágal ba
Aré sagaro badaniyá...
Tas-mas choli karái
Barhalá jobanawá
Je suis en feu
Mon corps brûle...
Mon choli se fait étroit
Sur mes seins en éveil

Quand la porte s'ouvrit, Deeti était assise recroquevillée sur le lit, toute prête à l'assaut. Hukam Singh la surprit : au lieu d'écarter son voile, il dit, d'une voix rauque, indistincte :
Arré sunn! Écoute-moi : tu n'as pas à t'enrouler sur toi-même comme un serpent; tourne-toi vers moi, regarde.
Jetant un coup d'œil prudent à travers les plis de son sari, elle vit qu'il se tenait debout devant elle avec un coffret en bois sculpté entre les mains. Il le posa sur le lit et souleva le couvercle, laissant échapper une puissante odeur médicinale – une odeur à la fois

huileuse et terreuse, douce et écœurante. Bien qu'elle ne l'eût jamais senti sous une forme aussi concentrée et puissante, Deeti comprit que c'était le parfum de l'opium.

Regarde ! Hukam Singh montra du doigt l'intérieur du coffret divisé en plusieurs compartiments. Tu vois – sais-tu ce qu'il y a là-dedans ?

Afeem naikhé ? N'est-ce pas de l'opium ?

Oui, mais d'une différente sorte. Regarde. Il pointa d'abord l'index sur un morceau d'abkari ordinaire, noir et dur, avant de passer à une boule de madak, une mixture gluante d'opium et de tabac. Tu vois : ceci est le produit bon marché que les gens fument dans des chillums.

Puis, se servant de ses deux mains, il sortit un petit bout encore dans son enveloppe de pétales et en caressa la paume de Deeti pour lui en montrer la douceur.

C'est cela que nous fabriquons à la factorerie : du chandu. Tu n'en verras pas ici, les sahibs l'expédient au-delà des mers, en Maha-Chin. On ne peut pas le manger comme l'abkari et il ne peut pas être fumé comme le madak.

Qu'en fait-on donc, alors ? demanda-t-elle.

Dekheheba ka hoi ? Tu veux voir ?

Elle hocha la tête et il se leva pour prendre sur une étagère une pipe aussi longue que le bras, faite de bambou noirci et huileux à force d'usage. Elle avait un bec à un bout et au milieu du tuyau un petit renflement en argile percé d'un minuscule trou. Manipulant avec respect la pipe, Hukam Singh expliqua qu'elle venait de très loin – Rakhine-desh, au sud de la Birmanie. Des pipes de ce genre ne se trouvaient pas à Ghazipur, à Bénarès ni même au Bengale : il fallait les importer par l'Eau noire, et elles étaient trop précieuses pour qu'on s'en amuse.

Il sortit du coffret une longue aiguille, en trempa le bout dans le chandu noir et mou, et fit rôtir la prise sur la flamme d'une bougie. Quand l'opium commença à grésiller et à gonfler, il le posa sur le trou de la pipe et aspira une longue gorgée de la fumée à travers le bec. Il s'assit, les yeux clos, tandis que la fumée blanche s'éloignait lentement de ses narines. Quand tout fut fini, il caressa d'un geste tendre le tuyau de bambou.

Il faut que tu saches, dit-il enfin, que c'est là ma première épouse. Elle m'a gardé en vie depuis ma blessure : sans elle, je ne serais pas ici aujourd'hui. Je serais mort de douleur, depuis longtemps.

Deeti comprit alors ce que serait son avenir : elle se rappela la manière dont, enfants, elle et ses camarades de jeux s'étaient moqués des afeemkhors de leur village – les fumeurs d'opium qui restaient là comme dans un rêve à contempler le ciel avec un regard éteint, mort. De toutes les possibilités auxquelles elle avait songé, c'était la seule qu'elle avait écartée : épouser un afeemkhor, un drogué. Mais comment aurait-elle pu savoir ? Son propre frère ne lui avait-il pas assuré que la blessure de Hukam Singh n'était pas grave ?

Mon frère savait-il ? demanda-t-elle à voix basse.

Pour ma pipe ? Il rit. Non. Comment aurait-il pu ? Je n'ai appris à fumer qu'après avoir été blessé et emmené à l'hôpital de la caserne. Les aides-infirmiers appartenaient à la région où nous nous trouvions : l'Arakan, et, quand la douleur nous empêchait de dormir la nuit, ils nous apportaient des pipes et nous montraient comment faire.

Inutile, elle le savait, d'être saisie à présent de regret, le soir même où son sort avait été lié à celui de cet homme : comme si l'ombre de Saturne avait balayé son visage pour lui rappeler son destin. Doucement, afin de ne pas le distraire de son extase, elle passa la main sous son voile pour s'essuyer les yeux. Mais ses bracelets tintèrent et le réveillèrent ; il reprit son aiguille et la tint au-dessus de la flamme. Une fois la pipe prête, il se tourna vers Deeti, souriant, un sourcil levé, comme pour lui demander si elle voulait essayer aussi. Elle fit signe que oui, songeant que si cette fumée pouvait effacer la douleur d'un os brisé, alors elle aiderait sûrement à calmer sa propre inquiétude. Mais quand elle tendit la main vers la pipe, Hukam Singh écarta vite celle-ci et la serra contre sa poitrine.

Non ! Tu ne saurais pas comment.

Il aspira une bouffée, mit sa bouche sur celle de Deeti et souffla la fumée lui-même dans le corps de la jeune femme. Deeti se sentit prise de vertige mais, que ce fût à cause de la fumée ou de la caresse des lèvres de son époux, elle n'aurait su dire. Ses muscles commencèrent à se détendre, son corps parut se drainer de toute tension et une impression de la plus délectable des langueurs suivit. Baignant dans le bien-être, elle s'appuya contre son oreiller, puis la bouche de Hukam Singh vint clore de nouveau la sienne, remplissant ses poumons de fumée, et elle se sentit elle-même s'éloigner de ce monde pour entrer dans un autre bien meilleur, plus brillant, plus épanouissant.

Elle ouvrit les yeux, le lendemain matin, avec une douleur sourde dans le bas-ventre et une pénible irritation entre les jambes. Ses vêtements étaient en désordre et, en se penchant, elle découvrit que ses cuisses étaient couvertes de sang séché. Son mari, étendu à côté d'elle, impeccablement habillé, tenait toujours le coffret dans ses bras. Elle le secoua pour le réveiller et lui demander :

Qu'est-il arrivé ? Est-ce que tout s'est bien passé hier soir ?

Il hocha la tête et lui adressa un sourire endormi.

Oui, tout est allé comme il le fallait, dit-il. Tu as donné la preuve de ta pureté à ma famille. Avec la bénédiction du ciel, ton ventre sera bientôt rempli.

Elle aurait aimé le croire mais, à la vue de ses bras mous et sans énergie, elle trouvait difficile d'imaginer qu'il avait été capable du moindre effort la nuit précédente. Elle resta étendue sur son oreiller, tentant en vain de se rappeler ce qui s'était passé : impossible de récupérer le moindre souvenir de la seconde moitié de la soirée.

Peu après, sa belle-mère surgit à son chevet ; tout sourires, elle aspergea les alentours d'eau bénite en manière d'action de grâces et murmura sur un ton de tendre sollicitude :

Tout s'est passé exactement comme il convenait, beti. Quels débuts de bon augure pour ta nouvelle vie !

Subedar Bhyro Singh, l'oncle de son mari, fit écho à ces bénédictions et glissa une pièce d'or dans la main de Deeti.

Beti, ton giron sera bientôt rempli – tu auras un millier de fils.

En dépit de ces assurances, Deeti n'arrivait pas à se débarrasser de la certitude que quelque chose de déplaisant avait eu lieu le soir de sa nuit de noces. Mais quoi ?

Ses soupçons s'aggravèrent les semaines suivantes, quand Hukam Singh ne manifesta aucun autre intérêt à son égard, tombant en général, dès qu'il s'affalait sur son lit, dans une torpeur, une somnolence provoquées par l'opium. Deeti tenta quelques stratagèmes pour le soustraire à la séduction de sa pipe, sans succès : il était absurde de subtiliser son opium à un homme qui travaillait dans l'endroit même où on le traitait ; elle essaya bien de cacher la pipe, mais Hukam Singh en fabriqua vite une autre. Et la privation provisoire de la drogue ne lui fit pas davantage désirer sa femme : au contraire, elle sembla le pousser à la colère et au silence. Deeti fut forcée d'en conclure qu'il ne serait jamais un époux pour elle, au sens plein du terme, soit parce que sa blessure l'en avait rendu incapable, soit parce que l'opium avait supprimé chez lui toute inclination sexuelle. Et quand son ventre se mit à gonfler sous le poids d'un enfant, les soupçons de la jeune femme acquirent une acuité nouvelle : qui l'avait fécondée si ce n'était pas son mari ? Que s'était-il passé exactement cette nuit-là ? Elle se risqua à questionner son mari qui évoqua avec fierté la consommation de leurs noces, pourtant ses yeux disaient qu'il n'en avait gardé aucune trace dans sa mémoire, que son souvenir de cette nuit-là était probablement un rêve suscité par l'opium et implanté par quelqu'un d'autre. Était-il possible que son propre état de stupeur ait été organisé d'avance, par un individu informé de la condition de son époux et qui avait conçu un plan destiné à masquer son impuissance afin de sauvegarder l'honneur de la famille ?

Deeti savait que sa belle-mère ne reculerait devant rien dès qu'il serait question de ses fils : il lui aurait suffi en l'occurrence de suggérer à Hukam Singh de partager un peu de son opium avec sa nouvelle épouse ; un complice se serait chargé du reste. Deeti imaginait même que la vieille femme avait été présente dans la chambre, aidant à lui remonter son sari et à lui écarter les jambes pendant l'exécution de l'acte. Quant au nom du complice, Deeti se refusa à céder à ses premiers soupçons : l'identité du père de son enfant était une affaire trop importante pour être décidée sans plus ample confirmation.

Confronter sa belle-mère, Deeti le savait, ne servirait à rien : la vieille ne lui ferait aucune révélation, en revanche elle proférerait des tas de mensonges rassurants. Pourtant chaque jour apportait une nouvelle preuve de sa duplicité – n'était-ce que le regard de propriétaire satisfait avec lequel elle surveillait les progrès de la grossesse ; à croire que l'enfant était le sien grandissant dans le corps de Deeti.

À la fin, ce fut elle qui fournit à Deeti l'occasion d'agir sur ses soupçons. Un jour, en massant le ventre de sa belle-fille, elle déclara :

Après avoir accouché de celui-ci, nous devrons nous assurer qu'il y en aura beaucoup d'autres – beaucoup, beaucoup.

Cette remarque à la cantonade révéla à Deeti la ferme intention de sa belle-mère de s'assurer la répétition des événements de la nuit de noces ; qu'elle serait droguée et étendue de force pour être violée par le complice inconnu.

Que faire ? Il plut très fort cette nuit-là et la maison entière se remplit de l'odeur du chaume mouillé. Une odeur qui éclaircit l'esprit de Deeti : réfléchir, il lui fallait réfléchir ; pleurer et se lamenter sur l'influence des planètes ne servait de rien. Elle songea à son époux et à son regard apathique, endormi : comment se faisait-il que ses yeux fussent si différents de ceux de sa mère ? Pourquoi son regard était-il si vide et celui de la vieille si aigu et si malin ? La réponse vint à Deeti tout à coup – évidemment, la différence se trouvait dans le coffret en bois.

Un bras jeté sur le coffret, de la salive lui coulant sur le menton, Hukam Singh dormait à poings fermés. Deeti tira doucement la boîte vers elle et dégagea la clé des doigts de son époux. Elle souleva le couvercle de la boîte, d'où s'échappa une lourde odeur de pourriture et de terre. Détournant le visage, Deeti gratta quelques copeaux d'un morceau d'opium abkari qu'elle glissa dans les plis de son sari avant de refermer le coffret et de replacer la clé entre les mains de son époux : bien qu'il fût profondément endormi, ses doigts se refermèrent avidement sur la compagne de ses nuits.

Le lendemain matin, Deeti mélangea une trace d'opium au lait sucré de sa belle-mère. La vieille dame le but d'un trait et passa le reste de la matinée à paresser à l'ombre d'un manguier. Son contentement était suffisant pour effacer tout doute que Deeti aurait pu avoir : à partir de ce jour-là, elle glissa de minuscules éclats d'opium dans tout ce qu'elle servait à sa belle-mère ; elle en parsema ses achars, en pétrit dans ses dalpuris, en fit frire dans ses pakoras et fondre dans son dal. En très peu de temps, la vieille dame devint plus calme et plus tranquille, sa voix perdit sa dureté et ses yeux se firent plus doux. Elle manifesta moins d'intérêt pour la grossesse de Deeti et passa de plus en plus de temps au lit. Ses visiteurs ne manquaient jamais de commenter son comportement paisible – et elle, de son côté, ne ménageait pas ses éloges à l'égard de Deeti, sa nouvelle et affectueuse belle-fille.

Quant à Deeti, plus elle administrait la drogue, plus elle venait à en respecter la puissance : quelle frêle créature que l'être humain pour être domptée par de si minuscules doses de cette substance ! Elle comprenait maintenant pourquoi l'usine de Ghazipur était si diligemment surveillée par les sahibs et leurs sepoys –

car si un tout petit bout de cette gomme lui donnait un tel pouvoir sur la vie, le caractère, l'âme même de cette vieille femme, pourquoi, en en disposant d'un peu plus, ne serait-elle pas capable de s'emparer de royaumes et de contrôler des foules ? Et, sûrement, cette drogue ne pouvait pas être la seule de son espèce sur terre ?

Elle se mit à prêter plus d'attention aux dais et aux ojhas, les sages-femmes et les exorcistes itinérants qui parfois passaient par leur village ; elle apprit à reconnaître les plantes telles que le chanvre et le datura, tentant à l'occasion de petites expériences avec des extraits sur sa belle-mère et observant les résultats.

C'est une décoction de datura qui arracha la vérité à la vieille femme en l'expédiant dans une transe dont elle ne se remit pas. Au cours de ses derniers jours, alors que son esprit divaguait, elle fit souvent allusion à Deeti comme à Draupadi ; alors qu'on lui demandait pourquoi, elle répondit, somnolente : Parce que la terre n'a jamais vu une femme plus vertueuse que Draupadi, du Mahabharata, épouse de cinq frères. C'est une femme fortunée, une *saubhágyawati* qui porte les enfants des frères, l'un pour l'autre...

Une allusion qui confirma Deeti dans sa conviction que l'enfant qu'elle attendait avait été engendré non par son mari mais par Chandan Singh, son jeune beau-frère au regard concupiscent et à la mâchoire molle.

*

Deux longues journées sur le fleuve encombré d'alluvions amena l'*Ibis* aux Narrows de Hooghly Point, à quelques milles de Calcutta. Là, assailli par les bourrasques et les coups de torchon, il jeta l'ancre pour attendre la marée suivante qui lui permettrait d'atteindre sa destination le lendemain matin. La ville n'étant qu'à une courte distance, un messager à cheval fut dépêché pour aller prévenir Mr Benjamin Burnham de l'arrivée imminente de la goélette.

L'*Ibis* n'était pas le seul navire à avoir cherché abri aux Narrows cet après-midi-là : également à l'ancre se trouvait un majestueux house-boat appartenant au domaine de Raskhali, une immense propriété à une demi-journée de distance. C'est ainsi que Raja Neel Rattan Halder, le zemindar de Raskhali, alors à bord de la péniche palatiale avec son fils de huit ans et un nombre considérable de serviteurs, fut le témoin de l'approche de l'*Ibis*, en compagnie de sa maîtresse, une danseuse autrefois célèbre et connue sous le nom de scène d'Elokeshi. Le raja retournait à Calcutta où il habitait, après une visite à son domaine de Raskhali.

Les Halder de Raskhali étaient une des plus anciennes et plus notables familles terriennes du Bengale, et leur bateau comptait parmi les plus luxueux du fleuve : une pinasse gréée en brigantine, une version anglaise de la plus modeste bajra bengalie. Une maison flottante à deux mâts, de vastes dimensions, dont la coque était peinte en bleu et gris, les couleurs du domaine, tandis que l'emblème de la famille – une tête de tigre stylisée – figurait sur la proue et les voiles. Six grandes cabines de luxe s'ouvraient sur le pont principal, pourvues de fenêtres et de volets à la vénitienne ; il possédait aussi une superbe et éblouissante salle de réception, un sheeshmahal lambrissé de miroirs et de fragments de cristal : utilisée seulement pour les occasions officielles, cette cabine était assez grande pour qu'on y organise des spectacles de danse et autres divertissements. Bien que des repas somptueux fussent souvent servis à bord, la préparation de la nourriture était interdite partout sur le navire. Et même s'ils n'étaient pas des brahmanes, les Halder étaient des hindous orthodoxes qui observaient avec zèle les tabous de la caste supérieure tout en suivant les usages de leur classe : pour eux, les souillures associées à la cuisine étaient un anathème. Quand il naviguait, le budgeeow des Halder traînait toujours en remorque un bateau plus modeste, un pulwar qui servait non seulement de cambuse mais aussi de casernement à la petite armée de piyadas, paiks et autres serviteurs veillant constamment sur le zemindar.

Le pont supérieur était une galerie ouverte entourée d'une balustrade à hauteur de taille : la tradition voulait que ce soit l'endroit d'où les zemindars faisaient voler leurs cerfs-volants. Un sport très aimé des hommes de la famille et, comme pour d'autres divertissements très prisés – par exemple la musique et la culture des roses –, ils lui avaient ajouté nuances et subtilités qui élevaient le vol de cerf-volant du statut de simple amusement à une forme de science. Tandis que les gens du commun ne se souciaient que de la hauteur qu'atteignait leur cerf-volant et de la manière dont il «se battait» avec les autres, ce qui importait le plus aux Halder, c'était le tracé du vol et s'il s'accordait précisément à la teinte et à l'humeur du vent. Au cours des générations, leurs loisirs leur avaient permis de développer une terminologie personnelle pour cet aspect des éléments : dans leur vocabulaire, une brise forte et régulière était «neel», bleue ; un violent nordé, pourpre ; un souffle mou, jaune. Les coups de torchon qui avaient amené l'*Ibis* à Hooghly Point n'étaient d'aucune de ces couleurs : ces vents, les Halder avaient coutume d'en parler comme de «suqlat» – un ton écarlate qu'ils associaient avec de soudains revers de fortune. La lignée des rajas de

Raskhali était célèbre pour la grande confiance qu'elle accordait aux présages – et là, comme dans la plupart des autres secteurs, Neel Rattan Halder était un défenseur ardent des traditions familiales : depuis plus d'un an maintenant, il avait été poursuivi par une série de mauvaises nouvelles, et la soudaine arrivée de l'*Ibis*, en même temps que la couleur changeante du vent, lui semblaient être des indications certaines d'un tournant du sort.

Le zemindar actuel était lui-même nommé d'après le plus noble des vents, la brise bleue régulière (des années plus tard, quand le temps vint pour lui d'entrer dans le sanctuaire de Deeti, c'est en quelques traits de cette couleur qu'elle le dessinerait). Neel n'avait hérité que depuis peu de ce titre, deux ans auparavant, à la mort de son père : il atteignait à peine la trentaine et, même s'il n'était plus de la toute première jeunesse, il avait encore la silhouette frêle, étiolée, de l'enfant maladif qu'il avait été autrefois. Son visage long, à l'ossature fine, avait la pâleur qui vient d'être toujours à l'abri du plein éclat du soleil ; quelque chose aussi dans la longueur et la minceur de ses membres suggérait la sinuosité d'une plante avide d'ombre. Son teint était tel que ses lèvres formaient un éclat rouge sur son visage, leur couleur soulignée par la fine moustache qui les ourlait.

Comme beaucoup de gens de sa classe, Neel avait été fiancé dès sa naissance à la fille d'une autre éminente famille de propriétaires terriens ; le mariage avait été confirmé quand il avait douze ans, mais n'en avait résulté qu'un seul enfant – Raj Rattan, huit ans, l'héritier présomptif de Neel. Peut-être plus encore que beaucoup de ses ancêtres, ce garçon adorait les cerfs-volants : c'est à son insistance que Neel s'était aventuré sur le pont supérieur du budgerow cet après-midi-là au moment où l'*Ibis* jetait l'ancre aux Narrows.

C'est le pavillon de l'armateur, sur le grand mât de l'*Ibis*, qui attira l'attention du zemindar : celui-ci connaissait le pennant à damiers presque aussi bien que l'emblème de son propre domaine, la fortune de sa famille dépendant depuis longtemps de la compagnie fondée par Benjamin Burnham. Neel sut, du premier coup d'œil, que l'*Ibis* était une nouvelle acquisition : les terrasses de sa résidence principale à Calcutta, le Raskhali Rajbari, commandaient une excellente vue du fleuve et il connaissait la plupart des navires qui y venaient régulièrement. Il savait parfaitement que la flotte Burnham consistait pour l'essentiel en petits caboteurs construits localement ; il avait noté récemment sur le Hooghly quelques élégants clippers arrivés d'Amérique, mais il savait aussi qu'aucun n'appartenait aux Burnham – ces navires battaient le pavillon de Jardine & Matheson, une firme rivale. Cependant l'*Ibis* n'était pas un caboteur : bien que pas dans le meilleur des états, il sautait aux yeux qu'il était le fruit d'un superbe travail – pareille barque avait dû coûter fort cher. La curiosité de Neel fut piquée, car il lui semblait possible que l'arrivée de la goélette présageât un renversement de son propre sort.

Sans relâcher la ficelle du cerf-volant, Neel appela son valet, un grand Bénarsi enturbanné du nom de Parimal.

Prends un dinghy et rame jusqu'à ce navire, ordonna-t-il. Demande aux serangs à qui il appartient et combien d'officiers sont à bord.

À vos ordres, huzoor.

Avec un geste d'acquiescement, Parimal descendit l'échelle de coupée et, peu après, un fin esquif quittait les flancs du budgerow pour aller accoster le long de l'*Ibis*. Une petite demi-heure plus tard, Parimal revint annoncer que le navire appartenait à Burnham Sahib de Calcutta.

Combien d'officiers à bord ? s'enquit Neel.

Des topi-wallas, portant chapeau, il n'y a que deux, répliqua Parimal.

Et qui sont-ils – les deux sahibs ?

L'un d'eux est un Mr Reid, d'Angleterre Numéro Deux, dit Parimal. L'autre est un pilote de Calcutta, Doughty Sahib. Huzoor se souvient peut-être de lui : à l'époque, il venait souvent au Raskhali Rajbari. Il vous envoie ses salaam.

Neel hocha la tête, bien qu'il n'eût aucun souvenir du pilote. Il tendit son cerf-volant à un serviteur et fit signe à Parimal de le suivre dans sa cabine, sur le pont inférieur. Là, après avoir aiguisé une plume d'oie, il prit une feuille de papier, écrivit quelques lignes et passa une poignée de sable sur la page. Une fois l'encre sèche, il donna la lettre à Parimal.

Tiens, dit-il, porte ça au navire et remets-le en mains propres à Doughty Sahib. Dis-lui que le raja est heureux de l'inviter, lui et Mr Reid, à dîner sur le budgerow Raskhali. Reviens vite me faire connaître leur réponse.

Huzoor.

Parimal s'inclina de nouveau et gagna à reculons la passerelle, laissant Neel toujours assis à son bureau. C'est là qu'Elokeshi le trouva un peu plus tard, en faisant son entrée dans un tourbillon de bracelets de chevilles et d'essence de rose : Neel était calé dans son fauteuil, les mains jointes, perdu dans ses pensées. Avec un éclat de rire, elle lui posa les mains sur les yeux en criant :

Te voilà ! Toujours seul ! Méchant ! Dushtu ! Jamais une minute pour ton Elokeshi.

Neel décolla les mains de ses yeux et se tourna vers elle pour lui sourire. Parmi les connaisseurs de Calcutta, Elokeshi n'était pas considérée comme une grande beauté : un visage trop rond, une arête de nez trop plate et des lèvres trop gonflées pour plaire à un œil classique. Sa chevelure longue, brune et flottante, était son grand atout, et elle aimait la porter étalée sur ses épaules, sans autres attaches que quelques ornements en or. Pourtant c'était moins son physique que sa vivacité qui avait séduit Neel, cette tournure d'esprit aussi effervescente que la sienne était sombre : bien que de plusieurs années son aînée, et très au fait des usages du monde, elle avait un comportement aussi rieur et flirteur qu'à ses débuts de danseuse, quand elle avait attiré l'attention avec ses tukras et tihais d'une sublime légèreté.

Elle se jeta sur le vaste lit à colonnes au centre de la cabine, écarta ses écharpes et autres dupattas de façon à découvrir ses lèvres en cœur alors que tout le reste du visage demeurait voilé.

Dix jours sur ce gros bateau, marmonna-t-elle, toute seule, sans rien à faire, et sans même que tu me regardes une seule fois.

Toute seule – et elles, elles servent à quoi ?

Neel éclata de rire avec un signe de tête en direction du seuil sur lequel trois jeunes filles, accroupies, contemplaient leur maîtresse.

Oh, elles !... Mais ce sont juste mes petites kanchanis !

Elokeshi pouffa en se couvrant la bouche : c'était une créature de la ville, une droguée des bazars surpeuplés de Calcutta, et elle avait insisté pour amener un entourage destiné à lui tenir compagnie lors de cette expédition inhabituelle dans la campagne ; les trois jeunes filles étaient tout à la fois des servantes, des disciples et des apprenties, indispensables aux raffinements de son art. Sur un geste d'Elokeshi, elles se retirèrent en fermant la porte derrière elles. Mais sans s'éloigner beaucoup pour autant : afin de prévenir toute interruption des activités de leur maîtresse, elles s'installèrent dans le passage à l'extérieur, se levant de temps à autre pour jeter un coup d'œil à travers les fentes du panneau de ventilation sur la porte en teck.

Une fois celle-ci close, Elokeshi se débarrassa de l'un de ses longs dupattas et le fit flotter au-dessus de la tête de Neel, pour piéger son amant dans le voile et le pousser vers le lit.

Viens avec moi, maintenant, dit-elle avec une moue. Tu es derrière ce bureau depuis trop longtemps. Neel s'apprêta à s'allonger à côté d'elle, et elle le renversa contre une montagne d'oreillers. Alors dis-moi, demanda-t-elle du ton ondoyant qui marquait ses plaintes, pourquoi m'avoir emmenée si loin avec toi, si loin de la ville ? Tu ne me l'as toujours pas bien expliqué.

Amusé par cette affectation de naïveté, Neel sourit.

Depuis sept ans que tu vis avec moi, tu n'as jamais vu une seule fois Raskhali. N'est-il pas naturel que je veuille te montrer mon zemindary ?

Juste pour le voir ? Elle releva la tête dans un mouvement de défi, mimant l'interprétation par une danseuse du rôle de l'amante blessée. C'est tout ?

Quoi d'autre ? Il frotta une mèche de ses cheveux entre ses doigts. N'était-ce pas suffisant ? N'as-tu pas aimé ce que tu as vu ?

Bien sûr que j'ai aimé. C'était plus beau que tout ce que je pouvais imaginer. Son regard se perdit comme à la recherche du manoir au bord du fleuve, avec ses colonnes, ses jardins et ses vergers. Elle chuchota : Tant de gens, tant de terres ! Ce qui m'a fait penser : je suis une si petite partie de ta vie.

Il lui prit le menton et l'obligea à tourner son visage vers lui.

Que se passe-t-il, Elokeshi ? Dis-moi. Qu'est-ce qui te tourmente ?

Je ne sais pas comment t'expliquer...

Elle entreprit de déboutonner les boutons d'ivoire qui fermaient en biais la kurta de Neel.

Sais-tu ce qu'ont dit mes kanchanis, murmura-t-elle, quand elles ont vu l'immensité de ton domaine ? Elles ont dit : Elokeshi-di, vous devriez demander un peu de terre au raja – n'avez-vous pas besoin d'un endroit où faire vivre votre famille ? Après tout, il vous faut penser à votre avenir et à votre vieillesse.

Ces filles ne cessent pas de créer des histoires, répliqua Neel. J'aimerais vraiment que tu les chasses de ta maison.

Elles veillent sur moi, c'est tout. Elokeshi passa les doigts dans les poils de la poitrine de Neel puis s'activa à les tresser en minuscules nattes tout en chuchotant : Il n'y a rien de mal pour un raja à donner des terres aux filles qu'il entretient. Ton père le faisait constamment. On raconte qu'il suffisait à ses femmes de demander pour avoir tout ce qu'elles voulaient : châles, bijoux, postes pour leurs familles...

Oui, répliqua Neel avec un sourire ironique, et ces parents-là continuaient à percevoir leurs salaires même quand ils étaient pris la main dans le sac à voler le domaine.

Tu vois, dit-elle en lui caressant les lèvres du bout des doigts, c'était un homme qui connaissait la valeur de l'amour.

Pas comme moi, je sais.

Il était vrai que le train de vie personnel de Neel, pour un héritier des Halder, tenait presque de la frugalité : il réussissait à se contenter d'un attelage à deux chevaux et d'une aile modeste dans le manoir familial. Beaucoup moins porté sur la chose que son père, il n'avait pas d'autre maîtresse qu'Elokeshi, mais lui témoignait une affection sans bornes, ses rapports avec son épouse n'ayant jamais dépassé l'accomplissement conventionnel du devoir conjugal.

Tu ne comprends donc pas, Elokeshi, dit-il avec une note de tristesse dans la voix. Vivre comme mon père a coûté beaucoup d'argent – plus que nos domaines ne pouvaient en générer.

Brusquement alertée, Elokeshi lui jeta un regard aigu.

Que veux-tu dire ? Tout le monde s'est toujours accordé à affirmer que ton père était l'un des hommes les plus riches de la ville.

Neel se raidit.

Elokeshi, une mare n'a pas besoin d'être profonde pour produire des lotus.

Elokeshi retira sa main d'un coup sec et se redressa.

Qu'essayes-tu de me raconter ? Explique-toi.

Neel savait qu'il en avait déjà trop dit. Il se contenta de sourire et de la caresser sous son choli.

Ce n'est rien, Elokeshi.

À certains moments, il mourait d'envie de lui parler des problèmes que son père lui avait laissés en mourant, mais il la connaissait suffisamment pour savoir qu'elle commencerait sans doute à s'organiser autrement si jamais elle prenait la pleine mesure des difficultés qu'il traversait. Non qu'elle fût avare : bien au contraire, malgré toutes ses affectations, elle avait, il le savait, un grand sens de ses responsabilités envers ceux qui dépendaient d'elle – exactement comme Neel à l'égard des siens. Il regretta d'avoir laissé échapper ces quelques mots à propos de son père, car il était prématuré de donner à sa compagne une raison de s'alarmer.

Ne t'inquiète pas, Elokeshi. Quelle importance ?

Non, dis-moi, insista-t-elle en le repoussant contre les oreillers.

Un ami, à Calcutta, l'avait avertie de problèmes financiers au sein du zemindary de Raskhali : elle n'y avait pas prêté attention à l'époque mais elle sentait maintenant que quelque chose n'allait vraiment pas et qu'il lui faudrait peut-être réexaminer ses options.

Dis-moi, répéta-t-elle. Tu as été si préoccupé ces derniers mois – qu'est-ce qui te tourmente ?

Rien dont tu doives t'inquiéter, répliqua Neel – et il était certainement vrai que, quoi qu'il arrive, il veillerait à ce qu'elle ne manque de rien. Toi, tes filles et ta maison êtes à l'abri...

Il fut interrompu par la voix de son valet, Parimal, qu'on entendit soudain dans la coursive, discutant furieusement avec les trois filles : il exigeait qu'elles le laissent passer et elles s'obstinaient tout aussi fermement à lui barrer le chemin.

Recouvrant en hâte Elokeshi d'un drap, Neel cria aux filles :

Ouvrez-lui !

Parimal entra, en ayant grand soin de détourner son regard d'Elokeshi sous son drap.

Huzoor, annonça-t-il, les sahibs sur le bateau ont dit qu'ils seraient heureux de venir. Ils seront ici juste après le coucher du soleil.

Bien, répliqua Neel. Mais il faudra que tu t'occupes du bandobast, Parimal : je veux recevoir les sahibs comme mon père l'aurait fait à l'époque.

Le propos déconcerta Parimal, qui n'avait jamais entendu pareille requête de la part de son maître.

Mais, huzoor, comment ? En si peu de temps ? Et avec quoi ?

Nous avons du simkin et du *lál-sharáb*, non ? Tu sais ce qui te reste à faire.

Elokeshi attendit que la porte se referme avant de se débarrasser de son drap.

De quoi s'agit-il ? demanda-t-elle. Qui vient ce soir ? Qu'est ce qu'on organise ?

Neel éclata de rire et attira la tête de la jeune femme vers lui.

Tu poses tellement de questions – *báp-ré-báp !* Ça suffit pour le moment...

*

L'invitation à dîner inattendue lança un volubile Mr Doughty sur la voie des réminiscences.

— Ah, mon garçon, dit-il à Zachary, alors qu'ils se penchaient sur le bastingage. Le vieux raja de Raskhali, je pourrais vous raconter une ou deux histoires à son propos – Rageur de Rascaillou, je l'avais surnommé, ce grand fripon ! – Doughty partit d'un énorme rire et frappa le pont de sa canne. – Tenez, voilà un Noiraud grand seigneur s'il y en a jamais eu ! La meilleure sorte d'indigène – trouvait toujours à s'occuper avec son picrate, ses danseuses et ses flagorneurs. Pas un homme en ville qui aurait pu organiser une burra-khana comme lui. Sheeshmull flamboyant de shammers et de chandelles. Des palanquées de serviteurs et de khidmutgars. Des dames-jeannes de loll-shrub français et des bonbonnes de simkin glacé. Et la nourriture ! À l'époque, la cuisine du Rascaillou était la meilleure de la ville. Pas de risque de pishpash ni de morue séchée à sa table. Les ragoûts et les pilafs étaient déjà rudement bons mais nous, les vieux familiers, nous attendions le curry de poisson et les grillades de lieu jaune. Ah, il avait une sacrée table, je peux vous dire – et, attendez, le souper était juste le commencement : les choses sérieuses venaient après, dans la salle de bal. Fallait voir ce chuckmuck ! Des rangs de chaises pour asseoir les sahibs et les mems. Des nattes et des polochons pour les natifs. Les babouins tirant sur leurs hubble-bubbles et les sahibs allumant leurs cigares de Sumatra. Les bayadères tourbillonnant et les tic-tac boys tapant sur leurs tambours. Ah, ce vieux cochon savait fichtrement bien recevoir ! C'était un sacré malin démon, aussi, le Rascaillou : s'il vous voyait lorgner sur une des fifilles, il vous envoyait un serviteur, tout sautillant et tout en courbettes, l'image même de l'innocence. Les gens pensaient que vous aviez mangé trop de douceurs et qu'on allait vous conduire au cacatorium. Mais à la place des cabinets on vous emmenait dans une petite chambre cachée où vous pouviez vous emparer de votre bayadère. Pas une memsahib ne s'apercevait de quoi que ce soit – et vous, pendant ce temps-là, avec votre sucette dans les parties poilues de votre danseuse, vous vous offriez un délicieux petit goût de mûrier. – Le pilote laissa échapper un long soupir nostalgique. – Ah, c'était des belles grandes fêtes, ces burra-khanas du Rascaillou ! Pas de meilleurs endroits pour se faire chatouiller la fesse !

Zachary hocha la tête comme si rien de ce discours ne lui avait échappé.

— Vous le connaissez donc fort bien, monsieur Doughty – notre hôte de ce soir ?

— Lui pas autant que son père. Ce jeune garçon ne ressemble pas plus au vieil homme que du bois blanc

à de l'acajou. – Le pilote grogna de désapprobation. –
Voyez-vous, s'il y a une chose que je ne peux pas
souffrir, c'est un indigène érudit : son père était un
homme qui savait se tenir à sa place – on l'aurait
jamais vu de sa vie avec un livre. Mais ce petit préten-
tiard se donne toutes sortes de grands airs – un vrai
petit paon si je m'y connais ! C'est pas comme
s'il appartenait à la vraie noblesse, remarquez ; les
Rascaillou se donnent du raja mais en fait ce n'est
qu'un titre honorifique, un bakchich pour leur fidélité
à la Couronne.

Mr Doughty renifla dédaigneusement.

— Ces temps-ci, il suffit à un babouin de posséder
un acre ou deux de terre pour se prétendre un mouou-
raja. Et à la manière dont celui-ci discourt, on croirait
qu'il est le shah de Perse. Attendez d'écouter ce
cul-terreux faire le beau en anglais – comme un singe
lisant *The Times* à voix haute ! – Il ricana gaiement,
en faisant tourner le pommeau de sa canne. – Voilà
encore un divertissement en perspective pour ce soir,
en dehors du chitchky – un peu de chasse au singe.

Il fit une pause, le temps de gratifier Zachary d'un
clin d'œil.

— D'après ce qu'on dit, le Rascal se trouverait
dans un beau pétrin. La rumeur prétend que son
cuzannah est à plat.

Zachary ne pouvait plus continuer à jouer les
omniscients. Il fronça les sourcils.

— Cu... cuzzanah ? Voilà que vous recommencez,
monsieur Doughty : c'est encore un mot dont j'ignore
la signification.

Cette remarque naïve encore que bien intentionnée
valut à Zachary un sacré sermon : il était temps, dit le
pilote, que Zachary cesse de se conduire comme un
vrai gudda – « un âne, au cas où vous ne le sauriez

pas ». On était en Inde, où il ne convenait pas à un sahib d'être pris pour un crétin de débarqué : s'il n'était pas au fait de ce qui se passait, tout serait fichu pour lui, et drôlement vite. On n'était pas à Baltimore – ici, c'était la jungle, avec des doubles cobras dans l'herbe et des wanderoos dans les arbres. Si Zachary ne voulait pas se faire rouler et se retrouver sans le sou, il allait lui falloir apprendre à engueuler les natifs avec un mot ou deux de zubben.

Cette admonestation lui ayant été administrée sur le ton strict mais indulgent d'un mentor, Zachary trouva le courage de demander ce qu'était le zubben, à quoi le pilote répondit dans un patient soupir :

— Le zubben, cher garçon, est l'éblouissant parler de l'Orient. C'est assez facile à apprendre si vous vous appliquez un peu. Juste un léger assaisonnement de petit-nègre mêlé à quelques obscénités. Mais veillez à ce que votre ourdou ou votre hindi ne paraissent pas trop bons : il ne faudrait pas qu'on croie que vous êtes devenu un indigène. Et ne mâchez pas vos mots non plus. Faut pas qu'on vous prenne pour un chee-chee.

Zachary secoua de nouveau la tête, désespéré.

— Chee-chee ? Que voulez-vous dire par là, monsieur Doughty ?

Mr Doughty leva un sourcil réprobateur.

— Chee-chee ? Lip-lap ? Mustee ? Sinjo ? Un peu teinté... vous me comprenez ? Ça n'irait pas du tout, cher ami : aucun sahib n'en accepterait un à sa table. Nous sommes très particuliers à ce sujet en Orient. Nous avons nos bee-bees, nos dames, à protéger, vous savez. C'est une chose pour un homme de tremper sa plume dans un encrier de temps à autre. Mais on ne peut pas avoir des chacals en liberté dans le poulailler. Ça ne collerait tout bonnement pas : cette sorte d'affaire peut valoir à un homme d'être fouetté au sang !

Il y avait dans le propos quelque chose, une allusion ou une suggestion, qui mit Zachary mal à l'aise. Depuis les deux derniers jours, il avait conçu une certaine affection pour Mr Doughty, devinant derrière le ton autoritaire et le visage épais un esprit aimable, voire généreux. Il semblait qu'à présent le pilote essayait de le prévenir, de l'avertir d'une manière détournée.

Zachary tapota le bastingage et s'éloigna.

— Avec votre permission, monsieur Doughty, je dois m'assurer que j'ai de quoi me changer.

— Ah oui, approuva le pilote d'un signe de tête : il faut qu'on s'attife tous du mieux possible. Suis content d'avoir songé à apporter une paire de falzars propres.

Zachary envoya un message au gaillard d'avant et, peu après, Serang Ali vint dans sa cabine choisir un ensemble de vêtements qu'il étala sur la couchette pour inspection. Le plaisir de faire le beau dans les élégants atours d'un autre avait commencé à s'évaporer et Zachary fut consterné par ce déballage : un habit bleu de serge fine, des pantalons de nansouk noir, une chemise en coton dosootie et une cravate de soie blanche.

— Ça suffit comme ça, Serang Ali, dit-il d'un air las. J'en ai assez de jouer au monsieur.

Serang Ali se fit soudain insistant. S'emparant des pantalons, il les brandit devant Zachary.

— Faut porter, dit-il d'une voix douce mais sans appel. Malum Zikri un grand vrai gentleman complet maintenant. Doit porter habits propriés.

Zachary fut surpris par la profondeur du sentiment qui sous-tendait les mots.

74

— Pourquoi donc ? demanda-t-il. Pourquoi diable de tous les diables est-ce si important pour toi ?

— Malum doit être gentleman complet-complet, répliqua le serang. Tous les lascars vouloir malum peut-être devenir fichu cap'tine.

— Hein ?

Tout à coup, dans un soudain éclair d'inspiration, Zachary comprit pourquoi sa transformation importait tant au serang : il allait devenir ce qu'aucun lascar ne pouvait être – un *free mariner*, la sorte d'officier qu'ils appelaient un malum. Pour Serang Ali et ses hommes, Zachary était presque l'un d'eux, tout en étant doué du pouvoir d'usurper une identité, de jouer un personnage impensable pour eux ; c'était tout autant pour leur bénéfice que pour le sien qu'ils souhaitaient le voir réussir.

Accablé par le poids de cette responsabilité, Zachary s'assit sur sa couchette et se couvrit le visage.

— Tu ne sais fichtre pas ce que tu demandes, dit-il. Y a six mois, j'étais que le charpentier du bord. J'ai eu la veine de devenir commandant en second. Oublie capitaine ; c'est bien au-dessus de ma tête. Ça n'arrivera pas : pas peut-être, jamais, jamais.

— Y a moyen, dit Serang Ali en lui tendant la chemise en dosootie. Peut-être y a moyen. Malum Zikri plein intelligent dedans. Y a moyen devenir gentleman.

— Qu'cst-ce qui te fait croire que je peux y arriver ?

— Zikri Malum sait bien parler beau parler, non ? Moi entendre Malum Zikri parler Misto Doughty comme les sahibs.

— Comment ?

Zachary lui lança un coup d'œil étonné : que Serang Ali ait noté son talent pour changer de ton déclencha en lui un signal d'alarme. Il était vrai que, si nécessaire, son langage pouvait être aussi châtié que celui d'un avocat sorti du collège ; ce n'était pas pour rien que sa mère l'avait obligé à servir à table quand le maître de la maison, son père naturel, recevait des invités. Pas plus qu'elle ne lui avait épargné les gifles chaque fois qu'il avait eu tendance à se donner des airs ou à se montrer rebelle : voir son fils jouer à l'homme blanc la ferait se retourner dans sa tombe.

— Michman le veut, il peut devenir gentleman complet bientôt.

— Non. – Après avoir été longtemps obéissant, Zachary était désormais le défi même. – Non, répétat-il en poussant le serang hors de sa cabine. Cette pantalonnade doit cesser : je ne la supporte plus.

Il se jeta sur sa couchette, ferma les yeux et, pour la première fois depuis plusieurs mois, il regarda en luimême et repartit en pensée à travers les océans pour se retrouver lors de son dernier jour au chantier naval Gardiner de Baltimore. Il revit soudain un visage avec un œil éclaté, la chevelure arrachée et le crâne ouvert là où avait atterri une pique, la peau brune gluante de sang. Il se rappelait, comme si ça recommençait, l'encerclement de Freddy Douglass, attaqué par quatre menuisiers blancs ; il se rappelait les hurlements : « Tuez-le, tuez le foutu nègre, écrasez-lui la cervelle ! » Il se rappelait comment lui et les autres hommes de couleur, tous des affranchis, pas comme Freddy, étaient restés en arrière, les bras coupés par la peur. Et il se rappelait aussi la voix de Freddy après coup, ne leur reprochant pas leur échec à venir le défendre mais les suppliant de fuir, de détaler : « C'est à cause du boulot. Les Blancs refusent de travailler avec vous, affranchis ou esclaves : vous empêcher d'entrer, c'est leur moyen de garder leur gagne-pain. »

C'est alors que Zachary avait décidé de quitter le chantier et de trouver un engagement à bord d'un bateau.

Il abandonna sa couchette et ouvrit la porte. Le serang attendait toujours devant la cabine.

— Okay, dit Zachary avec lassitude. Je vais te laisser entrer. Mais t'as meilleur temps de faire ce que tu veux faire foutrement vite avant que je change d'idée.

Juste comme Zachary finissait de s'habiller, une série de cris retentit entre le navire et le quai. Deux minutes plus tard, Mr Doughty frappait à la porte de la cabine.

— Oh, dites donc, mon garçon ! beugla-t-il. Vous ne le croirez jamais mais le burra sahib est arrivé en personne : rien de moins que Mr Burnham soi-même ! Venu ventre à terre de Calcutta, fouette chevaux ! Pouvait pas attendre de voir son navire. J'ai envoyé le canot : il est dedans, il arrive !

En voyant Zachary, le pilote écarquilla les yeux. Il y eut un moment de silence tandis qu'il l'examinait avec soin de la tête aux pieds. Puis, en tapant bruyamment de sa canne, il annonça :

— Tip-top, mon jeune chuckeroo ! Vous feriez honte à une kizzilbash dans ces nippes-là !

— Content de votre approbation, monsieur, répondit Zachary.

Tout près de lui, il entendit Serang Ali siffler :

— Qu'est-ce que je vous dis ? Malum Zikri pas gentleman complet-complet maintenant ?

Trois

Kalua vivait dans le chamar-basti, un amas de huttes habitées seulement par des gens de sa caste. Pénétrer dans le hameau aurait été difficile pour Deeti et Kabutri, mais heureusement pour elles la cabane de Kalua se trouvait à la périphérie, non loin de la route de Ghazipur. Deeti était passée par là bien des fois déjà et elle avait souvent vu Kalua rouler pesamment alentour dans sa carriole. Pour elle, cette cabane n'en était pas une mais ressemblait plutôt à une étable. Arrivée à portée de voix, elle s'arrêta et cria :

Ey Kalua ? Ka horahelba ? Oh, Kalua ? Qu'est-ce que tu fais ?

Après trois ou quatre appels demeurés sans réponse, elle ramassa une pierre et visa l'entrée sans porte de la hutte. Le caillou disparut dans l'obscurité de la cabane et un cliquetis se fit entendre, indiquant qu'un pichet ou un objet de terre cuite avait été atteint.

Ey Kalua-ré ! cria-t-elle de nouveau.

Quelque chose bougea alors à l'intérieur de la hutte, l'obscurité s'épaissit autour de l'entrée jusqu'à ce qu'enfin Kalua lui-même apparaisse, se courbant très bas pour pouvoir sortir. Suivaient de près, comme pour confirmer l'idée de Deeti que Kalua habitait un enclos à bestiaux, les deux petits bœufs blancs qui tiraient sa carriole.

De taille inhabituelle et d'une carrure impressionnante, Kalua pouvait toujours être repéré dans n'importe quels foire, festival ou mela, dominant la foule – même les jongleurs sur échasses n'étaient en général pas aussi grands que lui. Pourtant c'était sa couleur plutôt que sa taille qui lui avait valu le surnom de Kalua – « Noiraud » –, car sa peau avait le ton brillant, poli, d'une pierre à aiguiser. Enfant, disait-on, il avait montré une impossible fringale de viande que sa famille satisfaisait en le bourrant de charogne ; tanneurs de leur métier, ses parents ramassaient les restes des vaches et des bœufs morts, et c'est des chairs encore attachées sur les carcasses qu'on avait nourri le gigantesque corps de Kalua. Mais on racontait aussi que ce corps avait grandi aux dépens de son esprit, demeuré lent, simple et confiant, de sorte que même des gamins étaient capables de profiter de lui. Le duper était si facile que, à la mort de ses parents, ses frères et autres cousins n'avaient pas eu la moindre difficulté à le voler du peu qui devait lui revenir : il n'avait pas protesté, même quand il avait été évincé de la cabane familiale et prié d'aller se débrouiller tout seul dans un enclos à bestiaux.

C'est alors qu'une aide lui était venue d'une source inattendue : les trois jeunes héritiers d'une des plus riches familles terriennes de Ghazipur, des thakur-sahibs fanatiques de jeux, avaient pour passe-temps préféré de parier sur des concours de lutte et des épreuves de force. Entendant parler des prouesses physiques de Kalua, ils envoyèrent un char à bœufs le chercher pour le ramener dans leur domaine aux abords de la ville. *Abé Kalua!* lui dirent-ils, si tu devais recevoir une récompense, que voudrais-tu ?

Après s'être beaucoup gratté la tête et avoir réfléchi profondément, Kalua désigna le char à bœufs et déclara : Malik, j'aimerais bien un bayl-gari comme celui-là. Je pourrais gagner ma vie avec.

Les trois thakurs secouèrent la tête et répliquèrent qu'il aurait un char à bœufs s'il pouvait remporter un combat et faire quelques démonstrations de sa force. Plusieurs matchs de lutte suivirent et Kalua les gagna tous, envoyant aisément au tapis les pehlwans et autres gros bras locaux. Les jeunes seigneurs empochèrent d'importants profits et Kalua fut bientôt en possession de sa carriole. Mais, une fois sa récompense acquise, il ne montra plus le désir de se battre, chose peu surprenante car il était, comme chacun le savait, d'un tempérament pacifique, sans autre ambition que de gagner sa vie en transportant des marchandises et des gens dans son char à bœufs. Cependant, impossible d'échapper à sa réputation : la rumeur de ses hauts faits parvint bientôt aux augustes oreilles de Son Altesse, le maharaja de Bénarès, qui exprima le désir de voir l'homme fort de Ghazipur opposé au champion de sa propre cour.

Kalua commença par refuser, mais les jeunes thakurs, à force de cajoleries puis de menaces – dont celle de lui confisquer sa carriole et ses bœufs –, l'emportèrent. Tout le monde partit donc pour Bénarès et là, sur la grand-place devant le Ramgarh Palace, Kalua, jeté par terre inconscient en quelques minutes, connut sa première défaite. Témoin satisfait, le maharaja remarqua que l'issue du combat était la preuve que la lutte n'était pas simplement une épreuve de force mais aussi d'intelligence – et dans ce domaine-là, Ghazipur ne pouvait guère espérer défier

Bénarès. Tout Ghazipur se sentit humilié, et Kalua rentra au village en disgrâce.

Peu après commencèrent à circuler des histoires donnant une version différente de la défaite de Kalua. On disait qu'en l'emmenant à Bénarès les trois jeunes gens, saisis par l'atmosphère licencieuse de la ville, avaient décidé que ce serait très amusant d'accoupler Kalua à une femme. Ils avaient invité quelques amis et pris des paris : comment trouver une femme qui coucherait avec ce géant, ce monstre à deux pattes ? Une baiji connue, Hirabai, fut engagée et conduite dans le kotha où résidaient les jeunes nobles. Là, sous les yeux d'une assistance choisie installée derrière un claustra de marbre, on amena Kalua vêtu seulement d'un pagne. À quoi s'attendait-elle donc ? Personne ne le savait, mais quand Hirabai aperçut Kalua, on dit qu'elle se mit à hurler : cet animal devrait être accouplé à un cheval, pas à une femme !...

C'était cette humiliation, assurait-on, qui coûta à Kalua sa défaite du Ramgarh Palace. En tout cas, voilà l'histoire qui courait dans les galis et sur les ghats de Ghazipur.

Deeti elle-même faisait partie de ceux qui pouvaient jurer de l'authenticité de l'affaire. Voici comment : un soir, après avoir servi son repas à son mari, elle découvrit qu'elle n'avait plus d'eau ; laisser de la vaisselle sale pendant la nuit, c'était inviter une invasion de fantômes, de déterreurs de cadavres et de pishaches affamés. Tant pis : c'était une belle soirée claire de pleine lune et le Gange n'était pas loin. Un pichet en équilibre sur la hanche, Deeti se fraya un chemin entre les grands pavots vers le reflet argenté du fleuve. Juste comme elle sortait du champ pour gagner la rive sablonneuse, elle entendit un bruit de sabots à quelque distance. Elle regarda à gauche, en direction de Ghazipur, et aperçut, à la lumière de la lune, quatre hommes à cheval trottant vers elle.

Un homme à cheval ne signifiait jamais autre chose que du danger pour une femme seule et, en l'occurrence, avec quatre cavaliers avançant de conserve, les signes n'en étaient que trop évidents : sans perdre une minute, Deeti se cacha dans les pavots. Dès que la petite troupe fut plus proche, Deeti s'aperçut qu'elle s'était trompée : les cavaliers n'étaient que trois, le quatrième suivait à pied. Elle crut d'abord qu'il s'agissait d'un garçon d'écurie mais se rendit compte très vite qu'il avait une corde autour du cou et qu'il était mené comme un cheval. Seule sa taille le lui avait fait prendre pour un cavalier. Or il s'agissait de Kalua. Elle reconnut aussi les autres hommes car leurs visages étaient familiers à tout le monde à Ghazipur : les trois jeunes seigneurs amateurs de sport. Elle en entendit un crier aux autres : *Iddhar*, ici, l'endroit est parfait, il n'y a personne dans le coin, et elle comprit au son de sa voix qu'il était ivre. Arrivés à sa hauteur, les hommes mirent pied à terre : ils attachèrent deux des chevaux ensemble, de sorte à les laisser paître près du champ de pavots. Le troisième était une grosse jument noire qu'ils conduisirent vers Kalua, elle aussi avec une corde au cou. Deeti entendit alors un gémissement, des sanglots, tandis que Kalua tombait à genoux et s'agrippait aux pieds du thakur. *Mái-báp, hamke máf karelu*... pardonnez-moi, maîtres... ce n'est pas ma faute...

Ce qui lui valut des volées de coups et d'injures.

... Tu as fait exprès de perdre, *dogla*, enfant de pute ?

... Sais-tu combien ça nous a coûté... ?

... Maintenant on va te voir faire ce qu'Hirabai a dit...

Les hommes tirèrent sur la corde pour forcer Kalua à se remettre debout et ils le poussèrent, titubant, vers l'arrière-train de la jument. L'un d'eux enfonça son fouet dans le nœud du langot de Kalua, le défit et l'envoya promener d'un geste du poignet. Puis, tandis qu'un de ses compagnons maintenait le cheval immobile, les deux autres fouettèrent les fesses nues de Kalua jusqu'à ce que son aine soit collée à l'arrière de la jument. Kalua laissa échapper un hurlement impossible à distinguer du hennissement de la bête. Ce qui amusa fort les jeunes seigneurs.

... Regardez, même le b'henchod crie comme un cheval...

... *Tetua dabá dé...* essore-lui les couilles...

Soudain, dans un grand coup de queue, la jument déféqua, libérant une giclée de bouse sur le ventre et les cuisses de Kalua. Ce qui provoqua encore plus d'hilarité chez les trois hommes, dont l'un enfonça son fouet dans les fesses du géant : Arre Kalua ! Pourquoi ne fais-tu pas pareil ?

Depuis la nuit de ses noces, Deeti était hantée par les images de son viol : et là, observant la scène à l'abri du champs de pavots, elle se mordit le bord de la paume pour s'empêcher de crier. Cela donc pouvait aussi arriver à un homme ? Même un puissant géant pouvait être humilié, détruit d'une manière qui dépassait de très loin sa capacité à supporter la douleur ?

Elle détourna les yeux et découvrit alors que les deux chevaux en train de paître avaient avancé dans le champ et se trouvaient maintenant très près d'elle : encore un peu et leurs flancs seraient à la portée de sa main. Il ne lui fallut qu'une minute pour aviser une cosse de pavot dont les feuilles, en tombant, avaient laissé derrière elles une couronne d'épines acérées. Se glissant vers l'un des animaux, Deeti émit une sorte de sifflement et lui planta la cosse pointue dans le garrot. Le cheval se cabra, comme mordu par un serpent, et s'enfuit au galop, entraînant son compagnon de cordée dans sa fuite. L'affolement du cheval se communiqua instantanément à la jument noire qui, en se libérant, rua et frappa Kalua en pleine poitrine d'un coup de jambes arrière. Figés un instant par la surprise, les trois larrons se jetèrent à la poursuite de leurs montures, laissant Kalua étalé inconscient sur le sable, nu ct barbouillé de crottin.

Il fallut un bon moment à Deeti pour rassembler le courage de regarder de plus près. Une fois certaine du départ des trois garçons, elle se glissa hors de sa cachette et s'accroupit à côté du corps inanimé de Kalua dont, comme il gisait à l'ombre, il était difficile de dire s'il respirait ou pas. Deeti tendit la main pour lui toucher la poitrine mais se reprit aussitôt : songer à toucher un homme nu était déjà suffisamment inconvenant, mais quand cet homme était de la condition de Kalua, n'était-ce pas quêter la punition ? Elle lança un coup d'œil furtif autour d'elle puis, au défi de la présence d'un monde invisible, elle tendit un doigt et lui permit de choir sur la poitrine du géant. Les battements de cœur la rassurèrent et elle retira vite sa main, prête à se précipiter de nouveau dans les pavots si les yeux de Kalua montraient le moindre signe de s'ouvrir. Mais ils demeurèrent fermés, son corps resta étendu si paisiblement inerte que Deeti n'éprouva aucune crainte à l'examiner mieux. Elle se rendit compte alors que son immense taille était trompeuse, qu'il était encore très jeune, avec seulement un léger duvet sur sa lèvre supérieure ; gisant ainsi sur le sable, il n'avait plus rien du noir géant qui s'arrêtait devant chez elle deux fois par jour, sans parler ni se laisser voir : c'était juste un jeune homme à terre. Elle claqua involontairement la langue à la vue du crottin sur son ventre ; elle alla sur le bord du fleuve, cueillit une poignée de joncs et s'en servit pour balayer les saletés. Le langot gisait non loin, d'un blanc étincelant sous les rayons de la lune, elle alla le chercher aussi et le déplia avec soin.

C'est en étalant le pagne que, malgré elle, son regard fut amené à se concentrer sur la nudité du géant – d'une certaine façon, en le nettoyant, elle avait réussi à ne rien voir. Elle ne s'était jamais encore, consciemment, trouvée aussi près de cette partie du corps d'un homme qu'à présent. Elle se surprenait à la contempler avec à la fois crainte et curiosité, revoyant en esprit cette image d'elle-même le soir de ses noces. Comme de son propre chef, sa main glissa vers le bas et Deeti sentit, à son grand étonnement, la douceur de la peau nue : puis, à mesure qu'elle s'accoutumait à la respiration de l'homme, elle prit conscience d'un léger remuement, d'un gonflement, et soudain elle eut l'impression de se retrouver dans une réalité où sa famille et son village regardaient par-dessus son épaule sa main reposer intimement sur la partie la plus intouchable de cet homme. Elle recula et retourna précipitamment dans le champ, où elle se cacha au milieu des pavots, et attendit.

Après ce qui sembla une éternité, Kalua se mit lentement debout et regarda autour de lui, comme surpris. Puis, nouant son langot autour de ses reins, il s'éloigna en trébuchant, avec un air si confus que Deeti fut certaine – ou presque – qu'il avait été totalement inconscient de sa présence.

Deux ans s'étaient écoulés depuis, mais, loin de s'estomper, les événements de cette nuit avaient atteint une vivacité coupable dans sa mémoire.

Souvent, allongée au côté de son époux abruti par l'opium, elle revoyait la scène, précisant les détails et certaines particularités – tout cela malgré elle et ses efforts pour guider ses pensées dans une autre direction. Son malaise aurait été plus grand encore si elle avait cru que Kalua avait accès aux mêmes souvenirs – mais elle n'avait jusqu'ici détecté aucun signe qu'il se rappelât quoi que ce fût de l'affaire. Pourtant, un doute la tourmentait encore et, depuis, elle prenait bien soin d'éviter son regard et se voilait le visage dès qu'il était dans les parages.

C'est donc avec une certaine appréhension qu'elle l'observait à présent ainsi cachée derrière son sari délavé : les plis du tissu ne laissaient rien deviner de la concentration avec laquelle elle attendait une réaction à sa présence. Elle savait que si le regard ou le visage de Kalua venait à trahir le moindre souvenir de son rôle à elle dans les événements de cette nuit-là, alors elle n'aurait pas d'autre choix que de tourner les talons et de repartir : la gêne serait impossible à ignorer, car il s'agissait non seulement de ce que les jeunes seigneurs avaient tenté de lui faire – et dont la honte pourrait détruire un homme s'il savait qu'il y avait eu des témoins –, mais aussi de son impudique curiosité à elle, si même ce n'était vraiment que cela.

À son soulagement, sa vue ne parut allumer aucune étincelle dans le regard morne de Kalua. Il portait un immense tricot de corps délavé et sans manches sur son large torse et, autour de la taille, son habituel pagne de coton sale – dont les bœufs ôtaient à présent les bouts d'herbe et de paille demeurés dans les plis alors que, debout devant sa case, sur ses jambes pareilles à des colonnes, il se balançait d'un pied sur l'autre.

Ka bhailé ? Que se passe-t-il ? lâcha-t-il enfin de son ton rauque, indifférent, et Decti eut la certitude que s'il avait jamais eu un souvenir quelconque de cette nuit, son esprit lent et simple en avait depuis longtemps perdu toute trace.

Ey-ré Kalua, dit-elle, mon homme est malade à la factorerie ; il faut le ramener à la maison.

Kalua réfléchit, la tête penchée, puis approuva d'un signe.

D'accord, je le ramènerai.

Prenant confiance, Deeti sortit le paquet qu'elle avait préparé et le tendit.

C'est tout ce que je peux te donner en paiement, Kalua – ne t'attends à rien d'autre.

Il regarda le paquet fixement.

Qu'est-ce que c'est ?

Afeem, de l'opium, Kalua, répliqua-t-elle sèchement. En cette saison, que trouve-t-on d'autre chez les gens ?

Il avança de son pas lourd vers Deeti qui s'empressa de poser le paquet par terre et de reculer, sa fille serrée contre elle : il était impensable qu'en plein jour il pût y avoir le moindre contact entre elle et Kalua, même s'il ne s'agissait que de la transmission d'un objet inerte. Néanmoins elle continua à l'observer avec soin tandis qu'il ramassait le paquet et le reniflait ; elle se demanda un instant s'il était lui aussi un mangeur d'opium – mais écarta aussitôt la pensée. Que lui importaient ses habitudes ? Il était un étranger, pas son mari. Pourtant elle se sentit bizarrement contente lorsque, au lieu de mettre de côté l'opium pour son propre usage, il brisa le morceau en deux bouts qu'il donna à ses bœufs. Les animaux se mirent à mâcher avec satisfaction tandis que Kalua les attelait, et, quand la carriole fut arrivée à sa hauteur, Deeti y grimpa avec sa fille et s'installa face à l'arrière, les jambes pendantes par-dessus bord. C'est ainsi qu'ils firent le chemin jusqu'à Ghazipur, chacun assis à un bout de la carriole, si loin l'un de l'autre que même la plus méchante des langues n'aurait pu trouver le moindre prétexte à scandale ou à reproche.

*

Ce même après-midi, à huit cents kilomètres à l'est de Ghazipur, Azad Naskar – universellement connu sous son surnom de Jodu – se préparait aussi à entreprendre le voyage qui l'amènerait par le travers de la proue de l'*Ibis* et dans le sanctuaire de Deeti. Plus tôt ce jour-là, Jodu avait enterré sa mère dans le village de Naskarpara, utilisant une de ses dernières pièces pour payer un molla-shaheb qui lirait le Coran au-dessus de la tombe fraîchement creusée. Le village se trouvait à quelque vingt-cinq kilomètres de Calcutta, sur une bande de boue et de mangroves sans intérêt particulier, au bord des Sundarbans. Guère plus qu'un tas de huttes entourant la tombe du fakir soufi qui avait converti les habitants à l'islam une génération ou deux auparavant. Sans la dargah du fakir, le village aurait fort bien pu se dissoudre de nouveau dans la boue, ses habitants n'étant pas du genre à s'attarder longtemps au même endroit : la plupart gagnaient leur vie sur le fleuve en travaillant comme canotiers, ferry-wallahs et pêcheurs. Mais c'étaient des gens humbles et peu d'entre eux avaient l'ambition ou le courage de chercher un poste sur des navires de haute mer – et dans ce petit nombre jamais personne n'avait plus ardemment aspiré que Jodu à devenir un lascar. Il aurait quitté depuis longtemps le village n'eût été la santé de sa mère qui, étant donné les circonstances familiales, aurait été totalement négligée en son absence. Il avait veillé sur elle tout au long de sa maladie avec à la fois tendresse et impatience, faisant de son mieux pour lui procurer un peu de confort durant ses derniers jours ; maintenant, il lui restait une dernière mission à accomplir de sa part, après quoi il serait libre d'aller voir les ghat-serangs qui recrutaient les lascars pour les grands navires.

Fils d'un canotier, Jodu n'était plus, de son propre avis, un gamin, son menton s'étant soudain révélé si fécond en matière de poils qu'il exigeait une visite hebdomadaire chez le barbier. Mais les changements de son physique étaient si récents et si volcaniques qu'il lui restait encore à s'y habituer : comme si son corps avait été un cratère fumant juste surgi de l'océan et attendant d'être exploré. En travers de son sourcil gauche, legs d'un accident dans son enfance, une coupure profonde laissait apparaître la surface de la peau avec le résultat que, de loin, il semblait avoir trois sourcils au lieu de deux. Cette défiguration, si l'on peut dire, donnait un étrange relief à son apparence et, des années plus tard, quand vint le temps pour lui d'entrer dans le sanctuaire de Deeti, c'est cette particularité qui détermina le dessin qu'elle fit de lui : trois traits tracés légèrement en travers dans un ovale.

Le canot de Jodu, hérité des années auparavant de son père, était un lourd engin, un dinghy fait de troncs creusés reliés par des bouts de chanvre : juste après l'enterrement de sa mère, Jodu le chargea du reste de ses quelques possessions et s'apprêta à partir pour Calcutta. Avec le courant en poupe, il ne lui fallut pas longtemps pour arriver à l'embouchure du canal conduisant aux quais de la ville : cet étroit cours d'eau, récemment creusé par un entreprenant ingénieur anglais, était connu sous le nom de Mr Tolly's

Nullah et, pour le privilège de pouvoir l'emprunter, Jodu dut donner la dernière de ses pièces de monnaie au gardien du péage. L'étroit canal était très animé, comme d'habitude, et il fallut près de deux heures à Jodu pour traverser la ville, en passant devant le temple de Kalighat et les murs sinistres de la prison d'Alipore. Émergeant enfin dans le Hooghly, il se retrouva au milieu d'une grande multitude de bateaux – sampans surpeuplés, almadias légers, brigantines immenses et baulias minuscules, carracks rapides et woolocks branlants, bugalows adenis aux voiles latines élancées et bulkats d'Andhra à plusieurs étages. Impossible pour lui de barrer dans ce trafic sans une égratignure ou un petit choc de-ci de-là, dont chacun lui valut des engueulades sévères de la part des serangs, tindals, coksens et autres mariniers ; un bhandari particulièrement irritable lui flanqua un seau de saletés à la figure et un pilote salace le gratifia de gestes du poing suggestifs. Jodu répliqua en singeant les cris familiers des marins : *What cheer ho ? Baste !*, laissant les lascars bouche bée devant l'excellence de ses imitations.

Après une année de réclusion campagnarde, il sentait son moral se regonfler en entendant de nouveau ces voix du port avec leur déluge d'obscénités et d'injures, de provocations et d'invitations – et voir les lascars se balancer dans les gréements lui donnait des démangeaisons dans les mains. Ses yeux ne cessaient de se porter sur le rivage, allant des entrepôts et des bankshalls de Kidderpore aux allées sinueuses de Watgunge où les femmes, assises sur les marches de leurs maisons, se maquillaient le visage en prévision de la nuit. Que lui diraient-elles à présent, ces femmes qui s'étaient autrefois moquées de lui et l'avaient renvoyé à cause de sa jeunesse ?

Au-delà du chantier naval de Mr Kyd, le trafic diminua un peu et Jodu n'eut aucune difficulté à faire halte à Bhutghat. Cette partie de la ville se trouvait juste en face des Royal Botanical Gardens, de l'autre côté du Hooghly, et le ghat était très utilisé par le personnel des jardins. Jodu savait que tôt ou tard un de leurs canots viendrait s'amarrer ici, ce qui en effet se produisit en moins d'une heure. À bord se trouvait un jeune assistant conservateur anglais. Le coksen, le barreur, en lungi, était bien connu de Jodu et, une fois le sahib débarqué, il approcha son propre canot. Le coksen le reconnut tout de suite :

Arré Jodu na ? N'est-ce pas toi, Jodu Naskar ?

Salaam, khalaji, le salua Jodu. Oui, c'est moi.

Mais où étais-tu ? voulut savoir le coksen. Où est ta mère ? Ça fait plus d'un an que vous avez quitté les jardins. Tout le monde se demandait...

Nous étions repartis au village, khalaji, répondit Jodu. Ma mère a refusé de rester après la mort de notre sahib.

J'ai entendu ça. On a raconté aussi qu'elle était malade.

Baissant la tête, Jodu fit signe que oui.

Elle est morte hier soir, khalaji.

Allah'rahem ! Le coksen ferma les yeux et marmonna : Dieu ait pitié d'elle.

Bismillah... Jodu reprit la prière après lui puis ajouta : Écoute, khalaji, c'est pour ma mère que je suis ici : avant de mourir elle m'a demandé de retrouver la fille de Lambert Sahib, Miss Paulette.

Évidemment, dit le coksen. Cette petite était comme une fille pour ta mère. Aucune ayah n'a donné autant d'amour à un enfant comme elle l'a fait.

... Mais sais-tu où est Paulette Missy ? Voilà plus d'un an que je ne l'ai vue.

Le coksen hocha la tête et leva une main qu'il pointa en aval.

Elle habite pas loin d'ici. Après la mort de son père, elle a été recueillie par une riche famille anglaise. Pour la trouver, il te faudra aller à Garden Reach. Demande la maison de Burnham Sahib : dans le jardin, il y a un chabutra avec un toit vert. Tu le reconnaîtras dès que tu le verras.

Jodu fut ravi d'avoir atteint son but avec si peu d'efforts.

Khoda-hafej khálaji !

Avec un salut de remerciement il reprit ses rames enfoncées dans la boue et en donna un vigoureux coup. Tandis qu'il s'éloignait, il entendit le coksen, très excité, informer les hommes autour de lui :

Vous voyez le dinghy de ce garçon ? Miss Paulette, la fille de Lambert Sahib, le Français, elle est née dedans : dans ce canot même...

Jodu avait entendu cette histoire si souvent, et racontée par tant de gens, qu'il avait l'impression d'avoir été lui-même témoin des événements. C'était son kismat, ne cessait de dire sa mère, la responsable de cet étrange tour pris par le destin de la famille. Si elle n'était pas revenue dans son village pour la naissance de Jodu, il est certain que leurs vies n'auraient jamais inclus celle de Paulette.

Cela s'était passé peu après la naissance de Jodu : le père, batelier, était venu avec son canot rechercher femme et enfant dans le village où avait eu lieu l'accouchement. Ils se trouvaient sur le Hooghly quand un vent vif avait commencé à souffler en bourrasques. Le soir tombant, le père de Jodu avait décidé de ne pas risquer la traversée du fleuve à cette heure : il serait plus sage de passer la nuit à l'abri de la côte et de tenter de nouveau la traversée le lendemain matin.

Longeant la rive, ils étaient finalement arrivés au ponton des Jardins botaniques : quel meilleur endroit que cet excellent ghat pour s'y reposer ? Leur canot bien amarré, ils avaient pris leur repas du soir et s'étaient installés pour la nuit.

Ils venaient de s'endormir quand ils furent réveillés par des clameurs. Une lanterne apparut, éclairant le visage d'un homme blanc : le sahib avait passé la tête sous le taud de chaume de leur canot et bredouillait des mots affolés. À l'évidence, il était très inquiet, aussi ne furent-ils pas surpris quand un de ses domestiques intervint pour expliquer qu'il y avait urgence : enceinte, l'épouse du sahib était en proie à d'atroces douleurs et avait désespérément besoin d'un médecin blanc ; il n'y en avait aucun de ce côté du fleuve et il fallait donc l'emmener à Calcutta sur l'autre rive.

Le père de Jodu protesta : son canot était bien trop petit pour tenter de traverser par une nuit sans lune et sur une eau rendue bouillonnante par des vents changeants. Il valait bien mieux que le sahib prenne une grande bora ou un budgerow – un bateau avec un vaste équipage et beaucoup de rames ; il y en avait sûrement un aux Jardins botaniques, non ?

Certes, lui fut-il répondu, les Jardins possédaient bien une petite flotte à eux. Mais, par malchance, aucun de ces bateaux n'était disponible cette nuit : le conservateur en chef les avait tous réquisitionnés pour emmener plusieurs de ses amis au bal annuel de la Bourse de Calcutta. Le canot était le seul bateau amarré pour l'instant au ghat : si le père de Jodu refusait de faire la traversée, deux vies seraient perdues – celle de la mère aussi bien que celle de l'enfant.

Venant elle-même de connaître les douleurs de l'enfantement, la mère de Jodu fut émue par l'évidente détresse du sahib et de sa mem : elle ajouta sa voix aux leurs, suppliant son mari d'accepter. Mais il continua à secouer la tête, ne cédant qu'après avoir reçu une pièce, un tical d'argent représentant plus que la valeur du canot. Grâce à cet irrésistible encouragement, le marché fut conclu et la Française transportée à bord sur sa civière.

Il suffisait de regarder le visage de la femme enceinte pour comprendre qu'elle souffrait atrocement : on lâcha aussitôt les amarres pour mettre le cap sur le Babughat de Calcutta. Malgré l'obscurité et le vent, il ne fut pas difficile de prendre la bonne direction car la Bourse de Calcutta, spécialement illuminée pour son bal annuel, était très visible sur la rive. Mais à mesure que le canot s'avançait, le vent et la mer se renforçaient, le ballottant avec tant de violence qu'il devint difficile de maintenir la civière immobile. Avec un roulis et un tangage croissants, l'état de la memsahib empira jusqu'à ce que brusquement, en plein milieu du fleuve, elle perde les eaux et subisse les prémices d'un accouchement prématuré.

Ils firent aussitôt demi-tour, mais le quai des Jardins était loin. Le sahib, maintenant entièrement occupé à réconforter son épouse, ne put être d'aucune aide : c'est la mère de Jodu qui coupa le cordon ombilical en le mordant et épongea le sang du corps minuscule de la petite fille. Laissant son propre enfant étendu nu dans le fond du canot, elle s'empara de sa couverture et en enveloppa le nouveau-né, qu'elle approcha de sa mère mourante. Le visage de son bébé fut la dernière chose que contempla la memsahib : la malheureuse perdit tout son sang avant d'atteindre les jardins.

Désespéré et fou de douleur, le sahib n'était pas en état de prendre soin d'un nourrisson hurlant : il fut très soulagé quand la mère de Jodu mit l'enfant à son sein. Au retour, il leur fit une autre requête : le canotier et sa famille pourraient-ils rester avec lui jusqu'à ce qu'il trouve une ayah ou une nourrice ?

Comment auraient-ils pu refuser ? La vérité est que la mère de Jodu aurait trouvé très difficile de se séparer de la petite fille après cette première nuit : dès l'instant où elle lui avait donné le sein, elle lui avait aussi ouvert son cœur. À partir de ce moment-là, ce fut comme si elle n'avait pas un enfant mais deux : Jodu, son fils, et sa fille Putli, «Poupée», sa manière de maîtriser le prénom du bébé. Quant à Paulette, dans le mélange de langues qui devait caractériser son éducation, elle appela sa nounou tantima, «tante-maman».

C'est ainsi que la mère de Jodu fut engagée par Pierre Lambert, débarqué récemment en Inde pour prendre le poste de conservateur adjoint des Jardins botaniques de Calcutta. Il était entendu qu'elle ne resterait que jusqu'à l'arrivée d'une remplaçante, qu'en fin de compte on ne lui trouva jamais. Sans que rien soit officiellement décidé, la mère de Jodu devint la nourrice de Paulette, et les deux bébés passèrent leurs premiers mois tête à tête dans ses bras. Toutes les objections qu'aurait pu faire le père de Jodu s'évaporèrent quand le conservateur adjoint lui acheta un nouveau bateau, bien meilleur, une bauliya : le canotier partit bientôt vivre à Naskarpara, laissant derrière lui femme et enfant, mais pas son bateau tout neuf. Dès lors, Jodu et sa mère ne le virent plus que rarement, en général au début du mois, au moment où elle recevait son salaire ; avec l'argent qu'il lui prenait, son époux se remaria et eut beaucoup d'enfants. Jodu rencontrait ces demi-frères et sœurs deux fois par an, durant les fêtes de l'Id, quand on le forçait à se rendre à Naskarpara. Cependant le village ne représenta jamais pour lui «la maison» à la manière du bungalow

Lambert, où il régnait en qualité de compagnon de jeux préféré et de fiancé pour rire.

Quant à Paulette, le premier langage qu'elle apprit fut le bengali, et la première nourriture solide sur laquelle elle fut sevrée fut un khichri de riz et dal préparé par la mère de Jodu. En fait de vêtements, elle préférait de loin les saris aux tabliers, et côté chaussures elle n'avait aucune patience, choisissant plutôt de courir dans les jardins pieds nus, comme Jodu. Au cours des premières années de leur enfance, ils furent inséparables car Paulette refusait de manger ou de dormir à moins que Jodu ne soit présent dans la pièce. Il y avait plusieurs autres gamins dans les dépendances du bungalow, mais seul Jodu avait librement accès à la maison même et aux chambres à coucher. Très jeune, Jodu avait compris que ce privilège était dû aux rapports spéciaux entre sa mère et son employeur, rapports qui demandaient qu'elle tînt compagnie à ce dernier jusque tard dans la nuit. Néanmoins, ni Jodu ni Putli ne faisaient jamais allusion à cette histoire, l'acceptant comme l'une des nombreuses circonstances inhabituelles de leur très particulière maisonnée – car Jodu et sa mère n'étaient pas les seuls à être coupés des leurs ; Paulette et son père l'étaient peut-être encore plus. Rares étaient les Blancs à leur rendre visite, et les Lambert ne prenaient aucune part au tourbillon animé de la société anglaise de Calcutta. Quand le Français s'aventurait sur la rive d'en face, c'était uniquement pour ce qu'il aimait à appeler des « à-faire » : à part quoi, il ne se souciait vraiment que de ses plantes et de ses livres.

Jodu était plus sociable que sa compagne de jeux et il ne lui échappait pas que Paulette et son père étaient à couteaux tirés avec les autres sahibs blancs : il avait entendu dire que les Lambert appartenaient à un pays souvent en guerre avec l'Angleterre et, au début, c'est à cela qu'il attribua leur mise à l'écart. Toutefois, plus tard, quand les secrets partagés avec Putli gagnèrent en importance, il comprit que ce n'était pas là la seule différence entre les Lambert et les Anglais. La raison pour laquelle, apprit-il, Pierre Lambert avait quitté son pays, c'était que, jeune homme, il avait été impliqué dans une révolte contre son roi ; il était snobé par la respectable société anglaise parce qu'il avait nié l'existence de Dieu et le caractère sacré du mariage. Rien de tout cela n'avait le moindre intérêt pour Jodu – si de telles opinions servaient à isoler leur maisonnée des autres sahibs, il ne pouvait que s'en réjouir.

Ce n'est ni l'âge ni la classe sociale, mais une intrusion bien plus subtile, qui distendirent les liens entre les deux enfants : à un certain moment, Putli commença à lire et dès lors ne trouva plus le temps pour quoi que ce fût d'autre. Jodu, de son côté, perdit tout goût pour les lettres aussitôt qu'il sut les déchiffrer ; depuis toujours, il était surtout attiré par l'eau. Il réclama le vieux canot de son père – le lieu de naissance de Putli – et, dès l'âge de dix ans, se montra très capable de l'utiliser, non pas simplement comme marinier pour les Lambert mais aussi pour les accompagner dans leurs expéditions en quête de spécimens.

Aussi étrange que fût leur maisonnée, son organisation paraissait si sûre, si permanente et si satisfaisante, qu'aucun d'entre eux n'était préparé aux désastres qui suivirent la disparition inattendue de Pierre Lambert. Celui-ci mourut d'une fièvre avant d'avoir pu mettre de l'ordre dans ses affaires ; peu après son décès, on découvrit qu'il avait accumulé des dettes substantielles dans la poursuite de ses recherches – ses mystérieux voyages d'« à-faire » à Calcutta consistant, semblait-il, en visites clandestines à des usuriers de

Kidderpore. C'est à ce moment-là aussi que Jodu et sa mère payèrent le prix de leurs rapports privilégiés avec le conservateur adjoint. Les ressentiments et jalousies des autres serviteurs et employés se manifestèrent très vite sous la forme de méchantes accusations de vol au chevet du mort. L'hostilité atteignit un tel degré que Jodu et sa mère furent forcés de s'enfuir dans leur canot. Faute de choix, ils retournèrent à Naskarpara, où leur belle-famille leur accorda un peu aimable refuge. Mais des années d'une vie confortable dans le bungalow des Lambert avaient mal préparé la mère de Jodu aux privations de la vie paysanne. L'irréversible déclin de sa santé commença peu de semaines après son arrivée et ne se termina qu'avec sa mort.

Jodu passa en tout quatorze mois à Naskarpara, pendant lesquels il ne vit pas Paulette ni n'en reçut de nouvelles. Sur son lit de mort, sa mère avait souvent pensé à la jeune fille, et elle avait supplié Jodu de la rencontrer une dernière fois afin qu'elle sache, au moins, combien elle avait manqué à sa vieille nounou dans les derniers jours de sa vie. Pour sa part, Jodu avait depuis longtemps compris que sa compagne de jeux d'autrefois et lui seraient un jour récupérés par leurs différents mondes, et il aurait été content de laisser les choses en l'état : sans les prières de sa mère, il ne se serait pas mis à la recherche de Paulette. Pourtant, maintenant qu'il approchait de l'endroit où elle vivait, il se découvrait pris à la fois d'une impatience et d'une appréhension croissantes : Paulette accepterait-elle de le voir ou bien le ferait-elle renvoyer par les domestiques ? S'il pouvait la rencontrer en tête à tête, ils auraient tant à se dire, tant à se raconter. En regardant devant lui, en amont du fleuve, il avisa un petit pavillon au toit vert et il força l'allure.

Quatre

En entrant dans Ghazipur, sur le char à bœufs de Kalua, Deeti, malgré la sinistre nature de sa tâche, se sentit l'esprit étrangement léger : comme si elle savait dans son cœur que c'était la dernière fois qu'elle ferait ce trajet avec sa fille et qu'elle fût décidée à en tirer le meilleur.

La carriole se montra lente à se frayer un chemin à travers le dédale d'allées et de bazars au centre de la ville, mais, après le virage en direction du port, la congestion diminua un peu et les environs se firent plus aimables. Deeti et Kabutri avaient rarement l'occasion de venir en ville, et elles admirèrent, fascinées, les murs du Chehel Satoon, un palais à quarante piliers construit par un aristocrate d'origine persane sur le modèle d'un monument d'Isfahan. Un peu plus tard, elles passèrent devant une plus grande merveille encore, un bâtiment d'inspiration grecque, avec des colonnes cannelées et un dôme immense : le mausolée de Lord Cornwallis, le célèbre vainqueur de York-town, mort à Ghazipur trente-trois ans auparavant ; au moment où le char à bœufs arrivait bruyamment à sa hauteur, Deeti montra à Kabutri la statue du laat sahib anglais. Puis, soudain, tandis que la carriole négociait un virage, Kalua claqua de la langue pour stopper les bœufs. Secouées par le brusque changement d'allure, Deeti et Kabutri se retournèrent pour regarder vers l'avant – et leur sourire mourut sur leurs lèvres.

La route grouillait de gens, une centaine ou plus ; entourée par un cercle de gardes armés de bâtons, cette foule marchait péniblement en direction du fleuve, des ballots en équilibre sur la tête et le dos, des pots de cuivre suspendus aux bras. Elle avait manifestement couvert déjà une grande distance car dhotis, pagnes et tricots de corps étaient gris de la poussière de la route. Ce spectacle suscitait à la fois pitié et crainte chez les habitants du cru ; certains claquaient de la langue en témoignage de sympathie, mais d'autres, gamins et vieilles femmes, jetaient des cailloux sur le cortège comme pour écarter une influence néfaste. Malgré cela, et en dépit de leur épuisement, les marcheurs paraissaient étrangement dignes, voire rebelles, et quelques-uns renvoyaient même les pierres droit sur les spectateurs : leur bravade n'était pas moins troublante que leur évidente misère.

Qui sont-ils, ma ? chuchota Kabutri.

Je ne sais pas. Des prisonniers, peut-être ?

Non, intervint aussitôt Kalua en indiquant du doigt la présence de femmes et d'enfants parmi les marcheurs.

Ils en étaient encore aux suppositions quand un des gardes arrêta la carriole et expliqua à Kalua que leur chef et duffadar, Ramsaran-ji, s'était blessé au pied et devait être transporté jusqu'au quai voisin. Le duffadar surgit tandis que le garde parlait, et Deeti et Kabutri lui firent promptement place : c'était un homme imposant, haute taille, bedaine appropriée, vêtements d'un blanc immaculé et chaussures de cuir. Il avait un lourd bâton à la main et un énorme turban tenant du dôme sur la tête.

Tout d'abord ils furent trop effrayés pour ouvrir la bouche, et c'est Ramsaran-ji qui rompit le silence :

D'où viens-tu ? demanda-t-il à Kalua. *Kahwãa se áwela ?*

D'un village voisin, malik. *Parosé ka gaõ se áwat baní.*

Deeti et Kabutri avaient tendu l'oreille, et quand elles entendirent le duffadar s'exprimer en bhojpuri, leur propre langue, elles se rapprochèrent peu à peu de lui pour pouvoir mieux saisir ce qui se disait.

Kalua eut enfin le courage de poser la question :

Malik, qui sont ces gens qui marchent ?

Des girmitiyas, répliqua Ramsaran-ji, et, au son de ce mot, Deeti, le souffle coupé, étouffa un cri car, soudain, elle comprenait. Depuis quelques années déjà, les rumeurs avaient commencé à circuler aux environs de Ghazipur : bien qu'elle n'eût jamais encore vu un girmitiya, Deeti en avait entendu parler. On les appelait ainsi parce qu'en échange d'argent leurs noms étaient inscrits sur des « girmits », des accords enregistrés sur des bouts de papier. L'argent qu'ils recevaient allait à leur famille tandis qu'eux étaient emmenés sans qu'on les revoie jamais : ils disparaissaient dans le néant.

Où vont-ils, malik ? dit Kalua à voix basse comme s'il parlait de morts vivants.

Un bateau les transportera à Patna puis à Calcutta, répliqua le duffadar. Et de là ils partiront pour un endroit appelé Mareech.

Incapable de se contenir plus longtemps, Deeti se joignit à la conversation et demanda, à l'abri du ghungta de son sari :

Où est-ce, Mareech ? Est-ce près de Dilli ?

Ramsaran-ji éclata de rire.

Non, dit-il avec mépris. C'est une île dans la mer. Comme Lanka, mais plus loin.

La mention de Lanka, avec son évocation de Ravana et de ses légions de démons, fit sursauter Deeti. Comment les marcheurs pouvaient-ils continuer à avancer sachant ce qui les attendait ? Elle tenta de s'imaginer à leur place : savoir que vous étiez pour toujours un intouchable ; que vous ne reviendriez jamais dans la maison de votre père ; que vous ne serreriez plus jamais votre mère dans vos bras ; que vous ne partageriez plus jamais un repas avec vos frères et sœurs ; que vous ne sentiriez plus jamais la douceur purifiante du Gange. Et savoir aussi que, pour le restant de vos jours, vous gagneriez péniblement votre vie sur une île sauvage envahie par les démons ?

Elle frissonna.

Et comment arriveront-ils à cet endroit ? demanda-t-elle à Ramsaran-ji.

Un bateau les attendra à Calcutta, expliqua le duffadar, un jaház, bien plus grand que ce que vous avez jamais vu : avec beaucoup de mâts et de voiles ; un bateau assez grand pour contenir des centaines de gens...

Hái Rám ! C'était donc ça ? Deeti porta vivement la main à sa bouche en se rappelant le bateau qu'elle avait vu alors qu'elle se baignait dans le Gange. Mais pourquoi avait-elle eu cette apparition, elle, Deeti, qui n'avait rien à faire avec ces gens ? Qu'est-ce que ça pouvait bien vouloir dire ?

Kabutri comprit très vite à quoi pensait sa mère.

N'est-ce pas la sorte de bateau que tu as vu ? Celui qui ressemblait à un oiseau ? C'est drôle qu'il se soit montré à toi.

Ne dis pas ça ! cria Deeti en jetant ses bras autour de l'enfant.

Un frisson de peur la traversa et elle serra très fort sa fille contre sa poitrine.

*

Quelques instants après que Mr Doughty eut annoncé son arrivée, les bottes de Benjamin Burnham se posèrent pesamment sur le pont de l'*Ibis* : les culottes de cheval et la jaquette noire de l'armateur étaient couvertes de poussière et ses longues bottes tachées de boue, mais la chevauchée avait manifestement revigoré l'homme dont le visage rayonnant ne portait aucune trace de fatigue.

Benjamin Burnham était un homme de taille imposante et de corpulence majestueuse, avec une barbe frisée qui recouvrait la moitié supérieure de son torse à la manière d'une cotte de mailles bien astiquée. Il n'était pas très loin de la cinquantaine, mais son pas n'avait rien perdu de l'élasticité de la jeunesse et dans ses yeux brillait encore cette étincelle qui vient de ne jamais regarder qu'en avant. Sa peau était tannée et bronzée, héritage de nombreuses années d'activité énergique sous le soleil. Debout très droit sur le pont, il accrocha son pouce au revers de sa jaquette et passa un regard interrogateur sur l'équipage de la goélette avant de s'écarter avec Mr Doughty. Les deux hommes s'entretinrent un moment, puis Mr Burnham alla vers Zachary et lui tendit la main.

— Monsieur Reid ?

— Oui, monsieur.

Zachary s'avança pour prendre la main tendue. L'armateur le toisa des pieds à la tête, l'air approbateur.

— Doughty me dit que pour un nouveau promu, vous êtes un garçon de qualité.

— J'espère qu'il a raison, monsieur, répliqua Zachary d'un ton incertain.

L'armateur sourit, découvrant ainsi de grandes dents éclatantes.

— Eh bien, êtes-vous prêt à me faire visiter mon nouvel armement ?

Benjamin Burnham se comportait avec cette sorte d'autorité particulière qui suggère une éducation riche et privilégiée – mais cela était trompeur. Zachary savait que l'armateur, fils d'un commerçant, s'enorgueillissait d'être un self-made-man. Au cours des deux derniers jours, grâce à Mr Doughty, Zachary avait beaucoup appris sur le «burra sahib». Il savait par exemple que, malgré toute sa familiarité avec l'Asie, Benjamin Burnham n'était pas un «natif des lieux», «ce qui veut dire qu'il n'est pas comme ceux de nous, sahibs, qui ont ouvert les yeux dans l'Est». Fils d'un négociant en bois de Liverpool, il n'avait cependant passé guère plus de dix ans «au pays», «et ça veut dire l'Angleterre, mon garçon, pas simplement n'importe quel fichu endroit où il se trouve que vous viviez».

Enfant, raconta aussi le pilote, le jeune Ben s'était révélé un «vrai shaytan» : un bagarreur, provocateur, un voyou en fait, manifestement destiné à une vie de pénitenciers et de maisons de correction ; c'est pour le sauver de ce kismet que sa famille l'avait expédié sur les océans comme «cobaye» – c'est ainsi qu'on appelait autrefois un garçon de cabine, «parce que tout le monde pouvait lui marcher dessus et faire ce qu'il en voulait».

Même la discipline d'un bateau de l'East India Company n'avait pourtant pas été suffisante pour mater le garçon : « Un quartier-maître a attiré le gamin dans le magasin du navire avec l'idée de jouer à touche-pipi. Mais aussi jeune matelot qu'il fût, le jeune Benjamin Burnham ne manquait pas de courage – il s'est jeté sur le vieux cochon avec une bitte d'amarrage et lui a tapé dessus avec un tel enthousiasme qu'il l'a fait passer de vie à trépas. »

Pour son propre salut, Benjamin Burnham fut débarqué à l'escale suivante, qui se trouvait être la colonie pénitentiaire de Port Blair, sur les îles Andaman. « La meilleure chose qui pouvait arriver à un petit chuckeroo sauvage : rien comme la prison pour civiliser un animal de la jungle. » À Port Blair, Ben Burnham travailla pour l'aumônier de la prison : là, sous un régime pratiquant tout ensemble la punition et le pardon, il acquit la foi et une éducation. « Ah ! ces prêcheurs ont la main dure, mon garçon ; ils vous enfonceront la parole de Dieu dans la tête même s'ils doivent d'abord vous casser les dents pour le faire. » Ainsi suffisamment redressé, le gamin s'en repartit du côté de l'Atlantique et passa quelque temps sur un transport d'esclaves naviguant entre l'Amérique, l'Afrique et l'Angleterre. Puis, à l'âge de dix-neuf ans, il se retrouva faisant voile vers la Chine sur un navire ayant à son bord un missionnaire protestant très connu. Cette rencontre accidentelle entre Ben Burnham et le révérend anglais devait se transformer en une forte et durable amitié. « C'est ainsi que ça se passe par là-bas, dit le pilote. Canton est un endroit où on finit par bien connaître ses amis. Les Chinetoques gardent les diables étrangers à l'intérieur des usines étrangères, hors des murs de la ville. Aucun fanqui ne peut quitter son petit bout de rivage ; peut pas passer les portes de la cité. Nulle part où aller, nulle part où se promener, nulle part où monter à cheval. Même pour prendre une petite barque sur le fleuve, il vous faut un laissez-passer officiel. Pas de memsahibs ; rien à faire d'autre qu'à écouter vos changeurs compter leurs taëls. Un homme peut se sentir aussi solitaire qu'un boucher un jour de carême. Y en a qui peuvent simplement pas le supporter et qu'on est obligé de renvoyer au pays. Certains vont dans Hog Lane s'offrir une bayadère ou se tordre le nez avec du vin de riz. Mais pas Ben Burnham : quand il ne vendait pas de l'opium, il était avec les missionnaires. Plus souvent qu'à son tour, on le trouvait à la factorerie américaine – les Yankees étaient plus à son goût que ses collègues de la Compagnie, vu qu'ils étaient plus portés sur l'Église.»

Grâce à l'influent révérend, Benjamin Burnham trouva un poste de commis dans la compagnie de commerce Magniac & Co, les prédécesseurs de Jardine & Matheson, et, à partir de là, comme la moitié des étrangers impliqués dans le commerce avec la Chine, il partagea son temps entre les deux pôles du delta de Pearl River, Canton et Macao, à quatre-vingts milles l'un de l'autre. Seule la saison d'hiver se passait à Canton ; le reste de l'année, les commerciaux vivaient à Macao, où la Compagnie possédait un important réseau d'entrepôts, magasins et manufactures.

«Ben Burnham faisait son travail, il déchargeait l'opium des navires, seulement il n'était pas le genre d'homme à se réjouir d'être à la solde de quelqu'un d'autre, avec un salaire mensuel : il voulait être un nabab lui-même, avoir son propre siège à la Bourse de l'opium de Calcutta.» Comme pour beaucoup de marchands fanquis de Canton, les relations de Burnham avec le clergé lui furent d'une grande aide, car de nombreux missionnaires étaient étroitement liés aux marchands d'opium. En 1817, année où l'East India Company lui signait son contrat de marchand indépendant, une occasion se présenta sous la forme d'un groupe de convertis chinois qui devaient être escortés au collège de la mission baptiste de Serampore, au Bengale. « Et qui de mieux pour exécuter le travail que Ben Burnham ? En moins de deux, il est à Calcutta, à la recherche d'un bureau – et le plus fort, c'est qu'il le trouve. Ce bon vieux Rageur de Rascaillou lui donne même les clés d'une maison sur le Strand ! »

En déménageant à Calcutta, Burnham avait l'intention de se positionner dans les enchères d'opium de l'East India Company ; pourtant ce ne fut pas le commerce avec la Chine qui lui valut son premier exploit financier mais plutôt un héritage de son apprentissage dans une autre branche du commerce de l'empire britannique. « Dans le bon vieux temps, les gens avaient coutume d'affirmer qu'il n'y avait que deux choses à exporter de Calcutta : la drogue et les voyous – l'opium et les coolies, comme d'autres préfèrent dire. »

Sa première enchère réussie, Benjamin Burnham la remporta pour le transport de condamnés. Calcutta était alors le principal canal par lequel les prisonniers indiens étaient expédiés dans le réseau des prisons insulaires de l'empire : Penang, Bencoolen, Port Blair et Maurice. Tel un grand flot de vase, des milliers de pirates, d'escrocs, de dacoits, de rebelles et de hooligans étaient emportés par les eaux boueuses du Hooghly pour se disperser autour de l'océan Indien sur les diverses îles où les Anglais incarcéraient leurs ennemis.

Trouver un équipage pour un transport de forçats n'était pas chose facile car bien des matelots répugnaient à l'idée de s'engager sur un navire chargé d'assassins. « À l'heure du besoin, Burnham entama son affaire en faisant appel à un ami d'enfance, un certain Charles Chillingworth, un capitaine de bateau dont on finirait par dire qu'il n'existait pas de meilleure cravache sur l'océan – jamais un seul esclave, forçat ou coolie n'avait échappé à sa surveillance et survécu pour s'en vanter. » Avec l'aide de Chillingworth, Benjamin Burnham tira une fortune de la marée de transportés venue de Calcutta, et cet influx de capital lui permit d'entrer dans le commerce avec la Chine sur une échelle encore plus grande qu'il ne l'avait envisagé : bientôt, il fut à la tête d'une flotte respectable de navires. À l'orée de ses trente ans, il s'était associé à deux de ses frères, et la firme était devenue une maison de commerce de premier ordre avec des agents et des bureaux dans des villes telles que Bombay, Singapour, Aden, Canton, Macao, Londres et Boston.

« Et voilà : c'est la chance des colonies. Un gamin qui a rampé à travers les écubiers peut devenir un sahib aussi important que n'importe quel aristocrate de la Compagnie. Toutes les portes de Calcutta grandes ouvertes. Somptueuses réceptions à Government House, revues et défilés à Fort William. Pas de beebee trop noble pour refuser ses visites. Il a beau préférer l'évangélisme du pauvre, on peut être sûr que l'évêque lui réservera toujours un banc à l'église. Et pour couronner le tout, Miss Catherine Bradshaw en guise d'épouse – une memsahib pukka distinguée s'il en est, la fille d'un général.

*

Les qualités qui avaient fait de Ben Burnham un marchand-nabab furent amplement évidentes durant sa visite de l'*Ibis* : il inspecta le bateau de la proue à la poupe, descendit même dans la carlingue et enfourcha le bâton de foc, commentant tout ce qui méritait attention et distribuant louanges et blâmes.

— Et comment navigue-t-il, monsieur Reid ?

— Oh, c'est une bonne vieille barque, monsieur, répliqua Zachary. Nage comme un cygne et garde le cap comme un requin.

Mr Burnham sourit devant l'enthousiasme de Zachary.

— Parfait.

Ce n'est qu'à la fin de son inspection que l'armateur écouta le récit par Zachary de la désastreuse traversée depuis Baltimore, le questionnant avec soin sur des détails tout en feuilletant le livre de bord. Son interrogatoire terminé, il se déclara satisfait et gratifia Zachary d'une claque dans le dos.

— Shahbash ! Bravo ! Vous avez très bien tenu le coup, étant donné les circonstances.

Les seules réserves de Mr Burnham concernaient l'équipage de lascars et son chef.

— Ce vieux Mug de serang, qu'est-ce qui vous fait penser qu'on puisse lui faire confiance ?

— Mug, monsieur ? s'étonna Zachary, les sourcils froncés.

— C'est ainsi qu'on appelle les Arakanais par ici, expliqua Burnham. Le mot même frappe de terreur les natifs de la côte. Une bande terrifiante, ces Mugs – tous des pirates, dit-on.

— Serang Ali, un pirate ? – Zachary sourit en repensant à sa propre réaction initiale devant le serang et combien elle semblait maintenant absurde. – Il a peut-être un peu une tête de Tatar, monsieur, mais il n'est pas plus pirate que moi ; si c'était le cas, il se serait enfui avec l'*Ibis* bien avant que nous jetions l'ancre. Je n'aurais certainement pas pu l'en empêcher.

Burnham fixa Zachary de son regard perçant.

— Vous vous portez vraiment garant pour lui ?

— Oui, monsieur.

— Alors, très bien. Mais si j'étais vous, je le garderais à l'œil.

Mr Burnham referma le livre de bord et reporta son attention sur la correspondance accumulée pendant le voyage. La lettre de M. d'Épinay, de l'île Maurice, parut attirer particulièrement son intérêt, surtout après que Zachary eut rapporté les derniers mots du planteur concernant sa récolte de canne à sucre en passe de pourrir sur pied et son besoin désespéré de coolies.

Mr Burnham se gratta le menton puis demanda :

— Qu'en dites-vous, Reid ? Seriez-vous enclin à repartir pour Maurice bientôt ?

— Moi, monsieur ?

Zachary avait pensé qu'il resterait plusieurs mois à terre, pour réaménager l'*Ibis*, et il eut du mal à réagir à ce changement soudain de plan. Le voyant hésiter, l'armateur ajouta une précision :

— L'*Ibis* ne transportera pas d'opium lors de son premier voyage, Reid. Les Chinois nous cherchent noise de ce côté-là et, jusqu'à ce qu'on puisse leur faire comprendre les avantages du libre-échange, je n'enverrai pas d'autres cargaisons à Canton. En attendant, ce navire accomplira simplement la sorte de travail auquel il était destiné.

La suggestion fit sursauter Zachary.

— Vous entendez l'utiliser comme un transport d'esclaves, monsieur ? Mais vos lois anglaises n'ont-elles pas interdit ce commerce ?

— C'est vrai, dit Mr Burnham en hochant la tête. Oui, certes, elles l'interdisent. Il est triste mais vrai que beaucoup d'individus ne reculent devant rien pour arrêter la marche de la liberté humaine.

— Liberté, monsieur? s'étonna Zachary, se demandant s'il avait bien entendu.

Ses doutes furent très vite dissipés.

— Liberté, oui, exactement, répliqua Mr Burnham. N'est-ce pas ce que la domination de l'homme blanc signifie pour les races inférieures? Selon moi, Reid, le commerce africain a été le plus magnifique exercice en liberté depuis que Dieu a conduit les enfants d'Israël hors d'Égypte. Considérez, Reid, la situation d'un prétendu esclave en Caroline – n'est-il pas plus libre que ses frères en Afrique, geignant sous la loi d'un quelconque tyran noir?

Zachary se tira l'oreille.

— Eh bien, monsieur, si l'esclavage est la liberté, alors je suis content de ne pas avoir à en faire un plat. Fouets et chaînes ne sont guère de mon goût.

— Oh, allons donc, Reid! s'exclama Mr Burnham. La marche vers la cité lumineuse n'est jamais sans douleur, n'est-ce pas? Les Israélites n'ont-ils pas souffert dans le désert?

Peu soucieux de s'embarquer dans une discussion avec son nouveau patron, Zachary marmonna:

— Eh bien, monsieur, je suppose...

Ce ne fut pas suffisant pour Mr Burnham qui poursuivit dans un sourire:

— Je vous croyais un genre de type solide, Reid. Et vous voilà en train de faire des histoires comme un de ces réformistes!

— Vraiment, monsieur? s'empressa de dire Zachary. Ce n'était pas mon intention.

— C'est bien ce que je pensais, dit Mr Burnham. Une chance que ce mal particulier n'ait pas encore contaminé vos régions. Dernier bastion de la liberté, je dis toujours – l'esclavage ne sera pas en danger en Amérique pour un bon moment. Où d'autre aurais-je pu trouver un navire comme celui-ci, parfaitement adapté à sa cargaison ?

— Parlez-vous d'esclaves, monsieur ?

Mr Burnham fit la grimace.

— Enfin non, Reid. Pas d'esclaves, de coolies. N'avez-vous pas entendu dire que lorsque Dieu ferme une porte, il en ouvre une autre ? Quand les portes de la liberté ont été fermées aux Africains, Dieu les a ouvertes à une tribu qui en avait besoin encore bien davantage, les Asiatiques.

Zachary se mordit la lèvre : ce n'était pas à lui, décida-t-il, d'interroger son patron sur ses affaires ; mieux valait se concentrer sur des problèmes pratiques.

— Souhaitez-vous remettre à neuf l'entrepont, monsieur ?

— Exactement, répondit Mr Burnham. Une cale destinée à transporter des esclaves fera aussi bien pour des coolies et des condamnés. Vous ne pensez pas ? Nous y mettrons deux ou trois latrines et pissoirs de façon à ce que les Noirauds ne se salissent pas trop. Ça devrait satisfaire l'inspecteur.

— Oui, monsieur.

Mr Burnham se passa un doigt dans la barbe.

— Oui, je crois que Mr Chillingworth approuvera totalement.

— Mr Chillingworth, monsieur ? demanda Zachary. Sera-t-il le commandant du navire ?

— Je vois que vous avez déjà entendu parler de lui. – Le visage de Mr Burnham s'assombrit. – Oui –

ce sera son dernier voyage, Reid, et j'entends qu'il soit agréable pour lui. Il a subi beaucoup de revers récemment et il n'est pas en très bonne santé. Il aura Mr Crowle comme second – un excellent marin, mais un homme d'un caractère un peu incertain, il faut l'avouer. J'aimerais bien avoir à bord un garçon à l'esprit solide en fait de lieutenant. Qu'en dites-vous, Reid ? Seriez-vous prêt à vous réengager ?

L'offre correspondait si bien aux espoirs de Zachary que son cœur ne fit qu'un bond.

— Vous dites lieutenant, monsieur ?

— Oui, bien sûr, répliqua Mr Burnham qui, comme pour régler l'affaire, ajouta : La traversée devrait être facile : lever l'ancre après la mousson et retour en six semaines. Mon subedar sera à bord avec une section de soldats et de surveillants. Il a une grande expérience de ce genre de travail : vous n'entendrez pas un murmure de la part des fripouilles – il sait comment les mettre au pas. Et si tout va bien, vous devriez revenir à temps pour vous joindre à notre petite expédition chinoise.

— Je vous demande pardon, monsieur ?

Mr Burnham passa un bras autour des épaules de Zachary.

— Je vous dis cela en confidence, Reid, alors gardez-le pour vous. On raconte que Londres réunit une expédition pour attaquer les Célestes. J'aimerais que l'*Ibis* y prenne part – et vous aussi, d'ailleurs. Qu'en dites-vous, Reid ? Vous êtes partant ?

— Vous pouvez compter sur moi, monsieur, répliqua Zachary avec ferveur. Vous me trouverez toujours là, monsieur, surtout quand il s'agit de travailler.

— Brave garçon ! s'exclama Mr Burnham en lui donnant une autre claque dans le dos. Et l'*Ibis* ?

Croyez-vous qu'il puisse être utile dans une bataille ?
Combien de canons a-t-il ?

— Six pièces de neuf, monsieur. Mais nous pourrions ajouter un plus gros canon sur un pivot.

— Excellent ! J'aime votre enthousiasme, Reid. Je vais vous dire : je pourrai toujours employer un jeune gars solide comme vous dans ma compagnie. Si vous vous tenez bien, vous aurez votre propre commandement très bientôt.

*

Allongé sur son lit, Neel observait les jeux changeants de la lumière sur le bois du plafond de la cabine : les volets de la fenêtre filtraient les rayons du soleil de telle façon qu'il pouvait presque s'imaginer lui-même sous la surface du fleuve avec Elokeshi à son côté. Il se tourna pour la regarder et l'illusion parut se renforcer, car le corps à demi nu de sa maîtresse était baigné de reflets tourbillonnants et miroitants exactement comme d'un flot d'eau.

Neel adorait ces moments de quiétude dans leurs ébats amoureux, lorsque Elokeshi somnolait près de lui. Même immobile, elle semblait figée dans une chorégraphie : sa maîtrise du mouvement paraissait sans limites, et tout aussi manifeste qu'elle fût inerte ou non, sur scène ou couchée. Elle avait la réputation d'être capable, quand elle dansait, de se montrer plus vive que les plus rapides des joueurs de tabla ; au lit, ses improvisations créaient plaisirs et surprises. Sa souplesse était telle que, quand Neel s'étendait sur elle, bouche contre bouche, elle pouvait enrouler ses jambes autour de lui de manière à maintenir sa tête entre ses pieds ; ou bien quand l'envie l'en prenait, elle pouvait arquer son dos de sorte à soulever son amant et à le tenir suspendu sur la courbe des muscles de son ventre. Et c'était avec un sens averti du rythme de la danse qu'elle réglait leurs jeux érotiques, de sorte qu'il n'était qu'à peine conscient des cycles qui gouvernaient leurs changements de tempo ; le moment de libération, aussi, était totalement imprévisible et pourtant parfaitement prédéterminé, comme si un tál montant, accéléré, atteignait le paroxysme immobile de son battement ultime.

Plus encore que les ébats amoureux, Neel aimait ces instants d'après, quand Elokeshi gisait épuisée sur le lit, telle une danseuse après un tihai étourdissant, son sari et ses dupattas éparpillés autour d'elle, enveloppant de boucles et de nœuds son torse et ses membres. Il n'y avait jamais le temps, au cours des préliminaires précipités menant aux premiers ébats, pour se déshabiller convenablement : le dhoti de six mètres de Neel s'enroulait autour des neuf mètres du sari d'Elokeshi, formant des entrelacs encore plus compliqués que l'enchevêtrement de leurs membres ; ensuite seulement pouvaient-ils à loisir savourer le plaisir d'une nudité savamment construite. Comme beaucoup de danseuses, Elokeshi avait une jolie voix et chantait d'exquis thumris ; tandis qu'elle fredonnait, Neel la débarrassait de ses voiles, s'attardant sur chaque partie de son corps à mesure que ses doigts les découvraient à ses yeux et à ses lèvres : les chevilles arquées, puissantes, et leurs bracelets d'argent cliquetants, les cuisses sinueuses et leurs muscles tendus, la douceur duveteuse du pubis, l'aimable courbe du ventre et le gonflement des seins. Puis, quand chaque morceau de vêtement avait été pelé de leurs deux corps, ils entamaient la seconde étape de leurs jeux, longue, languide et durable.

Aujourd'hui, Neel avait à peine commencé à dégager bras et jambes d'Elokeshi de leur cocon de tissus emmêlés quand il fut indûment interrompu par une deuxième altercation dans la coursive : une fois de plus, les trois filles empêchaient Parimal d'apporter des nouvelles à son maître.

Laissez-le entrer, cria sèchement Neel, furieux.

Il tira un dupatta sur Elokeshi tandis que la porte s'ouvrait, mais ne fit aucun mouvement pour rajuster ses propres vêtements. Parimal était son valet personnel depuis qu'il était en âge de marcher ; il l'avait baigné, habillé durant toute son enfance ; le jour du mariage de Neel, c'est lui qui avait préparé le garçon de douze ans à sa première nuit avec son épouse, l'instruisant sur ce qui devait être fait : il n'y avait rien de Neel qui ne fût familier à Parimal.

Pardonnez-moi, huzoor, dit Parimal en entrant. J'ai pensé qu'il fallait que vous sachiez : Burra Burnham Sahib est arrivé. Il est sur son bateau à cet instant même. Si les autres sahibs viennent dîner, que fait-on pour lui ?

La nouvelle prit Neel de court, mais au bout d'un moment de réflexion, il hocha la tête.

Tu as raison – oui, il faut l'inviter aussi. Il désigna du doigt une sorte de robe pendue à une patère. Apporte-moi ma choga.

Parimal obtempéra et tint la choga ouverte tandis que Neel se levait et venait passer les bras dans les manches de la robe.

Attends dehors, ordonna Neel, je vais écrire un autre mot que tu iras porter au navire.

Parimal parti, Elokeshi rejeta sa couverture.

Que se passe-t-il ? demanda-t-elle en clignant des paupières ensommeillées.

116

Rien, répliqua Neel. J'ai simplement à rédiger trois lignes. Reste où tu es. Je n'en ai pas pour longtemps.

Neel trempa sa plume dans l'encrier et griffonna quelques mots, mais se reprit aussitôt et recommença. C'est d'une main pas très assurée qu'il rédigea un court message exprimant son plaisir à la perspective de recevoir Mr Benjamin Burnham à bord du budgerow des Raskhali. Il s'arrêta, prit une longue inspiration et ajouta : « Votre arrivée est certainement une heureuse coïncidence et elle aurait plu à mon père, le défunt raja, qui avait, comme vous le savez, une grande foi dans les signes et les présages... »

*

Quelque vingt-cinq ans auparavant, alors que sa compagnie en était à ses balbutiements, Mr Benjamin Burnham était venu voir le vieux raja avec l'intention de louer une de ses propriétés pour y installer ses bureaux : il avait besoin d'un dufter, toutefois, expliqua-t-il, il était à court de capitaux et serait obligé de retarder le paiement du loyer. Sans que Mr Burnham le sache, et alors qu'il présentait son cas, une souris blanche était apparue sous sa chaise. Cachée au commerçant mais parfaitement visible pour le zemindar, elle n'avait pas bougé jusqu'à ce que l'Anglais ait fini de parler. Une souris étant l'amie de Ganesh-thakur, dieu des opportunités et annihilateur des obstacles, le vieux zemindar avait pris l'apparition pour une indication de la volonté divine : non seulement il avait permis de retarder d'un an le paiement du loyer, mais il avait aussi imposé la condition que le domaine Raskhali puisse investir dans la compagnie naissante – le raja était fort perspicace et il avait reconnu en Benjamin Burnham un homme d'avenir. En quoi consisteraient les affaires de l'Anglais, le raja ne s'en était pas soucié : il était un zemindar, après tout, et pas un bania du bazar, assis en lotus sur son comptoir.

C'est sur de telles décisions que les Halder avaient bâti leur fortune au cours du siècle et demi passé. À l'époque des Mughals, ils s'étaient acquis la reconnaissance des représentants de la dynastie ; au moment de l'arrivée de l'East India Company, ils avaient réservé un accueil prudent aux nouveaux venus ; quand les Anglais étaient partis en guerre contre les maîtres musulmans du Bengale, ils avaient prêté de l'argent aux uns et des sepoys aux autres, attendant de voir qui l'emporterait. Après la victoire des Britanniques, ils s'étaient montrés aussi adroits à apprendre l'anglais qu'ils l'avaient été à maîtriser le persan et l'ourdou. Quand c'était à leur avantage, ils étaient heureux d'accorder leur mode de vie à l'univers des Anglais ; veillant toujours de près cependant à éviter une collusion trop profonde entre les deux cercles. Les véritables intentions de la communauté mercantile blanche et ses récits de profits et d'opportunités, ils continuaient à les considérer avec un dédain aristocratique – et encore plus des hommes tels que Benjamin Burnham dont ils savaient qu'il était né dans la classe des commerçants. Investir de l'argent chez lui et en accepter les revenus ne mettait pas en cause leur standing, néanmoins montrer un quelconque intérêt quant à la source des profits et à la manière dont ils avaient été accumulés était bien au-dessous d'eux. De Mr Burnham, le vieux raja savait seulement qu'il exerçait le métier d'armateur, et il était parfaitement content d'en rester là. Chaque année, depuis leur première rencontre, le zemindar lui remettait une somme d'argent pour augmenter le financement des opérations de son agence ; chaque année il en recevait une somme bien supérieure. Il faisait allusion en riant à ces paiements comme au tribut du faghfoor de Maha-Chin, l'empereur de la Grande Chine.

Que son argent ait été accepté par l'Anglais était la chance particulière du raja car, en Inde de l'Est, l'opium était le monopole exclusif des Britanniques, produit et emballé entièrement sous la supervision de l'East India Company ; à part un petit groupe de Parsis, peu d'Indiens avaient accès à ce commerce ou à ses bénéfices. En conséquence, quand on apprit que les Halder de Raskhali s'étaient associés à un négociant anglais, un grand nombre de leurs amis, parents et créditeurs avaient supplié qu'on leur permette de partager la chance familiale. À force de prières et de cajoleries, ils persuadèrent le vieux zemindar de les laisser ajouter leur argent à celui qu'il déposait chaque année chez Mr Burnham : pour ce privilège, ils étaient ravis de payer au raja un dasturi de dix pour cent sur les profits ; les revenus étaient tels que cette commission paraissait tout à fait raisonnable. Ils ne savaient rien des périls des exportations et ignoraient que les risques en incombaient à ceux qui fournissaient le capital. Année après année, avec les Anglais et les Américains de plus en plus adroits à échapper aux lois chinoises, le marché de l'opium prenait de l'ampleur et le raja et ses associés faisaient de jolis bénéfices sur leurs investissements.

Mais l'argent, mal maîtrisé, peut apporter la ruine autant que la fortune, et pour les Halder cette nouvelle vague de richesses devait se révéler plus une malédiction que le contraire. En tant que famille, leur expérience résidait dans la gestion des rois et des cours, des paysans et des serviteurs ; quoique riches en terres et propriétés, ils n'avaient jamais possédé beaucoup d'espèces sonnantes et trébuchantes. Ce qu'ils en avaient, ils dédaignaient de le manier eux-mêmes, préférant le confier à une légion d'agents, de gomustas et de parents pauvres. Quand ses coffres se mirent à déborder, le zemindar tenta de convertir son argent en richesses de la sorte qu'il connaissait le mieux : terres, maisons, éléphants, chevaux, carrosses et, bien entendu, un budgerow plus splendide que toute embarcation naviguant alors sur le fleuve. Mais avec les nouvelles propriétés vint une multitude de serviteurs à nourrir et à entretenir ; une grande partie des nouvelles terres se révéla incultivable, et les nouvelles maisons devinrent vite une source de dépenses supplémentaires puisque le vieux raja ne supportait pas l'idée de les louer. Informées des revenus additionnels du zemindar, ses maîtresses – dont il possédait un nombre égal à celui des jours de la semaine afin de pouvoir passer chaque nuit dans un lit différent – se firent plus exigeantes, rivalisant entre elles dans les requêtes de cadeaux, de bijoux, de demeures et de postes pour leurs parents et alliés. Amant toujours attentif, le vieux zemindar cédait à la plupart de leurs demandes, avec le résultat que ses dettes augmentèrent jusqu'à ce que l'argent que lui gagnait Mr Burnham aille directement à ses créditeurs. N'ayant plus de fonds personnels à remettre à Mr Burnham, le raja en vint à dépendre de plus en plus des commissions payées par ceux qui lui faisaient confiance pour être leur intermédiaire ; il lui fallut alors étendre le cercle des investisseurs et signer un grand nombre de billets à ordre – ou « hundees », comme on disait dans le bazar.

Ainsi que le voulait la coutume familiale, l'héritier du titre était tenu à l'écart de toutes les transactions financières du patrimoine ; studieux par inclination et respectueux de nature, Neel n'avait jamais cherché à questionner son père sur l'administration du zemindary. Ce n'est que dans les derniers jours de sa vie que le vieux raja informa son fils que la survie financière de la famille dépendait de ses tractations avec Mr Burnham : plus ils investissaient avec lui, mieux c'était, car leur argent leur reviendrait doublé de valeur. Il expliqua qu'afin de tirer le meilleur de cet arrangement il avait dit à Mr Burnham que, cette année, il souhaitait risquer l'équivalent d'un lakh sicca de roupies. Sachant qu'il faudrait du temps pour rassembler une telle somme, Mr Burnham avait aimablement offert d'en avancer lui-même une partie : l'accord étant que cette avance serait remboursée par les Halder si elle n'était pas couverte par les profits des ventes de l'opium cet été-là. Cependant, inutile de s'inquiéter, avait affirmé le vieux zemindar : depuis deux décennies, il n'y avait jamais eu une seule année où leur argent ne leur avait pas été rendu avec un gros bénéfice. Il ne s'agissait donc pas d'une dette mais d'un cadeau.

Quelques jours plus tard, le vieux zemindar mourait, et avec sa disparition tout parut changer. Cette année-là, 1837, fut la première où Burnham Bros. échoua à générer des profits pour ses clients. Dans le passé, en fin de saison, au retour des bateaux de Chine, Mr Burnham se rendait toujours en personne au Raskhali Rajbari, la principale résidence des Halder à Calcutta. L'Anglais avait pour coutume d'apporter des cadeaux de bon augure, des noix d'areca et du safran par exemple, en même temps que des billets et des lingots. Toutefois, au cours de la première année du règne de Neel, il n'y eut ni visite ni argent : en lieu et place le nouveau raja reçut une lettre l'informant que le commerce avec la Chine avait été sévèrement affecté par le déclin soudain de la valeur des lettres de change en provenance de l'Amérique ; outre ses pertes, Burnham Bros. devait maintenant faire face à de grosses difficultés dans les remises de fonds entre l'Angleterre et l'Inde. À la fin de la lettre, une note demandait poliment à la succession Raskhali d'honorer ses dettes.

Entre-temps, Neel avait signé un grand nombre de hundees à des marchands du bazar : les commis de son père préparaient les papiers et lui montraient où apposer son sceau. À l'arrivée de la note de Mr Burnham, le palais des Halder était déjà assiégé par une armée de petits créditeurs : de riches commerçants qu'on pouvait, sans scrupule, faire un peu attendre ; mais également quantité de parents et de modestes employés qui avaient confié en toute bonne foi leurs quelques économies au zemindar – on ne pouvait écarter tous ces pauvres gens. C'est en essayant de leur rendre leur argent que Neel découvrit qu'il disposait en liquide à peine de quoi couvrir ses dépenses pour une semaine ou deux. La situation était telle qu'il se résigna à s'humilier et à envoyer à Mr Burnham une lettre le priant de lui accorder non seulement un peu de temps, mais aussi un emprunt afin d'assurer la gestion du domaine jusqu'à la nouvelle saison.

Il reçut en retour une missive choquante par son ton péremptoire. À sa lecture, Neel se demanda si Mr Burnham aurait traité son père de la sorte. Il en doutait : le vieux raja s'était toujours bien entendu avec les Anglais, quoiqu'il parlât mal leur langue et n'eût aucun intérêt pour leurs livres. Comme pour compenser ses propres manques, il avait engagé pour son fils un précepteur britannique destiné à lui assurer une éducation anglaise parfaite. Ce précepteur, Mr Beasley, avait beaucoup en commun avec Neel et il avait encouragé ses penchants pour la littérature et la philosophie. Pourtant, loin de le mettre à l'aise dans la société anglaise de Calcutta, l'éducation de Neel avait eu exactement l'effet contraire. La sensibilité de Mr Beasley était inhabituelle parmi les coloniaux britanniques de la ville, plutôt enclins à traiter les raffinements de goût avec suspicion, voire dérision – et plus encore quand ils étaient exprimés par des gentlemen du cru. Bref, à la fois par son caractère et son éducation, Neel était très mal équipé pour fréquenter des hommes tels que Mr Burnham, et ces gens avaient tendance à le considérer avec une antipathie frisant le mépris.

Tout cela, Neel le savait, mais il trouva tout de même la note de Mr Burnham surprenante : la compagnie Burnham, disait-elle, n'était pas en mesure d'accorder un emprunt, ayant elle-même beaucoup souffert des incertitudes présentes du commerce avec la Chine. On rappelait ensuite à Neel que ses dettes à l'égard de Burnham Bros. excédaient déjà de très loin la valeur du zemindary dans son entier : ces arriérés devaient être réglés immédiatement, et l'on demandait à Neel d'envisager le transfert de ses propriétés à la compagnie Burnham afin de liquider partie de ses obligations.

Désireux de gagner un peu de temps, Neel avait décidé de faire le tour de son domaine avec son fils : n'était-il pas de son devoir de donner au garçon une idée de son héritage menacé ? Son épouse, Rani Malati, avait souhaité l'accompagner, mais il avait refusé sous le prétexte de ménager sa santé toujours fragile : il avait choisi Elokeshi en lieu et place, pensant qu'elle fournirait une diversion bienvenue. Il est vrai qu'elle avait contribué de temps à autre à le distraire de ses problèmes, mais maintenant, à la perspective d'un face-à-face avec Benjamin Burnham, Neel sentait ses soucis revenir en masse.

Il cacheta sa lettre d'invitation révisée, alla à la porte et la tendit à Parimal.

Porte-la au bateau tout de suite, ordonna-t-il. Assure-toi de la remettre à Burnham Sahib en personne.

Sur le lit, Elokeshi s'agita et se redressa en tirant les couvertures jusqu'à son menton.

Tu ne te recouches pas ? dit-elle. Il est encore tôt.

Ashchhi... J'arrive.

Mais au lieu de le ramener au lit, les pieds de Neel l'emportèrent dehors, vêtu comme il l'était, de son ample choga rouge. Serrant la robe autour de lui, il se précipita dans la coursive, grimpa l'échelle et gagna le pont supérieur du budgerow où son fils continuait à jouer au cerf-volant.

Baba ? s'écria l'enfant. Où étais-tu ? J'attendais et j'attendais !

Neel courut vers son fils, le souleva dans ses bras et le pressa contre sa poitrine. Peu habitué à des démonstrations publiques d'affection, le gamin se tortillait, mal à l'aise.

Qu'as-tu, baba ? Qu'est-ce que tu fais ?

S'arrachant à son étreinte, il scruta le visage de son père. Puis il se tourna vers les serviteurs avec qui il venait de jouer et hurla, enchanté :

Regardez ! Regardez baba ! Le raja de Raskhali pleure !

Cinq

Tard dans l'après-midi, la carriole de Kalua arriva
en vue de sa destination : la Sudder Opium Factory
– affectueusement surnommée par les anciens de la
Compagnie la Carcanna, la «Vieille Boutique», de
Ghazipur. Immense, elle s'étendait sur vingt-cinq
hectares et deux domaines adjacents, chacun pourvu
de multiples cours, citernes et remises aux toits de
tôle. Comme les grandes forteresses médiévales qui
surplombaient le Gange, elle était située de manière à
avoir un accès facile au fleuve tout en étant à une hauteur suffisante pour éviter les inondations saison-
nières. Mais au contraire de forts tels que Chunar et
Buxar, envahis par la jungle et pratiquement à l'aban-
don, la Carcanna n'avait rien d'une ruine pittoresque :
ses tourelles abritaient des bataillons de sentinelles et
ses parapets étaient surveillés par des masses de coolies et de gardes armés.

La gestion quotidienne de l'entreprise dépendait
d'un directeur, un cadre supérieur de l'East India
Company, qui supervisait un personnel de plusieurs
centaines de travailleurs indiens; le reste du contingent britannique se composait de contremaîtres,

comptables, magasiniers, chimistes et de deux catégories d'assistants. Le directeur habitait sur place un spacieux bungalow entouré d'un jardin très coloré planté de multiples variétés de pavots d'ornement. L'église anglaise se trouvait très près et les sons de sa cloche rythmaient le passage du jour. Le dimanche, les fidèles étaient appelés à l'office par un tir de canon. Les canonniers n'étaient pas payés par la Carcanna mais par une souscription de la congrégation : la factorerie d'opium étant une institution baignée de piété anglicane, aucun des résidents ne renâclait à la dépense.

Bien que la Sudder Opium Factory fût incontestablement vaste et soigneusement gardée, rien dans son extérieur ne suggérait aux passants qu'ils voyaient là un des plus précieux joyaux de la couronne de la reine Victoria. Au contraire, un nuage de léthargie paraissait planer en permanence à ses abords. Les singes qui vivaient alentour, par exemple : Deeti en désigna quelques-uns à Kabutri tandis que la carriole avançait en cahotant. À l'inverse des autres représentants de leur espèce, ils ne bavardaient pas, ne se battaient pas ni ne tentaient de voler quoi que ce fût ; ils ne descendaient des arbres que pour boire dans les égouts à ciel ouvert qui drainaient les effluents de la factorerie ; après quoi ils regrimpaient dans les branches pour reprendre leur contemplation stupéfaite du Gange et de ses courants.

La carriole de Kalua défila lentement devant les bâtisses extérieures de la factorerie : un ensemble de seize énormes entrepôts utilisés pour l'emmagasinage de l'opium traité. Les fortifications ici étaient impressionnantes, avec des gardes à l'œil particulièrement vif – et il le fallait, car le contenu de ces quelques resserres, du moins selon la rumeur, valaient plusieurs millions de livres sterling, de quoi acheter une bonne partie de Londres.

Aux approches de la factorerie, Deeti et Kabutri se mirent à éternuer ; bientôt Kalua et les bœufs en firent autant, car ils passaient maintenant devant les dépôts où les fermiers venaient se débarrasser de leurs déchets de pavots – feuilles, tiges et racines, toutes utilisées pour l'emballage de la drogue. Moulus, ces déchets produisaient une poudre fine qui restait suspendue dans l'air comme un nuage de tabac à priser. Rare était le passant capable de braver cette brume sans exploser en éternuements et reniflements – et c'était un miracle, simple à constater, que les coolies qui pilonnaient les déchets ne fussent pas plus affectés par la poussière que ne l'étaient leurs jeunes contre-maîtres anglais.

Narines dégoulinantes, les bœufs dépassèrent les battants massifs cloutés de cuivre du portail de la factorerie pour gagner une entrée plus modeste mais plus fréquentée au coin sud-ouest des murs, à quelques pas du Gange. Cette étendue de rive ne ressemblait à aucune autre, car les ghats autour de la Carcanna étaient couverts de milliers de gharas brisés, ces pots ronds en terre cuite dans lesquels l'opium brut était apporté à la factorerie. On croyait communément que les poissons se laissaient pêcher beaucoup plus facilement après avoir picoré les brisures, et les pêcheurs affluaient sur la berge.

Abandonnant Kabutri dans la carriole, Deeti se dirigea seule vers le local à côté de l'entrée où l'on pesait, avant de les classer selon leur degré de finesse – chandee et ganta –, les crêpes de feuilles de pavots que les fermiers du district apportaient chaque printemps. C'est là que Deeti aurait livré ses propres rotis si elle en avait accumulé assez pour que le déplacement en valût la peine. Au moment de la moisson, il y avait toujours beaucoup de monde ici, mais la récolte étant en retard cette année, la foule était relativement modeste.

Une petite troupe de gardes en uniforme était de service à la porte, et Deeti constata avec soulagement que leur sirdar, un vieux soldat imposant à la moustache blanche, était un lointain cousin de son époux. Dès qu'elle vint à lui en murmurant le nom de Hukam Singh, il comprit la raison de sa présence.

Ton mari ne va pas bien, dit-il en la guidant vers la factorerie. Ramène-le vite à la maison.

À l'instant de pénétrer dans la salle de pesée, Deeti y jeta un coup d'œil par-dessus l'épaule du sirdar : elle recula, saisie soudain d'appréhension. La longueur du local était telle que la porte à l'autre bout n'était plus qu'un point lumineux ; sur toute la distance se dressaient de nombreuses balances gigantesques donnant des airs de nains aux hommes autour ; assis à côté de chaque balance, un Anglais coiffé d'un haut-de-forme surveillait des équipes de peseurs et de comptables. Des muharirs enturbannés portant des brassées de papier et des serishtas armés d'épais registres s'agitaient comme des mouches autour des sahibs ; partout s'affairaient des bandes de jeunes garçons torse nu trimballant d'improbables piles de rotis.

Mais où aller ? demanda Deeti, affolée, au sirdar. Comment trouverai-je mon chemin ?

Traverse tout droit. Et continue, après le hall de pesée, jusqu'à la salle de mixage. Au bout, tu trouveras un de tes parents qui t'attend. Il travaille ici aussi : il te montrera où est ton mari.

Le visage caché par un pan de son sari, Deeti s'avança le long des colonnes de rotis entassées, sans prêter attention aux regards des serishtas, muhahirs et

128

autres employés : peu importait – tout le monde était trop occupé pour l'interroger. Il lui fallut cependant un temps infini avant d'atteindre la porte de sortie, au fond, où elle s'immobilisa un instant, aveuglée par la lumière du soleil. Elle se trouvait face à une entrée menant à une autre immense structure au toit de tôle, mais plus grande et plus haute que la salle de pesée – c'était le plus vaste bâtiment que Deeti eût jamais vu. Elle entra en murmurant une prière, avant de s'arrêter, clouée par le spectacle qui s'offrait à elle : un espace si énorme qu'elle sentit sa tête tourner et fut obligée de s'appuyer contre un mur. Des barres de lumière brillaient à travers de minces ouvertures vitrées s'étendant de bas en haut ; d'énormes colonnes carrées se succédaient le long du hall, dont le plafond s'élevait à une telle hauteur au-dessus du sol en terre battue que l'air à l'intérieur était presque glacial. L'odeur écœurante de la sève d'opium collait au sol comme de la fumée de feu de bois par une journée froide. Ici aussi de gigantesques balances se dressaient contre les murs, servant à peser l'opium brut. Elles étaient entourées de douzaines de gharas de la sorte que Deeti utilisait pour transporter sa récolte. Comme elle les connaissait bien, ces pots : chacun contenait un maund de gomme d'opium, d'une consistance telle qu'elle collait un instant à votre paume si vous la teniez à l'envers. Qui aurait deviné, en les voyant, le temps et le travail que représentait le contenu de ces pots ? Ainsi, c'était ici qu'ils venaient, ces enfants de ses champs ? Elle ne put s'empêcher de jeter des regards curieux autour d'elle et de s'émerveiller de la vitesse et de la dextérité avec lesquelles les pots étaient pesés. Après quoi, pourvus d'étiquettes en papier, ils étaient apportés à un sahib assis qui fouillait, picotait, reniflait leur contenu avant de leur apposer un sceau, envoyant certains au raffinage et condamnant les autres à un usage plus ordinaire. Non loin, retenus par un barrage de coolies armés de lathis, se pressaient les fermiers dont la marchandise était pesée ; parfois tendus et furieux, parfois peureux et résignés, ils attendaient de savoir si leur récolte de l'année avait rempli leurs contrats – faute de quoi ils auraient à commencer l'année suivante avec une dette encore plus importante. Deeti vit un péon apporter un bout de papier à un fermier qui le repoussa avec un hurlement de protestation : partout dans le hall éclataient querelles et altercations entre les fermiers criant contre les serishtas et les propriétaires insultant leurs fermiers.

Deeti s'aperçut qu'elle commençait à attirer l'attention, elle courba donc les épaules et se hâta de traverser cette immense caverne, sans oser s'arrêter avant de se retrouver de nouveau dehors, au soleil. Où elle se serait bien attardée un peu, histoire de reprendre son souffle si, à l'abri de son sari, elle n'avait avisé un burkundaz armé se dirigeant à grands pas vers elle. Il ne lui restait qu'un chemin à prendre : celui d'un hangar à sa droite. Elle n'hésita pas, releva son sari et franchit précipitamment la porte.

Une fois de plus, elle fut stupéfiée par l'espace devant elle, non à cause de son immensité mais plutôt du contraire : on aurait dit un sombre tunnel, éclairé seulement par quelques trous dans le mur. L'air était chaud et fétide, comme celui d'une cuisine close, à ceci près qu'il n'en émanait pas un parfum d'épices et d'huile mais une odeur d'opium liquide, mêlée à la puanteur de la transpiration – une pestilence telle que Deeti dut se pincer le nez pour éviter un haut-le-cœur. À peine s'était-elle reprise que son regard tombait sur une scène effarante – une armée de torses noirs sans jambes ne cessaient de tourner comme une sorte de tribu de démons enchaînés. Cette vision, ajoutée aux odeurs entêtantes, la fit chanceler et, pour s'empêcher de s'évanouir, elle se mit à avancer à petits pas. Une fois ses yeux accoutumés à l'obscurité, elle découvrit le secret de ces torses en mouvement : c'étaient ceux d'hommes nus, plongés jusqu'à la taille dans des cuves d'opium, et qui ne cessaient de piétiner la pâte afin de la ramollir. Le regard vide, brillant, ils réussissaient tout de même à bouger, piétiner, fouler, aussi lents que des fourmis sur du miel. Quand ils ne pouvaient plus bouger, ils s'asseyaient sur le rebord des cuves, remuant la boue sombre simplement avec leurs pieds. Ils ressemblaient plus à des vampires qu'à tout être vivant : leurs yeux luisaient rouge dans la nuit et ils semblaient complètement nus, leurs pagnes – s'ils en avaient – tellement plongés dans la drogue qu'on ne pouvait les distinguer de leur peau. Les surveillants blancs qui montaient la garde dans les allées étaient presque aussi effrayants – non seulement ils ne portaient ni veste ni couvre-chef, mais ils étaient armés d'instruments redoutables : écopes en métal, louches en verre et râteaux à long manche. Un de ces surveillants s'approcha de Deeti, qui faillit hurler ; elle l'entendit dire quelque chose – elle ne voulait pas savoir quoi, mais le seul choc de voir un tel homme lui adresser la parole suffit à la faire détaler dans le tunnel et courir jusqu'à la sortie.

Ce n'est que la porte franchie qu'elle se laissa aller à respirer de nouveau librement : alors qu'elle tentait de laver ses poumons de l'odeur d'opium cru, elle entendit :

Bhauji ? Tu vas bien ?

La voix appartenait à l'un de ses parents, et c'est tout juste si Deeti ne s'écroula pas sur le malheureux.

Dieu merci, il sembla comprendre sans autre explication l'effet que le tunnel avait eu sur elle ; il lui fit traverser la cour, s'arrêta devant un puits et tira un seau d'eau pour qu'elle puisse boire et laver son visage.

Tout le monde a besoin d'eau en sortant de la salle des mélanges, dit-il. Vaut mieux que tu te reposes un peu ici.

Reconnaissante, Deeti s'installa à l'ombre d'un manguier tandis que son parent lui faisait l'inventaire des bâtisses autour d'eux : la salle d'humidification où les rotis destinées à l'emballage étaient mouillées avant d'être expédiées à l'assemblage ; et là, juste un peu à l'écart des autres, se trouvait l'endroit où se fabriquaient les médicaments, toutes sortes de sirops noirs et de poudres blanches très appréciés des sahibs.

Deeti laissa les mots de l'homme la traverser sans la toucher, jusqu'à ce qu'elle se sente de nouveau impatiente d'en finir avec ce qu'elle avait à faire.

Venez, dit-elle, allons-y.

Ils se levèrent et il la conduisit de l'autre côté de la cour, dans un second hangar gigantesque, aussi vaste que la salle de pesage, mais autant cette dernière avait retenti du bruit des querelles, autant celle-ci était d'un calme sépulcral, telle une caverne au sommet de l'Himalaya, glaciale, humide et mal éclairée. Sur d'immenses étagères s'étendant de chaque côté et jusqu'au vaste plafond étaient rangées avec soin des dizaines de milliers de boules d'opium identiques, chacune de la taille et de la forme d'une noix de coco, mais d'un noir brillant.

C'est ici qu'on apporte l'afeem pour le sécher après l'assemblage, chuchota le compagnon de Deeti à son oreille.

Les étagères étaient reliées par des traverses et des échelles ; des armées de gamins, aussi agiles que des acrobates de foire, s'accrochaient aux échafaudages en bois pour sauter d'une étagère à l'autre afin d'examiner les boules d'opium. De temps à autre, un contremaître anglais donnait un ordre et les gamins se mettaient à se lancer des balles, les relayant entre eux jusqu'à ce qu'elles atterrissent en douceur sur le sol. Comment pouvaient-ils viser avec tant de précision d'une seule main tout en se tenant de l'autre – et cela à une hauteur où le moindre mauvais geste signifiait une mort certaine ? Deeti s'étonnait de cette adresse quand soudain l'un des garçons laissa justement tomber une balle qui alla s'écraser en bas, où elle explosa, son contenu jaillissant un peu partout. Aussitôt, les surveillants tombèrent à coups de bâton sur le coupable dont les hurlements résonnèrent à travers l'immense salle glaciale. Affolée par les cris, Decti se précipita à la suite de son parent, qu'elle rejoignit sur le seuil d'une autre salle encore. L'homme baissa alors la voix et, sur le ton révérencieux d'un pèlerin au moment de pénétrer dans le saint des saints d'un temple, il chuchota :

Voici la salle d'assemblage. Ils ne sont pas nombreux à travailler ici, mais ton mari, Hukam Singh, est de ceux-là.

Deeti aurait pu en effet croire pénétrer dans un temple car, devant elle, le long passage aéré était tapissé de deux rangs d'hommes en dhoti assis par terre en tailleur comme des brahmins à une fête, chacun entouré d'un assortiment de coupes en cuivre et autres ustensiles. Deeti savait, par les récits de son mari, que pas moins de deux cent cinquante hommes travaillaient là, et deux fois plus de très jeunes garçons de course ; pourtant, une telle concentration régnait dans la salle qu'il n'y avait presque pas de bruit, hormis le piétinement des coursiers et les cris réguliers annonçant la finition d'une boule d'opium. Les mains des ouvriers tapissaient les demi-moules sphériques de rotis à une allure vertigineuse, humectant les feuilles avec du lewah, une solution légère d'opium liquide. La mesure de chaque ingrédient, disait Hukam Singh, avait été minutieusement déterminée par les directeurs de la Compagnie, dans le Londres lointain : chaque paquet d'opium devait peser un kilo et demi, exactement un seer et sept chittacks et demi de drogue, être enveloppé dans cinq chittacks de rotis de feuilles de pavot, moitié de la meilleure qualité, l'autre de moindre, le tout humecté avec cinq chittacks de lewah, ni plus ni moins. Le système était si bien au point, avec des relais de coursiers apportant des mesures précises de chaque ingrédient à chaque place, que les assembleurs n'avaient jamais l'occasion de ralentir : ils tapissaient les moules de manière à laisser la moitié des rotis humides pendre par-dessus bord, puis, jetant à l'intérieur les boulettes d'opium, ils les recouvraient de l'autre moitié des rotis et les enduisaient de poudre de déchets avant de les tasser. Il ne restait plus qu'aux coursiers à arriver avec la coquille extérieure de chaque boule, les deux moitiés d'une sphère de terre cuite qui formaient un joli petit boulet de canon. Un boulet destiné à assurer la sécurité du plus lucratif des produits de l'empire britannique ; ainsi voyagerait la drogue sur les océans jusqu'à ce que la coquille soit ouverte d'un coup de hachette dans la lointaine Maha-Chin.

Des douzaines de récipients passaient chaque heure par les mains des assembleurs et étaient dûment notés sur un tableau noir : Hukam Singh, qui n'était pas le plus adroit, s'était un jour vanté auprès de Deeti d'en avoir confectionné une centaine en un seul jour. Mais aujourd'hui les mains de Hukam Singh ne s'agitaient plus, et lui-même n'était pas à sa place habituelle. Deeti le repéra très vite : il gisait sur le sol, les yeux fermés, et il semblait avoir été victime d'une sorte de crise d'épilepsie car une fine coulure de salive lui dégoulinait d'un coin de la bouche.

Soudain, les sirdars en charge de la salle d'emballage se précipitèrent sur Deeti.

Pourquoi es-tu si en retard ?... Ne savais-tu pas que ton mari est un afeemkhor... Pourquoi l'envoies-tu travailler ici ?... Tu veux qu'il meure ?

En dépit des chocs subis durant la journée, Deeti n'était pas d'humeur à se laisser attaquer. À l'abri de son voile, elle répliqua vertement :

Et qui êtes-vous pour me parler ainsi ? Comment gagneriez-vous votre vie s'il n'y avait pas d'afeemkhors ?

L'altercation attira l'attention d'un agent anglais qui fit signe aux sirdars de s'écarter. Son regard allant du corps allongé de Hukam Singh à Deeti, il demanda paisiblement :

Tumhara mard hai ? Est-ce votre mari ?

Malgré son hindi hésitant, l'Anglais parlait sur un ton aimable. Deeti fit signe que oui, en baissant la tête, et ses yeux se remplirent de larmes tandis qu'elle entendait le sahib réprimander les sirdars :

Hukam Singh était un sepoy dans notre armée, un balamteer en Birmanie, et il a été blessé en se battant pour la compagnie Bahadur. Pensez-vous qu'aucun de vous soit meilleur que lui ? Fermez vos gueules et retournez au travail ou je vous fouetterai moi-même.

Intimidés, les sirdars se turent et s'écartèrent ; quatre porteurs vinrent soulever et emporter le corps inerte de Hukam Singh. Deeti s'apprêtait à les suivre quand l'Anglais se tourna vers elle.

Dites-lui qu'il pourra reprendre son poste dès qu'il le voudra.

Deeti joignit les mains en un geste de gratitude, mais elle savait au fond d'elle-même que les jours de son époux à la Carcanna étaient finis.

Au retour, dans la carriole de Kalua, la tête de son mari sur ses genoux et la main de sa fille dans la sienne, elle n'eut un regard ni pour le palais aux quarante colonnes de Ghazipur ni pour le monument à la mémoire du défunt laat sahib. Ses pensées se concentraient toutes sur l'avenir et la manière dont elle allait pouvoir se débrouiller désormais sans le salaire mensuel de son époux. Elle eut l'impression que la lumière diminuait autour d'elle – pourtant la nuit ne tomberait pas avant deux heures encore – et que l'obscurité l'enveloppait. Instinctivement, elle se mit à chanter la prière de la fin du jour :

Sājh bhailé
Sājha ghar ghar ghumé
Ke mora sājh
manayo ji
Le crépuscule murmure
Devant chaque porte
Il est temps
De marquer ma venue.

Juste au-delà des limites de Calcutta, au voisinage du sud des quais de Kidderpore et Metia Bruz, se trouvait un bout de rive en pente douce dominant une vaste étendue du Hooghly : le quartier verdoyant de Garden Reach où les grands marchands blancs de Calcutta avaient leurs propriétés de campagne. Ici, comme pour surveiller les navires qui portaient leur nom et leurs marchandises, voisinaient les domaines des Ballard, Ferguson, McKenzie, MacKay, Smoult, Swinhoe. Les maisons qui les ornaient étaient de types aussi variés que les goûts de leurs propriétaires, certaines copiées sur les grands manoirs de France et d'Angleterre tandis que d'autres évoquaient les temples de la Grèce et de la Rome classiques. Les terrains qui les entouraient étaient suffisamment vastes pour fournir à chaque maison un parc, tous encore plus différents de dessin car les malis qui s'occupaient des jardins, pas moins que les propriétaires eux-mêmes, concouraient à se surpasser les uns les autres dans la fantaisie de leurs plantations, créant ici un petit bosquet d'arbustes, là une avenue d'arbres taillés à la française ; entre les étendues de verdure, on avait placé avec art des points d'eau, longs et droits comme des qanats perses ou bien irréguliers à la manière des étangs anglais ; quelques jardins pouvaient même se vanter d'offrir des terrasses géométriques mughals avec ruisseaux, fontaines et pavillons tapissés de délicates mosaïques. Ce n'était pourtant pas à l'aune de ces extravagantes additions que s'estimait la valeur de la propriété, mais bien par la vue que chaque maison commandait – car un bout de jardin, aussi ravissant fût-il, ne pouvait en aucun cas prétendre affecter les espoirs de son propriétaire, alors qu'avoir la possibilité de garder un œil sur les allées et venues le long du fleuve avait un effet évident et direct sur les fortunes de tous ceux qui dépendaient de cette activité. Selon ce critère, on reconnaissait généralement que le domaine de Benjamin Brightwell Burnham l'emportait de très loin, même si son acquisition était relativement récente. Sous certains aspects, cette absence de pedigree pouvait d'ailleurs compter comme un avantage, car elle avait permis à Mr Burnham de donner à sa propriété un nom de son choix : Bethel.

En outre, ayant été responsable de la fondation de son domaine, Mr Burnham s'était senti libre de modeler le terrain selon ses besoins et désirs, ordonnant sans hésitation l'arrachage de toute herbe ou plantation susceptible d'obscurcir sa vue du fleuve – parmi elles plusieurs vieux manguiers et un déplorable bosquet de bambous hauts de quinze mètres. Autour de Bethel, rien ne brisait la perspective entre la maison et l'eau, à part le petit pavillon perché au bord du fleuve et donnant sur le ghat d'amarrage et la jetée du domaine. Ce joli petit belvédère différait de ceux édifiés sur les propriétés voisines en ceci qu'il était surmonté d'un toit à la chinoise avec des corniches retournées et des tuiles de céramique verte arrondies.

Reconnaissant le pavillon d'après la description du coksen, Jodu plongea sa rame dans la boue et s'appuya dessus pour maintenir le canot à contre-courant. En passant devant les autres propriétés de Garden Reach, il avait fini par comprendre qu'il ne retrouverait pas Putli simplement en situant la maison dans laquelle elle habitait ; chacune de ces demeures était une petite forteresse en soi, gardée par des serviteurs prompts à considérer tout intrus comme un rival candidat à leur poste et contre qui ils étaient prêts à se défendre. Il semblait à Jodu que le jardin avec le pavillon au toit vert était le plus grand et le plus inattaquable des domaines : une armée de jardiniers et de manœuvres était déployée sur la pelouse, certains occupés à aménager de nouveaux parterres tandis que les autres arrachaient ou taillaient l'herbe à la faux. Vêtu comme il l'était d'un banyan et d'un longhi déchirés, la tête enturbannée d'un gamchha délavé, Jodu savait très minces ses chances de pénétrer cette citadelle ; en toute vraisemblance, dès qu'il aurait posé le pied sur le sol, il serait capturé et livré aux chowkidars, qui le rosseraient comme un voleur.

Déjà, le canot immobile avait attiré l'attention d'un des mariniers du domaine – un calputtee, à l'évidence, car il était en train de calfater le fond d'un élégant caïque, appliquant le bitume liquide avec une brosse en feuilles de palme. Abandonnant sa brosse dans le seau, l'homme se retourna pour s'adresser, sourcils froncés, à Jodu :

Qu'est-ce qui se passe ? cria-t-il. Qu'est-ce que tu fiches ici ?

Jodu le gratifia en retour d'un sourire désarmant.

Salaam, mistry-ji, dit-il, flatteur, en donnant au calputtee un ou deux grades de plus dans la hiérarchie artisanale. J'admirais seulement la maison. Ça doit être la plus grande des environs ?

L'homme acquiesça d'un signe de tête.

Oui et alors ? Zaroor. Bien sûr que c'est la plus grande.

Jodu décida de tenter sa chance.

Ça doit être une grande famille qui habite dedans, hein ?

Les lèvres du calfateur se retroussèrent en une moue de dédain.

Crois-tu qu'une maison pareille appartiendrait à des gens qui vivraient au milieu d'une foule ? Non ; il y a seulement le burra sahib, la burra bee-bee et la burra bébé.

C'est tout ? Personne d'autre ?

Il y a aussi une jeune missy-mem, répliqua le calfateur avec un haussement d'épaules. Mais elle n'est pas de la famille. Juste une œuvre de charité dont ils se sont chargés parce qu'ils ont un cœur d'or.

Jodu aurait aimé en savoir plus mais il comprit qu'il serait imprudent de poursuivre son interrogatoire

– cela risquait de créer des embarras à Putli si l'on apprenait qu'un marinier était venu à sa recherche dans un canot. Alors comment lui faire parvenir un message? Il se le demandait quand il remarqua un arbuste, à l'ombre du pavillon aux tuiles vertes, qu'il reconnut comme un chalta, réputé pour produire des fleurs blanches odorantes et un fruit au goût acide inhabituel, évoquant vaguement celui de la pomme verte.

Il prit la voix de ses demi-frères paysans, incapables de passer devant un champ sans poser des questions au sujet de ce qu'on y faisait pousser; sur le ton le plus innocent, il s'enquit :

Est-ce que ce chalta a été planté récemment?

Le calputee se retourna et fronça les sourcils.

Celui-ci? Il fit la grimace et haussa les épaules comme pour se distancer de cet arbre mal venu. Oui, c'est l'ouvrage de la nouvelle missy-mem. Elle n'arrête pas d'intervenir avec les malis dans le jardin et de tout changer de place.

Jodu fit ses salaam et vira de bord pour repartir d'où il venait. Il avait immédiatement deviné que le chalta avait été planté par Putli : elle en avait un sous la fenêtre de sa chambre aux jardins botaniques, et, chaque année, durant une saison très courte, elle cueillait ses fruits pour en faire des chutneys ou des pickles. Elle les aimait tant qu'elle les mangeait crus, au grand étonnement des gens. Parfaitement au courant des habitudes de jardinage de Putli, Jodu savait qu'elle viendrait arroser l'arbuste très tôt le matin : s'il passait la nuit quelque part alentour, peut-être pourrait-il la surprendre avant le réveil des domestiques.

Il commença donc à ramer en amont du fleuve, à la recherche sur la rive d'un endroit à la fois caché à la vue et assez proche d'une habitation pour décourager léopards et chacals. Quand il en eut repéré un, il releva son dhoti et pataugea dans un banc de boue pour amarrer son canot aux racines d'un immense banyan. Ensuite, il regrimpa à bord, rinça ses pieds et se jeta comme un affamé sur une écuelle de riz mal cuit.

À l'arrière de la barque se trouvait un petit abri de chaume, et c'est là où Jodu déroula sa natte après son maigre repas. Le jour tombait, le soleil se couchait sur la rive opposée du Hooghly, et les silhouettes des arbres des Jardins botaniques se découpaient encore de l'autre côté de l'eau. Malgré son immense fatigue, Jodu ne put se résoudre à fermer les yeux tant que le ciel était assez brillant pour éclairer la vie grouillante du fleuve.

La marée commençait à monter et le Hooghly s'était couvert de voiles tandis que navires et barques se hâtaient de regagner leur mouillage ou le centre du chenal. D'où il était, étendu au fond de son canot qui le berçait gentiment, Jodu pouvait imaginer que le monde s'était mis à l'envers, de sorte que le fleuve était devenu le ciel, peuplé de masses de nuages; en plissant les yeux, on pouvait presque prendre les mâts et les haubans des navires pour des éclairs traversant le tourbillon des agrès. Et il y avait aussi le tonnerre des voiles claquant au vent, dégonflées, avant de se remplir de nouveau, bruyamment. Un bruit qui ne cessait d'étonner Jodu : le fouettement sec de la toile, le hurlement aigu du vent dans les gréements, le grincement des bois et le martèlement sourd des vagues sur l'avant, comme si chaque bateau était une tempête en marche et lui, Jodu, un aigle prêt à fondre sur les ruines de son sillage.

En regardant le fleuve, Jodu pouvait compter une douzaine de pavillons divers : Gênes, Deux-Siciles, France, Prusse, Hollande, Amérique, Venise. Il avait appris à les reconnaître grâce à Putli qui les lui désignait quand ils passaient devant les Jardins botaniques ; bien qu'elle n'eût jamais elle-même quitté le Bengale, elle savait plein d'histoires sur leurs pays d'origine. Des histoires qui avaient joué un grand rôle dans son désir croissant de voir les roses de Bassora et le port de Chin-kalan où régnait le grand faghfoor de Maha-Chin.

Sur le pont d'un trois-mâts voisin, la voix d'un officier se fit entendre, hurlant en anglais : « Ohé ! Tout le monde à son poste ! » Un moment après, l'ordre devenait un hookum, relayé par un serang : *Sab admi apni jagah !*

« Hissez le grand hunier ! » – *Bhar bara gávi !* Avec un craquement retentissant, la voile tourbillonna dans le vent et l'officier cria : « Du mou à la barre ! »

Gos daman ja ! lui fit écho le serang, et lentement l'avant du bateau commença à virer. « Laissez fasseyer le petit hunier, le perroquet ! », et presque avant que le serang ait fini de lancer le hookum – *Bajao tirkat gavi !* –, le grand carré de toile émettait son claquement de fouet dans le vent.

Grâce aux silmagoors qui, installés sur les ghats, cousaient les voiles, Jodu avait appris les noms de chaque bout de toile, en anglais et en lascari – ce langage hétéroclite parlé nulle part sauf sur l'eau et dont les mots étaient aussi variés que les bateaux du port, un mélange anarchique de calaluzes portugais, de pattimars du Kerala, de sambouks arabes et de paunchways bengalis, de proas malaisiens et de catamarans tamouls, de pulwars hindoustanis et de sénaux anglais ; pourtant, sous la surface de ce fatras de sons, la signification circulait aussi librement que les courants sous la foule des bateaux.

À force d'écouter les voix qui résonnaient sur le pont des grands navires, Jodu savait désormais reconnaître les hookums des officiers au point de pouvoir les lancer tout haut à son tour, même si ce n'était qu'à lui-même : «Attention à tribord, ohé!» – *Jamna pori upar ao!* –, comprenant parfaitement le tout bien qu'incapable de saisir la signification de chaque mot. Hurler les ordres pour de vrai, sur un navire poussé à la dérive par la tempête... Ce jour viendrait, il en était certain.

Soudain un autre appel flotta sur le fleuve – «*Hayyá ilá assaláh...* – aussitôt relayé de bateau en bateau sur le chenal tandis que les musulmans du bord entonnaient l'azan du soir. Jodu sortit de sa torpeur d'après-dîner et se prépara à la prière : la tête couverte d'un bout d'étoffe, il manœuvra le canot de façon à le faire pointer vers l'ouest avant de s'agenouiller pour la première raka'a. Il n'avait jamais été particulièrement dévot, et ce n'était que parce que l'enterrement de sa mère était encore si présent dans sa mémoire qu'il se sentait maintenant obligé de prier. Mais, plus tard, il fut heureux de l'avoir fait : sa mère l'aurait souhaité, il le savait, et le sentiment du devoir accompli lui permit de céder sans remords à la fatigue accumulée par son corps au cours des dernières semaines.

*

À dix milles en aval, à bord du budgerow Raskhali, les préparations du dîner s'étaient heurtées à des obstacles imprévus. Le somptueux sheeshmahal pour commencer : peu utilisé depuis la mort du vieux raja, on découvrit en l'ouvrant qu'il était en assez mauvais état. Les lustres avaient perdu beaucoup de leurs chandeliers, qu'il fallut remplacer par des imitations en ficelle, bois et même fibres de noix de coco. Quoique plutôt satisfaisant, le résultat ôtait un peu de leur éclat aux éclairages et leur donnait l'air étrange d'avoir été balayés par le vent.

Le sheeshmahal était séparé en deux par un rideau de velours : une belle table en bois précieux ornait la partie arrière qui servait de salle à manger. Or, en écartant le rideau, on s'aperçut que, faute de soin, la surface polie de la table avait tourné au gris et qu'une famille de scorpions avait élu domicile dessous. Un bataillon de paiks armés de bâtons dut être rassemblé pour chasser les intrus tandis qu'on tordait le cou à un canard afin de polir la table avec sa graisse.

Au fond du sheeshmahal, derrière la table, se trouvait une alcôve masquée d'un paravent et censée accueillir les femmes en purdah : c'est de ce poste d'observation que les maîtresses du vieux raja avaient pris l'habitude d'espionner ses invités. Cependant la négligence avait eu raison du paravent délicatement sculpté, désormais complètement pourri. Un rideau, avec quelques trous pratiqués en hâte, fut installé à sa place, sur l'insistance d'Elokeshi car elle tenait pour absolu son droit de juger les hôtes. Ce qui lui inspira aussi le désir de participer plus largement à la soirée ; elle décida que ses trois suivantes fourniraient un divertissement d'après-dîner en exécutant quelques danses. Mais on découvrit, après inspection, que le plancher s'était gauchi et abîmé : danser pieds nus sur les lattes endommagées risquait de provoquer des échardes en masse. Il fallut appeler un menuisier pour raboter le plancher.

Ce problème à peine résolu, un autre surgit : le sheeshmahal était équipé d'un service d'argenterie à manches d'ivoire, en sus d'un service de table complet en porcelaine Swinton, importé à grands frais d'Angleterre. Réservés à l'usage des étrangers impurs, mangeurs de bœuf, ces ustensiles étaient gardés sous clef dans un meuble spécial afin d'éviter toute contamination avec la vaisselle de la maisonnée. Or, en ouvrant ledit meuble, Parimal s'avisa, choqué, que de nombreuses assiettes manquaient, tout comme la plus grande partie de l'argenterie. Il en restait juste de quoi assurer un dîner pour quatre. La découverte du vol créa un désagréable climat de suspicion d'où résulta une bagarre intestine sur le bateau-cambuse. Deux paiks ayant fini avec le nez cassé, Neel fut contraint d'intervenir : la paix fut rétablie, mais les préparatifs de la soirée ne s'en trouvèrent pas moins très retardés, et Neel ne put avoir un dîner convenable précédant celui qui serait servi à ses invités. Un coup pénible car cela signifiait qu'il en serait réduit à jeûner tandis que ses hôtes festoieraient : les règles de la maison Raskhali étaient très strictes quant aux personnes avec qui le raja pouvait dîner, et les mangeurs de bœuf impurs ne faisaient pas partie de ce cercle restreint – dont même Elokeshi était exclue, obligée de se nourrir en secret quand Neel venait passer la nuit chez elle. Des règles si strictes, donc, que lorsque les Halder recevaient ils avaient pour coutume de s'asseoir poliment à table avec leurs invités, sans jamais toucher à la nourriture qui leur était servie : de façon à ne pas être tentés, ils dînaient toujours avant, et c'est ce que ce soir Neel aurait aimé faire, mais, avec le bateau-cambuse sens dessus dessous, il dut se contenter de quelques poignées de riz trempé dans du lait.

Juste comme le son de la prière du soir flottait sur l'eau, Neel s'aperçut qu'il n'avait plus aucun de ses élégants dhotis en shanbaff ni de ses kurtas en mousseline ultrafine qu'il portait lors des réceptions : tout avait été expédié au lavage. Il dut se contenter d'un dhoti en dosooti relativement épais et d'une kurta d'alliballie, une mousseline bon marché. Quelque part dans ses bagages, Elokeshi lui trouva des babouches de Lahore brodées d'or : c'est elle qui le conduisit jusqu'à sa place dans le sheeshmahal et lui drapa autour des épaules un châle de fin nansouk de warangal avec une bordure de brocart doré. Puis, tandis qu'approchait le canot de l'*Ibis*, elle disparut pour aller présider aux répétitions des festivités.

À l'arrivée de ses invités, Neel se leva cérémonieusement : Mr Burnham, remarqua-t-il, était venu en tenue de cheval, mais les deux autres hommes avaient manifestement fait l'effort de s'habiller pour l'occasion. Tous deux portaient des vestes à double boutonnage, une épingle de rubis s'entrevoyait dans les plis de la cravate de Mr Doughty et la chaîne d'une élégante montre ornait les revers de Mr Reid. Un tel raffinement embarrassa Neel qui, tout en joignant les mains en un geste de bienvenue, en profita pour se couvrir la poitrine de son châle en brocart.

— Monsieur Burnham, monsieur Doughty, c'est pour moi un très grand honneur que de me voir accordé le privilège de vous recevoir.

Les deux Anglais inclinèrent simplement la tête mais Zachary surprit Neel en se précipitant en avant comme pour lui serrer la main. Il fut secouru par Mr Doughty, qui réussit à intercepter l'Américain.

— Bas les pattes, espèce de blanc-bec, chuchota le pilote. Touchez-le et il filera se décrasser, et on ne dînera pas avant minuit !

Aucun des visiteurs n'était jamais encore monté à bord du budgerow et tous trois acceptèrent avec empressement l'offre de Neel de leur faire faire le tour des parties communes du bateau. Sur le pont supérieur ils rencontrèrent Raj Rattan en train de jouer avec son cerf-volant au clair de lune. Mr Doughty, à qui son père présentait le gamin, se racla la gorge.

— Ce petit Rascaillou serait-il votre noble héritier, Rageur Nil Raté ?

— Lui-même, oui, répliqua Neel. Mon fils unique. Le tendre fruit de mes entrailles, comme diraient vos poètes.

— Ah ! Votre petite mangue verte ! – Mr Doughty lança un coup d'œil dans la direction de Zachary. – Et si je puis me permettre : décririez-vous vos entrailles comme la tige ou la branche ?

Neel lui décocha un regard glacial.

— Eh bien, monsieur, dit-il avec froideur, elles sont l'arbre même.

Mr Burnham s'empara d'un cerf-volant et se révéla très expert : le cerf-volant prit de la hauteur puis redescendit, sa ficelle recouverte de poudre de verre scintillant sous les lueurs de la lune. Alors que Neel le félicitait de son adresse, Mr Burnham expliqua :

— Oh, j'ai appris à Canton : pas de meilleur endroit pour s'instruire sur les cerfs-volants !

À leur retour au sheeshmahal, une bouteille de champagne les attendait au frais dans un petit seau rempli d'eau boueuse du fleuve. Mr Doughty se jeta sur le vin avec ravissement.

— Simkin ! Du champagne ! Shahbash, bravo – juste ce qu'il fallait ! – Il se versa un verre et gratifia Neel d'un clin d'œil. – Comme mon père disait : «Prends une bouteille par le cou et une femme par la taille. Mais jamais le contraire !» Je parierais que vous avez aussi appris une chose ou deux avec votre père, hein, Rageur Nil Raté – dites-moi, c'était un drôle de Rascaillou, votre papa, non ?

Neel répliqua par un froid sourire : aussi révulsé qu'il fût par le comportement du pilote, il ne pouvait s'empêcher de bénir le fait que ses ancêtres aient exclu le vin et les liqueurs de la liste des choses interdites de partage avec les étrangers impurs – sûrement, il lui aurait été impossible de supporter ces individus sans leur boisson ? Il aurait aimé un autre verre de champagne, mais du coin de l'œil il s'aperçut que Parimal lui signalait par gestes que le dîner était servi. Il releva les plis de son dhoti.

— Messieurs, je suis porté à croire que notre repas est prêt.

Tandis qu'il se levait, le rideau de velours du sheeshmahal fut tiré pour révéler une immense table vernie, dressée à l'anglaise avec couteaux, fourchettes, assiettes et verres à vin, le tout éclairé à chaque bout par d'immenses candélabres ; au centre trônait un bouquet de lys fanés empilés dans une telle profusion qu'on ne voyait presque plus le vase qui les contenait. Il n'y avait pas de nourriture sur la table car les repas chez les Raskhali étaient servis à la mode bengalie, en services successifs.

Neel avait organisé le placement de façon à avoir Mr Burnham en face de lui, Zachary et Mr Doughty respectivement à sa gauche et à sa droite. Ainsi que le voulait la coutume, un serviteur se tenait derrière chaque chaise et, bien qu'ils fussent tous vêtus de la livrée des Raskhali, Neel remarqua que ce soir, sur lesdits serviteurs, les uniformes – pyjamas, turbans et longues tuniques ceinturées – paraissaient étrangement mal taillés. Il se rappela soudain qu'il s'agissait de jeunes mariniers recrutés en hâte par Parimal : leurs tics nerveux et leurs regards en coin traduisaient éloquemment leur difficulté à remplir leur rôle.

En arrivant à table, il y eut une longue pause durant laquelle Neel et ses invités, debout, attendirent que leurs chaises soient avancées. Neel croisa le regard de Parimal et comprit que les mariniers, n'ayant pas été instruits de cette partie de la cérémonie, attendaient de leur côté que les invités viennent à eux ; ils pensaient à l'évidence que les dîneurs s'assiéraient à quelque distance de la table – et comment auraient-ils pu savoir qu'il en allait autrement ?

Entre-temps, un des mousses prit l'initiative de donner une tape sur le coude de Mr Doughty pour lui indiquer sa chaise vide prête à le recevoir, à un mètre en arrière. Neel vit le pilote s'empourprer et intervint rapidement en bengali pour ordonner au garçon de rapprocher d'abord les chaises. L'ordre fusa avec une telle force que le plus jeune des matelots, celui censé s'occuper de Zachary, avança son siège avec précipitation comme s'il poussait un canot dans la vase. Le bord de la chaise glissa sous les fesses de Zachary, qui fut littéralement emporté et déposé à table – le souffle coupé mais sans autre dommage.

Tout en se confondant en excuses, Neel fut content de voir que Zachary était plus amusé qu'offensé par l'incident : dans le peu de temps qu'ils avaient passé ensemble, le jeune Américain lui avait fait une considérable impression, autant par son élégance que par son comportement discret. La provenance et l'origine des étrangers provoquaient souvent la curiosité de Neel : au Bengale, il était facile de savoir qui était qui ; dans la plupart des cas, entendre simplement le nom d'un individu suffisait à révéler sa religion, sa caste, son village. En comparaison, les étrangers étaient très opaques : impossible de ne pas se livrer à des suppositions à leur sujet. Le comportement de Mr Reid, par exemple, suggérait qu'il pouvait descendre d'une vieille famille aristocratique – Neel se rappelait avoir lu quelque part qu'il n'était pas inhabituel pour la noblesse européenne d'envoyer ses plus jeunes fils en Amérique. Cette pensée l'amena à demander :

— Votre ville, monsieur Reid, ai-je raison de croire qu'elle fût nommée en l'honneur d'un certain Lord Baltimore ?

La réponse fut un peu vague : «Peut-être... peut-être – je ne suis pas sûr...», mais Neel insista : «Lord Baltimore était peut-être un de vos ancêtres ?» Ce qui suscita un mouvement de surprise et une dénégation embarrassée qui ne firent que convaincre davantage Neel des nobles origines de son invité.

— Comptez-vous retourner bientôt à Baltimore...? s'enquit Neel. Il avait été sur le point d'ajouter «milord» mais il se rattrapa juste à temps.

— Eh bien, non, monsieur, répondit Zachary. L'*Ibis* ira d'abord à Maurice. Si nous ne tardons pas, nous pourrions ensuite faire voile sur la Chine.

— Je vois.

Cela rappela à Neel le but premier de son dîner, qui était de découvrir s'il existait une possibilité immédiate de changement dans les perspectives financières de son créditeur principal. Il se tourna vers Mr Burnham.

— Il y a donc une amélioration de la situation en Chine ?

— Non, Raja Neel Rattan, répliqua Mr Burnham en secouant la tête. Non. En réalité, la situation a considérablement empiré – au point qu'il est sérieusement question de guerre. De fait, ce pourrait bien être la raison du voyage de l'*Ibis* en Chine.

— Une guerre ? s'étonna Neel. Mais je n'ai pas entendu parler de guerre avec la Chine.

— J'en suis persuadé, dit Mr Burnham avec un petit sourire. Pourquoi en effet un homme tel que vous s'inquiéterait-il de pareilles affaires ? Vous avez bien assez de quoi vous occuper, j'en suis sûr, avec vos palaces, vos harems et vos budgerows.

Neel comprit qu'on se gaussait de lui, et il sentit la moutarde lui monter au nez, mais il fut sauvé d'une réplique cinglante par l'apparition opportune du premier plat – un potage fumant. La soupière en argent ayant été volée, ledit potage fut présenté dans l'unique ustensile restant fait du même métal : un bol à punch en forme de coquillage.

Mr Doughty se permit un sourire indulgent.

— Est-ce bien l'odeur du canard que je respire ? dit-il en humant l'air.

Neel n'avait aucune idée du menu car le personnel de la cambuse avait été jusqu'à la dernière minute à la recherche de provisions. Le budgerow étant à la dernière étape de son voyage, ses stocks s'épuisaient : la nouvelle d'un grand dîner avait semé la panique chez les cuisiniers ; une armée de piyadas, paiks et matelots avait été expédiée à la pêche et au ravitaillement – avec des résultats que Neel ignorait. C'est donc Parimal qui confirma que la soupe avait été confectionnée avec la chair de la bête même dont la graisse avait servi à polir la table – détail que Neel garda pour lui, expliquant seulement qu'en effet la soupe avait été composée à partir des restes d'un canard.

— Excellent ! s'exclama Mr Doughty en vidant son verre. Et un très bon sherry-schrub aussi.

Quoique content de la diversion, Neel n'avait pas oublié les remarques dédaigneuses de Mr Burnham à propos de ses occupations. Il était persuadé à présent que l'armateur exagérait afin de le convaincre de l'étendue des pertes de sa compagnie. Prenant soin de garder un ton égal, il lança :

— Vous serez sans aucun doute surpris d'apprendre, monsieur Burnham, que je me suis efforcé, non sans mal, de me tenir informé – pourtant je ne sais rien de cette guerre dont vous parlez.

— Eh bien, alors, il m'incombe de vous rapporter, monsieur, que récemment les autorités de Canton ont pris des mesures afin de mettre fin à l'importation de l'opium en Chine. C'est notre opinion à nous tous qui commerçons là-bas qu'il est impossible de laisser les mandarins en faire à leur tête. Mettre un terme à ce commerce serait ruineux – pour des compagnies comme la mienne mais aussi pour vous, et, de fait pour l'Inde entière.

— Ruineux ? dit doucement Neel. Cependant nous pouvons tout de même offrir à la Chine quelque chose de plus utile que l'opium ?

— Oui, si cela existait, répliqua Mr Burnham. Mais ce n'est pas le cas. Pour parler simplement : les Chinois ne veulent rien de nous – ils se sont mis en tête qu'ils n'avaient d'usage pour aucun de nos produits ni de nos manufactures. Nous, par ailleurs, ne pouvons nous passer de leur thé et de leurs soieries. Sans l'opium, la ponction sur les finances de l'Angleterre et de ses colonies serait trop importante à supporter.

— Voyez-vous, dit Mr Doughty, se joignant alors à la conversation, le problème, c'est que Johnny Chinetoque pense pouvoir retourner au bon vieux temps, avant qu'il ait contracté le goût de l'opium. Mais il n'y a pas de retour possible. Ça ne marchera pas.

152

— Un retour ? dit Neel, surpris. Pourtant, la soif de la Chine pour l'opium date de l'Antiquité, n'est-ce pas ?

— L'Antiquité ? se moqua Mr Doughty. Allons donc, même quand j'ai débarqué tout jeune à Canton pour la première fois, il n'entrait que très peu d'opium dans le pays. Fichue tête de mule, ce Johnny Longue Queue. Pas facile de le mettre à l'opium, je peux vous l'assurer. Non, monsieur. Pour rendre justice à qui le mérite, il faut bien dire que, sans la persévérance des marchands anglais et américains, la consommation d'opium serait restée très limitée. L'affaire s'est passée pratiquement durant notre génération – c'est pourquoi nous devons de sincères remerciements à des gens tels que Mr Burnham. – Et, levant son verre en direction de l'armateur, il lança : – À votre santé, monsieur.

Neel s'apprêtait à se joindre au toast quand apparut le deuxième plat : des jeunes poulets rôtis entiers.

— Que je sois damné si ce n'est pas là un cas de mort subite ! s'écria Mr Doughty, ravi.

Il embrocha de sa fourchette la petite tête d'une volaille et se mit à mâchouiller d'un air songeur.

Neel contempla son assiette avec une triste résignation : il avait soudain très faim et, sans la présence de ses serviteurs, il se serait certainement jeté sur un poulet – il s'en empêcha en levant son verre à Mr Burnham.

— À votre santé, monsieur, et à vos succès en Chine.

— Qui n'ont pas été faciles, je peux vous l'assurer, répliqua Mr Burnham avec un sourire. Surtout au début, quand les mandarins se montraient moins que disposés à entendre raison.

153

— Vraiment ? – N'ayant jamais beaucoup songé au commerce en général, Neel avait imaginé que celui de l'opium avait toujours joui de l'approbation officielle en Chine – ce qui semblait tout naturel, puisqu'au Bengale ce commerce était non seulement autorisé mais monopolisé par les autorités britanniques, sous la marque de l'East India Company. – Vous m'étonnez, monsieur Burnham, dit-il. La vente de l'opium est-elle donc mal vue des autorités chinoises ?

— J'en ai peur, répondit Mr Burnham. Le commerce de l'opium est interdit là-bas depuis un certain temps. Mais personne n'avait encore fait d'histoires à ce propos : les mandarins et autres Chinetoques continuaient à percevoir leurs dix pour cent de commission et à fermer les yeux. L'unique raison pour laquelle ils font du tapage aujourd'hui, c'est qu'ils veulent une plus grosse part des profits.

— C'est bien simple, lança Mr Doughty en engloutissant une aile de poulet, les Longues Queues ont besoin d'une petite raclée.

— Je crains d'être d'accord avec vous, Doughty, acquiesça Mr Burnham avec un hochement de tête. Un petit châtiment en temps voulu est toujours une bonne chose.

— Vous êtes donc convaincu, demanda Neel, que votre gouvernement déclarera la guerre ?

— On pourrait bien en arriver là, hélas, dit Mr Burnham. L'Angleterre s'est montrée d'une extrême patience, mais il y a une limite à tout. Regardez ce que les Célestes ont fait à Lord Amherst. Il était là, aux portes de Pékin, les bras chargés de cadeaux – et l'empereur n'a pas daigné le recevoir !

— Oh, n'en parlez pas, monsieur, c'est proprement insupportable ! s'écria Mr Doughty, indigné. Il exigeait que Sa Grâce se prosterne devant lui en public ! Enfin, quoi, bientôt ils nous demanderont de nous laisser pousser des tresses !

— Et Lord Napier n'a pas eu droit à mieux, lui rappela Mr Burnham. Les mandarins ne lui ont pas accordé plus d'attention qu'ils n'en auraient eu pour ce poulet.

Ce qui ramena Mr Doughty à sa nourriture.

— À propos de poulet, monsieur, murmura-t-il, voilà un excellent petit rôti.

Le regard de Neel revint se poser sur la volaille intacte dans son assiette : il savait, sans y goûter, qu'elle devait être délicieuse mais, bien entendu, ce n'était pas à lui de le dire.

— Vous êtes trop généreux dans vos louanges, monsieur Doughty, lança-t-il dans un élan exagéré de modestie. Ce n'est qu'une infecte petite créature, indigne d'invités tels que vous.

— Infecte ? s'alarma soudain Zachary qui venait seulement de remarquer que Neel n'avait pas touché à une miette de la nourriture placée devant lui. – Il posa sa fourchette. – Vous n'avez pas touché à votre poulet, monsieur. Serait-il à... ne pas recommander, sous ce climat ?

— Non, répliqua Neel avant de se corriger. Je veux dire oui. Il est parfaitement recommandable pour vous...

Il s'interrompit, essayant de trouver une manière polie d'expliquer à l'Américain pourquoi le poulet était interdit au raja de Raskhali mais parfaitement mangeable pour un étranger impur. Les mots ne lui vinrent pas et, dans un appel au secours muet, il regarda les deux Anglais, tous deux très au courant des règles alimentaires des Halder. Ni l'un ni l'autre ne consentit à croiser son regard, puis finalement

Mr Doughty, dans un sifflement semblable à celui d'une bouilloire sur le point d'exploser, lâcha à l'adresse de Zachary :

— Mangez votre bestiole, espèce de bourrique. Il ne dit que des âneries.

L'incident fut clos par l'arrivée d'un plateau de poisson : des filets panés de bhetki, accompagnés de pakoras de légumes croustillants. Mr Doughty examina le tout avec une vive attention.

— Pardon si je me trompe ! Du bhetki, et avec des fuleeta-pups par-dessus le marché ! Eh bien, monsieur, vos babachees nous font honneur !

Neel s'apprêtait à protester poliment quand il fit une découverte qui le choqua profondément. Son regard s'étant égaré sur le centre de la table, il se rendit compte à son horreur extrême que les fleurs n'étaient pas dans un vase, comme il l'avait cru, mais dans un vieux pot de chambre en porcelaine. La présente génération de matelots du budgerow avait manifestement oublié l'histoire et la fonction de ce récipient, dont Neel se rappelait fort bien qu'il avait été acheté exprès à l'usage d'un vieux magistrat local aux intestins méchamment affectés par les vers.

Il étouffa une exclamation de dégoût et détourna les yeux, à la recherche d'un sujet de conversation propre à distraire l'attention de ses invités. En ayant trouvé un, il s'écria d'une voix où traînait encore un peu de révulsion :

— Monsieur Burnham, voulez-vous dire que l'empire britannique fera la guerre pour imposer l'opium en Chine ?

La réponse ne se fit pas attendre. Mr Burnham reposa avec bruit son verre sur la table.

— À l'évidence, vous ne m'avez pas compris, Raja Neel Rattan, dit-il. La guerre, quand elle viendra, ne sera pas pour l'opium. Elle se fera pour un principe : pour la liberté du commerce et la liberté du peuple chinois. Le libre commerce est un droit conféré à l'homme par Dieu, et ses principes s'appliquent autant à l'opium qu'à tout autre article. Plus encore peut-être, puisque en son absence plusieurs millions d'indigènes seraient privés des avantages durables de l'influence britannique.

— Comment cela, monsieur Burnham ? interrompit Zachary.

— Pour la simple raison, Reid, répliqua Mr Burnham patiemment, que le règne de l'Angleterre en Inde ne pourrait continuer sans l'opium – c'est ainsi et il ne saurait en être autrement. Vous n'ignorez sans doute pas que, certaines années, les bénéfices tirés de l'opium par la Compagnie sont pratiquement égaux aux revenus de votre propre contrée, les États-Unis d'Amérique ? Pensez-vous que l'Angleterre pourrait gouverner cette pauvre nation si ce n'était cette source de richesse ? Et si nous réfléchissons aux bénéfices apportés à l'Inde par la domination britannique, ne doit-on pas en conclure que l'opium est la plus grande bénédiction de ce pays ? Ne doit-on pas en conclure que c'est Dieu qui nous fait le devoir de conférer ces bénéfices à d'autres ?

Neel n'avait écouté que d'une oreille le discours de Mr Burnham, son attention pleinement distraite par l'idée que l'affaire du pot de chambre aurait pu tourner au désastre. Et si, par exemple, ce malheureux objet avait été présenté à table en guise de soupière, rempli à ras bord d'un potage fumant ? Considérant ce qui aurait pu se passer, Neel avait toutes les raisons d'être reconnaissant pour ce qui lui avait été socialement épargné : de fait, cela sentait tellement l'intervention divine qu'il ne put s'empêcher de lancer sur un ton de pieux reproche :

— Cela ne vous trouble pas, monsieur Burnham, que d'appeler Dieu au service de l'opium ?

— Pas le moins du monde, répliqua Mr Burnham en se caressant la barbe. Un de mes compatriotes a très bien exprimé la chose : « Jésus-Christ est le libre commerce et le libre commerce est Jésus-Christ. » On n'a jamais prononcé mots plus vrais. S'il est de la volonté de Dieu que l'opium soit utilisé comme un moyen d'ouvrir la Chine à Ses enseignements, qu'il en soit ainsi. Pour ma part, je ne vois pas du tout pourquoi un Anglais devrait encourager le tyran mandchou à priver le peuple de Chine de cette subs-tance miraculeuse.

— Vous voulez dire l'opium ?

— Certainement, répliqua sèchement Mr Burnham. Enfin, monsieur, permettez-moi de vous demander : aimeriez-vous retourner à l'époque où l'on arrachait les dents et on sciait les membres sans aucun palliatif pour diminuer la souffrance ?

— Eh bien, non, dit Neel en frissonnant. Sûrement pas.

— C'est ce que je pensais. Alors vous feriez bien de garder à l'esprit qu'il serait presque impossible de pratiquer la médecine moderne ou la chirurgie sans l'aide de produits chimiques tels que morphine, codéine et narcotine – et ce ne sont là que quelques-uns des bienfaits dérivés de l'opium. Sans sirop contre les coliques, nos enfants ne dormiraient pas. Et que feraient nos dames – enfin, notre reine bien-aimée elle-même – sans le laudanum ? On peut même dire que c'est l'opium qui a rendu possible cette ère de progrès et d'industrie ; sans lui, les rues de Londres pulluleraient de multitudes somnolentes, crachotantes et incontinentes. Si nous considérons tout cela, ne convient-il pas de se demander si le tyran mandchou a le moindre droit de priver un si grand nombre de gens de ce prodigieux cadeau ?

— Mais, monsieur Burnham, insista Neel, n'est-il pas vrai qu'il existe en Chine beaucoup de dépendance à la drogue et de multiples cas d'intoxication ? De telles afflictions ne peuvent pas plaire à notre Créateur, tout de même ?

La remarque irrita Mr Burnham.

— Ces maux que vous mentionnez, monsieur, sont tout simplement des aspects de la nature déchue de l'homme. S'il vous arrive un jour de traverser les taudis surpeuplés de Londres, vous verrez par vous-même qu'il existe autant de dépendance au gin, et de cas d'intoxication, dans les estaminets de la capitale de l'empire qu'il y en a dans les bouges de Canton. Devrions-nous donc raser chaque taverne de la ville ? Bannir le vin de nos tables et le whisky de nos salons ? Priver nos marins et nos soldats de leur ration journalière de grog ? Et une fois ces mesures devenues lois, dépendance et intoxication disparaîtraient-elles ? Et en cas d'échec de ces dispositions, chaque membre du Parlement devrait-il porter la responsabilité de chaque mort ? La réponse est non. Non, parce que l'antidote à la dépendance ne se trouve pas dans les lois proclamées par des parlements et des empereurs mais dans la conscience individuelle – dans la conscience qu'a chaque homme de sa responsabilité personnelle et dans sa crainte de Dieu. En tant que nation chrétienne, c'est là la plus importante leçon que nous puissions offrir à la Chine – et je ne doute pas un seul instant que le message serait le bienvenu pour les habitants de ce malheureux pays s'ils n'étaient pas empêchés de l'entendre par le cruel despote qui les tient en son pouvoir. C'est la tyrannie, et elle seule, qui est à blâmer pour la décadence de la Chine, monsieur. Les marchands tels que moi ne sont que les serviteurs du libre échange, qui est aussi immuable que les Dix Commandements. – Mr Burnham s'interrompit pour lancer dans sa bouche une fuleeta-pup croustillante. – J'ajouterai, à ce propos, qu'il ne me paraît pas approprié pour un raja de Raskhali de nous faire la morale sur le sujet de l'opium.

— Et pourquoi pas ? s'enquit Neel, se préparant à l'affront qui allait certainement suivre. Expliquez-vous, je vous prie, monsieur Burnham.

— Pourquoi pas ? – Mr Burnham leva un sourcil. – Eh bien, pour la très bonne raison que tout ce que vous possédez est payé par l'opium – ce budgerow, vos maisons, cette nourriture. Pensez-vous que vous pourriez vous offrir tout cela sur les revenus de votre domaine et les loyers de vos métayers à moitié morts de faim ? Non, monsieur : c'est l'opium qui vous a donné tout cela.

— Néanmoins je ne ferai pas la guerre pour lui, monsieur, rétorqua Neel sur un ton aussi sec que celui de Burnham. Et je ne pense pas que l'empire la fera non plus. N'imaginez pas que j'ignore le rôle que le Parlement joue dans votre pays.

— Le Parlement ? – Mr Burnham éclata de rire. – Le Parlement ne saura rien de la guerre jusqu'à ce qu'elle soit terminée. Soyez assuré, monsieur, que si ces sortes d'affaires étaient laissées au Parlement, l'empire n'existerait pas.

— Bravo, bravo ! s'écria Mr Doughty en levant son verre. Jamais paroles plus vraies ne furent prononcées...

Il fut interrompu par l'arrivée du service suivant, un plat dont la présentation avait requis la mobilisation de presque tout l'équipage. Les matelots arrivèrent un à un, portant de grands bols de cuivre pleins de riz, de mouton, de crevettes et d'un assortiment de pickles et chutneys.

— Ah, enfin, le karibat ! s'exclama Mr Doughty. Et juste à temps aussi !

Alors qu'on ôtait les couvercles, il parcourut la table d'un œil anxieux. Quand il eut trouvé ce qu'il cherchait, il pointa avec jubilation un doigt sur un bol rempli d'épinards et de minces tranches de poisson.

— N'est-ce pas là le fameux chitchky d'épinards, Rascaillou ? Mais oui, mais oui !

Les odeurs n'eurent aucun effet sur Neel, tellement piqué par les remarques de Mr Burnham que toute pensée de nourriture aussi bien que de vers et de pots de chambre avait été purgée de son esprit.

— N'imaginez pas, monsieur, dit-il à l'adresse de Mr Burnham, que je suis un indigène ignorant à qui on doit parler comme à un enfant. Votre jeune reine n'a pas, si je puis dire, de sujet plus loyal que moi, ni aucun qui soit plus profondément conscient des droits dont jouit le peuple anglais. De fait, ajouterai-je, je suis très instruit des écrits de Messrs Hume, Locke et Hobbes.

— Je vous en prie, monsieur, répliqua Mr Burnham sur le ton glacial de qui entend snober un homme qui voudrait faire étalage de ses relations, ne me parlez pas ni de Mr Hume ni de Mr Locke. Car je tiens à vous faire savoir que je les connais depuis le temps où ils servaient au Bureau des revenus du Bengale. J'ai moi aussi lu tout ce qu'ils ont écrit, y compris leur rapport sur le système sanitaire. Quant à Mr Hobbes, eh bien, je crois avoir dîné avec lui l'autre jour à mon club.

— Très brave type, Hobbes, intervint soudain Mr Doughty. Il siège maintenant au conseil municipal, si je ne me trompe. Je suis allé chasser le pourceau avec lui une fois. Les rabatteurs avaient affolé une vieille truie et sa portée de cochonnets. Ils se sont jetés sur nous ! Z'ont fichu une peur du feu de Dieu aux chevaux. Ce vieux Hobbes a été envoyé en l'air – il est retombé juste sur un petit cochon. Mort sur le coup. Le porcelet, j'entends. Hobbes s'en est sorti intact. Un sacré spectacle s'il en fut ! On en a fait un bon rôti. Du cochon de lait, j'entends.

Mr Doughty n'avait pas terminé son récit qu'une autre distraction se présentait : un tintement, pareil à celui de bracelets de chevilles, se fit entendre dans l'alcôve ménagée par le rideau derrière Neel. À l'évidence, Elokeshi et ses compagnes étaient venues jeter un œil sur les invités. Suivirent chuchotements et piétinements tandis que ces dames venaient regarder chacune à son tour à travers les fentes du rideau – puis la voix d'Elokeshi, rendue aiguë par l'excitation :

Eki-ré – regardez, regardez !

Chut ! lança Neel par-dessus son épaule, mais sans qu'on l'écoute.

Vous voyez le gros type, le vieux ? poursuivit Elokeshi, chuchotant très fort en bengali. Il est venu chez moi, il y a vingt ans, j'en avais pas plus de quinze ; oh, les choses qu'il a faites, *báp-ré !* Si je vous racontais, vous vous rouleriez de rire...

Neel remarqua qu'un silence de mort régnait maintenant autour de la table : les deux hommes plus âgés étudiaient consciencieusement le plafond, mais Zachary regardait autour de lui d'un air interrogateur. Moins que jamais, Neel ne savait comment expliquer la situation au nouveau venu : comment lui dire qu'il était observé à travers les fentes d'un rideau par quatre danseuses ? Faute de trouver mieux, il murmura une excuse :

— C'est simplement les dames de compagnie. Qui papotent.

Elokeshi baissa alors la voix et malgré lui Neel tendit l'oreille.

Non, vraiment... il m'a obligée à m'asseoir sur son visage... *chhi, chhi !*... et il a tout léché avec sa langue... mais non, idiote, en plein là, oui... *shejeki chatachati !* Oh, quel léchage ! Vous auriez cru qu'il goûtait à du chutney...

— Putain de vilaine faraude ! – Dans un grand fracas, Mr Doughty sauta soudain de sa chaise, qui se renversa. – Foutue sale race de danseuse ! Tu crois que je saisis pas ton foutu baragouin ? Y a pas un mot de vos affreuses jacasseries que je ne comprenne pas. Ah, tu me traites de lécheur de con ? Je baiserais l'évêque plutôt que de te palper la chatte. Lécher, tu dis ? Je m'en vais te lécher les fesses avec mon lathi, tu vas voir... !

Il s'avança sur l'alcôve en brandissant sa canne, mais Mr Burnham se leva vivement pour l'arrêter. Zachary accourut à son aide et, à eux deux, ils firent sortir le pilote du sheeshmahal et l'emmenèrent sur le gaillard d'avant, où ils le remirent à Serang Ali et à ses lascars.

— Lui attraper trop de shamshoo, dit Serang tranquillement en saisissant le pilote par les chevilles. Bien mieux aller dormir chop-chop.

Ce qui n'apaisa nullement Mr Doughty. Tandis qu'on l'installait de force dans le canot, on pouvait l'entendre hurler : «Bas les pattes ! Touchez pas !... Basta, espèce de racaille... ou bien je vous fais bouffer vos lauriers... vais vous fendre le cul... vous réduire

les fesses en potage... Putains de singes et de hyènes !
Où sont mon poulet et mon poisson aux épinards... ? »

— Vous mélanger tout cette fois, le réprimanda
Serang Ali. Trop beaucoup shamshoo à l'intérieur.
Tout ça monter à la tête, non ?

Laissant Zachary aider à maîtriser le pilote,
Mr Burnham revint au sheeshmahal où Neel, encore
assis à la tête de la table, contemplait les ruines du
dîner : la soirée aurait-elle pris une telle tournure si
son père y avait présidé ? Il ne pouvait pas l'imaginer.

— Tout à fait désolé de cette affaire, dit Mr Burnham.
Il a simplement pris une goutiche de shrob de trop, ce
brave Mr Doughty : un peu hors de son altitude.

— C'est moi qui devrais faire amende honorable,
répondit Neel. Et vous n'allez pas partir tout de suite
quand même ? Ces dames ont préparé un *nách*.

— Vraiment ? Eh bien, il vous faudra leur présenter nos regrets. Je crains de ne pas être d'humeur pour
ce genre de chose.

— J'en suis navré, dit Neel. Ne vous sentez-vous
pas bien ? La nourriture ne vous a pas convenu ?

— La nourriture était splendide, rétorqua Burnham
avec gravité. Mais quant à une soirée de danse – vous
savez peut-être que j'ai certaines responsabilités au
sein de mon église. Il n'est pas dans mes habitudes de
participer à des spectacles insultants pour la dignité
du sexe faible.

Neel inclina la tête en manière d'excuse.

— Je comprends, monsieur Burnham.

Mr Burnham prit un petit cigare dans la poche de
son gilet et le tapota sur son pouce.

— Mais si vous le voulez bien, Raja Neel Rattan,
j'aimerais vous dire quelques mots en privé.

Incapable de trouver le prétexte d'un refus, Neel
acquiesça :

— Certainement, monsieur Burnham. Voulez-vous que nous montions sur le pont supérieur ? Nous devrions y trouver l'intimité requise.

Une fois sur le pont, Mr Burnham alluma son cheroot et souffla une plume de fumée dans la nuit.

— Je suis très heureux d'avoir cette occasion de vous parler, commença-t-il. C'est un plaisir inattendu.

— Merci, répliqua Neel, méfiant, tout son système défensif en alerte.

— Vous vous rappellerez que je vous ai écrit récemment, reprit Mr Burnham. Puis-je vous demander si vous avez eu la possibilité de réfléchir à ma proposition ?

— Monsieur Burnham, dit Neel fermement, je regrette de ne pouvoir pour l'instant vous rendre les fonds qui vous sont dus. Mais vous devez comprendre qu'il m'est impossible de considérer votre proposition.

— Et pourquoi donc ?

Neel repensa à sa dernière visite au Raskhali et aux réunions publiques au cours desquelles ses métayers et ses administrateurs avaient plaidé pour qu'il ne vende pas le zemindary et les prive ainsi des terres qu'ils travaillaient depuis des générations. Il songea à sa dernière visite au temple familial et au prêtre qui s'était jeté à ses pieds, le suppliant de ne pas abandonner à d'autres le temple où ses ancêtres avaient prié.

— Monsieur Burnham, dit-il, le zemindary de Raskhali appartient à ma famille depuis deux cents ans ; neuf générations de Halder ont occupé son trône. Comment pourrais-je l'abandonner en échange de mes dettes ?

— Les temps changent, Raja Neel Rattan. Et ceux qui ne changent pas avec eux sont balayés.

— Néanmoins j'ai une certaine obligation à l'égard de mes gens, rétorqua Neel. Vous devez essayer de comprendre – les temples de ma famille se trouvent sur ces terres. Aucun d'eux ne m'appartient et je ne peux en vendre ni en donner aucun. Le domaine appartient aussi à mon fils et à ses enfants à naître. Il n'est pas en mon pouvoir de vous le céder.

Mr Burnham souffla une bouffée de fumée.

— Permettez-moi d'être honnête avec vous, dit-il calmement. La vérité, c'est que vous n'avez pas le choix. Vos dettes à l'égard de ma compagnie ne seraient pas couvertes même par la vente du domaine. Je crains d'être dans l'impossibilité d'attendre davantage.

— Monsieur Burnham, répondit Neel d'une voix ferme, vous devez oublier votre proposition. Je vendrai mes maisons, je vendrai le budgerow, je vendrai tout ce que je peux – mais je ne peux pas me séparer de Raskhali ni de ses terres. Je préférerais me déclarer en banqueroute plutôt que vous céder mon zemindary.

— Je vois, dit Mr Burnham, assez plaisamment. Dois-je comprendre que c'est là votre dernier mot ?

Neel hocha la tête.

— Oui.

— Parfait, répliqua Mr Burnham, le regard fixé sur le bout rougeoyant de son cigare. Qu'il soit bien entendu, alors, que, quoi qu'il arrive, vous n'aurez que vous-même à blâmer.

Six

La chandelle à la fenêtre de Paulette fut la première à percer l'obscurité d'avant l'aube qui cernait Bethel : de tous les habitants de la maison, maîtres aussi bien que serviteurs, Paulette était celle qui se levait toujours le plus tôt, et elle commençait en général sa journée par cacher le sari qu'elle portait pour dormir la nuit. C'est seulement dans l'intimité de sa chambre, à l'abri des regards indiscrets du personnel, qu'elle osait utiliser un sari. Elle avait découvert qu'à Bethel les domestiques, pas moins que les maîtres, avaient des opinions très arrêtées sur ce qui convenait aux Européens, en particulier aux memsahibs. Serviteurs et valets tordaient le nez quand elle ne s'habillait pas à la perfection et ils feignaient souvent de ne pas l'entendre quand elle leur parlait bengali – ou autre chose que l'hindoustani de cuisine qui était le langage du commandement dans la maison.

Elle quitta son lit et se hâta d'enfermer son sari dans sa malle, le seul endroit où il ne risquait pas trop d'être découvert par la procession de domestiques qui se succéderaient plus tard pour nettoyer la chambre : les bichawnadars chargés de faire le lit, les farrashes de balayer le sol, les matranees et les harry-maids dévolus à la chaise percée.

L'appartement de Paulette se situait au dernier étage de la maison et consistait en une chambre de bonne taille et un dressing-room ; plus remarquable, il possédait un cabinet d'aisances. Mrs Burnham avait tenu à ce que sa résidence fût la première en ville à se débarrasser des cabanes dans le jardin. « Si ennuyeux d'avoir à courir dehors, aimait-elle élégamment à répéter, quand il vous faut aller déposer une prune dans le compotier. »

Comme les autres cabinets de la maison, celui de Paulette possédait la plupart des dernières innovations, dont une chaise percée à couvercle de bois, une cuvette en porcelaine décorée et un petit bain de pied en métal. Cependant, pour Paulette il y manquait le plus important – la possibilité de prendre un bain. Depuis des années, elle était habituée à faire quotidiennement trempette dans le Hooghly : il lui était difficile de passer toute une journée sans aller se rafraîchir au moins une fois dans l'eau claire. À Bethel, un bain journalier était un privilège dont seul jouissait le burra sahib quand il revenait suant et poussiéreux de son bureau. Paulette avait entendu dire que Mr Burnham avait conçu un système spécial pour la circonstance : on avait percé de trous le fond d'un seau de métal ordinaire installé de façon qu'un serviteur puisse le remplir constamment d'eau tandis que le sahib se tenait dessous, jouissant de cette pluie fraîche. Paulette aurait adoré profiter de ce système, mais une tentative à ce propos qu'elle avait faite auprès de Mrs Burnham avait proprement scandalisé celle-ci qui, à sa manière indirecte, avait fait une mystérieuse allusion aux multiples raisons rendant de fréquents bains froids nécessaires pour un homme mais, au contraire, inconvenants, voire pervers, pour un sexe plus délicat, moins excitable ; en ce qui la concernait, avait-elle déclaré clairement, une baignoire était le bon système pour une memsahib, à utiliser à un intervalle décent d'au moins deux ou trois jours.

Il y avait, à Bethel, deux énormes goozle-connahs, des salles de bains dotées de baignoires en fonte importées directement de Sheffield. Mais pour les remplir il fallait avertir les ab-dars au moins une demi-journée à l'avance, et Paulette savait que si elle donnait cet ordre plus de deux fois par semaine, Mrs Burnham en serait très vite informée. De toute façon, se laver dans ces baignoires n'était guère à son goût : elle n'éprouvait aucun plaisir à mariner dans une mare tiédasse de sa propre crasse ; pas plus qu'elle n'appréciait les soins des trois servantes – les «cushy-girls», comme aimait à les appeler Mrs Burnham – qui s'agitaient autour d'elle, lui savonnaient le dos, lui frottaient les cuisses et l'épilaient partout où elles le jugeaient utile tout en ne cessant de murmurer khushi-khushi?, c'est bon, c'est bon?, comme si on devait éprouver une grande joie à se faire pincer, tâter et brosser tout le corps. Quand elles atteignaient les recoins les plus intimes, Paulette les repoussait, ce qui les laissait toujours surprises et blessées, comme si on les privait du droit d'accomplir convenablement leur devoir : un martyre pour Paulette, incapable d'imaginer ce qu'elles avaient l'intention de faire et pas très encline à le découvrir.

Le désespoir avait conduit Paulette à inventer sa propre méthode d'ablutions à l'intérieur de son cabinet d'aisances : debout dans son bain de pieds, elle se penchait prudemment sur un seau avec une chope qu'elle remplissait avant de laisser l'eau couler doucement le long de son corps. Dans le passé, elle s'était toujours baignée en sari, et se laver complètement nue l'avait, au début, mise mal à l'aise, puis, après une semaine ou deux, elle s'y était habituée. Inévitablement, l'exercice provoquait pas mal d'éclaboussures et l'obligeait ensuite à passer beaucoup de temps à éponger le sol afin d'en effacer toute trace : les domestiques étaient d'une curiosité insatiable quant aux agissements des résidents de Bethel et Mrs Burnham, malgré son côté distrait, semblait avoir une méthode extrêmement efficace pour leur extraire toute matière à ragots. En dépit de ces précautions, Paulette avait des raisons de penser que la rumeur de ses baignades subreptices était parvenue aux oreilles de la maîtresse de maison : récemment, Mrs Burnham avait fait plusieurs remarques moqueuses au sujet de la manie qu'avaient les hindous de se baigner incessamment et de tremper leur tête dans le Gange en marmonnant «bobberies et babaries».

Gardant tout cela à l'esprit, Paulette se donna un mal fou pour qu'il ne reste pas une goutte d'eau par terre. Mais aussitôt finie cette bataille plusieurs autres l'attendaient : d'abord, elle eut à lutter avec les baleines d'une culotte qui lui arrivait aux genoux, puis il lui fallut se tordre dans tous les sens pour découvrir les lacets de son corset, de sa chemise et enfin de son jupon ; alors seulement elle put enfin se glisser dans l'une des nombreuses robes que sa bienfaitrice lui avait léguées à son arrivée à Bethel.

Bien que les vêtements de Mrs Burnham fussent de coupe sévère, ils étaient taillés dans des étoffes beaucoup plus belles que celles que Paulette avait jamais portées : ni les calicots de Chinsurah ni même les fines mousselines et satins dont beaucoup de memsahibs se contentaient ne convenaient à la burra bee-bee de

Bethel, qui n'acceptait que les plus souples cache-mires, les plus luxueuses soieries de Chine, les lins les plus frais d'Irlande et les délicats nansouks de Surat. L'ennui avec ces magnifiques tissus, ainsi que Paulette l'avait découvert, c'était qu'une fois coupés et cousus ils ne pouvaient guère être adaptés à l'usage d'une autre personne, surtout de quelqu'un d'aussi gauche qu'elle.

À dix-sept ans, Paulette était très grande, d'une taille qui lui permettait de regarder par-dessus la tête de la plupart de ceux qui l'entouraient, hommes tout autant que femmes. Ses bras aussi étaient d'une telle longueur qu'ils tendaient à remuer comme des rameaux dans le vent (des années plus tard, ce serait sa plainte principale quant à la manière dont elle était représentée dans le sanctuaire de Deeti – ses bras ressemblaient trop à des branches de palmier). Dans le passé, la conscience de son inhabituelle stature l'avait amenée à une sorte d'indifférence timide à l'égard de son apparence ; et, en la débarrassant de l'obligation de se soucier de son allure, cette attitude avait aussi eu valeur de liberté. Néanmoins, depuis son arrivée à Bethel, cette indifférence s'était transformée en un manque d'assurance aigu : au repos, ses ongles et le bout de ses doigts cherchaient le moindre petit bouton pour le tripoter, jusqu'à provoquer de vilaines marbrures sur son teint pâle ; elle marchait penchée, donnant l'impression d'affronter un vent puissant ; debout, elle courbait les épaules, les mains derrière le dos, et se balançait d'arrière en avant comme si elle s'apprêtait à faire un discours. Autrefois, elle avait porté ses longs cheveux noirs en tresses mais récemment elle s'était mise à les tirer en arrière, noués en un petit chignon sévère, une sorte de corset pour son crâne.

À son arrivée à Bethel, elle avait trouvé étalées sur son lit quatre robes accompagnées des chemises, blouses et jupons nécessaires : Mrs Burnham l'avait assurée que le tout avait été retouché à sa taille, prêt à être porté le soir même pour le dîner. Paulette, ayant cru Mrs Burnham sur parole, s'était hâtée de s'habiller, sans prêter attention aux claquements de langue de la chambrière venue l'aider. Désireuse de plaire à sa bienfaitrice, elle s'était précipitée dans les escaliers puis dans la salle à manger.

— Regardez donc, madame Burnham ! s'était-elle écriée. Regardez ! Votre robe est parfaitement à ma taille !

Il n'y eut pas de réponse : seulement un son pareil à celui d'une foule retenant collectivement son souffle. En entrant, Paulette avait remarqué que la salle à manger semblait étrangement pleine, surtout si l'on considérait qu'il s'agissait d'un dîner familial, avec seulement les Burnham et leur fille Annabel, huit ans. Étrangère à la routine de la maison, Paulette n'avait pas escompté la présence des individus qui assistaient à chaque repas : les serviteurs enturbannés derrière chaque chaise, le masalchie, en charge des saucières, le chodbar avec louche et soupière, les trois ou quatre chuckeroos toujours sur les talons des domestiques plus âgés. Et ce n'était pas tout ce soir-là : la curiosité soulevée par la missy-mem tout juste débarquée avait gagné le babochee-connah, et bon nombre de cuistots et autres marmitons s'étaient cachés dans le vestibule, où opéraient les punkah-wallahs qui faisaient fonctionner les ventilateurs du plafond à partir de cordes attachées à leurs doigts de pieds. Parmi eux se trouvaient le consumah, responsable de la préparation du curry, le caleefa, affecté à la grillade des kébabs, et les bobachees, spécialistes des ragoûts et des rôtis de bœuf. Les domestiques en poste à l'intérieur de la maison s'étaient même débrouillés pour faire entrer certains de ceux qui travaillaient exclusivement à l'extérieur : les malis chargés du jardin, les syces et les julibdars des écuries, les durwauns – les gardiens –, voire quelques-uns des ab-dars qui assuraient l'approvisionnement en eau. Tout ce monde, donc, le souffle coupé, attendit la réaction des maîtres : la saucière trembla sur le plateau du masalchie, le chodbar lâcha sa louche, et les cordes aux pieds des punka-wallahs se détendirent, tandis que les regards du burra sahib et de la burra bee-bee descendaient du corset mal ajusté de Paulette – les baleines en avaient sauté – jusqu'à l'ourlet de sa robe, si courte qu'on voyait les chevilles de la jeune fille dans toute leur nudité. La seule voix à se faire entendre fut celle de la petite Annabel, qui éclata d'un rire joyeux :

— Maman, elle a oublié de clore son corsage ! Oh, et regardez, maman, regardez : on voit sa cheville ! Vous avez vu ? Regardez ce que la pugli a fait !

Le surnom devait lui rester et, depuis, Paulette était Pugli, «Follette», pour Mrs Burnham et Annabel.

Le lendemain, un bataillon de tailleurs et de couturières avait été convoqué pour venir ajuster les vêtements de Mrs Burnham aux mesures de la missy-mem. Mais leurs efforts zélés n'avaient été qu'à moitié récompensés : Paulette était faite de telle manière que, même avec les ourlets complètements lâchés, les robes de Mrs Burnham n'avaient pas la longueur voulue – alors que, autour de la taille et des bras, elles paraissaient toujours beaucoup plus larges que nécessaire. Du coup, une fois sur Paulette, ces vêtements si bien coupés avaient tendance à pendre et à ballotter. Inaccoutumée de toute façon aux tenues de cette sorte, elle ressentait d'autant plus l'inconfort qu'elles lui causaient. Souvent, le tissu lui irritant la peau, elle se pinçait et se grattait, amenant Mrs Burnham à lui demander si des petites bêtes s'étaient glissées sous sa robe.

Depuis cette horrible soirée, Paulette avait beaucoup travaillé à se conduire et à parler comme il le fallait, mais pas toujours avec succès. Ainsi, l'autre jour, faisant référence aux cuisiniers d'un bateau, elle s'était fièrement servie d'un mot qu'elle venait d'apprendre : « maître queux ». Pourtant, au lieu de récolter des applaudissements, l'expression avait provoqué une grimace de désapprobation. Une fois hors de portée d'Annabel, Mrs Burnham avait expliqué que le mot utilisé par Paulette sentait trop le « Croissez et multipliez » et ne pouvait être prononcé en société : « Si vous devez parler de ce genre de chose, chère Follette, rappelez-vous que le mot qui convient de nos jours est "maître coq". » Puis, sans qu'on sache pourquoi, la bee-bee s'était mise à glousser tout en tapotant de son éventail les doigts de Paulette. « Quant à cette autre affaire, ma chère, avait-elle ajouté, aucune mem distinguée ne la laisserait passer entre ses lèvres. »

*

Une des raisons pour lesquelles Paulette s'était levée si tôt était de se donner le temps de travailler sur le *Materia medica* des plantes du Bengale, le manuscrit inachevé de son père. L'aube était le seul moment de la journée qu'elle sentait lui appartenir vraiment ; durant cette heure-là, elle n'avait aucune raison d'éprouver la moindre culpabilité, même si elle choisissait de faire une chose qu'elle savait déplaire à ses bienfaiteurs. Mais rares étaient les occasions qu'elle avait en réalité de se consacrer au manuscrit ; souvent, son regard allait errer sur l'autre rive du fleuve et les Jardins botaniques, et elle se surprenait à glisser dans la mélancolie des souvenirs. Était-ce cruel ou gentil de la part des Burnham de lui avoir donné une chambre avec une vue si belle du fleuve et du rivage au-delà ? Elle n'aurait su dire : le fait est que, même assise à son bureau, il lui suffisait d'allonger un peu le cou pour apercevoir le bungalow qu'elle avait quitté quatorze mois auparavant ; cette présence, juste en face d'elle, semblait un rappel moqueur de tout ce qu'elle avait perdu en même temps que son père. Pourtant, se remémorer le passé provoquait en elle une vague de remords – avoir une telle nostalgie de sa vie d'autrefois paraissait non seulement ingrat mais déloyal à l'égard de ses bienfaiteurs. Chaque fois que ses pensées s'égaraient de l'autre côté du fleuve, elle se rappelait consciencieusement la chance qu'elle avait d'être là où elle était et de recevoir tout ce que les Burnham lui donnaient – ses vêtements, sa chambre, de l'argent de poche, et surtout une éducation sur des sujets dont elle avait été tristement ignorante tels que la piété, la pénitence et les Écritures. Et il ne lui était pas difficile d'être reconnaissante car, pour se rendre compte de sa chance, il lui suffisait de songer à ce que son sort eût été autrement : au lieu de cette pièce spacieuse, elle se serait retrouvée dans une baraque d'Alipore, pensionnaire du nouvel hospice des pauvres pour les Eurasiennes indigentes et les mineures de race blanche. À ce sort elle s'était déjà résignée quand elle avait été convoquée devant Mr Kendalbushe, un juge du Sudder Court à la mine sévère. Lui enjoignant de remercier un ciel miséricordieux, Mr Kendalbushe lui avait annoncé que son cas était venu à la connaissance de Benjamin Brightwell

Burnham, rien de moins, cet important négociant et philanthrope ayant à son crédit le généreux accueil dans sa propre maison de jeunes filles blanches indigentes. Mr Burnham avait écrit au président du tribunal pour offrir un foyer à l'orpheline Pauline Lambert.

Le juge montra à Paulette la lettre qui portait ceci en exergue : « Ayez avant tout un amour constant les uns pour les autres : car l'amour couvre une multitude de péchés. » À sa grande honte, Paulette ne fut pas capable d'identifier la provenance du verset, et c'est le juge qui la lui indiqua : épître de Pierre, chapitre 4, verset 8. Mr Kendalbushe lui avait ensuite posé quelques questions sur la Bible. Ses réponses, ou plutôt leur absence, avaient tellement choqué le magistrat qu'il lui avait asséné un jugement des plus caustiques : « Mademoiselle Lambert, votre impiété est une insulte à la race régnante : beaucoup d'hindous et de musulmans dans cette ville sont mieux informés que vous. Vous n'êtes pas loin de vous mettre à psalmodier comme un sadou ou à hurler comme un muezzin. De l'avis de ce tribunal, vous serez mieux servie sous la tutelle de Mr Burnham que vous le fûtes sous celle de votre père. Il vous incombe maintenant de vous montrer digne de cette bonne fortune. »

Au cours des mois passés à Bethel, les connaissances de Paulette en matière de Bible avaient vite progressé, car Mr Burnham avait entrepris de procéder lui-même à son éducation. Comme aux jeunes filles qui l'avaient précédée, il avait été annoncé clairement à Paulette qu'on ne lui demanderait rien de plus que d'aller régulièrement à l'église, de se bien conduire et de se montrer ouverte à l'instruction religieuse. Avant son arrivée, Paulette avait imaginé que les Burnham s'attendraient à ce qu'elle se rende utile, à la manière d'une parente pauvre : découvrir qu'elle avait si peu à leur fournir en fait de services compensatoires lui avait causé un certain choc. Son offre d'aider Annabel dans ses devoirs de classe avait été poliment déclinée pour des raisons devenues vite apparentes à Paulette : non seulement sa commande de l'anglais était loin d'être parfaite, mais son éducation avait suivi un chemin à l'exact opposé de ce que Mrs Burnham estimait convenir à une fille.

Pour l'essentiel, les études de Paulette avaient consisté à assister son père dans ses travaux. Ce qui présentait un plus large éventail d'enseignements qu'on aurait pu le supposer, car Pierre Lambert avait pour habitude d'étiqueter si possible ses plantes en bengali et en sanscrit autant que selon le système récemment inventé par Linné. Paulette avait ainsi appris pas mal de latin grâce à son père, tandis qu'elle s'imbibait des langages indiens grâce aux munshis érudits engagés pour collaborer aux classifications du conservateur. Le français, elle l'avait étudié seule, en lisant et relisant les livres de son père jusqu'à les connaître pratiquement par cœur. Ainsi, par l'effort et l'observation, Paulette était devenue, encore très jeune, une botaniste accomplie et une fervente lectrice de Voltaire, de Rousseau et particulièrement de M. Bernardin de Saint-Pierre, autrefois le professeur et mentor de son père. Mais Paulette n'avait pas songé à mentionner rien de tout cela à Bethel, sachant que les Burnham ne souhaiteraient pas voir Annabel instruite en botanique, philosophie ou latin, leur détestation du papisme romain étant presque égale à leur exécration des hindous et des musulmans – ou «Gentoos et Musselmen», comme ils se plaisaient à les appeler.

Faute de quoi, et refusant par nature de demeurer oisive, Paulette s'était assigné la tâche de superviser les jardins des Burnham. Une affaire compliquée car le chef-jardinier lui avait fait comprendre très clairement qu'il ne prendrait pas de bonne grâce des ordres d'une fille de son âge. C'était contre sa volonté qu'elle avait planté un chalta à côté du pavillon, et seulement au prix de beaucoup de difficultés qu'elle avait réussi à lui imposer d'installer deux lataniers au bord de la grande allée : ces palmiers, parmi les préférés de son père, constituaient un mince lien de plus avec le passé.

Une autre raison pour Paulette, et pas la moindre, de sombrer souvent dans la mélancolie était de ne pas avoir encore trouvé le moyen de se rendre convenablement utile à ses bienfaiteurs. Or, ce matin-là, juste au moment où montait en elle une vague de désespoir, elle fut tirée de son abattement par un bruit de sabots de chevaux et de roues de charrette résonnant précipitamment sur les graviers de l'avenue menant à l'entrée principale de Bethel. Elle jeta un coup d'œil vers le ciel et vit que la nuit avait commencé à le céder aux premiers rayons rosés de l'aube : mais même ainsi, il était encore très tôt pour un visiteur. Elle ouvrit sa porte, traversa le couloir et alla jusqu'à une fenêtre à l'autre bout de la maison, arrivant à temps pour voir une carriole franchir le portail de la propriété : un véhicule fait de bric et de broc à partir des restes d'un vieux fiacre. Ces modestes carrioles étaient communes dans les quartiers bengalis de la ville, toutefois Paulette ne se rappelait pas en avoir jamais vu une à Bethel. Un homme vêtu d'une kurta et d'un dhoti en descendit puis se pencha pour cracher un long jet de paan sur une plate-bande de lys : Paulette aperçut une tresse pendant d'une énorme tête, et elle comprit que le visiteur était Baboo Nobokrishna Panda, le gomusta de Mr Burnham, c'est-à-dire son agent responsable du transport des émigrants sous contrat. Paulette l'avait vu plusieurs fois dans la maison, chargé en général de liasses de documents à faire lire par Mr Burnham – pourtant jamais encore il ne s'était présenté si tôt le matin ni n'avait eu l'audace d'amener sa carriole dans l'allée tout près de la porte d'entrée.

Paulette songea qu'il n'y aurait personne de levé à cette heure pour ouvrir au baboo : c'était le seul moment de la journée où l'on pouvait compter sur les durwauns dehors pour s'endormir tandis que les khidmutgars à l'intérieur ne seraient pas encore tirés de leurs charpoys. Toujours soucieuse de se rendre utile, Paulette dégringola l'escalier et, après un bref combat avec les loquets de cuivre, ouvrit la porte devant laquelle attendait le visiteur.

Le gomusta était un homme d'âge moyen avec des bajoues tombantes comme sous le poids de la mélancolie ; d'un embonpoint solide, il avait de sombres oreilles informes qui lui sortaient de la tête à la manière de champignons sur un rocher mousseux. Bien qu'il eût encore une abondante chevelure, le devant de son crâne était rasé, tandis que les mèches sur sa nuque étaient tressées en un long tikki sacerdotal. Le baboo fut à l'évidence surpris de se trouver face à Paulette qui, malgré un sourire et un signe de tête tenant à la fois du salut et de la soumission, perçut dans le comportement du gomusta une sorte d'hésitation qu'elle attribua à une incertitude quant à son statut à elle : devait-il la traiter comme une extension de la famille Burnham ou une employée, un peu semblable à lui ? Pour le mettre à l'aise, elle joignit les mains, à l'indienne, et s'apprêtait à dire en bengali Nomoshkar Nobokrishno-babu, quand elle se rappela, juste à temps, que le gomusta préférait qu'on lui parle en

anglais et aimait qu'on l'appelle par la version angli-
cisée de son nom, Nob Kissin Pander.

— Je vous en prie, entrez, Baboo Nob Kissin, dit-
elle en s'écartant largement de la porte pour le faire
passer.

Remarquant les trois lignes de pâte de santal sur
son front, elle laissa vite tomber la main qu'elle avait
failli lui tendre pour l'accueillir : le gomusta était un
fervent disciple de Sri Krishna, se rappela-t-elle, et,
en qualité d'adepte du célibat, il pourrait ne pas
apprécier le contact d'une femme.

— Miss Lambert, vous allez bien aujourd'hui ?
dit-il en entrant, hochant et secouant la tête tout en
reculant de façon à se maintenir à bonne distance des
possibles pollutions venues du corps de Paulette. Les
selles n'étaient pas trop liquides, j'espère ?

— Eh bien... non, Baboo Nob Kissin. Je vais très
bien. Et vous ?

— Je suis venu en courant comme un fou. Le
maître a dit seulement d'envoyer le message – il a
besoin de son caïque avec urgence.

— Je fais prévenir les mariniers, répliqua Paulette.

— Ce sera très appréciable.

Paulette jeta un coup d'œil par-dessus son épaule et
nota qu'un khidmutgar venait d'entrer. Elle l'expédia
prévenir les marins et conduisit Baboo Nob Kissin
dans un petit salon où l'on faisait en général asseoir
les visiteurs et pétitionnaires avant qu'ils soient reçus
par Mr Burnham.

— Peut-être aimeriez-vous attendre ici que le
bateau soit prêt ? dit-elle.

Elle allait refermer la porte quand elle remarqua,
un peu inquiète, que l'expression du gomusta avait
changé : avec un large sourire découvrant ses dents, il

secoua la tête de telle sorte que son tikki se mit à se balancer.

— Oh, miss Lambert, s'écria-t-il d'une voix étrangement ardente, tant de fois je viens à Bethel et toujours je veux vous rencontrer pour soulever un sujet ! Mais jamais vous n'êtes solitaire avec moi une minute, aussi – comment commencer les discussions ?

Paulette recula, décontenancée.

— Mais, Baboo Nob Kissin, répliqua-t-elle, si vous souhaitez me dire quoi que ce soit, vous pouvez sûrement le faire en public ?

— De ceci vous seulement vous pouvez juger, miss Lambert, dit-il, son tikki continuant à danser de manière si comique que Paulette ne put s'empêcher de rire.

*

Paulette n'était pas la seule à trouver un côté absurde au gomusta : bien des années et des milliers de milles plus tard, quand Baboo fit son entrée dans le sanctuaire de Deeti, il n'y eut que lui dont le portrait figura en caricature, une grande tête en forme de pomme de terre d'où germaient deux oreilles pareilles à des feuilles. Mais Nob Kissin Pander était toujours plein de surprises, ainsi que Paulette allait le découvrir. Pour l'heure, de la poche de sa veste noire il sortit un petit objet enveloppé d'étoffe.

— Seulement une minute, miss. Puis vous voir.

Il posa le paquet sur sa paume et commença à en défaire les plis avec beaucoup de minutie, du bout des doigts, sans jamais toucher l'objet lui-même. Une fois le déballage terminé et l'objet niché sur un lit de tissu, il tendit la main vers Paulette, dans un geste lent, comme pour lui rappeler de ne pas approcher trop près.

— Aimablement ne pas toucher.

En dépit de la distance, Paulette reconnut instantanément le minuscule visage qui souriait dans le médaillon cerclé d'or : une miniature émaillée représentant une femme aux cheveux noirs et aux yeux gris – sa mère, qu'elle avait perdue au moment même de sa naissance et dont elle ne possédait aucun autre portrait ou souvenir.

Elle jeta un regard désemparé au gomusta.

— Mais, Baboo Bob Kissin ! Comment avez-vous trouvé cela ? Où ?

Après la disparition de son père, cherchant partout en vain cette miniature, elle avait été forcée de conclure qu'elle avait été volée dans le chaos qui avait régné dans la maison à la suite de cette mort soudaine.

— Seul Lambert Sahib me le donna, dit le gomusta. Juste une semaine avant de glisser dans le ciel paradisiaque. Ses conditions étaient extrêmement périlleuses ; mains tremblantes et langue aussi très chargée. Une constipation rigoureuse doit avoir existé mais il est venu cependant dans mon daftar, à Kidderpore. Imaginez seulement !

Paulette se rappela ce jour-là, avec une clarté de détails qui lui fit monter les larmes aux yeux : son père lui avait dit de convoquer Jodu et sa barque, et quand elle avait demandé pourquoi, il avait répliqué qu'il avait «à-faire» en ville, de l'autre côté du fleuve. Elle avait exigé de savoir le genre de cette affaire dont elle ne pouvait s'occuper elle-même, mais il ne lui avait pas répondu, insistant seulement pour qu'elle appelle Jodu. Elle avait regardé l'embarcation traverser lentement le fleuve ; elle avait été surprise, à son arrivée sur l'autre rive, de la voir se diriger non vers le centre de la ville mais vers les quais de Kidderpore. Qu'allait donc faire son père là-bas ? Il ne lui avait fourni aucune explication à ce sujet, et Jodu avait été incapable d'éclairer Paulette. Tout ce qu'il avait pu lui raconter, c'était que son passager l'avait laissé attendre dans la barque avant de disparaître dans le bazar.

— Ce temps-là ne fut pas le seul dans mes appartements, poursuivit le gomusta. De telle manière, beaucoup de sahibs et de mems viennent quand quelques fonds sont requis. Ils donnent quelques bijoux et babioles pour en disposer. Lambert Sahib ne m'a fait la grâce de sa présence que deux, trois fois, mais il n'est pas comme d'autres – il n'intrigue pas, il ne joue pas, il ne boit pas. Pour lui la difficulté est qu'il a trop bon cœur, faisant tout le temps la charité et donnant des fonds. Naturellement, beaucoup de vilains en profitent...

La description n'était ni injuste ni inexacte, Paulette le savait, néanmoins ce n'est pas ainsi qu'elle avait choisi de se rappeler son père : car, évidemment, la plupart de ceux qui avaient bénéficié de sa générosité étaient des gens terriblement dans le besoin – orphelins et gamins des rues, porteurs handicapés à vie par les surcharges et mariniers ayant perdu leur bateau. Et même aujourd'hui, après avoir été jetée à la merci d'individus qui étaient, après tout, des étrangers, aussi gentils fussent-ils, elle ne pouvait pas se résoudre à lui reprocher la plus grande de ses vertus, la chose qu'elle avait aimée le plus en lui. Pourtant, oui, c'était vrai aussi, il était inutile de le nier, qu'elle aurait connu un sort bien différent si son père avait été, comme la plupart des Européens de la ville, tout occupé à s'enrichir.

— Lambert Sahib toujours discutant avec moi en bangla, continua le gomusta. Mais moi je suis toujours répondant en anglais chaste.

Alors, comme pour se faire mentir, il surprit Paulette en passant au bengali. Avec le changement de langage, un grand poids de soucis parut s'envoler des traits affaissés de son large visage.

Shunun. Écoutez : quand votre père venait me demander de l'argent, je savais, sans qu'il me le dise, qu'il allait le donner à un mendiant ou à un invalide quelconque. Je lui disais : «Arre Lambert Shaheb, j'ai vu beaucoup de chrétiens essayer d'acheter leur place au paradis mais je n'en ai jamais rencontré un qui y travaille avec autant d'ardeur que vous!» Il riait comme un enfant – il aimait rire, votre père – mais cette fois il n'a pas ri. Cette fois, il n'a pas ri, ni même prononcé un mot avant de tendre la main et de me demander : «Combien me donnerez-vous pour cela, Baboo Nob Kissin?» J'ai tout de suite compris que l'objet avait une grande valeur pour lui ; je le devinais à sa manière de le tenir – bien entendu, en cette époque si mauvaise, les choses qui ont de la valeur pour nous n'en ont pas nécessairement pour le monde en général. Voulant éviter de le décevoir, j'ai dit : «Lambert Sahib, racontez-moi, à quoi est destiné cet argent? De combien avez-vous besoin?» «Pas beaucoup, a-t-il répondu, juste assez pour un billet de retour en France.» «Pour vous-même, Lambert Sahib?» ai-je demandé, surpris. Il a secoué la tête. «Non, pour ma fille, Putli. Simplement pour le cas où quelque chose m'arrivait. Je veux être certain qu'elle aura les moyens de repartir. Sans moi, cette ville n'est pas un endroit pour elle.»

Le gomusta s'interrompit pour consulter de nouveau sa montre tandis que son poing se refermait sur le médaillon.

Votre père, Miss Lambert, comme il connaissait bien notre langue. Je m'émerveillais toujours en l'écoutant parler...

Maintenant, bien que le gomusta continuât sur le même ton sonore, Paulette entendait ses mots comme s'ils étaient prononcés par son père, en français : ... Une enfant de la Nature, voilà ce qu'elle est, ma fille Paulette. Comme vous le savez, je l'ai élevée moi-même dans l'innocente quiétude des Jardins botaniques. Elle n'a jamais eu d'autre professeur que moi et n'a jamais prié devant aucun autel, sauf celui de la Nature ; les arbres ont été sa Bible et la terre sa Révélation. Elle n'a pas connu autre chose qu'amour, égalité et liberté : je l'ai élevée dans cet état de liberté qu'est la Nature elle-même. Si elle reste ici, aux colonies, et plus particulièrement dans une cité telle que celle-ci, où l'Europe cache mal sa honte et son avidité, tout ce qui l'attend, c'est l'avilissement : les Blancs de cette ville la mettront en pièces, comme des vautours et des renards se battant autour d'un cadavre. Elle sera une innocente jetée aux adorateurs de l'argent qui se font passer pour des hommes de Dieu...

Stop ! Paulette porta les mains à ses oreilles comme pour faire taire la voix de son père. Ah, qu'il avait eu tort ! Combien peu il l'avait comprise, faisant d'elle ce qu'il avait toujours lui-même souhaité être, plutôt que de la voir comme la créature ordinaire qu'elle était. Pourtant, tout en s'irritant de son jugement, Paulette se sentit prête à pleurer à la pensée de ces années d'enfance, quand son père et elle avaient vécu avec Jodu et tantima dans leur bungalow devenu une île d'innocence sur une mer de corruption.

Elle secoua la tête, à la manière dont on se débarrasse d'un rêve.

— Alors, que lui avez-vous dit, Nob Kissin Baboo, sur la valeur du médaillon?

Le gomusta sourit en tiraillant sa tresse et reprit dans son anglais :

— Après de soigneuses considérations, j'ai clarifié que ce passage pour la France coûterait définitivement plus que ce médaillon. Peut-être deux ou trois objets similaires seraient-ils requis. Pour le coût de celui-ci il pouvait seulement envoyer à *Mareech-díp*.

— *Mareech-díp?* – Paulette fronça les sourcils, se demandant à quel endroit il pouvait bien songer : l'expression signifiait «île au poivre» mais elle ne l'avait jamais encore entendue utilisée. – Où est-ce?

— Les Anglais l'appellent les Mauritius Islands.

— Oh, l'île Maurice! s'écria Paulette. C'est là où ma mère est née!

— C'est ce qu'il a dit, confirma le gomusta avec un mince sourire. Il a dit : «Que Paulette aille à Maurice – c'est comme sa terre natale. Là, elle pourra connaître les joies et les souffrances de la vie.»

— Et puis? Lui avez-vous donné l'argent?

— Je l'ai avisé de revenir après quelques jours et que les fonds seraient là. Mais comment serait-il venu? Expiré, non, au bout d'une semaine? – Le gomusta soupira. – Même avant, je devinais que ses conditions étaient précaires. Les yeux étaient rouges et la langue blanchâtre, indiquant des arrêts des mouvements intestinaux. Je lui conseillai : Lambert Sahib, juste pour quelques jours, ayez l'amabilité de restreindre votre consommation de viande – les selles végétariennes passent plus facilement. Mais sans doute il m'a ignoré, ce qui l'a mené à son décès inopportun. Après cela j'ai eu beaucoup de difficultés à obtenir le retour de l'objet. Le courtier l'avait déjà livré à la boutique du prêteur sur gages et ainsi de suite. Mais comme vous le voyez, il est de nouveau en ma possession.

C'est seulement alors qu'il vint à l'esprit de Paulette que le gomusta n'avait aucun besoin de lui raconter cette histoire : il aurait pu garder l'argent pour lui et elle n'en aurait jamais rien su.

— Je vous suis vraiment très reconnaissante d'avoir rapporté le médaillon, Nob Kissin Baboo. Je ne sais pas comment vous en remercier, dit-elle.

Sans réfléchir elle tendit la main, mais le gomusta se recula comme devant un serpent agressif.

À quoi pensez-vous, Miss Lambert ? s'écria-t-il avec indignation en revenant au bengali. Croyez-vous que je garderais quelque chose qui ne m'appartient pas ? Je ne suis peut-être à vos yeux qu'un commerçant, Miss – et à cette époque maudite qui ne l'est pas ? –, mais savez-vous que mes ancêtres ont été pendant onze générations les pandas d'un des plus célèbres temples de Nabadwip ? Un de mes grands-pères fut initié à l'amour de Krishna par Sri Chaitanya lui-même. Moi seul n'ai pas été capable d'accomplir ma destinée : c'est mon malheur... Aujourd'hui encore je suis à la recherche du Lord Krishna de tous côtés, mais que faire ? Il ne répond pas...

Pourtant, au moment même de poser le médaillon sur la paume de Paulette, le gomusta hésita et retira son bras.

— Et les intérêts ? Mes moyens sont déficients, Miss Lambert, et j'économise pour de plus hautes fins – pour construire un temple.

— Vous aurez l'argent, ne craignez rien, répliqua Paulette, qui vit le doute envahir le regard du gomusta, comme s'il commençait déjà à regretter sa générosité. Mais il faut me donner ce médaillon : c'est le seul portrait de ma mère.

En entendant au loin un bruit de pas qu'elle reconnut être ceux du khidmutgar revenant du hangar à bateaux, elle se sentit soudain désespérée, car il lui importait beaucoup que personne à Bethel ne fût au courant de cet accord entre l'agent de Mr Burnham et elle-même, non qu'elle prît le moindre plaisir à tromper ses bienfaiteurs mais parce qu'elle ne voulait pas leur fournir d'autres munitions pour leurs critiques récurrentes de son père et de ses méthodes impies et imprévoyantes. Elle baissa la voix et chuchota à toute vitesse en anglais :

— S'il vous plaît, Baboo Nob Kissin ; s'il vous plaît, je vous en supplie...

Comme pour faire appel à ses meilleurs instincts, le gomusta ti/railla sa tresse, puis ouvrit les doigts et fit tomber le médaillon encore enveloppé d'étoffe dans la main tendue de Paulette. Il se retourna juste au moment où la porte s'ouvrait pour laisser entrer le khidmutgar, revenu les informer que le bateau était prêt.

— Venez, Baboo Nob Kissin, dit Paulette, se forçant à la bonne humeur. Je vous accompagne jusqu'au hangar à bateaux. Venez : allons-y !

Alors qu'ils traversaient la maison pour gagner le jardin, Baboo Nob Kissin s'arrêta brusquement devant une fenêtre avec vue sur le fleuve : il pointa quelque chose du doigt, et Paulette découvrit qu'un navire était entré dans le cadre – avec le pavillon à damiers de la compagnie Burnham clairement visible flottant sur le grand mât.

— L'*Ibis* est là ! s'écria Baboo Nob Kissin. Enfin, par Jupiter ! Le maître attendant, attendant, toujours me cassant la tête et m'attrapant au collet – pourquoi mon bateau n'arrive-t-il pas ? Maintenant il va se réjouir.

Paulette ouvrit une porte à toute vitesse et se précipita vers la rive. Debout sur la plage arrière de la goélette, Mr Burnham agitait triomphalement un chapeau en direction de Bethel, salué en retour par l'équipage du caïque encore dans le hangar à bateaux.

Tandis que les hommes saluaient à bord et à terre, le regard de Paulette s'égara sur le fleuve, où elle aperçut un canot qui paraissait avoir lâché ses amarres : il flottait à la dérive, sans personne à la barre. Emporté par le courant, il se trouvait maintenant au milieu du fleuve, en plein sur la route de la goélette.

Paulette faillit s'étouffer en y regardant de plus près : même à cette distance, la barque ressemblait très fort à celle de Jodu. Certes, il y en avait des centaines de pareilles sur le Hooghly – pourtant il n'y en avait qu'une seule qu'elle connaissait intimement : c'était la barque sur laquelle elle était née et sur laquelle sa mère était morte ; la barque sur laquelle elle avait joué enfant et voyagé avec son père pour aller faire la collecte de spécimens dans les mangroves. Elle reconnaissait le taud de chaume, la proue un peu tordue et le bout tronqué de la poupe ; non, il ne pouvait y avoir de doute, c'était la barque de Jodu, et elle se trouvait à quelques mètres de l'*Ibis*, en danger imminent d'être coupée en deux par l'étrave effilée du grand navire.

Dans une tentative désespérée d'éviter une collision, elle se mit à mouliner des bras, hurlant aussi fort qu'elle le pouvait :

— *Look out !* Dekho ! Dekho ! *Attention !*

*

Après avoir veillé pendant des semaines d'anxiété au chevet de sa mère, Jodu avait dormi profondément, au point de ne pas s'apercevoir que son canot avait rompu ses amarres et dérivait au milieu du fleuve, en plein sur la route des grands navires qui utilisaient la marée montante pour arriver à Calcutta. L'*Ibis* était pratiquement sur lui quand le battement d'une voile le réveilla ; ce qu'il vit était si inattendu qu'il ne put immédiatement réagir : il demeura immobile dans le canot, le regard vissé sur le bec de la figure de proue avançant sur lui tel un rapace prêt à arracher sa proie à l'eau.

Tel qu'il était, étendu à plat sur les lattes de bambou de sa barque, Jodu aurait pu passer pour une offrande au fleuve lancée sur un radeau de feuilles par un pieux pèlerin – ce qui ne l'empêcha pas de se rendre compte que ce n'était pas un navire ordinaire qui lui fonçait dessus mais un iskuner d'un modèle nouveau, un «gosi ka jahaz», une goélette avec un gréement aurique et non carré. Seul le perroquet était orienté au vent, et c'étaient les battements de ce lointain bout de toile sous l'effet de la brise de l'aube qui l'avaient réveillé. Une demi-douzaine de lascars s'étaient perchés comme des oiseaux sur le tangon de la trinquette, tandis qu'en dessous sur le pont le serang et l'équipage agitaient les bras comme pour attirer l'attention de Jodu. Il devina, à leur bouche ouverte, qu'ils hurlaient aussi, bien qu'on ne pût rien entendre parce que le bruit de la vague causée par l'étrave effilée du navire, taillant l'eau comme un couteau, couvrait leurs voix.

L'iskuner était si proche maintenant que Jodu voyait le reflet vert du cuivre qui gainait la guibre ; il distinguait même les arapèdes collés au bois humide et fangeux. Si le navire prenait sa barque en plein par le travers, celle-ci se fendrait en deux comme un paquet de brindilles tranché par une hache ; il serait lui-même happé dans le sillage et aspiré au fond du fleuve. Pendant tout ce temps, la longue rame qui servait de barre au canot n'était qu'à un pas, mais quand Jodu sauta pour s'en emparer, il était trop tard pour qu'il puisse modifier son cap ; il ne réussit qu'à la pousser un peu, juste assez pour que, au lieu d'être enfoncée en plein milieu, la barque rebondisse sur la coque de l'*Ibis*. L'impact fit rouler le dinghy sur le côté au moment où la vague de proue s'abattait sur lui, comme une déferlante sur la plage ; les cordes de chanvre cédèrent sous le poids de l'eau et le taud se disloqua. Jodu réussit à attraper un morceau de bois et s'y accrocha, flottant au gré des remous, et quand il put enfin relever la tête, il vit qu'il était pratiquement à hauteur de la poupe du navire en même temps que les débris de son canot, mais il se sentit aussitôt entraîné dans le sillage qui commençait à aspirer son bout de bois.

— Ici ! Ici ! entendit-il crier en anglais.

Il leva les yeux et vit un homme aux cheveux bouclés en train de faire tourner une corde lestée d'un poids avant de la lancer. Jodu réussit à l'attraper juste à l'instant où la poupe du navire filait devant lui, avalant sous sa quille les restes du dinghy. Dans les eaux turbulentes, il pivota plusieurs fois sur lui-même, ce qui eut pour effet de bien assurer la corde autour de son corps et, quand le marin à l'autre bout se mit à tirer, Jodu fut soulevé rapidement hors de l'eau ; il put utiliser ses pieds pour grimper le long de la coque du navire et franchir le bastingage avant de s'écrouler sur le pont arrière.

Gisant sur les lattes récurées, toussant et crachotant, Jodu prit conscience d'une voix s'adressant à lui en anglais ; il ouvrit les yeux et découvrit le visage aux yeux vifs de l'homme qui lui avait lancé l'écoute. Agenouillé près de lui, il prononçait des phrases incompréhensibles ; debout en arrière se dressaient les silhouettes de deux sahibs, l'un grand et barbu, l'autre ventru et arborant des favoris : ce dernier était armé d'une canne dont il ne cessait de frapper avec excitation le pont. Paralysé sous le regard scrutateur des deux sahibs, Jodu se rendit soudain compte qu'il était nu, sauf pour la mince gamchha en coton drapée autour de sa taille. Il se recroquevilla, genoux contre poitrine, en une sorte de mouvement défensif, et tenta de chasser leurs voix de sa tête. Mais très vite il les entendit appeler le nom d'un certain Serang Ali, puis une main le prit par le cou, le forçant à se tourner vers un visage sévère et vénérable, orné d'une mince moustache.

Tera nám kyá ? Comment t'appelles-tu ? demanda le serang.

Jodu, répondit-il, avant d'ajouter en hâte, de crainte que ça n'ait l'air trop enfantin : C'est ainsi que les gens m'appellent mais mon vrai nom c'est Azad – Azad Naskar.

Zikri Malum lui allé chercher des habits pour toi, poursuivit le serang en mauvais hindoustani. Tu vas sous le pont et tu attends. On n'a pas besoin de toi dans nos pieds pendant qu'on se met à quai.

Sous les regards fascinés de l'équipage, Jodu, tête baissée, suivit Serang Ali vers la descente menant à l'entrepont.

Voilà le dabusa, dit le serang. Reste là jusqu'à ce qu'on vienne te chercher.

Les pieds encore sur l'échelle, Jodu perçut, montant de l'obscurité, une odeur nauséabonde, fétide : une odeur à la fois offensive et troublante, familière et non identifiable, et qui se fit plus forte à mesure qu'il descendait. Arrivé en bas, il regarda autour de lui et découvrit qu'il venait de pénétrer dans un espace vide, peu profond, sombre sauf pour le rayon de lumière se déversant par la descente ouverte. Bien qu'aussi large que le navire, le dabusa donnait une impression d'étroit, de renfermé, en partie à cause de son plafond pas plus haut qu'un homme, mais aussi parce qu'il était divisé par des rangées de planches en compartiments ouverts pareils à des parcs à bestiaux. À mesure que ses yeux s'accoutumaient à la pénombre, Jodu s'avança prudemment dans un de ces enclos et se tordit aussitôt l'orteil sur une lourde chaîne en fer. Il tomba à genoux et découvrit plusieurs chaînes semblables, clouées sur la poutre du fond : elles se terminaient comme des fermoirs de bracelets, chacune pourvue d'œillets pour le cadenas. Devant le poids et la masse des chaînes, Jodu s'interrogea sur le genre de cargaison à laquelle elles pouvaient bien servir : peut-être du bétail – pourtant l'odeur régnante n'était pas celle de vaches, de chevaux ou de chèvres ; elle tenait plus de l'odeur humaine, un mélange de sueur, d'urine, d'excréments et de vomi ; une odeur qui avait imbibé si fort les planches qu'elle en était devenue indéracinable. Il ramassa une des chaînes et, en examinant de plus près un de ces bracelets, il fut aussitôt convaincu qu'il avait été fabriqué pour un poignet ou une cheville d'homme. Il passa la main le long du sol et remarqua de légères dépressions dans le bois, d'une forme et d'une taille qui ne pouvaient avoir été faites que par des êtres humains sur une longue période de temps. Les dépressions étaient si proches qu'elles évoquaient une masse d'individus serrés les uns contre les autres à la manière de marchandises sur l'étal d'un commerçant. Quelle sorte de navire pouvait donc être équipé et aménagé pour transporter des êtres humains de cette façon ? Et pourquoi le serang l'avait-il expédié, lui, Jodu, dans cet endroit pour attendre, loin de la vue de quiconque ? Soudain, il se souvint d'histoires, entendues sur le fleuve, de bateaux-démons qui sévissaient le long de la côte et enlevaient des villages entiers – les victimes étaient mangées crues, selon la rumeur en tout cas. Telle une armée de fantômes, d'indicibles appréhensions lui envahirent l'esprit ; il se recroquevilla dans un coin et s'assit, tremblant, tombant peu à peu dans une sorte de transe.

Cet état de choc fut rompu par le bruit de pas dans la descente : Jodu fixa du regard l'échelle, s'attendant à voir Serang Ali – ou peut-être l'homme aux cheveux bouclés qui lui avait lancé la corde. Au lieu de cela il vit une silhouette de femme, vêtue d'une longue robe sombre et d'un bonnet qui lui cachait le visage. L'idée d'être découvert, presque nu, par une memsahib inconnue le poussa à se glisser vivement dans un autre enclos. Il essaya de se dissimuler en s'aplatissant contre la paroi mais il heurta une chaîne du pied, ce qui provoqua l'écho d'un raclement métallique dans la cale. Il s'immobilisa, paralysé, tandis que les pas de la memsahib se rapprochaient de lui. Soudain, il entendit prononcer son propre nom :

Jodu ?

Le chuchotement rebondit dans la cale, une face surgit de derrière une poutre.

Jodu ?

La femme s'arrêta un instant pour ôter son bonnet, et il fut soudain nez à nez avec un visage familier.

Ce n'est que moi, Putli. Paulette sourit devant les yeux écarquillés et le visage incrédule de Jodu. Tu ne dis rien?

*

Dans sa cabine, sur la plage arrière, Zachary renversait un sac sur sa couchette, à la recherche de vêtements pour Jodu, quand, dans un tas de chemises et de pantalons, quelque chose dégringola qu'il avait donné depuis longtemps pour perdu : son vieux flûtiau. Il sourit en s'en emparant : c'était extraordinaire que de retrouver cet objet, ça paraissait un signe de bon augure. Oubliant ce qui l'avait amené dans sa cabine, Zachary porta le pipeau à ses lèvres et se mit à jouer «Heave Away Cheerily», un de ses chants de marin préférés.

C'est cet air tout autant que le son de l'instrument qui arrêta la main de Baboo Nob Kissin au moment où il allait frapper à la porte de la cabine. Il se figea, l'oreille tendue, chaque centimètre de son bras levé hérissé de chair de poule.

Depuis plus d'un an maintenant, et la mort prématurée de la femme qui avait été son mentor spirituel, sa Guru-ma, le cœur de Baboo Nob Kissin était la proie de mauvais pressentiments : Ma Taramony, ainsi que la nommaient ses disciples, lui avait promis que son réveil était imminent et lui avait recommandé d'en surveiller les signes, qui se manifesteraient sûrement dans les endroits les plus invraisemblables et sous les formes les plus inattendues. Baboo lui avait promis en retour de faire de son mieux pour garder un esprit ouvert et ses sens en alerte de façon que les signes ne lui échappent pas quand ils viendraient à se manifester – n'empêche que pour l'heure, malgré tous ses efforts, il ne pouvait en croire ses oreilles. Était-ce

195

réellement une flûte, le propre instrument de Lord Krishna, qui avait commencé à résonner juste au moment où lui, Nob Kissin Pander, arrivé devant cette cabine, avait levé la main ? Cela paraissait impossible mais on ne pouvait le nier – de même qu'on ne pouvait nier que l'air joué, bien qu'inconnu en soi, était fondé sur le Gurjari, un des ragas préférés pour chanter les hymnes du Seigneur noir. Baboo Nob Nissin attendait ce signe depuis si longtemps, et si anxieusement, que lorsque la chanson se termina et qu'une main, à l'intérieur, remua le bouton de la porte, il tomba à genoux et se couvrit les yeux, tremblant de peur à l'idée de ce qui allait lui être révélé.

C'est pourquoi Zachary, au moment de quitter sa cabine avec un banyan et une paire de pantalons sous le bras, faillit trébucher sur le gomusta agenouillé.

— Hé ! s'écria-t-il, bouche bée devant l'homme corpulent drapé d'un dhoti accroupi dans la coursive, les mains sur les yeux. Que diable faites-vous ici ?

Pareils à ces feuilles d'une plante hypersensible au toucher, les doigts du gomusta se soulevèrent un à un pour permettre à leur propriétaire une pleine vue de la silhouette qui avait surgi au-dessus de lui. Sa première réaction fut une grande déception : il avait bien compris l'avertissement de son mentor, selon qui le message du réveil pourrait lui être apporté par le plus invraisemblable des messagers, pourtant il n'arrivait pas à se persuader que Krishna – dont le nom signifie « noir », et dont la noirceur a été célébrée dans des milliers de chansons, de poèmes et de noms – ait pu choisir pour émissaire quelqu'un au teint si clair, quelqu'un ne montrant aucune trace de la couleur de la mousson de Ghanshyam, le Seigneur du noir nuage. Pourtant, malgré sa déception, Baboo Nob Kissin ne pouvait s'empêcher de remarquer que le visage était agréable, convenant assez bien à un émissaire du Tueur des cœurs de jeunes filles, et les yeux noirs et vifs, d'une sorte qu'on pouvait sans trop de difficulté imaginer comme des oiseaux de nuit se désaltérant au clair de lune sur les lèvres assoiffées d'amour d'une damoiselle. Et n'était-ce tout de même pas, sinon un signe, du moins une indication mineure, que sa chemise fût jaunâtre, de la couleur des vêtements dans lesquels le Seigneur joyeux avait la réputation de folâtrer avec les jeunes filles de Brindavan en mal d'amour ? Et il était vrai aussi que la chemise était teintée de sueur comme, disait-on, celle de Krishna sans souci après la fatigue d'une session d'ébats tumultueux. Se pouvait-il alors que ce rupa au teint d'ivoire fût exactement celui dont l'avait averti Ma Taramony : un déguisement, enveloppé des voiles de l'illusion par le Farceur divin afin de mettre à l'épreuve la foi de son adepte ? Mais même alors, il devait bien y avoir un autre signe, une autre marque ?...

Les yeux protubérants du gomusta lui sortirent encore davantage de la tête tandis qu'une main pâle descendait vers lui pour l'aider à se relever. Pouvait-il s'agir d'un bras béni par le Seigneur voleur de beurre en personne ? S'emparant de la main tendue, Baboo Nob Kissin la retourna pour en scruter la paume, les lignes, les articulations – sans trouver trace de noirceur, sauf sous les ongles.

L'intensité de cet examen et le roulement des yeux qui l'accompagna provoquèrent chez Zachary une certaine alarme.

— Hé, arrêtez-moi ça ! dit-il. Que cherchez-vous ?

Ravalant sa déception, le gomusta relâcha la main. Peu importait : si l'apparence était celui qu'il croyait être, alors un signe était sûrement caché sur sa personne

– il suffisait de deviner où. Une pensée lui vint : était-il possible que, pour ajouter à l'illusion, le Maître de l'espièglerie ait choisi de doter son envoyé d'un attribut appartenant justement au Seigneur de la gorge bleue, Shiva Neel-Kunth ?

Dans l'urgence de l'instant, cette idée parut évidente à Nob Kissin Baboo : tremblotant, il se remit lourdement debout et saisit Zachary par le col de sa chemise. Quoique surpris par le mouvement du gomusta, Zachary réussit à détourner la main.

— Mais que faites-vous ? s'écria-t-il avec dégoût. Vous êtes fou ou quoi ?

Fustigé, le gomusta laissa retomber ses bras.

— Ce n'est rien, monsieur, dit-il, je cherche juste à voir si votre gorge est bleue.

— Si quoi est quoi ? – Zachary leva les poings et redressa les épaules. – Vous m'insultez maintenant ?

Le gomusta recula, apeuré, étonné par la dextérité avec laquelle l'apparence avait pris l'attitude du Guerrier.

— Je vous en prie, monsieur – il n'y a pas de mal. Moi-même seulement suis comptable de Burnham Sahib. Le nom est Baboo Nob Kissin Pander.

— Et que faites-vous ici, dans le quartier des officiers ?

— Burra sahib m'a envoyé demander les papiers du bateau à votre aimable personne. Journal de bord, manifestes, tous les papiers requis pour l'assurance.

— Attendez ici, répliqua Zachary d'un ton bourru en réintégrant sa cabine. – Comme il avait déjà préparé les papiers, il ne lui fallut qu'un instant pour les prendre. – Les voici.

— Merci, monsieur.

Zachary fut décontenancé en voyant le gomusta continuer à scruter sa gorge avec l'attention d'un étrangleur professionnel.

— Vous feriez bien de vous en aller, Pander, dit-il sèchement. J'ai autre chose à faire.

*

Dans la pénombre du dabusa, Jodu et Paulette se tenaient enlacés comme ils le faisaient si souvent dans leur enfance, à ceci près qu'ils n'avaient jamais eu à contourner l'obstacle rigide et froufroutant d'une robe comme celle que Paulette portait aujourd'hui.

D'un ongle, Jodu lui caressa le bord de son bonnet.

Tu parais si différente...

Il s'était à moitié attendu à ce qu'elle ne comprenne pas et qu'elle ait oublié son bengali depuis leur dernière rencontre. Mais elle lui répondit dans le même langage :

Tu trouves que j'ai l'air différente ? Mais c'est toi qui as changé. Où étais-tu pendant tout ce temps ?

Au village. Avec ma. Elle était très malade.

Oh ! s'écria Paulette, surprise. Et comment va tantima à présent ?

Jodu enfouit sa tête contre son épaule et Paulette le sentit frissonner. Soudain alarmée, elle serra encore plus son corps à demi nu contre le sien pour tenter de le réchauffer entre ses bras, et sentit l'humidité de son pagne pénétrer sa robe.

Jodu ! Que s'est-il passé ? Est-ce que tantima va bien ? Dis-moi.

Elle est morte, répondit Jodu, les dents serrées. Il y a deux nuits...

Elle est morte ! Paulette baissa la tête à son tour de sorte que chacun eut son nez enfoui dans le cou de l'autre. Je ne peux pas le croire, balbutia-t-elle en s'essuyant les yeux sur la peau de Jodu.

Elle a pensé à toi jusqu'à la fin, dit-il en reniflant. Tu as toujours été...

Il fut interrompu net par un toussotement et un raclement de gorge.

Paulette sentit Jodu se raidir avant même que le bruit de l'intrusion les eût atteints. S'arrachant à ses bras, elle se retourna et se trouva face à un jeune homme au regard vif et aux cheveux bouclés vêtu d'une chemise jaune délavé.

Quoique complètement surpris lui-même, Zachary fut le premier à se reprendre.

— Hello, mademoiselle, dit-il, la main tendue. Je suis Zachary Reid, le commandant en second.

— Je m'appelle Paulette Lambert, réussit-elle à dire tout en lui serrant la main. Puis, dans une précipitation confuse, elle ajouta : J'ai assisté à l'incident depuis la rive et je suis venue voir ce qui était arrivé à la malheureuse victime. Je me suis fait beaucoup de souci à son propos...

— C'est ce que je vois, dit Zachary sèchement.

En plongeant ses yeux dans ceux de Zachary, Paulette fut submergée par de folles hypothèses quant à ce que l'homme pouvait bien penser d'elle et à la réaction de Mr Burnham en apprenant que sa mem-sahib en formation avait été découverte dans les bras d'un marinier du cru. Une flopée d'explications mensongères lui traversa l'esprit : elle s'était évanouie à cause de la puanteur de l'entrepont, elle avait trébuché dans l'obscurité ; mais rien n'aurait pu être plus convaincant, elle le savait, que d'affirmer que Jodu l'avait agressée par surprise – et cela, elle ne pourrait jamais le faire.

Pourtant, bizarrement, Zachary ne semblait pas disposé à attacher beaucoup d'importance à ce qu'il venait de voir : loin de se livrer à une explosion d'indignation typique d'un sahib, il se contenta d'accomplir ce qu'il était venu faire, c'est-à-dire de donner à Jodu de quoi s'habiller – une chemise et une paire de pantalons de toile.

Après que Jodu se fut écarté pour aller se changer, c'est Zachary qui brisa un silence embarrassé.

— Si je comprends bien, vous connaissez ce grand nigaud de matelot ?

Face à cela, Paulette ne put se résoudre à raconter aucune des histoires qui lui bouillonnaient dans la tête.

— Monsieur Reid, dit-elle, vous avez sans doute été très choqué de me trouver dans une position d'une telle intimité avec un indigène. Mais je vous assure qu'il n'y a rien là de compromettant. Je peux tout expliquer.

— Ce n'est pas nécessaire, répliqua Zachary.

— Mais si, certainement, je dois m'expliquer. Si ce n'est que pour vous témoigner la profondeur de ma gratitude, à vous qui avez sauvé Jodu. Voyez-vous, Jodu est le fils de la femme qui m'a élevée. Nous avons grandi ensemble ; il est comme mon frère. C'est comme une sœur que je le tenais dans mes bras car il vient de subir une terrible perte. Il est la seule famille qui me reste au monde. Tout cela vous paraîtra sans doute très étrange...

— Pas du tout, protesta Zachary en secouant la tête. Mademoiselle Lambert, je sais parfaitement comment un tel lien peut se créer.

Elle nota un tremblement dans sa voix indiquant que son histoire avait touché une corde sensible en lui. Elle posa une main sur son bras.

— Je vous en prie, dit-elle d'un air coupable, n'en parlez pas à d'autres. Certains, voyez-vous, pourraient considérer d'un mauvais œil les chouteries d'une memsahib et d'un matelot.

— Je sais garder un secret, mademoiselle Lambert. Je ne vous trahirai pas, soyez-en sûre.

Des pas se firent entendre derrière elle et Paulette se retourna pour découvrir Jodu vêtu d'un banyan de marin bleu et d'une paire de vieux pantalons de toile. C'était la première fois qu'elle le voyait porter autre chose qu'un lungi et une gamchha, un tricot de corps ou un chadar – et elle remarqua combien il avait changé depuis leur dernière rencontre : il était devenu plus grand, plus mince, plus fort, et elle pouvait déjà voir sur son visage l'ombre de ce qu'il était presque, un homme et donc, nécessairement, un étranger. Un fait profondément dérangeant, car elle ne pouvait imaginer qu'elle connaîtrait jamais un être aussi bien qu'elle avait connu Jodu. En d'autres circonstances, elle se serait mise instantanément à le taquiner, avec cette violence particulière qu'ils s'étaient toujours réservée entre eux, dès que l'un ou l'autre s'écartait trop des frontières de leur monde intime – quelle bagarre ils auraient sûrement eue, des provocations et des moqueries qui se seraient terminées en gifles et en égratignures, mais ici, retenue par la présence de Zachary, elle se contenta d'un sourire et d'un signe de tête entendu.

Quant à Jodu, en regardant tour à tour Paulette et Zachary, il comprit tout de suite, à leur attitude compassée, que quelque chose de significatif s'était passé entre eux. Ayant perdu tout ce qu'il possédait, il n'eut aucun scrupule à utiliser leur nouvelle amitié à son avantage.

O ké bol to ré, lança-t-il en bengali à Paulette. Dis-lui de me trouver une place dans l'équipage de ce bateau. Dis-lui que j'ai nulle part où aller, nulle part où vivre – et que c'est leur faute, pour m'avoir démoli mon canot...

Ici Zachary intervint :

— Que dit-il ?

— Il dit qu'il aimerait obtenir une place sur ce bateau, répliqua Paulette. Maintenant que son canot est détruit, il n'a nulle part où aller...

Tandis qu'elle parlait, ses mains jouaient avec les rubans de son bonnet : dans sa gaucherie, elle présentait une image si saisissante au regard affamé de Zachary qu'à cet instant il aurait fait n'importe quoi pour elle. Elle était, il le savait, la bénédiction promise par la redécouverte de son flûtiau, et si elle lui avait demandé de se jeter à ses pieds ou de plonger tête première dans le fleuve, il n'aurait pris que le temps de dire «Regardez-moi, j'y vais !» avant de s'exécuter. Rougissant de désir, il s'écria :

— Considérez l'affaire conclue, mademoiselle Lambert : vous pouvez compter sur moi. Je parlerai à notre serang. Une place dans l'équipage sera chose facile à trouver.

Juste à ce moment, comme répondant à la mention de sa fonction, Serang Ali apparut dans la descente. Sans perdre une minute, Zachary le prit à part.

— Ce garçon n'a plus de travail. Puisque nous lui avons coulé sa barque tout en lui faisant prendre un bain, je pense qu'il nous faut l'engager, en qualité de moussaillon.

En prononçant ces mots, Zachary regarda Paulette, qui lui adressa un immense sourire de gratitude. Ni ce sourire ni celui timide auquel elle eut droit en retour n'échappèrent à Serang Ali, dont les yeux se plissèrent de suspicion.

— Malum lui a coupé sa tête? s'indigna-t-il. Pourquoi lui vouloir ce garçon-là? Lui matelot bon à rien – peut pas apprendre pidgin bateau. Mieux que lui file chop-chop.

Le ton de Zachary se durcit.

— Serang Ali, dit-il, je n'ai pas besoin de discours ici : j'aimerais que tu fasses ce que je dis, s'il te plaît.

Serang Ali porta un regard plein de rancœur sur Paulette puis sur Jodu avant de donner non sans réticence son assentiment.

— On va arranger ça, sabbi-sahib.

— Merci, dit Zachary, tout en levant un fier menton alors que Paulette s'approchait pour lui chuchoter à l'oreille :

— Vous êtes trop aimable, monsieur Reid. J'ai le sentiment que je devrais vous donner une explication plus complète – de ce que vous avez vu, de moi et de Jodu.

Il lui adressa de nouveau un sourire qui la fit vaciller.

— Vous ne me devez aucune explication, dit-il doucement.

— Mais sans doute pourrions-nous nous parler – en qualité d'amis, peut-être?

— Je serais...

Tonitruante, la voix de Mr Doughty retentit soudain dans l'entrepont :

— Est-ce là le poisson que vous avez tiré de l'eau aujourd'hui, Reid? – Il écarquilla les yeux en voyant Jodu dans ses nouveaux vêtements. – Eh bien, que je sois damné si ce Noiraud n'a pas compressé son attirail de noces dans une paire de pantalons ! Il n'y a pas une demi-heure c'était juste un petit naufragé tout nu et maintenant nous le voilà harnaché comme un wordy-wallah !

*

— Ah ! Je vois que vous avez fait connaissance, dit Mr Burnham en voyant émerger Zachary et Paulette de la descente dans la chaleur du pont ensoleillé.

— Oui, monsieur, dit Zachary, prenant grand soin de ne pas regarder Paulette qui cachait de son bonnet l'endroit de sa robe mouillée par le pagne trempé de Jodu.

— Bien. – Mr Burnham se dirigea vers l'échelle de coupée menant à son caïque. – Et maintenant, il nous faut partir. Venez, Doughty, Paulette. Vous aussi, Baboo Nob Kissin.

À la mention de ce nom, Zachary jeta un œil par-dessus son épaule et aperçut, avec ennui, que le gomusta avait coincé Serang Ali et lui parlait de manière si furtive, à grand renfort de regards dans sa direction, qu'il ne pouvait y avoir de doute quant au sujet de ses propos. Cependant cela ne suffit pas à éclipser son bonheur à serrer de nouveau la main de Paulette.

— J'espère que nous nous reverrons bientôt, mademoiselle Lambert, dit-il doucement en relâchant les doigts de la jeune fille.

— Moi aussi, monsieur Reid, répliqua-t-elle en baissant les yeux. J'en aurai grand plaisir.

Zachary resta sur le pont jusqu'à ce que le caïque ait disparu complètement à l'horizon, tout en essayant de fixer dans sa mémoire les traits du visage de Paulette, le son de sa voix, l'odeur de feuillage de sa chevelure. Ce n'est que beaucoup plus tard qu'il se souvint de questionner Serang Ali sur sa conversation avec le gomusta.

— De quoi cet homme te parlait-il – comment s'appelle-t-il, déjà ? Pander ?

Serang Ali expédia un méprisant crachat par-dessus le bastingage.

— Lui pauvre couillon trop-trop stupide. Veut saboir tout et tout.

— Comme quoi ?

— Lui demande : Malum Zikry aimer lait ? Aimer ghee ? Lui jamais voler beurre ?

— Du beurre ?

Zachary se demanda soudain si le gomusta n'était pas une sorte d'enquêteur chargé de vérifier une liste d'approvisionnements illicites ou disparus. Mais pourquoi se soucier en particulier de beurre ?

— Pourquoi fichtre t'a-t-il posé cette question ?

Serang Ali se tapota la tête du poing.

— Ce couillon trop plein de bitises.

— Qu'est-ce que tu lui as dit ?

— Moi dire : Comment Malum Zikri lui buver lait dans bateau ? Comment lui attraper vache sur la mer ?

— C'est tout ?

Serang Ali secoua la tête.

— Aussi il demande – Le malum, lui a jamais changé couleur ?

— Changer de couleur ? – Brusquement les doigts de Zachary se crispèrent sur le bastingage. – Que diable voulait-il dire ?

— Lui dit : Parfois Malum Zikri tourne bleu, non ?

— Et qu'est-ce que tu as répondu ?

— Je dis : Quelle fashion malum peut tourner bleu ? Lui est sahib, non ? Rose, rouge, tout ça lui peut – mais bleu peut pas être.

— Pourquoi pose-t-il toutes ces questions ? dit Zachary. Qu'est-ce qu'il cherche ?

— Pas besoin souci, répliqua Serang Ali. Lui trop-trop bête.

Zachary secoua la tête.

— Je ne sais pas, dit-il. Il n'est peut-être pas aussi bête qu'il en a l'air.

*

Deeti avait eu l'intuition que son mari ne serait pas capable de retourner travailler et elle ne s'était pas trompée. Hukam Singh, après son attaque à la factorerie, était dans un tel état qu'il n'eut même pas la force de protester quand elle lui confisqua sa pipe et son coffret de cuivre. Mais au lieu d'une amélioration, la privation provoqua un déclin dramatique : Hukam Singh ne pouvait ni manger ni dormir et il se salissait si souvent qu'il fallut transporter son lit à l'air. Dans ses rares moments de lucidité, il grognait et marmonnait, pris d'une rage incohérente : Deeti savait que, s'il en avait eu les moyens physiques, il n'aurait pas hésité à la tuer.

Une semaine plus tard vinrent les fêtes de Holi, qui n'apportèrent ni couleurs ni rires dans la maison. Avec Hukam Singh délirant dans son lit, Deeti n'avait pas le cœur à sortir. En face, à travers champs, chez Chandan Singh, les gens buvaient du bhang en hurlant *Holi hai!* Les cris joyeux poussèrent Deeti à envoyer sa fille se joindre à la fête – mais même Kabutri n'avait pas envie de s'amuser et elle fut de retour dans l'heure.

Autant pour se remonter le moral que pour soulager les souffrances de son époux, Deeti s'efforçait de découvrir des remèdes. Pour commencer, elle fit venir un ojha afin d'exorciser la maison et, quand cela ne produisit pas de résultat, elle consulta un hakim, qui lui fournit des médecines du Yunnan, et un vaid spécialiste de l'ayurveda. Les médecins passèrent de longues heures au chevet de Hukam Singh en avalant de grandes quantités de satuas et de dalpuris ; ils plantèrent leurs ongles dans les poignets-baguettes du malade et s'exclamèrent devant son teint cadavérique ; ils prescrivirent des remèdes coûteux, à base de feuilles d'or et de copeaux d'ivoire, pour l'achat desquels Deeti dut vendre plusieurs de ses bracelets et ornements de nez. Quand les traitements eurent échoué, les docteurs lui confièrent secrètement que Hukam Singh n'en avait plus pour longtemps dans ce monde – pourquoi ne pas faciliter son passage en lui permettant de goûter une dernière fois à la drogue que son corps réclamait ? Deeti avait décidé de ne jamais rendre sa pipe à son mari, et elle s'en tint à sa résolution. Pourtant elle céda au point de lui permettre de mâcher chaque jour un peu d'opium abkari. Des doses insuffisantes pour remettre le malade sur pied mais qui contribuèrent à apaiser ses souffrances ; et, pour Deeti, quel soulagement de voir dans le regard de son mari qu'il avait échappé aux tourments du monde pour se retrouver dans cette réalité si vive où Holi ne cessait jamais et où le printemps éclatait de frais chaque matin. Si c'était ce qu'il fallait pour retarder la perspective du veuvage, alors elle n'était pas femme à hésiter.

Entre-temps, la récolte réclamait ses soins : en l'espace de peu de jours, chaque pavot devrait être incisé et saigné de sa sève ; la gomme coagulée serait ensuite grattée et entassée dans des gharas de terre cuite pour être transportée à la factorerie. Un travail lent, minutieux, impossible à entreprendre pour une femme et

208

une enfant seules. Répugnant à demander de l'aide à son beau-frère, Deeti fut forcée d'engager une demi-douzaine de bras, acceptant de les payer en nature à la fin de la récolte. Pendant qu'ils travaillaient, elle était souvent obligée de s'absenter pour s'occuper de son mari et elle ne pouvait donc pas les surveiller d'aussi près qu'elle l'aurait voulu. Résultat, pas surprenant : son compte de jarres fut réduit d'un tiers par rapport à ce qu'elle en espérait. Après avoir payé les ouvriers, elle décida qu'il ne serait pas sage de confier le transport de ses gharas à quiconque : elle manda Kalua et son char à bœufs.

Dès ce moment, elle avait abandonné son idée d'investir le produit de ses pavots dans un toit neuf : elle aurait à se contenter d'en tirer de quoi s'acheter des provisions pour la saison, avec peut-être une ou deux poignées de cauris pour des dépenses supplémentaires. Ce qu'elle pouvait espérer au mieux, c'était de revenir de la factorerie avec deux roupies d'argent ; la chance aidant, et selon les prix dans le bazar, il lui resterait peut-être deux ou trois dumrees de cuivre – voire un adhela – pour acheter un nouveau sari à Kabutri.

Cependant une rude surprise l'attendait à la Carcanna : une fois ses jarres pesées, comptées et vérifiées, on montra à Deeti le livre de comptes de son mari qui révélait que, au début de la saison, il avait pris une avance bien plus importante que ce qu'elle croyait ; à présent, les maigres revenus de la récolte couvraient à peine cette dette. Deeti regarda d'un air incrédule les pièces disposées devant elle :

Aho se ka karwat ? s'écria-t-elle. Juste six dams pour toute ma récolte ? Ça ne suffit pas pour nourrir un enfant, encore moins une famille.

Le muharir derrière le comptoir était un Bengali, avec de grosses joues et un air terriblement renfrogné. Il ne lui répondit pas dans son bhojpuri natal mais dans un hindi très affecté de citadin :

Fais ce que les autres font ! aboya-t-il. Va chez le prêteur. Vends tes fils. Expédie-les à Mareech. Tu as de quoi choisir.

Je n'ai pas de fils à vendre, répliqua Deeti.

Alors vends tes terres ! s'écria l'employé de plus en plus grincheux. Vous, les gens, vous n'arrêtez pas de venir ici nous raconter que vous êtes affamés mais, dis-moi, qui a jamais vu un paysan mourir de faim ? Vous adorez vous lamenter, voilà tout, à répéter constamment khichir-michir, pauvre de moi, pauvre de moi...

Sur le chemin du retour, Deeti décida de faire tout de même halte au bazar : puisqu'elle avait loué la carriole de Kalua, autant tenter de rapporter quelques provisions. Mais elle ne put acheter que deux maunds de brisures de riz, trente seers de légumes très abîmés, deux tolas d'huile de moutarde et quelques chittacs de sel. Une frugalité qui n'échappa pas au boutiquier, qui se trouvait être aussi un important prêteur sur gages.

Que vous arrive-t-il, ô ma sœur-ji ? s'écria-t-il d'un air soucieux. Avez-vous besoin de quelques belles roupies de Benarsi pour vous aider jusqu'à la prochaine récolte ?

Deeti résista à l'offre jusqu'à ce qu'elle songe à Kabutri : après tout, la petite n'avait plus que peu d'années à passer à la maison – pourquoi les lui faire vivre dans la faim ? Elle céda et accepta d'imprimer l'empreinte de son pouce sur le livre de comptes du marchand en échange de six mois de blé, d'huile et de sucre. Ce n'est qu'en partant qu'elle pensa à demander le montant de sa dette et le taux de l'intérêt. Les réponses du prêteur lui coupèrent le souffle : ses tarifs étaient tels que la dette doublerait tous les six mois ; en quelques années toutes ses terres seraient perdues. Mieux valait manger de l'herbe que de consentir à pareil emprunt : elle tenta de rendre les marchandises, mais trop tard.

J'ai l'empreinte de ton pouce, dit le marchand, ravi. Il n'y a plus rien à faire.

En rentrant, Deeti, épuisée d'inquiétude, oublia complètement de payer Kalua. Quand elle se le rappela, l'homme était parti depuis longtemps. Mais pourquoi ne lui avait-il rien dit ? Les choses avaient-elles donc atteint le point où elle était devenue un objet de pitié pour un gardien de bœufs mangeur de charogne ?

Inévitablement, la rumeur des ennuis de Deeti se propagea à travers champs jusque chez Chandan Singh, qui surgit à sa porte avec un sac de satua, une farine de pois chiches très nourrissante. Pour sa fille sinon pour elle, Deeti se sentit forcée d'accepter, mais elle ne put ensuite fermer sa porte à son beau-frère aussi rudement qu'autrefois. Dès lors, sous le prétexte de rendre visite à son frère, Chandan Singh prit l'habitude de débarquer dans la maison de plus en plus fréquemment. Bien qu'il n'eût jamais manifesté jusqu'à présent le moindre intérêt pour l'état de Hukam Singh, il se mit à insister sur son droit à venir s'asseoir à son chevet. Toutefois, une fois franchi le seuil, négligeant le malade, il n'avait d'yeux que pour Deeti : même en entrant, il trouvait le moyen de lui caresser la cuisse. Assis sur le lit de son frère, il fixait du regard la jeune femme tout en se tripotant sous son dhoti ; quand Deeti s'agenouillait pour donner à manger au malade, il se penchait de façon à caresser ses seins avec ses genoux et ses coudes. Ses avances se firent si agressives que Deeti, de peur qu'il ne l'attaque, décida de cacher un petit couteau dans les plis de son sari.

L'assaut, quand il vint, fut non pas physique mais plutôt une affirmation pleine de morgue. Chandan Singh coinça Deeti dans la chambre même où gisait son mari.

Écoute-moi, Kabutri-ki-ma, dit-il. Tu sais parfaitement comment ta fille a été conçue – pourquoi prétendre le contraire ? Tu sais bien que, sans moi, tu n'aurais pas d'enfant aujourd'hui.

Tais-toi ! s'écria-t-elle. Je n'écouterai pas un mot de plus.

Ce n'est que la vérité. D'un mouvement de tête méprisant, il désigna le lit de son frère. Il n'aurait pas pu plus le faire alors qu'il ne le peut maintenant. C'était moi, personne d'autre. C'est pourquoi je te dis : ne serait-ce pas mieux de faire à présent de plein gré ce que tu as fait autrefois sans le savoir ? Ton mari et moi sommes frères, après tout, de la même chair et du même sang. Où est la honte ? Pourquoi perdre ta beauté et ta jeunesse avec un homme qui ne peut pas en jouir ? Et il ne reste que peu de temps à ton mari à vivre – si tu conçois un fils avant sa mort, l'enfant héritera de plein droit de son père. Les terres de Hukam Singh passeront directement à lui, et personne ne pourra les lui disputer. Mais tu sais très bien qu'en l'état actuel des choses, les terres et la maison de mon frère me reviendront à moi après sa mort. *Jekar khet, tekar dhán* – celui qui possède la terre possède le riz. Quand je serai le maître de cette maison, comment survivras-tu, sinon selon mon bon plaisir ?

Du revers de la main, il s'essuya les commissures des lèvres.

Voilà ce que je te dis, Kabutri-ki-ma : pourquoi ne pas faire maintenant de plein gré ce que tu seras forcée de faire d'ici peu ? Tu ne vois pas que je t'offre ton meilleur espoir d'avenir ? Si tu me contentes, je prendrai soin de toi.

Une partie de Deeti reconnaissait le côté raisonnable de cette proposition, mais sa haine de son beau-frère avait désormais atteint un tel sommet qu'elle savait qu'il lui serait impossible de soumettre son corps aux termes du marché, même si elle y consentait. Obéissant à son instinct, elle enfonça son coude dans le torse osseux de Chandan Singh et le repoussa ; n'exposant que ses yeux, elle mordit l'ourlet de son sari, qu'elle tira en travers de son visage.

Quelle sorte de démon, dit-elle, peut-il s'exprimer ainsi devant son frère mourant ? Écoute-moi bien : je me ferai brûler sur le bûcher de mon mari plutôt que de me donner à toi.

Chandan Singh recula d'un pas, sa bouche molle retroussée en un sourire moqueur.

Les mots ne coûtent rien, répliqua-t-il. Penses-tu qu'il soit facile pour une femme de peu comme toi de mourir en sati ? As-tu oublié que ton corps a cessé d'être pur le jour de tes noces ?

Raison de plus pour le jeter au feu ! s'écria-t-elle. Et ce sera plus facile que de vivre selon tes désirs.

Des grands mots, dit-il. Mais si tu tentes de devenir une sati, ne compte pas sur moi pour t'en empêcher. Pourquoi le ferais-je ? Avoir une sati dans la famille nous rendra célèbres. Nous construirons un temple en ton honneur et deviendrons riches grâce aux offrandes. Mais des femmes comme toi se contentent de parler : quand le moment vient, vous fuyez dans vos familles.

Dikhatwa! Nous verrons, dit-elle en lui claquant la porte au nez.

Une fois l'idée en tête, Deeti ne put guère penser à autre chose : mieux valait mourir d'une mort honorée plutôt que de dépendre d'un Chandan Singh, ou de retourner dans son village natal et d'y vivre honteusement aux crochets de son frère et de sa famille. Plus elle y réfléchissait, plus elle en était persuadée – même en ce qui concernait Kabutri. Elle n'était pas en position de promettre à sa fille une vie meilleure en restant vivante comme la maîtresse entretenue d'un homme de peu tel que Chandan Singh. C'était précisément parce qu'il était son père naturel qu'il ne permettrait jamais à la petite d'être l'égale de ses autres rejetons – et sa femme ferait tout ce qui était en son pouvoir pour punir l'enfant. Si elle restait ici, Kabutri ne serait alors guère plus qu'une domestique travaillant pour ses cousins ; il valait bien mieux l'envoyer chez son oncle pour qu'il l'élève avec ses propres enfants – une fillette seule ne serait pas un fardeau. Deeti s'était toujours bien entendue avec l'épouse de son frère, et elle savait qu'elle traiterait convenablement Kabutri. Vu sous cet angle, il semblait à Deeti que continuer à vivre ne serait rien d'autre que de l'égoïsme – elle ne pouvait être qu'un obstacle au bonheur de sa fille.

Quelques jours plus tard, alors que l'état de Hukam Singh ne cessait de s'aggraver, Deeti apprit que des parents éloignés se rendaient à son village natal : ils acceptèrent immédiatement d'emmener sa fille chez son frère, Havildar Kesri Singh, le sepoy. Le bateau partait quelques heures plus tard et cette précipitation permit à Deeti de garder les yeux secs et sa maîtrise en emballant le peu de vêtements de Kabutri dans un baluchon. Parmi les bijoux qu'elle possédait encore, elle prit un bracelet de cheville et une broche qu'elle accrocha au sari de sa fille avec mission de les remettre à sa tante.

Elle veillera sur eux pour toi.

Enchantée à l'idée de voir ses cousins et de vivre dans une maison remplie d'enfants, Kabutri demanda :

Combien de temps je resterai là-bas ?

Jusqu'à ce que ton père aille mieux. Je viendrai te rechercher.

Lorsque le bateau leva l'ancre avec Kabutri à bord, Deeti eut l'impression que son dernier lien avec la vie avait été coupé. À partir de là, elle ne connut plus un instant d'hésitation : avec son soin habituel, elle commença à faire des plans pour sa propre fin. De tous ses soucis, peut-être le moindre était celui de se voir consumée par le feu : quelques bouchées d'opium, elle le savait, la rendraient insensible à la souffrance.

Sept

Bien avant d'examiner les papiers que Zachary lui avait remis, Baboo Nob Kissin sut qu'ils lui fourniraient le signe dont il avait besoin pour confirmer ce qui était déjà clair dans son cœur. Il y croyait si fermement que, à son retour de Bethel dans son caranchie, il rêvait déjà du temple qu'il avait promis de construire pour Ma Taramony : il serait situé au bord d'un cours d'eau et sa flèche couleur safran s'élèverait haut dans le ciel. Dans sa vaste cour pavée devant, un grand nombre de fidèles pourraient se réunir, danser, chanter et prier.

C'était dans un temple pareil que Nob Kissin Baboo avait passé son enfance, à quelque soixante miles au nord de Calcutta. Le temple familial se trouvait dans la ville de Nabadwip, un centre de religion et de culture consacré à la mémoire de Chaitanya Mahaprabhu, saint, mystique et disciple de Sri Krishna. Onze générations auparavant, un des ancêtres du gomusta figurant parmi les premiers adeptes du saint avait fondé le temple, entretenu depuis par ses descendants. Nob Kissin lui-même, un moment en lice pour succéder à son oncle en qualité de gardien du temple, avait été durant son adolescence soigneusement formé dans ce but et parfaitement instruit en sanscrit et en logique, tout autant qu'en rites et rituels.

Nob Kissin avait quatorze ans quand son oncle tomba malade. Le vieil homme fit venir le garçon à son chevet et lui confia une dernière mission – ses jours étaient comptés, lui dit-il, et il souhaitait que sa jeune épouse, Taramony, fût envoyée dans un ashram de Brindavan, la ville sainte, pour y vivre son veuvage. Le voyage étant difficile et dangereux, il voulait que Nob Kissin l'escorte là-bas personnellement avant de revenir assumer ses responsabilités dans le temple familial. «Ce sera fait, dit Nob Kissin en se prosternant pour toucher les pieds de son oncle, vous n'avez pas besoin d'en dire plus.»

Quelques jours plus tard, le vieil homme mourait et, très vite, Nob Kissin prenait le chemin de Brindavan avec sa tante veuve et un petit contingent de serviteurs. Bien que Nob Kissin eût déjà largement dépassé l'âge du mariage, il était encore un brahmachari, un célibataire vierge, ainsi qu'il convenait à un étudiant soumis aux rigueurs d'une éducation à l'ancienne. Il se trouvait que la veuve n'était guère plus vieille que Nob Kissin, son défunt mari ne l'ayant épousée que six ans auparavant dans un ultime effort pour engendrer un héritier. Durant ces années, Nob Kissin avait rarement eu l'occasion de rencontrer sa tante ou de lui parler car il était souvent absent, vivant avec ses gurus dans leurs tols, pathshalas et autres ashrams. Mais, tandis que le groupe poursuivait son lent voyage vers l'est et Brindavan, le garçon et sa tante se retrouvaient souvent ensemble. Que sa tante fût une femme d'une beauté et d'un charme peu communs, Nob Kissin l'avait toujours su, mais il découvrait, à son grand étonnement, qu'elle était aussi une personne d'une dimension spirituelle extraordinaire, une dévote d'une sorte qu'il n'avait jamais encore connue : une disciple qui parlait du Seigneur aux yeux de lotus comme si elle avait personnellement expérimenté le privilège de sa présence.

En qualité de disciple et brahmachari, Nob Kissin avait été entraîné à écarter de son esprit toute pensée sensuelle ; au cours de son éducation, il s'était tellement appliqué à la rétention de son sperme qu'il lui arrivait rarement, voire jamais, que l'image d'une femme réussisse à pénétrer ses défenses mentales. Mais pour l'heure, roulant et cahotant vers Brindavan, dans une succession de bateaux et de carrioles, lesdites défenses s'effondrèrent. Même si Taramony ne l'autorisa jamais à la toucher de manière inconvenante, le jeune homme ne cessait de trembler en sa présence ; parfois son corps était pris d'une sorte d'épilepsie le laissant baigné de honte. Au début, en pleine confusion, il ne put penser à aucun mot pour décrire ce qu'il ressentait. Puis il comprit que ses sentiments pour sa tante n'étaient que la version profane de ce qu'elle-même éprouvait à l'égard de l'Amoureux divin de ses visions ; il comprit aussi que seul l'enseignement de Taramony pourrait le guérir de l'esclavage de ses désirs terrestres.

Je ne pourrai jamais te quitter, lui dit-il. Je ne peux pas t'abandonner à Brindavan. Je préférerais mourir.

Elle rit et répliqua qu'il était sot et vain ; Krishna était le seul homme, le seul amant qu'elle aurait jamais.

Peu importe, dit-il. Tu seras mon Krishna et je serai ta Radha.

Elle le regarda, incrédule.

Et tu vivras avec moi sans me toucher, sans connaître mon corps, sans connaître aucune autre femme ?

Oui. N'est-ce pas ainsi que tu vis avec Krishna ? N'est-ce pas ainsi qu'a vécu le Mahaprabhu ?

Et si tu veux des enfants ?

Est-ce que Radha a eu des enfants ? Est-ce que les saints vishnouites en ont eu ?

Et ton devoir vis-à-vis de ta famille ? Envers le temple ? Qu'en sera-t-il de tout cela ?

Rien de tout cela m'importe, dit-il. Tu seras mon temple et je serai ton prêtre, ton adorateur, ton disciple.

En arrivant à la ville de Gaya, elle lui donna enfin son consentement : échappant en douce à leurs serviteurs, ils firent demi-tour et prirent le chemin de Calcutta.

Bien qu'aucun des deux n'eût jamais mis encore les pieds dans cette ville, ils n'étaient pas sans ressources. Nob Kissin avait encore une partie des fonds destinés aux dépenses du voyage, et il disposait aussi des pièces d'argent qui auraient dû servir à financer la réclusion de Taramony à Brindavan. Une somme assez substantielle qui leur permit de louer une petite maison dans Ahiritola, un quartier peu cher de Calcutta sur les rives du fleuve ; ils s'y installèrent, ne prétendant être rien d'autre que ce qu'ils étaient, une veuve vivant avec son neveu. Ils ne créèrent jamais aucun scandale, car la sainteté de Taramony était si évidente qu'elle attira bientôt un petit cercle de dévots et de disciples. Nob Kissin aurait adoré se joindre à ce cercle ; pouvoir l'appeler Ma, être accepté en qualité de disciple, passer son existence à être instruit spirituellement par elle – c'était tout ce qu'il désirait, mais elle ne le lui permit pas.

Tu es différent des autres, lui dit-elle, ta mission est différente : tu dois aller dans le monde gagner de l'argent – pas simplement pour subvenir à nos besoins mais pour subventionner le temple que toi et moi nous bâtirons un jour.

Pour lui obéir, Nob Kissin se présenta en ville, où sa finesse et son intelligence furent vite remarquées. Tout en travaillant au comptoir d'un prêteur sur gages, dans Rajabazar, il découvrit que tenir des registres comptables ne présentait guère de difficultés pour quelqu'un de son éducation ; une fois cette technique maîtrisée, il décida que trouver une place dans une des nombreuses firmes anglaises locales constituait son meilleur espoir d'avancement. Il commença à cet effet à assister aux cours qui se donnaient dans la maison d'un dubash tamil – un traducteur qui travaillait pour Gillanders & Co, une grosse agence de commerce. Il se distingua très vite comme l'un des meilleurs étudiants du groupe, liant les phrases avec une facilité qui époustoufla son maître tout autant que ses condisciples.

Une recommandation mena à une autre, et un poste au suivant : de serishta chez Gillanders, Nob Kissin devint successivement carcoon à la factorerie Swinhoe, cranny chez Jardine & Matheson, munshi pour Ferguson Brothers et mootsuddy chez Smoult & Sons. C'est de là qu'il dénicha un poste dans les bureaux de Burnham Bros., où il atteignit rapidement le rang de gomusta en charge du transport des migrants.

Ce n'est pas seulement pour son entregent et sa connaissance de l'anglais que les employeurs de Baboo Kissin Nob appréciaient ses services : ils prisaient beaucoup aussi son désir de plaire et sa tolérance apparemment illimitée aux injures. Au contraire de beaucoup d'autres, il ne s'offensait jamais d'être traité de cerveau de merde par un sahib ni de voir son visage comparé à un cul de singe ; si on lui jetait dessus des chaussures ou des presse-papiers, il se contentait de s'écarter, avec une agilité surprenante pour un homme de son embonpoint. Les insultes, il les supportait avec un sourire détaché frisant la pitié : la seule chose qui lui faisait perdre contenance, c'était d'être atteint par la chaussure ou le pied d'un employeur – réaction peu étonnante puisque de tels coups avaient l'inconvénient de l'obliger à prendre un bain et à mettre d'autres vêtements. En fait, il changea deux fois d'emploi pour se débarrasser de patrons trop enclins à taper sur le personnel local. C'était aussi une des raisons pour lesquelles il trouvait sa présente position particulièrement agréable : Mr Burnham était peut-être un homme exigeant et un maître difficile, mais il ne battait jamais ses subordonnés et ne jurait que rarement. Il est vrai qu'il se moquait souvent de son gomusta en l'appelant mon Babouin Noble Caisse ou d'autres surnoms du même acabit, mais il avait soin en général d'éviter ces familiarités en public – de toute façon « babouin » n'était pas un terme auquel Baboo Nob Kissin pouvait vraiment objecter, puisque cette créature n'était qu'un avatar du seigneur Hanuman.

Tout en servant les intérêts de son patron, Baboo Nob Kissin n'avait pas négligé de veiller aux siens propres. Comme l'essentiel de son travail consistait à agir en qualité d'intermédiaire et de négociateur, il avait acquis, avec le temps, un large cercle d'amis et de relations, dont beaucoup se reposaient sur lui et ses jugements pour leurs affaires financières et personnelles. Peu à peu, son rôle de conseiller se transforma en une florissante activité de prêt sur gages, à laquelle avaient souvent recours des gens ayant besoin d'une source de fonds discrète et fiable. Certains venaient aussi lui demander son aide pour des affaires encore plus intimes : abstinent en toutes choses à part la nourriture, Baboo Nob Kissin considérait les appétits charnels des autres avec la curiosité détachée d'un astrologue observant les mouvements des étoiles. Il se montrait toujours attentif aux femmes qui sollicitaient son assistance – à leur tour elles trouvaient facile de lui faire confiance, sachant que sa dévotion à Taramony l'empêcherait de leur demander des faveurs pour lui-même. C'est ainsi qu'Elokeshi en était venue à le regarder comme un oncle aimable et indulgent.

Cependant, malgré tous ses succès, il subsistait dans la vie du gomusta un immense chagrin : l'expérience d'amour divin qu'il avait espéré connaître avec Taramony lui avait été déniée par les exigences pressantes de sa carrière. La maison qu'il partageait avec sa tante était vaste et confortable, mais quand il y retournait, à la fin de la journée, c'était en général pour trouver Taramony entourée par un cercle de disciples et d'adorateurs. Ces pique-assiette s'attardaient le soir et, le matin, quand le gomusta partait au travail, presque toujours sa tante dormait encore.

J'ai travaillé si dur, lui disait-il. J'ai gagné plein d'argent. Quand me libéreras-tu de cette vie mondaine ? Quand viendra donc l'heure de construire notre temple ?

Bientôt, répondait-elle. Mais pas encore. Quand le moment sera venu, tu le sauras.

Telles étaient ses promesses, et Baboo Nob Kissin les acceptait sans douter qu'elle les exécuterait au moment de son choix. Mais soudain, un jour, alors que le temple n'était toujours pas construit, Taramony fut prise d'une violente fièvre. Pour la première fois en vingt ans, Baboo Nob Kissin ne se rendit pas au travail : il mit à la porte les disciples de Ma Taramony et la soigna lui-même. Quand il vit que sa dévotion n'avait aucun effet contre la maladie, il supplia sa tante :

Emmène-moi avec toi ; ne m'abandonne pas tout seul dans ce monde. Je n'ai rien de précieux que toi dans ma vie ; elle n'est autrement qu'un vide, un désert, une éternité de temps perdu. Que ferai-je sans toi sur cette terre ?

Tu ne seras pas seul, lui promit-elle. Et ton travail dans ce monde n'est pas encore accompli. Tu dois te préparer – car ton corps sera le vaisseau de mon retour. Viendra un jour où mon esprit se manifestera en toi, et alors nous deux, unis par l'amour de Krishna, nous connaîtrons la plus parfaite des unions – tu deviendras Taramony.

Ses mots provoquèrent un fol élan d'espoir dans le cœur de Nob Kissin.

Quand ce jour viendra-t-il ? s'écria-t-il. Comment saurai-je ?

Il y aura des signes, répliqua-t-elle. Il faut que tu fasses très attention, car les signes pourraient être obscurs et inattendus. Mais quand ils t'apparaîtront, tu ne devras pas hésiter ni te retenir : tu devras les suivre, même s'ils t'emmènent au-delà des mers.

Tu me donnes ta parole ? dit-il en tombant à genoux. Tu promets que ce ne sera pas trop long ?

Tu as ma parole, répondit-elle. Un jour viendra où je me déverserai en toi : jusqu'alors tu dois te montrer patient.

Que de temps passé depuis ! Neuf ans et cinquante semaines depuis le jour de sa mort, et il avait continué à mener sa vie habituelle, sous l'habit d'un gomusta affairé, travaillant toujours plus dur, tout en devenant de plus en plus las du monde et de ses tâches. À l'approche du dixième anniversaire de la mort de

Taramony, il commença à craindre de devenir fou et il décida que si ce jour-là passait sans la manifestation du moindre signe, alors il renoncerait au monde et se rendrait à Brindavan pour y vivre l'existence d'un mendiant. En faisant ce serment, il fut soudain convaincu que le moment était proche, que la manifestation s'annonçait. Il en était si persuadé qu'il ne sentait plus désormais d'angoisse ni d'inquiétude ; et c'est à une allure calme, sans hâte, qu'il descendit de son caranchie et transporta les registres du navire dans sa maison vide et silencieuse. Il étala les papiers sur son lit, les feuilleta un à un jusqu'à ce qu'il parvienne au manifeste original de l'équipage. Quand enfin il vit la notation à côté du nom de Zachary – « Nègre » –, il ne lança pas un cri de joie folle ; c'est plutôt avec un soupir de calme satisfaction qu'il garda les yeux fixés sur le mot gribouillé qui révélait la main du Seigneur noir. C'était la confirmation dont il avait besoin, il en était certain – juste comme il était certain aussi que le messager ne savait rien de sa mission. Une enveloppe sait-elle ce que contient la lettre pliée à l'intérieur ? Une feuille de papier sait-elle ce qui est écrit dessus ? Non, les signes étaient contenus dans la transformation opérée durant le voyage : c'était le fait même de la mutabilité du monde qui prouvait la présence de la divine illusion, de l'apparence de Sri Krishna.

Séparant le manifeste du reste des papiers, Baboo Nob Kissin le plaça dans un coffret. Demain il l'enroulerait bien et l'emporterait chez un chaudronnier pour le faire mettre dans une amulette, de façon à pouvoir le porter en collier. Si Mr Burnham réclamait le manifeste, il lui raconterait qu'il avait été perdu – ce genre de chose se produisait souvent au cours de longs voyages.

Alors qu'il refermait le coffre, Baboo Nob Kissin posa les yeux sur une alkhalla couleur safran – une de ces longues et amples robes qu'aimait à revêtir Taramony. Sur une impulsion, il l'enfila par-dessus son dhoti et sa kurta, et alla se poster devant un miroir. Il fut étonné de voir à quel point la robe lui allait. Il défit alors les liens de son tikki et secoua ses cheveux de façon à les laisser tomber sur ses épaules. Désormais, décida-t-il, il ne les couperait plus jamais, il les laisserait libres de pousser de manière à ce qu'ils lui viennent jusqu'à la taille, comme les longues boucles brunes de Taramony. En contemplant son image, il prit conscience d'une lueur qui se répandait à travers son corps comme s'il était imprégné d'une autre présence. Soudain, ses oreilles se remplirent de la voix de Taramony : il l'entendit dire, une fois de plus, les mots qu'elle avait prononcés dans cette pièce même – il fallait qu'il se prépare à suivre les signes, où qu'ils l'emmènent, même au-delà des mers. Brusquement, tout devint clair, et Nob Kissin comprit pourquoi les choses s'étaient passées comme elles l'avaient fait : c'était parce que l'*Ibis* devait le mener à l'endroit où il construirait son temple.

*

Neel et Raj Rattan faisaient voler leurs cerfs-volants sur le toit du palais Raskhali à Calcutta, quand le commissaire de police arriva avec un détachement de silahdars et de darogas. On était au début de la soirée, par une chaude journée d'avril, et les dernières lueurs du soleil scintillaient sur le fleuve. Les ghats voisins étaient envahis par les baigneurs se débarrassant à grands coups de brosse de la poussière du jour, les toits moussus et les terrasses autour du rajbari étaient remplis de gens en train de jouir de la brise du couchant. Partout dans le voisinage résonnait le son des conques marquant l'allumage des premières lampes ; l'appel du muezzin s'entendait au loin, flottant sur la ville.

Au moment où Parimal fit irruption, Neel concentrait son attention sur son cerf-volant, qui s'élevait très haut dans les tourbillons de la brise verte du mois de phalgun : il ne prêta pas l'oreille à ce qui se disait.

Huzoor, répéta Parimal. Il faut que vous descendiez. Il vous demande.

Qui ? interrogea Neel.

L'afsar anglais de la prison – il est venu avec une armée de policiers.

La nouvelle n'impressionna pas Neel : il arrivait souvent que des officiels de la municipalité viennent le consulter à propos d'une affaire concernant le zemindary. Toujours concentré sur son cerf-volant, il s'enquit :

Que s'est-il passé ? Y a-t-il eu un cambriolage ou une incursion de dacoits ? S'ils veulent de l'aide, qu'ils s'adressent aux gomustas.

Non, huzoor. C'est vous qu'ils réclament.

Alors qu'ils reviennent demain matin, répliqua sèchement Neel. Ce n'est pas une heure pour se présenter dans la maison d'un gentleman.

Huzoor, ils refusent de nous écouter. Ils insistent...

Avec la poignée de la corde du cerf-volant tournant encore entre ses mains, Neel jeta un coup d'œil à Parimal et fut surpris de le voir à genoux, les yeux débordants de larmes.

Parimal ? s'écria-t-il stupéfait. *Yeh kya bát hai ?* Pourquoi fais-tu un tel ramdam ? Que se passe-t-il ?

Huzoor, répéta Parimal d'une voix étranglée. C'est vous qu'ils veulent. Ils sont dans le daftar. Ils montaient ici. J'ai dû les supplier pour qu'ils consentent à attendre en bas.

Ils montaient ici ?

Neel en eut le souffle coupé : cette partie du toit se situait dans les quartiers les plus privés de la maison, au-dessus du zenana ; qu'un étranger eût songé à y poser le pied défiait l'entendement.

Sont-ils devenus fous ? dit-il à Parimal. Comment ont-ils même pu songer à pareille chose ?

Huzoor, l'implora Parimal, ils ont dit qu'il ne fallait pas perdre de temps. Ils attendent.

Très bien.

Neel était en réalité plus intrigué qu'alarmé par cette convocation soudaine, mais, en quittant le toit, il s'arrêta pour passer la main dans les cheveux de Raj Rattan.

Où vas-tu, baba ? demanda l'enfant, mécontent de l'interruption. Tu m'avais pourtant dit qu'on jouerait au cerf-volant jusqu'au coucher du soleil.

Et c'est ce que nous ferons, répliqua Neel. Je serai de retour dans dix minutes.

Le gamin hocha la tête et reporta son attention sur son cerf-volant tandis que Neel allait prendre l'escalier.

Au bas des marches se trouvait la cour intérieure du zenana, et, en la traversant, Neel nota qu'une sorte de silence enrobait soudain la maison – un fait des plus étranges car on était à l'heure où ses vieilles tantes, cousines veuves et autres parentes s'agitaient toujours le plus. Il y en avait au moins une centaine et, en général, à ce moment de la journée, elles allaient d'une pièce à l'autre, armées d'encens et de lampes tout juste allumées, elles arrosaient les plantes, sonnaient les cloches du temple, soufflaient dans les conques et préparaient les éléments du repas du soir.

Pourtant aujourd'hui les chambres autour de la cour étaient plongées dans l'obscurité, sans la moindre lampe en vue, tandis que les vérandas se remplissaient de toutes ses parentes veuves vêtues de blanc.

Abandonnant la cour intérieure et son silence, Neel passa dans la partie du palais donnant sur la rue. Là se trouvaient l'aile des bureaux, ainsi que les cantonnements de la centaine de gardes employés par le zemindary. Ici aussi, un spectacle totalement inédit attendait Neel : les piyadas, paiks et lathiyals qui composaient sa garde personnelle avaient été repoussés dans un coin par un détachement de policiers en armes. Les gardes, privés de leur bâtons, lances et épées, tournaient en rond, ne sachant que faire. En apercevant le zemindar, ils se mirent à pousser leur cri de ralliement : *Joi Má Kali ! Joi Raskhali !*

Neel leva une main pour réclamer le calme, mais leurs voix se firent plus bruyantes, jusqu'à devenir un rugissement qui résonna à travers les rues et les allées voisines. Neel découvrit que les terrasses et les balcons des bâtiments dominant la cour grouillaient de badauds qui regardaient tous avec curiosité ce qui se passait en bas. Il pressa le pas et monta rapidement l'escalier menant à son bureau au deuxième étage.

C'était une grande pièce en désordre jonchée de meubles et de dossiers. Alors que Neel y pénétrait, un officier anglais, en uniforme rouge, se leva, son grand chapeau serré sous le bras. Neel le reconnut aussitôt : il s'appelait Hall et c'était un ex-commandant d'infanterie, désormais en charge de la police municipale, qui était venu à plusieurs reprises au Rajbari Raskhali, parfois pour discuter de problèmes de sécurité, parfois en qualité d'invité.

Neel joignit les mains en un geste d'accueil et tenta d'esquisser un sourire :

— Ah, major Hall ! Que puis-je faire pour vous ?
Permettez-moi de vous offrir...

— Raja Neel Rattan, l'interrompit le major d'une
voix raide et solennelle, les traits figés en une expression sinistre, je déplore que ce soit une déplaisante
mission qui m'amène ici aujourd'hui.

— Oh ? fit Neel, remarquant distraitement que le
commissaire de police portait son épée ; bien qu'il
eût souvent aperçu le major Hall au rajbari, il ne se
souvenait pas de l'y avoir jamais vu ainsi équipé. Et
quelle est la nature de votre mission, major Hall ?

— Il est de mon pénible devoir de vous informer
que je viens ici avec mandat de vous arrêter.

— M'arrêter ? – Le mot était trop invraisemblable
pour acquérir immédiatement un sens. – Vous êtes ici
pour m'arrêter ?

— Oui.

— Puis-je savoir pourquoi ?

— Pour le délit de contrefaçon, monsieur.

Neel le regarda sans comprendre.

— Contrefaçon ? Par Jupiter, monsieur, je dois
avouer que je ne trouve pas cela la plus amusante des
plaisanteries. Que suis-je censé avoir contrefait ?

Le major fouilla dans sa poche et en retira une
feuille de papier qu'il étala sur une table de marbre
marqueté. Neel n'eut pas besoin de la regarder de très
près pour savoir de quoi il s'agissait : un des plusieurs
douzaines de billets à ordre qu'il avait signés au cours
de l'année. Il sourit.

— Il n'y a là aucune contrefaçon, major. Je peux
moi-même vous garantir que ce n'est pas un faux.

Le doigt du major glissa sur une ligne où le nom
« Benjamin Burnham » avait été inscrit avec un
paraphe.

— Niez-vous, monsieur, dit le major, que ce soit vous qui ayez apposé cette signature ?

— Pas un instant, major, répliqua Neel calmement. Néanmoins la chose est facile à expliquer : il existe un accord entre la compagnie de Mr Burnham et le zemindary Raskhali. Le fait est universellement connu...

Pour autant que Neel le sût, les billets à ordre du Raskhali avaient toujours porté le nom de Mr Burnham : ses gomustas lui avaient assuré que c'était la pratique confirmée du vieux raja, qui avait décidé depuis longtemps avec son associé qu'il était inutile d'expédier à travers la ville chaque billet à endosser – il était plus rapide et plus efficace de faire le nécessaire chez les Halder. Il se trouvait que le vieux raja n'avait jamais très bien écrit l'anglais, et la tâche était revenue à un employé ; Neel, un perfectionniste en matière de calligraphie, n'aimant pas l'écriture grossière des secrétaires, avait insisté pour faire le travail lui-même. Tout cela était parfaitement connu de Benjamin Burnham.

— Je crains, dit Neel, que vous vous soyez donné beaucoup de mal pour rien. Mr Burnham dissipera ce malentendu en quelques minutes.

Embarrassé, le major toussota dans son poing.

— Je crains d'avoir tout de même à accomplir mon devoir, monsieur.

— Mais enfin, protesta Neel, ce ne sera pas nécessaire si Mr Burnham explique ce qui s'est passé.

Après un bref silence, le major déclara :

— C'est Mr Burnham, monsieur, qui nous a signalé le délit.

— Comment ? Neel sursauta, incrédule. Mais il n'y a pas de délit...

— C'est une signature contrefaite, monsieur. Et avec une grosse somme d'argent en jeu.

— Mais enfin, écrire le nom d'un individu n'est tout de même pas comme imiter sa signature ?

— Tout dépend de l'intention, monsieur, et c'est au tribunal d'en décider, dit le major. Vous pouvez être sûr que vous aurez amplement l'occasion de plaider votre cause.

— Et entre-temps ?

— Vous devez me permettre de vous accompagner à Lalbazar.

— À la prison ? s'écria Neel. Comme un vulgaire criminel ?

— Certainement pas, répliqua le major. Nous nous assurerons de votre confort ; et, en considération de votre place dans la société indigène, nous vous autoriserons à recevoir de la nourriture de chez vous.

L'inconcevable était donc sur le point de se produire : le raja de Raskhali allait être emmené par la police et jeté en prison. Aussi certain qu'il fût d'être acquitté, Neel savait que la réputation de sa famille ne serait plus jamais la même, pas après qu'une foule de voisins auraient assisté à son arrestation – tous ses parents, son fils, Elokeshi même, seraient marqués de honte.

— Faut-il que nous y allions maintenant ? protesta-t-il. Aujourd'hui ? Devant tous mes gens ?

— Oui, dit le major. Je crains de ne pas pouvoir vous donner plus de quelques minutes pour réunir quelques vêtements et effets personnels.

— Très bien.

Neel s'apprêtait à partir quand le major lança sèchement :

— Je vois que vos hommes sont un peu excités. Vous devez savoir que, s'il se produisait le moindre trouble, vous seriez tenu pour responsable et que votre cas en pâtirait devant le tribunal.

— Je comprends, répliqua Neel. Soyez sans crainte.

La véranda adjacente au bureau du zemindar donnait sur une grande cour et, alors qu'il sortait pour descendre, Neel vit que cet espace était tout à coup devenu blanc : toutes les femmes de sa parentèle s'y étaient déversées en masse dans leur tenue de veuve ; en l'apercevant, elles entonnèrent une lamentation, d'abord à voix basse mais qui se fit très vite bruyante et agitée ; certaines se jetèrent à terre tandis que d'autres se battaient la poitrine. Plus question à présent de retourner dans le bâtiment principal : Neel comprit qu'il ne pourrait pas se forcer un passage à travers cette foule. Il attendit juste assez pour s'assurer que son épouse, Malati, n'était pas présente ; même dans la confusion de cet instant, ce fut un grand soulagement de savoir qu'elle n'était pas sortie du zenana – il lui serait ainsi épargné, au moins, l'humiliation de voir se déchirer le voile de sa réclusion.

Huzoor. Parimal surgit à côté de lui, un sac à la main. J'ai empaqueté deux ou trois choses – tout ce dont vous aurez besoin.

Neel lui serra la main avec gratitude : toute sa vie, Parimal avait su exactement ce qu'il lui fallait, souvent bien avant qu'il le sache lui-même, mais il ne s'était jamais senti aussi reconnaissant à son égard qu'aujourd'hui. Il voulut s'emparer du sac, mais Parimal refusa de le lui donner.

Comment pourriez-vous porter votre propre bagage, huzoor ? Sous les yeux de tout le monde ?

L'absurdité du propos tira un sourire à Neel.

Sais-tu où ils m'emmènent, Parimal ?

Huzoor... La voix de Parimal se fit chuchotement. Si vous en donnez l'ordre, nos hommes se battront. Vous pourriez vous échapper... on pourrait vous cacher...

Durant un fol instant, l'idée d'évasion se logea dans l'esprit de Neel – pour s'évanouir tout aussitôt tandis qu'il se rappelait la carte suspendue dans son daftar, et la tache rouge de l'empire qui s'était si vite étendue.

Où me cacherais-je ? répliqua-t-il. Les piyadas de Raskhali ne peuvent pas combattre les bataillons de l'East India Company. Non, il n'y a rien à faire.

Il tourna le dos à Parimal pour rentrer dans son bureau, où le major l'attendait, une main sur le pommeau de son épée.

— Je suis prêt, dit-il. Finissons-en avec cette affaire.

Entouré d'une demi-douzaine de policiers en uniforme, Neel descendit l'escalier. À son arrivée dans la cour, les femmes en blanc se mirent de nouveau à hurler tout en se jetant sur les policiers et leurs bâtons pour tenter de toucher le prisonnier. Neel, la tête haute, ne put se résoudre à leur faire face ; ce n'est qu'arrivé au portail qu'il se permit de jeter un coup d'œil en arrière. À peine s'était-il retourné que son regard croisa celui de son épouse, Malati, et il eut soudain l'impression de la voir pour la première fois de sa vie. Elle avait écarté le voile qui avait toujours couvert son visage et elle avait défait ses tresses de sorte que sa chevelure tombait sur ses épaules tel un noir linceul. Neel trébucha et baissa les yeux, incapable de supporter qu'elle le vît, comme si le fait qu'elle se dévoile l'avait privé de sa virilité, le laissant nu, exposé à la pitié triomphante du monde, à une humiliation qui ne pourrait jamais être effacée.

Un fiacre attendait dans l'allée ; Neel s'y installa et le major s'assit en face de lui, visiblement soulagé d'avoir accompli sa mission sans violence. Comme la voiture s'ébranlait, il dit sur un ton plus aimable que celui dont il avait usé jusqu'alors :

— Je suis sûr que tout cela sera bientôt réglé.

Le fiacre arriva au bout de l'allée et, tandis qu'il virait au coin, Neel se retourna pour jeter un dernier regard à sa maison. Il ne put voir que le toit du Rajbari Raskhali et, dessus, se détachant sur le ciel assombri, la tête de son fils, penchée sur le parapet comme en attente : il se rappela alors qu'il avait promis à son petit garçon de revenir dans les dix minutes, et cela lui parut le plus impardonnable des mensonges qu'il ait jamais commis.

*

Depuis cette nuit sur le fleuve où Deeti était venue à son secours, Kalua avait tenu le compte des jours où il avait eu le bonheur de l'apercevoir, et des autres, totalement vides. Cela sans la moindre véritable intention, ni comme une expression d'espoir – car Kalua savait fort bien qu'entre la jeune femme et lui ne pouvait exister que le plus fragile des liens –, pourtant la patiente énumération continuait de s'égrener dans sa tête, bon gré, mal gré : il était incapable de la faire cesser, car son esprit, lent et lourd sous certains aspects, avait une façon de trouver la sécurité dans les chiffres. C'est ainsi que lorsqu'il apprit la mort du mari de Deeti, il sut que vingt jours exactement s'étaient écoulés depuis l'après-midi où elle lui avait demandé son aide pour ramener Hukam Singh de la factorerie d'opium.

La nouvelle lui parvint par hasard : c'était le soir et il retournait vers sa cabane dans sa carriole lorsque deux hommes l'arrêtèrent. Kalua comprit qu'ils venaient de loin car leurs dhotis étaient noirs de poussière et ils s'appuyaient lourdement sur leurs bâtons. Ils levèrent la main en le voyant et, quand sa carriole fit halte bruyamment, ils lui demandèrent s'il savait où se trouvait la maison de Hukam Singh, l'ex-sepoy.

Je le sais, répondit Kalua.

Du doigt il leur montra le bout de la route et leur expliqua que pour atteindre leur but il leur faudrait marcher tout droit sur deux kos, puis tourner à gauche en arrivant à un grand tamaris. Après quoi ils suivraient un sentier à travers champs sur cent vingt pas, puis ils tourneraient de nouveau à gauche et compteraient deux cent soixante pas.

Il fait presque nuit, gémirent les deux hommes consternés, comment trouverons-nous tous ces sentiers ?

Vous n'avez qu'à bien regarder, répliqua Kalua.

Et combien de temps nous faudra-t-il ?

Une heure, dit Kalua, peut-être moins.

Les hommes le supplièrent alors de les prendre à bord de sa carriole : autrement ils seraient en retard, dirent-ils, et ils manqueraient tout.

En retard pour quoi ? demanda Kalua, et le plus vieux des voyageurs répondit :

Pour l'incinération de Hukam Singh...

Il s'apprêtait à ajouter autre chose quand son compagnon lui donna un petit coup sec de sa canne dans les côtes.

Est-ce que Hukam Singh est mort ? s'enquit Kalua.

Oui, tard hier soir. Nous nous sommes mis en route dès que nous avons appris la nouvelle.

Bon, très bien, dit Kalua. Venez. Je vais vous emmener là-bas.

Les deux hommes grimpèrent dans la carriole et Kalua secoua les rênes pour inciter ses bœufs à avancer. Au bout d'un bon moment, il s'enquit avec précaution :

Et que devient la femme de Hukam Singh ?

Attendons de voir ce qui va se passer, dit le plus vieux des passagers. Peut-être saurons-nous ce soir...

Mais, là encore, il fut interrompu par son compagnon et il ne termina pas sa phrase.

La conduite un peu bizarre des deux hommes amena Kalua à songer qu'il se préparait peut-être quelque chose de déplaisant. Il avait pour habitude de bien réfléchir à tout ce qu'il voyait autour de lui : tandis que la carriole continuait de rouler, il se demanda pourquoi ces hommes, qui ne connaissaient pas assez bien Hukam Singh pour savoir où il habitait, faisaient un si long trajet afin d'assister à son incinération. Et pourquoi cette cérémonie devait-elle prendre place près de la maison du mort plutôt que sur le ghat réservé à cet effet ? Non : il y avait dans cette affaire quelque chose qui sortait de l'ordinaire. Kalua en devint de plus en plus convaincu tandis qu'ils approchaient de leur destination – car bien d'autres personnes se dirigeaient vers le même endroit, en beaucoup plus grand nombre qu'il n'était vraisemblable pour les funérailles d'un homme tel que Hukam Singh, connu pour être un afeemkhor incorrigible. En arrivant devant la maison, ses soupçons se renforcèrent : il constata en effet que le bûcher était une énorme pile de bois s'élevant sur la rive du Gange. Outre qu'il était beaucoup plus grand que nécessaire pour l'incinération d'un seul homme, il était entouré d'une profusion d'offrandes et d'objets, comme s'il était destiné à un événement plus important.

Il faisait nuit noire maintenant et, après avoir débarqué ses deux passagers, Kalua attacha sa carriole dans un champ un peu éloigné et revint à pied près du bûcher, autour duquel se pressaient à présent une centaine de personnes. En écoutant leurs conversations, il nota la fréquence d'un mot chuchoté : « sati ». Tout devint clair : il comprenait. Il retourna, dans la nuit, à sa carriole et s'y allongea un moment pour penser à ce qu'il allait faire. Il réfléchit avec lenteur et soin, examinant les mérites et les défauts de plusieurs lignes de conduite. Un seul plan survécut au tri et, quand il se remit debout, Kalua savait exactement comment il allait procéder. Tout d'abord, il dégagea ses bœufs de leur joug et les laissa partir errer le long de la rive : ce fut la partie la plus difficile, car il aimait ces deux bêtes comme des frères. Puis, clou après clou, il détacha la plateforme de bambou de l'axe de la carriole et la lia solidement avec une corde en son milieu. La plateforme était grande et encombrante mais d'un poids négligeable pour Kalua, qui la chargea sur son dos. Profitant de l'obscurité, il avança le long de la rive jusqu'à ce qu'il atteigne une levée de terre donnant sur le bûcher. Il étala la plateforme sur le sable et s'aplatit dessus, prenant soin de rester hors de vue.

L'espace autour du bûcher était illuminé par un grand nombre de petits feux, aussi, quand le corps de Hukam Singh fut sorti de la maison en procession et déposé sur le monticule de bois, Kalua put voir parfaitement la scène. Suivait une seconde procession, et Kalua vit qu'elle était menée par Deeti vêtue d'un magnifique sari blanc mais visiblement effondrée, incapable de se tenir debout et encore moins de marcher si elle n'avait pas été soutenue par son beau-frère Chandan Singh et plusieurs autres hommes. À moitié traînée, à moitié portée, elle fut amenée au bûcher, où on la fit asseoir en tailleur à côté du cadavre de son époux. Des chants éclatèrent tandis qu'on empilait autour d'elle des masses de petit bois arrosé de ghee et de pétrole.

Sur la levée, Kalua attendit le bon moment sans cesser de compter pour se calmer : son principal atout, il le savait, n'était ni sa force ni son agilité mais plutôt l'effet de surprise qu'il créerait – car même lui, malgré son extraordinaire puissance physique, ne pouvait espérer repousser cinquante hommes au moins. Il attendit donc patiemment jusqu'à ce que le bûcher fût allumé et les spectateurs concentrés sur le progrès des flammes. Alors, toujours à l'abri de l'obscurité, il se glissa à quatre pattes à la limite du cercle de la foule, puis se mit debout. Dans un rugissement, il fit tournoyer la plate-forme au-dessus de sa tête en la tenant par le bout de la corde, la transformant en un projectile aux rebords tranchants, fracassant des crânes et des os, ouvrant un passage à travers la foule qui se dispersa, affolée comme du bétail devant un démon tourbillonnant. Kalua courut vers le bûcher contre lequel il plaqua la plate-forme avant de grimper au sommet et d'arracher Deeti aux flammes. Son corps inerte jeté sur son épaule, il sauta à terre et fila vers le fleuve, traînant derrière lui le rectangle de bambou fumant au bout de sa corde. En atteignant la rive, il lança la plate-forme à l'eau et plaça Deeti dessus. Puis il se jeta à son tour sur le radeau improvisé et, en battant des pieds, il se dirigea vers le centre du fleuve. Tout cela s'accomplit en une ou deux minutes, et quand Chandan Singh et ses amis entamèrent leur poursuite, le Gange avait déjà emporté Kalua et Deeti loin du bûcher en flammes, au cœur de la nuit.

Le radeau oscillait et tournoyait tandis que le courant le poussait en aval du fleuve et, de temps à autre, une nappe d'eau venait inonder la surface. Sous l'effet de ces douches répétées, le brouillard qui enveloppait l'esprit de Deeti commença à se dissiper et la jeune femme comprit qu'elle se trouvait sur une rivière avec à ses côtés un homme qui de son bras la maintenait en place. Rien de très surprenant à cela, car c'était exactement ainsi qu'elle s'attendait à être réveillée des flammes – voguant dans l'au-delà, sur le fleuve Baitarini, sous la garde de Charak, le batelier des morts. Elle avait si peur de ce qu'elle allait voir qu'elle se refusa à ouvrir les yeux : chaque vague, imaginait-elle, la rapprochait de la rive opposée où régnait Jamaraj, le dieu de la mort.

Puis, comme le voyage semblait ne pas vouloir s'achever, elle trouva le courage de demander quelle était la longueur du fleuve et à quelle distance était la destination. Faute d'une réponse, elle invoqua le nom du batelier des morts. Alors, le chuchotement d'une voix rauque et profonde lui fit savoir qu'elle était vivante, sur le Gange, en compagnie de Kalua – et qu'il n'y avait ni destination ni but à leur voyage, sauf la nécessité de fuir. Même alors, elle ne se sentit pas vivante dans le même sens qu'avant : un sentiment curieux, une joie mélangée de résignation, lui envahissait le cœur, car elle avait l'impression d'avoir été vraiment morte puis délivrée à temps par une renaissance dans une nouvelle vie. Elle s'était débarrassée du corps de l'ancienne Deeti et du fardeau de son karma ; elle avait payé le prix que ses astres avaient exigé d'elle et elle était désormais libre de se créer un nouveau destin, celui qu'elle souhaiterait, avec qui elle choisirait – elle comprit que c'était avec Kalua que cette nouvelle vie serait vécue, jusqu'à ce qu'une autre mort vienne réclamer le corps qu'il avait arraché aux flammes.

Un petit clapotis et quelques grincements signalèrent que Kalua poussait le radeau vers la rive et, quand il l'eut enfoncé dans le sable, il prit Deeti dans ses bras et la déposa sur le sol. Puis, soulevant la plateforme, il disparut derrière un massif de grands joncs et, quand il revint la chercher, Deeti vit qu'il avait installé la plateforme de manière à la transformer en une petite île, cachée au milieu de la verdure. Après l'avoir allongée sur ce sol de bambou, il se recula, comme pour battre en retraite, et elle comprit que, incertain de la façon dont elle réagirait à sa présence maintenant qu'elle était saine et sauve, il avait peur. Elle l'appela, Kalua, viens, ne me laisse pas seule dans cet endroit inconnu, viens ici. Mais quand il s'allongea, elle aussi eut peur : tout à coup, elle prit conscience de son corps froid après sa longue immersion et de son sari blanc complètement trempé. Elle fut prise de frissons et sa main, tremblante, se posa sur celle de Kalua ; elle se rendit compte que lui aussi tremblait, et peu à peu leurs corps se rapprochèrent : tandis que chacun cherchait la chaleur de l'autre, leurs vêtements trempés se défirent, le langot comme le sari. Ce fut comme si elle était de nouveau sur l'eau : elle se rappela le contact de son corps et la manière dont il l'avait pressée de son bras contre sa poitrine. Du côté de son visage collé au sien, elle sentait le tendre frottement de sa joue pas rasée – de l'autre, appuyé contre le bambou, elle entendait les murmures de la terre et du fleuve, qui lui disaient qu'elle était vivante, vivante, et soudain elle eut l'impression que son corps s'éveillait au monde comme il ne l'avait jamais fait, coulant avec les vagues du fleuve, et aussi ouvert, aussi fécond que la rive tapissée de joncs.

Après, alors qu'il l'enveloppait de ses bras, il lui demanda de sa voix rude et rauque :

Ká sochawá ? À quoi penses-tu ?

... Je pense à la manière dont tu m'as sauvée aujourd'hui ; *sochat ki tu bacháwelá...*

C'est moi que j'ai sauvé aujourd'hui, chuchota-t-il. Parce que si tu étais morte, je n'aurais pas pu vivre ; *jinda na rah sakelá...*

Chut ! Ne dis rien de plus.

Toujours superstitieuse, elle trembla en l'entendant parler de mort.

Mais où irons-nous maintenant ? dit-il. Qu'allons-nous faire ? On va nous pourchasser partout, dans les villes et dans les villages.

Bien qu'elle n'eût pas plus de plan que lui, elle répondit :

Nous irons loin, très loin, nous trouverons un endroit où personne ne saura rien de nous excepté que nous sommes mariés.

Mariés ? dit-il.

Oui.

Elle se glissa hors de ses bras, s'enveloppa vite de son sari et alla vers le fleuve.

Où vas-tu ? cria-t-il.

Tu verras, répliqua-t-elle par-dessus son épaule.

Quand elle revint, drapée de son sari comme d'un voile arachnéen, elle portait une brassée de fleurs sauvages cueillies sur la rive. Elle les attacha à l'aide de quelques-uns de ses longs cheveux pour confectionner deux guirlandes : elle lui en donna une et tint l'autre au-dessus de la tête de Kalua avant de la glisser autour de son cou. Il savait ce qu'il devait faire, et quand l'échange des guirlandes les eut unis ils demeurèrent un moment stupéfaits par l'énormité de ce qu'ils venaient d'accomplir. Puis elle se glissa de nouveau entre ses bras, et elle fut emportée dans la chaleur de son corps, aussi vaste et protecteur que l'obscurité de la terre.

Deuxième partie

Fleuve

Huit

Une fois l'*Ibis* à quai, Zachary et Serang Ali ouvrirent les livres de comptes et payèrent à l'équipage ce qui lui était dû. De nombreux lascars disparurent immédiatement dans les bas-fonds de Kidderpore, avec leurs pièces de cuivre et d'argent soigneusement cachées dans les plis de leurs vêtements. Certains ne reverraient jamais l'*Ibis* mais d'autres revinrent quelques jours plus tard, volés, trompés, ayant dilapidé leurs salaires dans les cabarets et les bordels ou ayant découvert tout simplement que la vie à terre, si séduisante depuis la mer, l'était beaucoup moins quand on risquait le pied sur le terrain glissant des marins d'eau douce.

Il faudrait encore un certain temps avant que l'*Ibis* puisse être mis en cale sèche aux chantiers Lustignac de Kidderpore, où il devait être réparé et réaménagé. Pendant qu'il était à l'ancre sur le fleuve, seul un équipage réduit demeura à bord, avec Zachary et Serang Ali. Bien qu'en petit nombre, l'équipage continuait à fonctionner comme en mer, divisé en deux pors – ou quarts –, chacun sous la direction d'un tindal ; comme en mer, chaque por était de veille pendant quatre heures d'affilée, excepté durant les chhota-pors, les deux heures de « petit quart » à l'aube et au crépuscule. Le fait d'être en sécurité au port se payait par le risque accru de pillage et de vol, et il n'y avait donc pas de relâche dans la vigilance exigée durant le quart, ni aucun ralentissement dans le rythme du travail à bord : les inventaires à établir, les inspections à faire et, surtout, beaucoup de nettoyage à effectuer. Serang Ali ne cachait pas que pour lui un marin qui envoyait son bateau en mauvais état en cale sèche était pire que la pire des racailles de terriens, pire qu'une putain de sa mère de maquereau.

Le gali, l'argot, était un domaine du langage lascari dans lequel personne ne pouvait surpasser le serang. C'était en grande mesure cette facilité à égrener des insanités qui lui valait le respect illimité de Jodu. Lequel n'en était que plus déçu de constater que cette estime n'était certainement pas réciproque.

Jodu savait bien que les marins d'eau douce tels que lui étaient tenus en parfait mépris par les lascars coureurs d'océans : souvent, en passant à la rame devant un haut trois-mâts, il avait levé la tête pour voir un timonier ou un kussab lui lancer en riant des invectives, le traitant de dandi-wálá – joueur de bâton – avec une énumération des usages possibles du dit bâton. Côté insultes et moqueries, il était bien préparé et il aurait été même ravi d'en faire la démonstration, mais le serang ṇ'autorisait aucune familiarité entre lui et les autres lascars : de fait, il ne perdait aucune occasion de faire remarquer qu'il n'avait pas pris Jodu dans l'équipage de son plein gré et qu'il préférerait l'en voir partir. S'il lui fallait tout de même le supporter, à l'insistance de Zachary, alors ce ne pouvait être qu'en qualité de topas, l'emploi le plus bas chez les lascars – un balayeur, pour frotter les taches de pisse, nettoyer les latrines, laver les ustensiles, brosser les ponts et le reste. Pour rendre les choses aussi déplaisantes que possible, il avait même obligé Jodu à scier en deux son jharu : Plus court le balai, déclara-t-il, plus propre le travail – tu seras si près de la merde que tu sauras ce qu'a bouffé l'équipage avant de le chier. Sur le pied droit du serang, il y avait un ongle unique très soigné, d'un centimètre de long et limé très pointu. Quand Jodu, à quatre pattes, était en train de brosser le pont, le serang se glissait de temps en temps en douce derrière lui pour lui botter les fesses : *Chal sálá!* Tu crois que ça fait mal d'être enfilé par l'arrière? Réjouis-toi que ça ne soit pas un coup de canon dans ta batterie !

Au cours de ses premières semaines à bord de l'*Ibis*, le serang ne permit pas à Jodu de pénétrer à l'intérieur du navire, sauf pour aller nettoyer les latrines : même la nuit, il était obligé de dormir sur le pont. Un problème uniquement quand il pleuvait, ce qui n'arrivait pas souvent – autrement, Jodu n'était certes pas le seul des marins à chercher «la latte la plus souple du pont». C'est ainsi qu'il fut pris en amitié par Roger Cecil David, Rajoo-moussaillon pour ses compagnons de bord. Grand et maigre, Rajoo avait l'allure d'un piquet de tente et un teint assorti à la couleur goudronneuse des mâts de la goélette. Élevé dans une succession de missions chrétiennes, il aimait porter des chemises et des pantalons, et on le voyait souvent coiffé d'une casquette – pas pour lui, les longhis et bandanas des autres lascars. Ces goûts ambitieux pour un simple moussaillon lui valaient beaucoup de railleries – pas seulement parce que ses habits étaient faits de bouts de toile de voile. La plaisanterie à son sujet était, en bref, qu'il représentait le troisième mât de la goélette – un mât de misaine humain –, et ses sorties dans le gréement étaient souvent accompagnées de gros rires, avec les marins en charge des huniers faisant assaut de bons mots à ses dépens. Les possibilités de propos suggestifs étaient ici très riches car, à la différence des marins venus d'ailleurs, les lascars parlaient souvent de leurs bateaux au masculin, faisant allusion aux mâts comme à leur virilité – et utilisant le mot « lund » qui ressemblait beaucoup au terme généralement utilisé pour « jeune mousse », « launda ».

... *lund to yahã, par launda kahã...*
... voici la queue, mais où est le baiseur...
... il tente de hisser sa voile en hauteur...
... et il attend
... un bon coup... de vent...

Rajoo, pour sa part, aurait été ravi de céder sa place parmi les gabiers, pas seulement à cause de leurs plaisanteries douteuses mais aussi parce qu'il souffrait de vertige et se sentait toujours le cœur aux lèvres là-haut dans les haubans. Sa plus chère ambition était de quitter le gréement pour une position du genre serveur, cuistot ou steward, avec les pieds plantés fermement sur le pont. Comme Jodu, par ailleurs, ne désirait rien tant que de se retrouver sur le mât de misaine à l'avant, ils décidèrent très vite de conjuguer leurs talents pour faire aboutir l'échange.

C'est Rajoo qui guida Jodu dans l'étroite descente menant au poste d'équipage où étaient pendus les hamacs des lascars. Un espace que ses occupants désignaient par le mot « *faná* », ou capuchon, la couronne du cobra – car si on comparait le navire à une créature sinueuse vivante, alors la tête correspondait exactement au fana, niché dans l'étrave, sous le pont principal et au-dessus de la guibre, juste à l'arrière de l'attache du beaupré. Bien qu'il n'eût jamais mis le pied dans les quartiers choisis d'un navire de haute mer, Jodu connaissait bien le mot faná, et il s'était souvent demandé à quoi cela ressemblerait de vivre et de dormir à l'intérieur du crâne de la grande créature vivante qu'était un vaisseau. Être un fana-wala – un homme du capuchon de la proue – et vivre au-dessus de la guibre en labourant les océans était son grand rêve, mais le spectacle qui s'offrait à ses yeux à présent n'avait rien de merveilleux, et certainement rien des fabuleux joyaux d'une couronne de cobra. C'était un endroit sans air, étouffant et sombre, sans une source de lumière à part une unique lampe à huile attachée à un crochet. À la lueur de sa flamme crachotante, Jodu eut l'impression d'être tombé dans une cave moisie festonnée d'un bout à l'autre de toiles d'araignée – car, où que se portât son regard, il rencontrait un réseau de hamacs sur deux rangs, suspendus entre deux poutres. L'espace étroit, bas de plafond, avait la forme d'un triangle elliptique, avec des parois incurvées se rejoignant à la proue. Il n'atteignait même pas en hauteur la taille d'un homme adulte, pourtant les hamacs étaient pendus l'un au-dessus de l'autre, à pas plus des quarante centimètres réglementaires, de sorte que le nez de chaque occupant se heurtait à la barrière solide soit du plafond soit des fesses d'un compagnon. Étrange de penser que ces lits volants fussent appelés « jhulis », comme les balançoires données aux jeunes mariées ou aux enfants; quand vous entendiez le mot, vous vous imaginiez bercé gentiment par le mouvement d'un bateau – mais les voir devant soi étalés comme des filets dans une mare, c'était comprendre que vos heures de rêves se passeraient à vous tortiller tel un poisson pris au piège, pour tenter de trouver la place de respirer.

Jodu ne put s'empêcher de grimper dans l'un des jhulis – pour aussitôt s'en éjecter précipitamment sous l'effet d'une odeur composée non seulement de la puanteur d'un corps mais aussi des effluves accumulés du sommeil lui-même, associés aux émanations nauséabondes de couvertures sales, d'huile pour les cheveux, de suie et de plusieurs mois de bave, de pisse, de crachats, de rots et de pets. Le malheur voulut qu'il soit affecté ensuite au lavage et au nettoyage des hamacs : lesquels étaient si imprégnés de suie et de crasse qu'il semblait à Jodu que toute l'eau du Gange ne suffirait pas à les débarrasser de la sueur et des péchés de leurs ex-occupants. Et quand il eut enfin le sentiment d'avoir terminé son travail, il eut droit à la fureur du serang qui lui allongea une paire de gifles et l'obligea à tout recommencer :

T'appelles ça propre, hein, petite couille molle de mousse de mes deux ? Y a des tas de culs qui sont plus propres que ça !

Son nez dans la crasse, Jodu mourait d'envie de sauter dans le gréement, pour se retrouver avec les gabiers à bavarder dans les traverses – ce n'était pas pour rien que les lascars les appelaient «kursi», c'est-à-dire chaise, car c'était là qu'ils s'installaient quand ils décidaient de goûter confortablement à la fraîcheur de la brise. Un privilège perdu pour Rajoo-moussaillon qui n'en profitait jamais – alors que pour lui, Jodu, jeter simplement un coup d'œil dans la mâture était risquer un douloureux coup de pied dans le derrière de la part du serang. Quand il pensait à toutes les années qu'il avait passées à apprendre à distinguer un mât d'un autre, une voile de sa voisine – le *kalmí* du *dráwal*, le *dastúr* du *sawái* –, à tous ces efforts et ce savoir gaspillés pour finir accroupi près des dalots à récurer une chambrée de jhulis !

Aussi déplaisante qu'elle fût, la corvée eut une conséquence heureuse : avec le fana vidé de ses hamacs, tous ses occupants furent obligés de dormir sur le pont. Pas une terrible épreuve car le temps devenait de plus en plus chaud, en anticipation de la mousson prochaine, et il valait mieux dormir à ciel ouvert, même sur du bois. De plus, le grand air frais paraissait avoir pour effet de délier les langues, et les lascars bavardaient souvent tard dans la nuit, sous les étoiles.

Serang Ali ne se joignait jamais à ce genre de séances : il avait ses quartiers non dans le gaillard d'arrière mais dans le rouf, avec le steward, le voilier, les timoniers et quelques autres dont il se tenait d'ailleurs à l'écart. Une attitude due en partie à sa nature bourrue et impitoyable de partisan de la manière forte (pas un défaut aux yeux des lascars, dont aucun n'aimait travailler sous les ordres de serangs trop familiers ou ayant des « chouchous »), mais aussi à ses origines, demeurées obscures, même à ceux qui avaient servi sous lui pendant longtemps. Cela toute-fois n'était pas inhabituel, car beaucoup de lascars étaient des nomades, des vagabonds qui ne tenaient pas trop à parler de leur passé ; certains ne savaient même rien de leurs origines, ayant été vendus enfants aux ghat-serangs qui fournissaient de la main-d'œuvre aux navires de haute mer. Ces recruteurs se fichaient pas mal de l'identité de leurs recrues et d'où elles venaient ; pour eux, une paire de bras en valait une autre et leurs gangs kidnappaient des gamins tout nus dans la rue autant que des sadhus barbus dans les ashrams ; ils payaient des tenanciers de bordels pour droguer leurs clients et des brigands de grand chemin pour guetter les pèlerins.

Pourtant, aussi différents fussent-ils, la plupart des lascars de l'*Ibis* se savaient originaires d'un coin ou d'un autre du sous-continent. Le serang était une des rares exceptions : quand on le lui demandait, il répondait toujours qu'il était un musulman de l'Arakan, un Rohingya, mais certains affirmaient qu'il avait fait son apprentissage au sein d'un équipage chinois. Qu'il parlât couramment le chinois devint vite connu de tous et considéré comme une bénédiction, car cela signifiait que souvent, le soir, le serang partait dans le quartier chinois des quais de Calcutta, laissant les lascars libres de faire la fête à bord.

Parfois, quand Serang Ali et Zachary s'absentaient tous deux, l'*Ibis* se transformait : on envoyait un guetteur dans le gréement surveiller leur retour, puis quelqu'un partait acheter un pichet ou deux d'arack ou de doasta ; après quoi, tout l'équipage se réunissait sur le pont ou dans le fana pour chanter, boire et faire circuler quelques chillums. S'il n'y avait pas de ganja disponible, on brûlait des vieux bouts de toile, après tout de la même plante, qui fournissaient un peu de la saveur du cannabis.

Les deux quartiers-maîtres – Babloo Tindal et Mamdoo Tindal – avaient servi ensemble depuis leurs débuts : ils étaient aussi dévoués l'un à l'autre qu'une paire de grues au nid, bien qu'ils fussent originaires d'endroits très éloignés, l'un étant un hindou de Calcutta, l'autre un musulman chiite de Lucknow. Babloo Tindal, dont le visage était criblé des cicatrices du combat dans son enfance contre la petite vérole, possédait une paire de mains rapides et un réel talent pour battre des rythmes vifs sur le dos des marmites et des pots en métal ; Mamdoo Tindal était grand et souple et, quand l'humeur l'en prenait, il se débarrassait de son lungi et de son banyan pour revêtir un sari, un choli et des dupattas ; avec du khôl autour des yeux et des anneaux de cuivre pendus aux oreilles, il assumait son autre identité, celle d'une danseuse aux pieds d'argent nommée Ghaseeti Begum. Ce personnage avait une vie compliquée, jonchée de cœurs brisés, de mots d'esprit et de multiples chagrins obsessionnels – mais c'était sa danse qui lui valait sa célébrité, et ses performances dans le fana étaient telles que peu de membres de l'équipage éprouvaient le besoin d'aller ailleurs voir ce genre de spectacle : pourquoi payer à terre pour ce qu'on avait gratis à bord ?

Parfois, les lascars se réunissaient à l'avant pour écouter les récits des anciens. Il y avait le steward, Cornelius Pinto, un catholique de Goa aux cheveux gris, qui prétendait avoir fait deux fois le tour du monde, sur toutes sortes de bateaux et en compagnie de toutes sortes de marins, y compris des Finnois connus pour être les seigneurs magiciens de la mer, capables de commander aux vents en sifflant. Il y avait aussi Cassem-meah qui, jeune homme, avait vécu à Londres, en qualité de valet de chambre d'un armateur, et avait passé six mois dans une pension de Cheapside où logeaient d'autres lascars : ses histoires de cabaret faisaient mourir d'envie tout un chacun. Il y avait encore Sunker, un homme-enfant rabougri d'âge indéterminé, avec des jambes arquées et le visage triste d'un singe enchaîné : il était né, clamait-il, dans une famille de propriétaires terriens de haute caste mais un serviteur en veine de vengeance l'avait enlevé et vendu à un ghat-serang. Enfin, il y avait Simba Cader, de Zanzibar, sourd d'une oreille : c'était le plus vieux de tous et il affirmait avoir perdu l'audition alors qu'il servait sur un bâtiment de guerre anglais ; après quelques bonnes lampées de doasta, il racontait la terrible bataille au cours de laquelle ses tympans avaient été percés par un coup de canon. Il en parlait comme si ça s'était vraiment passé, avec des centaines de navires se tirant dessus à coups de canon : mais qui aurait été assez bête pour croire qu'une grande bataille avait vraiment eu lieu dans un endroit appelé «Maison des trois fruits» – Tri-phal-ghar ?

Jodu aurait donné cher pour faire partie de ce contingent, se voir confier une veille et trouver une place là-haut, perché à l'extrémité d'une vergue, mais Serang Ali ne l'entendait pas ainsi, et, lors de l'unique occasion où Jodu mentionna ses aspirations, il reçut en retour un autre coup de pied dans le derrière.

C'est le seul morceau de toi qui va se retrouver en haut de ce mât avec la vergue bien enfoncée dans ton dalot !

Steward Pinto, qui avait tout vu de ce qu'on peut voir à bord d'un bateau, suggéra à Jodu une raison à l'attitude hostile du serang à son égard :

C'est à cause de la jeune memsahib, dit le steward. Le serang-ji a des plans pour le malum et il a peur qu'elle l'en détourne.

Quels plans ?

Qui sait ? Ce qui est sûr, c'est qu'il ne veut pas que quiconque se mette en travers du chemin du malum, encore moins une fille.

Quelques jours plus tard, comme pour confirmer les propos du steward, Jodu fut convoqué au guindeau pour une conversation avec Zikri Malum. Visiblement mal à son aise, l'officier demanda d'un ton bourru :

— Tu connais bien Miss Lambert, mon garçon ?

Puisant dans ses réserves limitées de hookums, Jodu répliqua :

254

— De la proue à la poupe, monsieur !

— Hé, dis donc ! répliqua sèchement le malum, est-ce là une manière de parler d'une dame ?

— Désolé, monsieur. Un temps de chien !

Ayant décidé qu'il se heurtait à une impasse, le malum appela Serang Ali pour traduire, et ce à la grande horreur de Jodu. Se tortillant sous le regard acéré du serang, le mousse fit marche arrière toute, ne fournissant que des réponses laconiques aux questions du malum, faisant tout ce qu'il pouvait pour suggérer qu'il connaissait à peine Miss Lambert, puisqu'il n'avait été qu'un simple domestique de son père.

Il soupira de soulagement quand Serang Ali se tourna vers l'officier pour lui raconter :

— Le mousse dit le père de la fille est mort. Ce type faisait beaucoup d'arbres. Touletan dans la plante. Dans sa poche pas d'argent. Après il meurt, cette fille-là elle attrape un père numéro deux, Mr Burnham. Maintenant elle est trop heureuse dedans. Mange gros-gros riz. Mieux Malum Zikri, il oublie elle. Comment lui peut apprendre parler marin, si touletan penser dames-dames ? Bien mieux s'occuper bateau jusqu'au moment mariage.

Le malum prit bizarrement ombrage de ce propos.

— Sacrebleu, Serang Ali ! s'écria-t-il en bondissant. Tu ne penses donc jamais à rien d'autre qu'à baiser et forniquer ?

Exaspéré, le malum fila à grands pas et, dès qu'il eut disparu, le serang allongea à Jodu une énième méchante gifle.

T'essayes de lui trouver une femme, hein ? Je te tuerai d'abord, espèce de lèche-cul...

Informé de cet incident, Steward Pinto secoua la tête, très étonné.

À la manière dont le serang se conduit, dit-il, on croirait qu'il veut garder le malum pour une de ses filles à lui.

*

Deeti et Kalua savaient tous deux que leur meilleure chance de fuite était de descendre le Gange avec l'espoir d'atteindre une ville, grande ou petite, où ils pourraient se fondre dans la foule : un endroit comme Patna, peut-être, ou même Calcutta. Bien que Patna fût de beaucoup la plus proche des deux cités, elle se trouvait tout de même à dix bonnes journées de distance, et faire le trajet par la route présentait un gros risque d'être reconnus : la nouvelle de leur fuite s'était certainement répandue largement à présent et, s'ils étaient rattrapés, ils savaient ne pouvoir espérer aucune pitié, même de la part de leurs propres familles. La prudence exigeait qu'ils restent sur le fleuve et poursuivent leur voyage sur le radeau improvisé de Kalua tant qu'il pourrait supporter leur poids. Heureusement, il y avait assez de bois flottant sur la rive pour doubler les bambous et plein de joncs pour fabriquer des bouts de corde ; après une journée passée à réparer et renforcer la fragile embarcation, ils reprirent leur voyage vers l'est.

Deux jours plus tard, ils étaient en vue de la maison où Kabutri vivait désormais avec la famille du frère absent de Deeti. Une fois qu'elle eut repéré la maison, il fut impossible pour Deeti de continuer sa route sans tenter de voir sa fille. Elle savait qu'une rencontre avec Kabutri serait au mieux une entrevue volée, brève, exigeant beaucoup de patience et d'astuce mais, connaissant bien le terrain, elle était certaine de pouvoir rester cachée jusqu'à ce qu'elle ait l'occasion de surprendre l'enfant seule.

La maison natale de Deeti – habitée maintenant par la famille de son frère – était une baraque au toit de chaume située juste au confluent du Gange avec un fleuve moins important, le Karamnasa. Ainsi qu'en témoignait son nom – «Destructeur de karma» –, cet affluent du fleuve sacré avait mauvaise réputation : on disait que le contact de son eau pouvait effacer toute une vie de mérite durement gagné. Les deux fleuves – le Gange sacré et son affluent annihilateur de karma – se trouvaient à distance égale de l'ancienne maison de Deeti, qui savait que les femmes de la famille préféraient aller vers le plus propice des deux quand elles avaient besoin de se baigner ou de rapporter de l'eau. Deeti choisit donc d'attendre sur la rive du Gange, laissant Kalua sur le radeau à un mile en amont. Elle n'eut pas de mal à trouver où se cacher derrière les nombreux rochers qui parsemaient les bords du fleuve. De là où elle était, elle avait une excellente vue des deux cours d'eau, et sa longue veille lui donna tout le temps de réfléchir aux histoires qu'on racontait sur le Karamnasa et la souillure qu'il pouvait causer aux âmes des morts. Le paysage autour des rives avait beaucoup changé depuis l'enfance de Deeti, et elle avait l'impression que l'influence du Karamnasa avait débordé sur ses rives, répandant sa tache bien au-delà des terres qui dépendaient de son eau : la récolte d'opium achevée depuis peu, les plantes avaient été laissées à se dessécher dans les champs de sorte que toute la campagne était couverte de vestiges parcheminés. À part les feuillages de quelques manguiers et de jacquiers, aucune verdure ne venait agrémenter la vue. C'était ce spectacle, elle le savait, que devaient présenter ses propres champs, et si elle avait été chez elle aujourd'hui, elle serait en train de se demander de quoi elle se nourrirait dans les mois à venir : où étaient les légumes, le blé ? Il lui suffisait de regarder autour d'elle pour savoir qu'ici, comme dans le village qu'elle avait fui, tous les terrains étaient en gage chez les agents de la factorerie d'opium : chaque fermier avait un contrat qui ne lui laissait d'autre choix que de semer ses champs de pavots. Et maintenant, avec la récolte terminée et peu de grains à la maison, il leur faudrait à tous s'enfoncer encore plus dans les dettes pour nourrir leurs familles. À croire que le pavot était devenu le porteur de la souillure mauvaise du Karamnasa.

Le premier jour, Deeti aperçut deux fois Kabutri, mais elle fut à chaque occasion obligée de rester dans sa cachette car la petite était accompagnée de ses cousines. Néanmoins, simplement la voir fut une ample récompense pour Deeti : il lui sembla miraculeux que sa fille ait changé si peu dans un laps de temps où elle-même était passée de la vie à la mort et de la mort à la vie.

À la tombée de la nuit, Deeti rebroussa chemin jusqu'au radeau, où elle retrouva Kalua en train d'allumer un feu pour leur repas du soir. Au moment de leur fuite, Deeti ne portait qu'un seul ornement, un anneau de nez en argent – le reste de ses bijoux, Chandan Singh avait eu bien soin de les lui ôter avant de la conduire au bûcher. Cette babiole s'était pourtant révélée inestimable car Deeti avait pu la troquer, dans un petit village au bord du fleuve, contre un peu de satua, une farine de pois chiches grillés, denrée de base fiable et nourrissante pour tous les voyageurs et pèlerins. Chaque soir, Kalua allumait un feu et Deeti pétrissait et cuisait un nombre de rotis suffisant pour leur consommation de la journée. Avec le Gange à portée de main, ils n'avaient jamais jusqu'ici manqué ni de nourriture ni d'eau.

À l'aube, Deeti regagna sa cachette, et la journée s'écoula sans la moindre apparition de Kabutri. Ce n'est qu'au coucher du soleil, le lendemain, que Deeti repéra sa fille s'avançant seule vers le Gange, une jarre en terre cuite en équilibre sur sa taille. Deeti resta dans l'ombre tandis que la petite entrait en pataugeant dans l'eau, et c'est après s'être assurée que sa fille n'était pas accompagnée qu'elle la suivit. Afin de ne pas la faire sursauter, elle chuchota une prière familière :

Jai Ganga Mayya ki...

Une initiative malavisée car Kabutri reconnut aussitôt sa voix : elle se retourna et, en voyant sa mère derrière elle, elle lâcha sa jarre et poussa un hurlement terrifié. Puis elle perdit conscience et tomba de côté dans l'eau. Le pichet fut emporté par le courant et Kabutri l'aurait été aussi si Deeti ne s'était jetée à l'eau et n'avait réussi à la rattraper par un bout de son sari. L'eau ne lui arrivant qu'à la taille, Deeti put passer les mains sous les bras de l'enfant afin de la tirer vers la rive. Une fois sur la terre ferme, elle la souleva, la mit sur son épaule et l'emmena dans un coin abrité entre deux bancs de sable.

Ei Kabutri... ei beti... meri ján!

Berçant sa fille sur ses genoux, Deeti lui embrassa le visage jusqu'à ce que les paupières de l'enfant se mettent à papilloter. Mais quand elle ouvrit les yeux, Deeti vit qu'ils étaient dilatés par la peur.

Qui es-tu ? cria Kabutri. Es-tu un fantôme ? Que veux-tu de moi ?

Kabutri ! lança sèchement Deeti. *Dekh mori suratiya* – regarde mon visage. C'est moi, ta mère : tu ne me vois pas ?

Mais comment est-ce possible ? Ils ont dit que tu étais partie, morte. Kabutri tendit la main pour toucher le visage de sa mère, caresser du bout des doigts ses yeux et ses lèvres. Est-il possible que ce soit toi ? Vraiment ?

Deeti serra encore plus fort sa fille.

Oui, c'est moi, c'est moi, Kabutri ; je ne suis pas morte ; je suis ici : regarde. Que t'ont-ils dit d'autre à mon sujet ?

Que tu étais morte avant qu'on ait pu allumer le bûcher ; ils ont dit qu'une femme comme toi ne pouvait pas devenir une sati ; que le ciel ne le permettrait pas – ils ont dit que ton corps avait été emporté par le fleuve.

Deeti hocha la tête, comme pour approuver : il valait mieux que l'on crût à cette version ; tant qu'on la penserait morte, personne ne partirait à sa recherche ; elle, Kabutri, ne devrait jamais dire quoi que ce soit qui puisse suggérer le contraire, jamais laisser échapper un mot au sujet de cette rencontre...

Mais qu'est-il vraiment arrivé ? demanda l'enfant. Comment t'es-tu enfuie ?

Deeti avait préparé une explication soigneusement réfléchie pour sa fille : elle ne dirait rien, avait-elle décidé, de la conduite de Chandan Singh ni de sa paternité ; pas plus qu'elle ne parlerait de l'homme que sa fille avait connu comme son père : tout ce qu'elle lui dirait, c'était qu'elle, Deeti, avait été droguée, au cours d'une tentative d'immolation, et secourue alors qu'elle était encore inconsciente.

Mais comment ? Par qui ?

Les évasions que Deeti avait inventées pour le bénéfice de Kabutri lui échappèrent de l'esprit : avec la tête de sa fille sur les genoux, elle ne pouvait se résoudre à mentir. Tout d'un coup elle lâcha :

C'est Kalua qui a organisé ma fuite. *Woh hi bacháwela* – c'est lui qui m'a sauvée.

Kalua bacháwela ? Kalua t'a sauvée ?

Était-ce de l'indignation ou de l'incrédulité qu'elle entendait dans la voix de Kabutri ? Déjà en proie à toutes sortes de sentiments de culpabilité, Deeti se mit à trembler, en anticipation du verdict de sa fille sur sa fuite avec Kalua. Mais quand la gamine reprit, ce fut sur un ton non de colère mais de curiosité enthousiaste :

Est-il avec toi maintenant ? Où allez-vous ?

Loin d'ici ; dans une ville.

Une ville ! Kabutri lança un bras suppliant autour de la taille de Deeti. Je veux y aller aussi ; emmène-moi avec toi ; dans une ville.

Jamais Deeti n'aurait souhaité céder à sa fille autant que maintenant. Mais son instinct lui dictait le contraire.

Comment pourrais-je t'emmener, beti ? *Saré jindagi aisé bhatkátela ?* Pour errer toute ta vie ? Comme moi ?

Oui, comme toi.

Non.

Deeti secoua la tête ; elle avait beau mourir d'envie d'emmener sa fille avec elle, elle savait qu'elle devait résister : elle n'avait aucune idée de ce qui les attendait, Kalua et elle, ni d'où leur viendrait leur prochain repas, encore moins où ils seraient la semaine suivante, le mois suivant. Au moins, avec sa tante et ses cousins, la petite serait en de bonnes mains ; mieux valait qu'elle reste ici jusqu'à...

... Jusqu'à ce que le temps soit venu, Kabutri, – et quand il le sera, je reviendrai pour toi. Tu ne crois pas que je voudrais t'avoir avec moi ? Tu ne le crois pas ?

Sais-tu ce que cela signifie pour moi de te laisser ici ? Le sais-tu, Kabutri ? Le sais-tu ?

Kabutri se tut, et quand elle parla de nouveau ce fut pour dire quelque chose que Deeti n'oublierait jamais :

Quand tu reviendras, tu me rapporteras des bracelets ? *Hamré khátir churi lelaiya ?*

*

Aussi las fût-il du monde, Baboo Nob Kissin comprit qu'il aurait à le supporter encore un moment. Son meilleur espoir de trouver une place à bord de l'*Ibis* était de briguer le poste de subrécargue, qu'il risquait fort de ne pas obtenir, il le savait, s'il donnait l'apparence d'avoir perdu tout intérêt pour son travail. Il savait aussi que si Mr Burnham devait avoir le moindre soupçon quant à une possible intention païenne derrière sa quête de ce poste, l'affaire serait abruptement close. Par conséquent, pour l'heure, décida Baboo Nob Kissin, il était impératif qu'il s'applique à ses fonctions et montre le moins de signes possible des transformations capitales qui se passaient en lui. Une tâche peu facile, car il avait beau tenter de s'en tenir de très près à sa routine, il était plus conscient que jamais que tout avait changé et qu'il voyait le monde de façon nouvelle et inattendue.

Il était par instants saisi d'intuitions d'une soudaineté aveuglante. Un jour, alors qu'il remontait en bateau le long de Tolly's Nullah, son regard tomba sur une baraque en bois, au milieu d'un terrain en friche couvert de palétuviers ; ce n'était qu'une plateforme primitive de bambou et de chaume, mais elle se dressait à l'ombre d'un kewra luxuriant, et sa simplicité même rappela au gomusta ces retraites dans la forêt où les grands sages et ascètes du passé, disait-on, passaient leur vie à méditer.

Or ce matin-là, justement, Baboo Nob Kissin Pander avait reçu un billet de Ramsaran-ji, le recruteur : il était encore au cœur du pays, écrivait le duffadar, mais il pensait parvenir à Calcutta d'ici à un mois, avec une grande quantité de migrants, hommes et femmes. La nouvelle avait ajouté une note d'urgence aux multiples soucis du gomusta : où logerait-on ces travailleurs à leur arrivée ? Un mois ne suffirait pas à trouver des aménagements pour tant de personnes.

Dans le passé, les duffadars tels que Ramsaran-ji avaient logé leurs recrues chez eux jusqu'à leur embarquement. Cependant cette méthode s'était révélée insatisfaisante pour plusieurs raisons : d'abord, elle plongeait les futurs émigrants dans la vie citadine, les exposant à toutes sortes de rumeurs et de tentations. Dans un endroit comme Calcutta, les individus prêts à profiter de pauvres paysans simples d'esprit ne manquaient pas et, récemment encore, quantité de recrues s'étaient enfuies à cause d'histoires répandues par des fauteurs de troubles ; certaines avaient trouvé à s'employer en ville et d'autres étaient reparties tout droit dans leur village. Quelques duffadars avaient tenté de garder les leurs sous clé en les enfermant chez eux à double tour, pour se retrouver avec des émeutes, des incendies et des évasions sur les bras. Le climat malsain de la ville était un problème supplémentaire car, chaque année, un bon nombre de travailleurs mouraient de maladies contagieuses. Du point de vue d'un investisseur, chaque mort, chaque évadé et chaque recrue malade représentaient une perte sérieuse : il était tout à fait clair que si on ne résolvait pas le problème, l'affaire cesserait d'être profitable.

C'est la réponse à cette question qui surgit devant ses yeux ce jour-là : il fallait construire un camp, à cet endroit, sur la rive du Tolly's Nullah. Comme dans un rêve, Baboo Nob Kissin eut la vision d'un groupe de huttes édifiées là, pareilles aux dortoirs d'un ashram : il y aurait un puits pour l'eau potable, un ghat pour les bains, quelques arbres en fait d'abri et un espace pavé où la nourriture des pensionnaires serait cuisinée et mangée. Au cœur du complexe se dresserait un petit temple, pour marquer le début du voyage vers Mareech : le gomusta voyait déjà sa flèche percer les volutes de fumée du ghat d'incinération ; il imaginait les travailleurs, rassemblés à son entrée, réunis pour dire leurs dernières prières sur le sol natal ; ce serait leur souvenir final du Jambudwipa, l'Inde sacrée, avant d'affronter l'Eau noire. Ils en parleraient à leurs enfants et aux enfants de leurs enfants qui y retourneraient, génération après génération, pour rendre hommage à la mémoire de leurs ancêtres.

*

La prison de Lalbazar se dressait au centre surpeuplé de Calcutta comme un poing gargantuesque enserrant le cœur de la ville. La sévérité de l'extérieur de la prison était cependant trompeuse : derrière sa façade massive en brique rouge s'étendait un labyrinthe de cours, corridors, bureaux, casernements et armureries. Les cellules ne constituaient qu'une petite partie de cet énorme ensemble car, en dépit de son nom, Lalbazar n'était pas vraiment un centre d'incarcération mais plutôt une sorte de voie de garage où l'on retenait les prisonniers en attente de leur procès. Abritant aussi le quartier général de la police municipale, c'était un endroit agité, grouillant, constamment animé par un va-et-vient d'officiers, de péons, de prisonniers, de policiers, de vendeurs ambulants et de mouchards.

Neel était logé dans l'aile administrative, très éloignée des zones où d'autres prisonniers moins fortunés étaient détenus. Deux bureaux avaient été déblayés pour lui et aménagés en un appartement confortable comprenant une chambre, une salle de réception et un petit office. On lui avait aussi accordé le privilège d'un domestique qui faisait son ménage et lui servait ses repas ; nourriture et eau, tout ce qu'il mangeait et buvait, venaient de ses propres cuisines – car ses geôliers ne pouvaient pas laisser dire qu'ils avaient forcé le raja de Raskhali à perdre sa caste avant même que son cas ne soit porté au tribunal. La nuit, les portes de l'appartement de Neel étaient gardées par des policiers qui le traitaient avec la plus grande déférence ; s'il ne réussissait pas à dormir, ces sentinelles le distrayaient avec des jeux de dés, de cartes ou d'échecs. Dans la journée, Neel pouvait recevoir autant de visiteurs qu'il le souhaitait, et les gomustas et mootsuddies du zemindary venaient si souvent qu'il n'avait pas de difficultés à gérer les affaires du domaine de l'intérieur de la prison.

Au-delà de toutes ces concessions, Neel appréciait surtout le privilège qui ne pouvait être mentionné publiquement : le droit d'utiliser les latrines propres et bien éclairées réservées aux officiers. Neel avait été élevé dans un respect du corps et de ses fonctions qui frisait l'ésotérique : cela était largement dû à sa mère pour qui toute possible profanation corporelle était une préoccupation ne lui laissant jamais ni paix ni repos. Même si, de bien des manières, elle était une femme aimante, calme et douce, les usages de sa caste et de sa classe ne constituaient pas pour elle un simple ensemble de règles et d'obligations mais la racine même de son être. Négligée par son époux et vivant séquestrée à l'intérieur d'une aile sombre du palais, elle avait consacré sa remarquable intelligence à l'invention de rituels de propreté et de purification extraordinairement élaborés : il ne lui suffisait pas de se laver les mains pendant une demi-heure, avant et après chaque repas, il lui fallait aussi s'assurer que le récipient d'où avait été versée l'eau avait été soigneusement nettoyé, tout comme le seau venant du puits, et ainsi de suite. Sa peur se concentrait sur les hommes et les femmes qui vidaient les latrines et disposaient du contenu : ces balayeurs et vidangeurs nocturnes, elle les haïssait tant que se tenir hors de leur chemin était devenu l'un de ses soucis majeurs. Quant aux outils des éboueurs – des jharus faits de fibres de feuilles de palme –, ni poignard ni serpent ne lui avaient jamais inspiré un plus profond malaise que ces objets, dont la seule vue pouvait la hanter des jours durant. Ces craintes et angoisses avaient créé un mode de vie trop peu naturel pour être très longtemps maintenu, et elle mourut alors que Neel n'avait que douze ans, lui léguant une méticulosité extrême à l'égard de sa personne. Et donc, pour Neel, rien dans sa captivité n'était plus terrifiant que l'idée de partager des commodités avec des douzaines de prisonniers de droit commun.

Pour atteindre les latrines des officiers, Neel devait traverser plusieurs cours et corridors, dont certains offraient un aperçu des autres détenus – qui souvent paraissaient se battre pour un peu d'air et de lumière, le nez pressé contre les barreaux, comme des rats pris au piège. La vue des épreuves subies par ces malheureux faisait apprécier encore davantage à Neel la considération dont il jouissait : à l'évidence, les autorités britanniques tenaient à rassurer le public quant à l'extrême correction avec laquelle était traité le raja de Raskhali. De fait, les inconvénients de son emprisonnement à Lalbazar étaient si minimes que Neel aurait presque pu s'imaginer en vacances, n'eût été l'interdiction de recevoir de visite de femmes ou d'enfants. Même cela d'ailleurs n'était pas une grande perte, puisqu'en aucun cas Neel n'aurait permis à son épouse ou à son fils de se souiller en pénétrant dans une prison. D'un autre côté, il aurait été très heureux de recevoir Elokeshi, mais celle-ci n'avait plus donné de nouvelles depuis l'arrestation : on pensait qu'elle avait filé hors de la ville pour éviter d'être interrogée par la police. Difficile pour Neel de se plaindre d'une absence aussi judicieuse.

Son incarcération était si peu pesante que Neel n'arrivait pas vraiment à prendre ses problèmes légaux très au sérieux. Ses parents et alliés parmi l'aristocratie de Calcutta lui avaient dit que son procès serait tout de façade, destiné à convaincre le public de l'impartialité de la justice britannique : il était certain d'être acquitté ou bien condamné très légèrement à une peine purement de principe. On l'assurait avec insistance qu'il n'avait aucune raison de s'inquiéter : d'immenses efforts étaient faits en sa faveur par d'importantes personnalités, lui affirmait-on ; chacune de ses relations jouait au maximum de son influence ; tous ces gens seraient certainement capables de faire bouger les choses, peut-être même à l'intérieur du Conseil du gouverneur général. En tout cas, il était impensable qu'un membre de leur communauté fût traité comme un criminel ordinaire.

L'avocat de Neel se montra d'un optimisme prudent : petit homme incapable de tenir en place, Mr Rowbotham avait la pugnacité agressive d'un de ces terriers poilus qu'on voyait parfois dans le Maidan tirant une mem-sahib au bout de sa laisse. Sous ses sourcils généreux et ses favoris abondants, on ne discernait pratiquement plus rien de son visage, sinon deux yeux noirs vifs et un nez de la taille et de la couleur d'un litchi mûr.

Après avoir examiné le dossier de Neel, Mr Rowbotham offrit sa première opinion :

— Laissez-moi vous dire, cher raja, lâcha-t-il tout de go, il n'existe pas un seul jury au monde qui vous acquitterait – surtout un jury constitué principalement de négociants et de colons anglais.

— Monsieur Rowbotham, répliqua Neel, choqué, suggérez-vous que je puisse être déclaré coupable ?

— Je refuse de vous leurrer, mon cher raja. Je crois fort possible qu'un tel verdict soit délivré. Néanmoins, il n'y a aucune raison de désespérer. À mon avis, c'est la sentence qui nous intéresse, pas le verdict. Aussi bien, vous pourriez vous en sortir avec une amende et quelques confiscations. Si ma mémoire est bonne, un cas similaire s'est conclu récemment par une sentence condamnant simplement l'accusé à une forte amende et à la risée publique : l'homme a dû faire le tour de Kidderpore assis à l'envers sur un âne !

Neel en demeura bouche bée de stupéfaction.

— Monsieur Rowbotham, murmura-t-il, atterré, croyez-vous qu'un tel sort pourrait s'abattre sur le raja de Raskhali ?

— Et alors, si cela était, cher raja ? s'écria l'avocat, l'œil pétillant. Ce n'est pas ce qui pourrait arriver de plus mal, non ? Ne serait-il pas bien pire que toutes vos propriétés fussent confisquées ?

— Pas du tout, répliqua promptement Neel. Rien ne pourrait être pire que de perdre ainsi la face. Il vaudrait bien mieux que je sois débarrassé de toutes mes possessions. Enfin je serais libre de vivre dans une mansarde et d'écrire de la poésie – comme votre admirable Mr Chatterton.

Les gros sourcils de l'avocat se nouèrent en une expression de totale perplexité.

— Mr Chatterjee, dites-vous ? demanda-t-il, surpris. Vous faites allusion à mon premier clerc ? Je vous assure, mon cher raja, il ne vit pas dans une mansarde – quant à sa poésie, eh bien, c'est la première fois que j'en entends parler...

Neuf

C'est dans le village de Chhapra, au bord du fleuve, à une journée de distance de Patna, que Deeti et Kalua tombèrent de nouveau sur le duffadar qu'ils avaient rencontré à Ghazipur.

Plusieurs semaines s'étaient écoulées depuis le début de leur voyage, et leur espoir d'atteindre une ville avait sombré en même temps que leur radeau dans le dédale jonché de bancs de sable traîtres qui marque la jonction du Gange avec son turbulent affluent, le Ghagara. Leur dernière cuillère de satua finie, ils avaient été réduits à la mendicité aux portes des temples de Chhapra, où ils étaient arrivés après avoir abandonné les débris de leur radeau.

Ils avaient tous deux tenté de trouver du travail, mais les emplois étaient rares dans un Chhapra regorgeant de centaines d'autres pauvres migrants, dont beaucoup étaient prêts à suer à mort pour quelques poignées de riz. Un grand nombre de ces gens avaient été chassés de leur village par l'inondation de fleurs qui avait submergé la campagne : des terres autrefois nourricières étaient désormais envahies par la marée montante des pavots. La nourriture devenait si difficile à se procurer que les gens étaient tout heureux de pouvoir lécher les feuilles dans lesquelles se faisaient les offrandes aux temples ou de siroter l'eau farineuse d'un pot où avait cuit du riz. C'était souvent de pareilles miettes que Deeti et Kalua se nourrissaient ; parfois, la chance aidant, Kalua se débrouillait pour glaner un petit quelque chose en travaillant comme porteur sur les quais du fleuve.

Marché et port tout à la fois, visité par quantité de navires, Chhapra offrait des quais où l'on pouvait gagner quelques pièces en chargeant ou déchargeant les bateaux et les péniches. Quand ils ne mendiaient pas au temple, c'était là que Deeti et Kalua passaient le plus clair de leur temps. Ils y dormaient aussi car, la nuit, il faisait bien plus frais au bord du fleuve que dans la ville surpeuplée. À la saison des pluies, il leur faudrait trouver un différent refuge, mais en attendant celui-ci en valait largement un autre. Chaque soir, en s'y rendant, Deeti répétait : *Suraj dikhat áwé to rástá mit jáwé* – quand le soleil se lèvera, le chemin se montrera –, et elle y croyait si fermement qu'elle se refusa toujours à perdre espoir, même aux pires moments.

Un beau matin, alors que le ciel à l'est commençait à briller des premiers rayons du soleil, Deeti et Kalua découvrirent en se réveillant un grand babu d'homme, beaux habits et moustache blanche, qui arpentait le ghat tout en se plaignant avec colère du retard de son passeur. Deeti le reconnut presque aussitôt.

C'est ce duffadar, Ramsaran-ji, chuchota-t-elle à Kalua. Il était dans la carriole avec nous, ce jour-là, à Ghazipur. Pourquoi tu ne vas pas voir si tu peux l'aider ?

Kalua se brossa, joignit respectueusement les mains et s'avança vers Ramsaran-ji. Très vite, il revint raconter que le duffadar voulait passer sur l'autre rive du fleuve pour y chercher un groupe d'hommes qui l'attendait. Il devait partir sur-le-champ, car il savait que la flotte de l'opium allait arriver et que le fleuve serait alors fermé à tout autre trafic plus tard dans la journée.

Il m'a offert deux dams et un adhela pour le faire traverser, dit Kalua.

Deux dams et un adhela ! Et tu es encore là debout planté les bras ballants ? s'écria Deeti. *Kai sochawa ?* À quoi réfléchis-tu ? Vas-y, na, jaldi !

Quelques heures plus tard, Deeti, assise à l'entrée du célèbre temple Ambaji de Chhapra, vit venir vers elle Kalua. Qui, sans lui laisser le temps de poser la moindre question, annonça :

Je vais tout t'expliquer, mais avant tout, viens, allons manger : *chal, jaldi-jaldi khanwa khá lei.*

Khanwa ? Nourriture ? On t'a donné de la nourriture ?

Chal !

Jouant du coude pour écarter la foule d'affamés qui se regroupait autour d'eux, il s'en éloigna d'abord suffisamment pour montrer à Deeti ce qu'il avait rapporté, empaqueté dans de grandes feuilles de bananier : de succulentes parathas farcies de satua, du confit de mangues, des pommes de terre masala, des légumes sucrés et d'autres douceurs – des parwal-ka-mithai et de délicieuses khubi-ka-lai de Barh.

Une fois le tout dévoré, ils se reposèrent un moment à l'ombre d'un arbre, et Kalua fit à Deeti un récit détaillé des événements. En arrivant sur la rive opposée du fleuve, le duffadar et lui avaient trouvé huit hommes qui les attendaient en compagnie d'un des sous-agents du duffadar. Sur place, au bord même du fleuve, les hommes avaient inscrit leurs noms sur des girmits ; une fois ces sortes de contrats scellés, ils avaient reçu chacun une couverture, de quoi se vêtir et une écuelle en cuivre. Puis, pour célébrer leur nouveau statut de girmitiyas, ils avaient eu droit à un repas – et c'étaient les restes de ce festin que le duffadar avait donnés à Kalua. Un cadeau qui n'avait pas été sans soulever des protestations : aucun de ces hommes n'était étranger à la faim et, aussi rassasiés qu'ils fussent tous, ils avaient été choqués par la quantité de nourriture abandonnée à Kalua. Cependant le duffadar leur avait dit de ne pas s'inquiéter : ils mangeraient tout leur content à chaque repas ; à partir de ce jour et jusqu'à leur arrivée à Mareech, ils n'auraient rien d'autre à faire que de manger et de prendre des forces.

Cette affirmation avait suscité beaucoup d'incrédulité. Un des hommes avait demandé : Pourquoi ? Serons-nous engraissés pour le sacrifice, comme des moutons avant l'Id ?

Le duffadar avait ri et répondu que c'était lui qui festoierait sur des moutons gras.

Au retour, tout à coup, le duffadar avait dit à Kalua que s'il avait envie de s'engager aussi, il en serait heureux : il avait toujours de la place pour des grands types costauds. Ce qui avait fait un peu perdre la tête à Kalua. Moi ? s'était-il écrié. Mais, malik, je suis marié...

Ça ne fait rien, avait répliqué le duffadar. Beaucoup de girmitiyas partent avec leurs épouses. Nous avons eu des lettres de Mareech réclamant un plus grand nombre de femmes. Je vous prendrai, toi et ton épouse si elle veut venir.

Après avoir réfléchi un moment, Kalua avait demandé : Et *ját* – la caste ?

La caste n'a pas d'importance, avait répliqué le duffadar. Toutes sortes de gens sont très désireux de s'engager – brahmins, ahirs, chamars, telis. Ce qui compte, c'est d'être jeune, bien portant et travailleur.

À court de mots, Kalua avait tiré encore plus fort sur les rames. Alors que le bateau abordait au quai, le duffadar avait réitéré son offre. Mais, cette fois, avec un avertissement : Rappelle-toi – tu n'as qu'une nuit pour te décider. Nous partons demain – si tu viens, il faudra que ce soit à l'aube... *sawéré hí áwat áni*.

Après avoir raconté son histoire, Kalua se tourna pour regarder Deeti, et elle vit ses grands yeux noirs brillant de questions qu'il n'osait pas formuler. La sensation de son estomac plein avait suffisamment assommé Deeti pour qu'elle l'écoute en silence, mais, maintenant, la tête bouillonnante d'une folle quantité de peurs inacceptables, elle se leva d'un bond. Comment pouvait-il imaginer qu'elle accepterait d'abandonner sa fille pour toujours ? Comment pouvait-il concevoir qu'elle irait dans un endroit qui était, pour ce qu'elle en savait, peuplé de démons et de pishaches, sans parler de toutes sortes de monstres innommables ? Comment lui, Kalua, ou n'importe qui d'autre, pouvait-il savoir qu'il était faux que les recrues fussent engraissées pour le sacrifice ? Pourquoi autrement ces hommes seraient-ils nourris avec une telle munificence ? Était-il normal, en ces temps difficiles, d'être aussi extravagant sans un motif caché ?

Dis-moi, Kalua, s'écria-t-elle, les larmes aux yeux, est-ce pour en arriver là que tu m'as sauvée ? Pour me donner en pâture aux démons ? Ah, il aurait mieux valu que tu me laisses mourir dans ce feu...

*

Rédiger les cartes des plans de table pour leurs dîners, soupers, tiffins dominicaux et autres réceptions paroissiales était une des modestes manières dont Paulette se rendait utile à ses bienfaiteurs. D'un naturel placide et paresseux, Mrs Burnham ne se donnait jamais beaucoup de mal pour ces repas et préférait procéder à leur organisation de son lit. En général, elle convoquait d'abord le chef cuisinier et le maître d'hôtel afin de discuter du menu : pour des raisons de convenance, Mrs Burnham, tout au long de la consultation, gardait son bonnet de nuit sur la tête et sa moustiquaire baissée. Mais quand venait le tour de Paulette, les rideaux étaient tirés ; le plus souvent, la jeune fille était invitée à s'asseoir sur le lit de la burra bee bee et à regarder par-dessus son épaule tandis que la maîtresse de maison s'interrogeait sur le placement des invités, inscrivait des noms et dessinait des plans sur une ardoise. C'est ainsi que Paulette fut convoquée un après-midi dans la chambre de Mrs Burnham afin d'aider celle-ci à mettre au point un burra-khana, une grande réception.

Pour Paulette, l'examen des plans de table de Mrs Burnham était en général un exercice en humilité : classée très bas dans l'ordre de la préséance sociale, il lui revenait presque toujours d'être assise au milieu — ce qui voulait dire qu'elle se retrouvait immanquablement entre les invités les moins désirables : colonels rendus sourds par le canon ; percepteurs ne sachant parler de rien d'autre que des prévisions fiscales pour leur district ; prédicateurs laïques s'indignant de l'entêtement des païens ; planteurs aux mains teintées d'indigo, et autres emplâtres. Son expérience des réceptions Burnham était telle que c'est avec une certaine appréhension qu'elle demanda :

— S'agit-il d'une occasion particulière, madame ?

— Eh bien, oui, Puggly, répliqua Mrs Burnham en s'étirant avec langueur. Mr Burnham veut que nous organisions un tumasher. Un festin en l'honneur du capitaine Chillingworth qui vient d'arriver de Canton.

Un coup d'œil à l'ardoise permit à Paulette de voir que le capitaine avait déjà été placé en tête de la table de la bee-bee. Ravie de l'occasion de montrer sa science de l'étiquette memsahib, la jeune fille fit remarquer :

— Puisque le capitaine est à côté de vous, madame, son épouse ne devrait-elle pas être placée à côté de Mr Burnham ?

— Son épouse ? – Le bout du bâton de craie se retira de l'ardoise en un mouvement de surprise. – Mais, ma chère, Mrs Chillingworth est partie depuis plus d'un an.

— Oh, s'écria Paulette. Il est donc, comment dites-vous, *veuf* ?

— Veuf ? Non, Puggly, il n'est pas veuf. C'est une histoire plutôt triste...

— Vraiment, madame ?

Mrs Burnham n'eut pas besoin d'autre encouragement pour se renfoncer confortablement dans ses oreillers.

— Il est du Devonshire, le capitaine Chillingworth, et il est né les pieds dans l'eau, comme on dit. Ces vieux loups de mer aiment bien rentrer au port pour se marier, vois-tu, et c'est ce qu'il a fait : il s'est trouvé une fille aux joues roses, toute fraîche sortie de la nursery, et il l'a amenée en Orient. Nos donzelles d'ici n'étaient pas assez grandes dames pour lui. Comme tu peux l'imaginer, rien de bon n'en est résulté.

— Pourquoi, madame ? Qu'est-il arrivé ?

— Une année, le capitaine est parti pour Canton. Les mois ont passé avec la jeune épouse demeurée ici, toute seule, dans cet endroit étrange et nouveau. Puis enfin elle a reçu des nouvelles du bateau, mais au lieu

276

de son mari, qui a-t-elle trouvé à sa porte ? Son second. Le capitaine, lui raconta-t-il, avait été terrassé par une horrible fièvre et on avait dû le laisser à Penang pour y passer sa convalescence. Le capitaine lui-même avait décidé d'organiscr la traversée pour Mrs Chillingworth et en avait confié la mission à son second. Eh bien, ma chère, terminé : ho-gya pour le pauvre vieux capitaine !

— Que voulez-vous dire, madame ?

— Ce commandant en second – il s'appelait Texeira, je crois – était un Portugais de Macao, et le plus fieffé voyou qu'on puisse rencontrer : des yeux brillants comme des étoiles, un sourire d'angelot. Il a fait savoir qu'il allait escorter Mrs Chillingworth à Penang. Ils se sont embarqués sur un bateau et on ne les a plus jamais revus. Ils sont au Brésil maintenant, à ce que j'entends.

— Oh, madame ! s'écria Paulette. Pauvre capitaine ! Ainsi, il ne s'est jamais remarié ?

— Non, Puggly chérie. Il ne s'est jamais vraiment remis de cette affaire. Est-ce à cause de la perte de son second ou de celle de son épouse, personne ne sait, mais à partir de là son sens de la mer a été réduit à néant – il est devenu incapable de s'entendre avec ses officiers ; il donnait des vapeurs à tout l'équipage, il a même mis à la gîte son bateau dans les îles Spratlys, ce qui est considéré comme une parfaite idiotie par les marins. En tout cas, c'est fini. L'*Ibis* sera son dernier commandement.

— L'*Ibis*, madame ? – Paulette sursauta. – Il va commander l'*Ibis* ?

— Mais oui – ne te l'avais-je pas dit, Puggly ?

Ici, la bee-bee s'interrompit d'un air coupable.

— Mon Dieu, me voilà en train de jacasser comme une pie au lieu de m'occuper de notre tumasher.

– Elle reprit l'ardoise et se gratta pensivement les lèvres avec le bâton de craie. – Bon, dis-moi, ma Puggly, que diable vais-je faire de Mr Kendalbushe? Il est juge en titre désormais et doit être traité avec le plus grand respect.

Les yeux de la bee-bee passèrent lentement de l'ardoise pour venir se poser, appréciateurs, sur Paulette.

— Le juge aime tant ta compagnie, Puggly! s'exclama-t-elle. Pas plus tard que la semaine dernière je l'ai entendu dire que tu méritais un shahbash pour tes progrès en études bibliques.

Paulette fut saisie de panique : la perspective de passer une soirée au côté de Mr Kendalbushe n'était pas réjouissante, car il la soumettait invariablement à des interrogatoires désapprobateurs et interminables sur la Bible.

— Le juge est trop aimable, dit-elle, se rappelant vivement le froncement de sourcils dont Mr Kendalbushe l'avait gratifiée en la voyant reprendre une gorgée de vin. «Rappelle-toi les jours de ténèbres, avait-il marmonné, car il y en aura beaucoup...» Naturellement, elle avait été incapable d'identifier le chapitre ou le verset.

Il fallait vite penser à quelque chose, et Paulette ne manquait pas d'esprit.

— Mais, madame, fit-elle remarquer, les autres burra mems ne vont-elles pas s'offenser de voir quelqu'un de ma condition placée à côté d'un homme aussi titré que le juge Kendalbushe?

— Tu as raison, ma chère, convint Mrs Burnham après un moment de réflexion. Ça risque de donner à Mrs Doughty une crise de nerfs.

— Sera-t-elle là?

— Inévitable, hélas, dit la bee-bee. Mr Burnham est décidé à inviter Mr Doughty. Mais que diable vais-je faire d'elle ? Elle est complètement follissime.

Soudain, le regard de Mrs Burnham s'illumina et le bout de sa craie atterrit de nouveau en piqué sur l'ardoise.

— Et voilà ! s'écria-t-elle triomphalement en inscrivant le nom de Mrs Doughty à la gauche de celui du capitaine Chillingworth. Ça devrait lui fermer le clapet. Quant à son époux, je préfère l'expédier là où je n'aurai pas à l'écouter. Je te laisse le vieux sac à vin...

La craie se posa sur le centre désert de la table pour placer Mr Doughty et Paulette côte à côte.

Paulette avait eu à peine le temps de se réconcilier avec l'idée d'avoir à faire la conversation au pilote – dont elle comprenait surtout, de son vocabulaire anglais, les mots hindoustanis –, que le bout de la craie de la bee-bee se remettait à errer avec inquiétude au-dessus de l'ardoise.

— Mais ça nous laisse encore un problème, Puggly, gémit la bee-bee. Qui donc sur terre vais-je mettre à ta gauche ?

Une inspiration soudaine poussa Paulette à demander :

— Les officiers du bord seront-ils invités, madame ?

Mal à l'aise, Mrs Burnham se déplaça avec lourdeur dans son lit.

— Mr Crowle ? Oh, Puggly, ma chérie ! Il ne peut être question de le recevoir chez moi.

— Mr Crowle ? Est-ce le commandant en second ?

— Précisément. On dit que c'est un bon marin – Mr Burhnam jure que sans lui le capitaine Chillingworth serait parti à la dérive ces dernières années. Mais il est de la pire espèce des loups de mer : fichu à la porte de la Navy à cause d'une abominable histoire avec un des mousses. Il a de la chance que le capitaine ne soit pas trop difficile – mais, ma chère, aucune mem n'en voudrait à sa table. Enfin, ce serait comme dîner avec un traîne-savates. – La bee-bee s'interrompit pour lécher sa craie. – C'est pourtant dommage parce que j'ai entendu dire que le second officier était très charmant. Comment s'appelle-t-il ? Zachary Reid ?

Paulette fut parcourue d'un frisson et, quand elle se reprit, elle eut l'impression que les particules de poussière avaient cessé de danser dans la lumière et attendaient, immobiles. Elle n'osait plus parler ni même lever les yeux, et ne réussit à répondre que par un hochement de tête à la question de la bee-bee.

— Tu l'as déjà rencontré, n'est-ce pas, ce... Mr Reid ? demanda la bee-bee. N'était-il pas sur la goélette quand tu y es allée faire une petite dekko la semaine dernière ?

N'ayant mentionné à personne sa visite à bord de l'*Ibis,* Paulette fut plus que contrariée de découvrir que Mrs Burnham en était déjà informée.

— Eh bien, oui, madame, dit-elle prudemment. J'ai fait brièvement la connaissance de Mr Reid. Il m'a paru assez aimable.

— Aimable, vraiment ? – Mrs Burnham lui lança un regard malicieux. – Si on en croit la rumeur, plus d'une jeune missy-mem a décidé de le faire mordre à l'hameçon. Les Doughty le trimballent avec eux dans toute la ville.

— Ah ? s'écria Paulette, reprenant des couleurs. Alors, peut-être pourraient-ils amener Mr Reid, comme leur invité ? Sûrement, Mr Crowle n'a pas besoin de le savoir ?

— Oh, la petite diablesse rusée ! – La bee-bee éclata d'un rire ravi. – Quelle astucieuse manigance ! Et puisque c'est toi qui y as pensé, je vais te mettre près de lui. Chull. Allons-y !

Sur ce, sa craie s'abattit sur l'ardoise telle la main du destin et inscrivit le nom de Zachary sur le siège à la gauche de Paulette.

— Voilà !

Paulette arracha l'ardoise à la bee-bee et monta à toute allure à l'étage pour y trouver ses appartements envahis par une armée de nettoyeurs. Cette fois, elle expédia sans ambages farrashes, bichawnadars et autres femmes de ménage, «Pas aujourd'hui, pas maintenant...», et elle s'assit à son bureau avec une pile de cartes de placement. Mrs Burnham aimait que celles-ci soient calligraphiées de manière ornementale avec moult enjolivures et fioritures, autant en tout cas que le petit rectangle de carton pouvait en contenir : même en temps ordinaire, il fallait souvent à Paulette une heure ou deux pour les rédiger à la satisfaction de la bee-bee. Aujourd'hui, la tâche semblait n'en plus finir, avec une plume crachotante et hésitante : de toutes les lettres, c'est le Z qui donna le plus de mal à Paulette, non seulement parce qu'elle n'avait jamais eu encore l'occasion de l'écrire en capitale, mais aussi parce qu'elle n'avait jamais su qu'il offrait tant de possibilités d'arabesques et de sinuosités alambiquées ; en explorant sa forme et sa taille, sa plume ne cessait de tourner autour, le dotant de méandres et de volutes qui paraissaient vouloir se nouer avec l'humble P de ses propres initiales. Et quand elle se fatigua de ce jeu, elle se sentit obligée, inexplicablement, de se regarder dans la glace, s'alarmant de l'état lamentable de sa chevelure et des marques rouges creusées par ses ongles dans sa peau. Puis ses pieds la portèrent vers sa garde-robe et l'y immobilisèrent ; elle passa en revue les robes que lui avait données Mrs Burnham : jamais elle n'avait tant souhaité qu'elles ne fussent pas toutes de couleur si sévères ni si amples de coupe. Sur une impulsion, elle ouvrit son coffre et en sortit son unique beau sari, en soie rouge de Bénarès, et le caressa, se rappelant comment même Jodu, qui se moquait toujours de ses vêtements, avait hoqueté d'admiration lorsqu'elle l'avait porté pour la première fois. Que Zachary dirait-il, lui, s'il la voyait en sari ? En y songeant, Paulette laissa errer son regard par la fenêtre en direction du bungalow des Jardins botaniques, et elle s'effondra sur son lit, vaincue par l'impossibilité de toute chose.

Dix

En franchissant les hautes portes d'acajou du dufter de Mr Burnham, Baboo Nob Kissin eut l'impression de laisser derrière lui toute la chaleur de Calcutta et d'arriver dans un autre pays. Les dimensions de la pièce, son étendue de parquet qu'on eût dit sans fin et ses murs immenses étaient de nature à créer un climat particulier en soi, tempéré et libre de la moindre poussière. Aux imposantes poutres du plafond pendait un énorme punkah frangé d'étoffe, se mouvant lentement d'avant en arrière et générant une brise suffisamment forte pour coller la kurta de coton léger du gomusta à son torse. La véranda contiguë au dufter était très large, de façon à garder le soleil à distance en créant un vaste espace d'ombre; pour l'heure, à midi, les moustiquaires en khus étaient baissées et constamment arrosées par une équipe de punkah-wallahs afin de créer de la fraîcheur.

Assis derrière un bureau massif, Mr Burnham baignait dans la lumière diffuse d'une très haute lucarne. Il écarquilla les yeux en voyant Baboo Nob Kissin s'avancer dans la pièce.

— Mon bon Babouin! s'écria-t-il, étonné par la longue chevelure huilée du gomusta et le collier autour de son cou. Que diable t'est-il arrivé? Tu as l'air si...

— Oui, sir?

— Si étrangement efféminé.

Le gomusta esquissa un faible sourire.

— Oh non, sir. C'est l'apparence extérieure seulement – juste des illusions. Dessous, c'est tout-tout pareil.

— Illusions? lança Mr Burnham avec mépris. Homme et femme? Dieu les a faits tous deux comme ils sont, Babouin, et il n'y a rien d'illusoire en l'un ou l'autre, pas plus qu'il n'y a quoi que ce soit entre.

— Exactement, sir, répliqua Baboo Nob Kissin avec un hochement de tête enthousiaste. C'est pourquoi je dis aussi que sur ce sujet aucune concession ne peut être faite. Les exigences non raisonnables doivent être énergiquement opposées.

— Alors puis-je te demander, Babouin, dit Mr Burnham, le sourcil froncé, pourquoi tu as choisi de te décorer de ça? – Il pointa un doigt sur la poitrine du gomusta qui semblait avoir acquis une certaine proéminence. – Pourquoi portes-tu ce gros bijou? L'as-tu trouvé chez ton souami, ton maître à penser?

La main de Baboo Nob Kissin vola vers son amulette, qu'il glissa promptement sous sa chemise.

— Oui, sir; seulement du temple je l'ai eu. – Improvisant sans vergogne, il se hâta d'ajouter : – Tel quel, l'objet n'a que des buts médicaux. C'est fait de cuivre qui favorise la digestion. Vous pouvez l'essayer aussi, monsieur. Les mouvements intestinaux deviendront lisses et copieux. La couleur sera aussi très belle, comme du safran.

— Dieu m'en garde ! s'écria Mr Burnham avec un geste de dégoût. Suffit ainsi. Maintenant, dis-moi, Babouin, quelle est cette affaire urgente pour laquelle tu voulais me voir ?

— Je voulais juste soulever quelques points, sir.

— Bon, vas-y. Je suis pressé.

— Une première chose est la question des camps pour les coolies, monsieur.

— Des camps ? Que veux-tu dire, des camps ? Je ne connais pas de camp pour coolies.

— Oui, sir, c'est la discussion que je veux soulever. Ce que je propose c'est pourquoi ne pas édifier un camp ? Tenez, voyez seulement et vous serez convaincu.

Baboo Nob Kissin prit une feuille de papier dans un dossier et la mit sous le nez de son patron.

Le gomusta avait parfaitement conscience que Mr Burnham considérait le transport des migrants comme un secteur sans importance – et plutôt assommant – de son entreprise commerciale, puisque ses marges de bénéfices étaient négligeables, comparées aux gains énormes offerts par l'opium. Certes, cette année représentait une exception, à cause de l'interruption du flux de la drogue vers la Chine, mais Baboo Nob Kissin savait qu'il aurait besoin de solides arguments pour persuader le burra sahib de procéder à un investissement significatif dans ce domaine.

— Regardez, sir, et je vais vous montrer...

Chiffres à l'appui, Baboo Nob Kissin put démontrer vite et de manière graphique que le coût de l'achat du site, de la construction de huttes et du reste serait amorti en deux saisons.

— Un grand avantage, sir, vous pouvez revendre le camp au gouvernement dans un, deux ans. Le profit pourrait être vigoureux.

Ce qui retint aussitôt l'attention de Mr Burnham.

— Comment ça ?

— Simple, sir. Vous pouvez dire au conseil municipal qu'il faut absolument un dépôt de migrants convenable. Autrement la propreté souffrira et le progrès sera retardé. Ensuite, on ne peut vendre qu'à eux, non ? Mr Hobbes est là-bas – il assurera le paiement.

— Excellente idée. – Mr Burnham se renfonça dans son fauteuil et se caressa la barbe. – On ne peut le nier, Babouin, tu as de temps en temps de très bonnes inspirations. Tu as ma permission de faire tout le nécessaire. Vas-y. Ne perds pas de temps.

— Mais, sir, un autre sujet de discussion pointe aussi sa tête.

— Oui ? De quoi s'agit-il ?

— Sir, le subrécargue pour l'*Ibis* n'a pas encore été nommé, non, monsieur ?

— Non, dit Mr Burnham. Pas encore. Tu penses à quelqu'un ?

— Oui, sir. La proposition que j'aimerais soulever, monsieur, est que je devrais y aller moi-même.

— Toi ? – Mr Burnham, surpris, leva les yeux. – Mais enfin, Babouin ! Pourquoi donc ?

Le gomusta avait sa réponse toute prête :

— Simplement, sir, la raison est d'observer la position sur place. Ça facilitera mon travail avec les coolies, sir, pour que je puisse fournir des services adéquats. Ce sera comme de cueillir une nouvelle page sur la route de ma carrière.

Mr Burnham jeta un coup d'œil dubitatif aux formes généreuses du gomusta.

— Ton enthousiasme m'impressionne, Baboo Nob Kissin. Mais es-tu certain de pouvoir t'accommoder des conditions de vie à bord d'un bateau ?

devait être amené au tribunal avant le lever du soleil, sous une garde légère, et sa famille avait reçu l'autorisation d'envoyer une équipe de serviteurs pour l'aider à se préparer. Deux heures avant l'aube, un bruit de roues annonça l'approche du phaéton du domaine ; peu après, le cortège Raskhali arrivait à la porte de Neel qui, à partir de ce moment-là, n'eut heureusement plus le temps de se faire du souci.

Parimal vint accompagné de deux prêtres de la famille, en même temps que d'un cuisinier et d'un barbier. Les purohits brahmins apportèrent la plus « éveillée » des icônes du temple Raskhali, une statue incrustée d'or de Ma Durga. Tandis que l'antichambre de son appartement était aménagée pour la puja, Neel fut mené dans sa chambre à coucher où on le rasa, baigna et oignit d'huiles parfumées et d'attars aux senteurs de fleurs. Pour vêtements, Parimal avait apporté les tenues les plus luxueuses, y compris une jaquette en chapkan ornée de perles et un turban muni du célèbre sarpech des Raskhali – une broche en or incrustée de rubis des montagnes Shan. C'est Neel lui-même qui avait demandé ces accoutrements, mais, après les avoir vus étalés sur son lit, il reconsidéra le problème. En se présentant avec un tel déploiement de richesse, ne risquait-il pas de créer une mauvaise impression ? D'un autre côté, n'était-il pas possible qu'une tenue plus simple soit interprétée comme une admission de culpabilité ? Difficile de savoir ce qu'était la tenue idéale pour un procès en falsification. En fin de compte, décidant qu'il valait mieux ne pas attirer l'attention sur ses vêtements, Neel demanda à Parimal une kurta en simple mousseline de soie et un dhoti sans bordure en coton de Chinsura. Alors que Parimal, à genoux, lui ajustait son dhoti, Neel l'interrogea :

— Définitivement, sir. Déjà j'ai été sur un bateau, monsieur. Au temple de Jagannath, à Puri. Aucun problème n'a existé.

— Mais, Babouin, poursuivit Mr Burnham, la lèvre retroussée en un sourire ironique, n'as-tu pas peur de perdre ta caste ? Tes confrères hindous ne te banniront-ils pas de leur confrérie pour avoir traversé l'Eau noire ?

— Oh non, sir, répliqua le gomusta. Aujourd'hui ils vont tous en pèlerinage par bateau. Les pèlerins ne peuvent pas perdre leur caste – et ceci est un peu la même chose. Pourquoi pas ?

— Eh bien, je ne sais pas, soupira Mr Burnham. Franchement, je n'ai pas le temps de penser à ça maintenant, avec ce procès Raskhali en vue.

C'était le moment, Baboo Nob Kissin le comprit, de jouer sa meilleure carte.

— À propos de ce procès, sir, puis-je avoir votre aimable permission d'avancer une suggestion ?

— Certes, dit Mr Burnham. Cette affaire est d'ailleurs entièrement ton idée à toi, si j'ai bonne mémoire ?

— Oui, sir. – Le gomusta hocha la tête. – C'est moi seulement qui vous ai suggéré ce plan.

Baboo Nob Kissin n'était pas peu fier d'avoir été le premier à signaler à son employeur les avantages que présenterait l'acquisition du domaine Raskhali : depuis plusieurs années, le bruit courait que l'East India Company allait abandonner son contrôle de la production d'opium en Inde de l'Est. Dans ce cas, les pavots pourraient fort bien devenir une culture de plantation comme l'indigo ou la canne à sucre : avec une demande qui ne cessait de croître en Chine, les marchands contrôlant leur propre production plutôt que dépendants des petits fermiers seraient en position de multiplier leurs profits, déjà astronomiques. Bien qu'il n'y eût encore aucun signe indiquant clairement que la Compagnie fût prête à faire les concessions nécessaires, quelques négociants perspicaces avaient déjà commencé à se mettre en quête de terrains de grande taille. Baboo Nob Kissin avait alors rappelé à Mr Burnham, au début de ses recherches, l'inutilité d'aller voir plus loin que le domaine Raskhali qui, très lourdement endetté, était déjà à sa portée. Les nombreux amis qu'avait le gomusta dans les bureaux du zemindary l'avaient tenu très au courant des multiples faux pas du jeune propriétaire : Baboo considérait, lui aussi, le nouveau raja comme un dilettante avec le nez en l'air et la tête dans les nuages, et il partageait pleinement leur opinion selon laquelle quiconque assez stupide pour signer tout ce qu'on lui présentait méritait de perdre sa fortune. De plus, les rajas de Raskhali étaient bien connus pour être des hindous bigots, maniaques de rituels, qui méprisaient les vaishnavites comme lui : des individus pareils avaient besoin de temps à autre d'une bonne leçon.

Le gomusta baissa la voix.

— Des rumeurs nous viennent, sir, que la dame entretenue du raja sahib se cache à Calcutta. C'est une danseuse, monsieur, et son nom est Elokeshi. Peut-être peut-elle fournir des affidavits pour sceller le sort du zemindar.

La lueur rusée dans le regard de Baboo Nob Kissin n'échappa pas à son patron, qui se pencha dans son fauteuil.

— Tu crois qu'elle pourrait témoigner ?

— Je ne peux pas l'assurer, dit le gomusta. Mais il n'y a pas de mal à tenter un effort.

— Je serais content que tu t'en charges.

— Oui, mais alors, sir – et le gomusta laissa traîner sa voix en un murmure interrogatif –, que dites-vous d'une nomination de subrécargue ?

Mr Burnham pinça les lèvres, comme pour indiquer qu'il comprenait précisément le marché proposé.

— Si tu peux te procurer l'affidavit, Babouin, le poste est à toi.

— Merci, sir, dit Baboo Nob Kissin en pensant une fois de plus au plaisir que c'était de travailler avec un homme raisonnable. Vous pouvez reposer toute votre confiance, sir. Je ferai le mieux maximum.

*

La veille de la première comparution de Neel au tribunal, la mousson éclata avec violence, ce qui fut considéré comme un bon signe par ses partisans. Pour ajouter à l'optimisme général, l'astrologue officiel du domaine de Raskhali découvrit que la date de l'audience était extrêmement favorable, avec un alignement de toutes les étoiles en faveur du raja. On apprit aussi qu'une pétition réclamant la clémence avait été signée par les plus riches zemindars du Bengale : même les Tagore de Jorasanko et les Deb de Rajabazar, qui ne s'entendaient jamais sur rien, avaient pour une fois mis de côté leurs différends puisque cette affaire concernait un membre de leur classe. Ces menus faits réconfortèrent tant la famille Halder que l'épouse de Neel, Rani Malati, rendit une visite spéciale au temple de Bhukailash, où elle donna un festin pour cent brahmins qu'elle servit de ses propres mains.

Tout cela ne suffit cependant pas à calmer entièrement les appréhensions de Neel, qui ne put fermer l'œil la nuit précédant sa première comparution

Comment va mon fils ?

Il a joué avec ses cerfs-volants jusque tard dans la nuit, huzoor. Il vous croit à Raskhali. Nous nous sommes assurés qu'il ne sache rien de tout cela.

Et la rani ?

Huzoor, depuis l'instant où vous avez été emmené, elle n'a connu ni sommeil ni repos. Elle passe ses journées en prières et il n'y a ni temple ni saint homme auxquels elle n'ait rendu visite. Aujourd'hui encore, elle passera la journée dans notre temple.

Et Elokeshi ? Y a-t-il y eu un message d'elle ?

Non, huzoor, aucun.

Neel hocha la tête – mieux valait qu'elle reste cachée jusqu'à la fin du procès.

Son habillement terminé, Neel était impatient de partir, mais il y avait encore beaucoup à faire : la puja prit près d'une heure puis, après que les prêtres eurent barbouillé son front avec de la pâte de santal, aspergé son corps d'eau bénite et d'herbe sacrée, il dut manger un repas composé de diverses sortes de nourritures propices – légumes et puris frits dans le ghee le plus pur et douceurs confectionnées avec du sirop de patali provenant de palmiers du domaine. Quand il fut enfin temps de partir, les brahmins prirent la tête du cortège, pour débarrasser le chemin de Neel de tout objet impur, tels jharus et seaux de toilette, et écarter tout porteur de mauvais sort – balayeurs, nettoyeurs d'excréments et autres. Parimal s'en était allé en avant s'assurer que les policiers qui accompagnaient Neel au tribunal étaient des hindous d'une caste respectable à qui on pouvait confier la nourriture et l'eau du raja. Puis, alors que Neel montait dans le fiacre aux rideaux fermés, ses serviteurs se réunirent pour lui rappeler, une fois de plus, de bien garder les vitres closes de façon à ce que son regard ne se pose sur aucun spectacle de mauvais augure – en ce jour des jours, mieux valait prendre toutes les précautions possibles.

Le fiacre avançait lentement et il fallut près d'une heure pour franchir la distance de Lalbazar au nouveau palais de justice où devait se dérouler le procès. À son arrivée, Neel fut rapidement conduit à travers la bâtisse humide et sombre, et la salle voûtée où la plupart des prisonniers étaient parqués en attendant leur comparution. Les couloirs se remplirent de sifflements et de chuchotements tandis que les autres accusés se demandaient qui était Neel et ce qu'il avait fait. Ces hommes n'étaient pas sans savoir ce que pouvaient être les agissements des zemindars.

... Si c'est celui qui a estropié mon fils, même ces barreaux ne vont pas me retenir...

... Attendez que je lui mette la main dessus – il n'oubliera pas de sitôt mes caresses...

... Qu'on laboure son derrière autant que mon champ en a besoin...

Pour atteindre la salle du tribunal, Neel et ses gardiens durent prendre plusieurs escaliers et emprunter plusieurs corridors. Le tintamarre répercuté à travers le nouveau palais de justice indiquait clairement que le procès avait attiré une large foule. Pourtant, bien qu'il eût parfaitement conscience de l'intérêt public suscité par son affaire, Neel n'était aucunement préparé au spectacle qui l'attendait.

La salle du tribunal avait la forme d'un demi-bol, avec la barre des témoins au fond et l'assistance disposée en rangs serrés le long des hautes parois. À l'entrée de Neel, le brouhaha cessa brusquement, laissant quelques bribes de son flotter doucement jusqu'au sol, comme les fragments d'un ruban déchiré ; et un chuchotement clairement audible : « Ah, Rageur de Rascaillou ! Le voilà enfin ! »

Les premiers rangs étaient occupés par des Blancs, et c'est là où était assis Mr Doughty. Derrière lui s'étageaient jusqu'aux impostes tout en haut de la salle les visages des amis, parents et alliés de Neel ; celui-ci, d'un seul coup d'œil, pouvait apercevoir, déployés face à lui, tous ses confrères de l'Association des propriétaires terriens du Bengale ainsi que les innombrables parents qui, à l'époque, l'avaient accompagné lors de sa procession nuptiale. On aurait dit que tous les mâles de sa classe sociale, en fait l'aristocratie terrienne bengalie en son entier, s'étaient rassemblés pour assister à son procès.

Détournant son regard, Neel aperçut Mr Rowbotham. L'avocat, qui s'était levé à l'entrée de son client, s'appliquait maintenant à lui réserver un accueil chaleureux et le guidait vers son siège avec moult cérémonies. À peine Neel s'asseyait-il que les huissiers frappaient le sol de leurs masses pour annoncer l'apparition du juge. Neel demeura un moment tête baissée, comme tout le monde, puis, levant les yeux, il découvrit que l'homme qui allait présider à son procès n'était autre que Mr Kendalbushe. Conscient des liens d'amitié du juge avec Mr Burnham, Neel se tourna, très inquiet, vers Mr Rowbotham.

— C'est bien Mr Kendalbushe ? N'est-il pas très lié à Mr Burnham ?

L'avocat fit la moue et hocha la tête.

— C'est peut-être le cas, mais je suis persuadé de son indiscutable impartialité.

Le regard de Neel se posa alors sur le banc du jury, et il se surprit à échanger des signes de salut avec un certain nombre de jurés. Parmi les douze Anglais siégeant là, au moins huit avaient connu son père, le

vieux raja, et plusieurs avaient été présents à la cérémonie du premier riz de son fils, venus chargés de
cadeaux d'or et d'argent, de cuillères ornementées et
de coupes en filigrane; l'un d'eux avait fait don au
petit Raj Rattan d'un boulier chinois en ébène et jade.

Entre-temps, Mr Rowbotham, qui avait observé de
près Neel, se pencha pour lui chuchoter à l'oreille:

— Je crains que nous n'ayons une autre... une
autre désagréable nouvelle...

— Oh? dit Neel. De quoi s'agit-il?

— Je viens de recevoir une communication officielle de l'avocat du gouvernement. Ils vont présenter
une nouvelle preuve: une déclaration sous serment.

— De qui?

— Une dame – une fille devrais-je dire – qui prétend avoir eu une liaison avec vous. Une danseuse, si
je comprends bien... – Mr Rowbotham mit le nez sur
une feuille de papier. – Le nom est Elokeshi, je crois.

Le regard incrédule de Neel se déplaça de nouveau
vers l'assistance. Il vit que le frère aîné de sa femme
s'était assis au dernier rang. Durant un instant, bref
mais cauchemardesque, il se demanda si Malati était
venue, elle aussi, et grand fut son soulagement en
notant que son beau-frère était seul. Dans le passé, il
avait parfois déploré la stricte observance par son
épouse des règles concernant la caste et le purdah,
mais aujourd'hui il n'éprouvait que de la gratitude
pour son orthodoxie car, s'il existait une chose
capable d'empirer la situation, c'était l'idée de Malati
assistant à la trahison de son mari par sa maîtresse.

Cette considération le soutint durant le supplice
de la lecture de l'affidavit d'Elokeshi, qui se révéla
un récit fantaisiste non seulement de la conversation
compromettante au cours de laquelle Neel aurait parlé
des rapports du domaine de Raskhali avec Mr Burnham

mais aussi des lieux où elle s'était déroulée. Le budge-row, la cabine et même les couvre-lits étaient décrits avec un grand luxe de détails – parfois salaces –, et chaque révélation se voyait accueillie par des hoquets de surprise, des exclamations d'indignation et des éclats de rire.

La lecture enfin terminée, Neel, épuisé, se tourna vers Mr Rowbotham.

— Combien de temps ce procès va-t-il durer ? Quand connaîtra-t-on le résultat ?

Mr Rowbotham lui adressa un faible sourire.

— Pas longtemps, cher raja. Peut-être pas plus d'une quinzaine de jours.

*

En arrivant au ghat, Deeti et Kalua comprirent pourquoi le duffadar avait été si pressé ce matin-là : le fleuve était maintenant encombré d'une importante armada descendant lentement vers les ghats de Chhapra. En tête venait une flottille de pulwars – des bateaux à un mât, équipés de rames aussi bien que de voiles. Ces embarcations rapides précédaient le gros de la flotte, avec mission de libérer la route de tout autre trafic, de sonder les chenaux navigables et de marquer les nombreux hauts-fonds et bancs de sable dissimulés juste sous la surface de l'eau. Derrière eux, une vingtaine de patelis avançaient toutes voiles dehors. Deux-mâts, gréement carré, à peine plus petits que les navires de haute mer, ces bateaux portaient sur chacun de leurs dols trois voiles : bara, gavi et sabar.

Deeti et Kalua surent au premier coup d'œil d'où venaient les navires et où ils allaient : c'était là la flotte de la factorerie d'opium de Ghazipur transportant le produit de la saison à Calcutta pour une mise aux enchères. Elle était escortée par un important contingent de gardes armés, burkundazes et péons, la plupart à bord des petits pulwars. Les gros navires se trouvaient encore à une bonne heure de navigation quand une demi-douzaine de pulwars accostèrent. Des bataillons de gardes sautèrent à terre, jouant du lathi et de la lance pour chasser les gens des ghats, afin de réserver ceux-ci pour la mise à quai des majestueux patelis.

La flotte était commandée par deux Anglais, deux jeunes assistants de la Carcanna de Ghazipur. Par tradition, le plus âgé était à bord du pateli de tête tandis que l'autre naviguait sur celui qui fermait la marche. Ces deux navires, les plus importants de la flotte, occupaient la place d'honneur à quai. Les ghats de Chhapra n'étaient pas de taille à recevoir beaucoup de gros bateaux à la fois, et les autres patelis durent jeter l'ancre au milieu du fleuve.

En dépit du cercle des gardes, une foule de badauds se rassembla bientôt, fascinée en particulier par les deux plus grands patelis. Même en plein jour, ces navires avaient belle allure et, la nuit, avec leurs lampes allumées, ils étaient si spectaculaires que peu des habitants de la ville purent résister à la tentation de venir jeter un coup d'œil. De temps à autre, poussée par les lathis et les lances, la multitude était obligée de se séparer pour ménager un chemin aux zemindars et autres notables désireux de présenter leurs salaam aux jeunes assistants. Certains étaient renvoyés sans obtenir audience mais quelques-uns avaient l'honneur d'une brève entrevue à bord; l'un ou l'autre des Anglais montait sur le pont un petit moment pour recevoir les hommages. Lors de chaque apparition, la foule se pressait en avant pour avoir une meilleure vuc des Blancs en jaquette et pantalons, haut-de-forme noir et cravate blanche.

Au fil de la soirée, la cohue s'atténua et les spectateurs encore présents, dont Deeti et Kalua, purent s'approcher un peu plus des grands navires. Il faisait chaud et les fenêtres des cabines étaient ouvertes pour laisser passer la brise. Ce qui permettait d'occasionnels aperçus des deux jeunes assistants assis pour dîner, non par terre, remarquait-on, mais à une table brillamment éclairée par des chandelles. Cloués sur place par la curiosité, les gens observaient les deux hommes auxquels plus d'une douzaine de khidmutgars et de khalasis étaient en train de servir leur repas.

Tout en se bousculant pour mieux y voir, plusieurs spectateurs commentaient la nourriture posée devant les Blancs.

... Regarde, ils mangent un jaque, il est en train de découper le *katthal*...

... Toi, t'as un jaque à la place de la cervelle, espèce d'idiot – ce qu'ils mangent, c'est un cuissot de chèvre...

Puis, tout à coup, la foule fut mise en fuite par un détachement de gardes et de chowkidars venus du kotwali, le poste de police en charge du quartier. Deeti et Kalua se réfugièrent dans l'obscurité tandis que le kotwal lui-même descendait en pataugeant les marches menant aux ghats. Corpulent, l'air suffisant, il ne paraissait pas ravi d'avoir été appelé sur les quais en pleine soirée. Il haussa le ton en approchant de la rive.

Oui ? Qui est-ce ? Qui m'a fait venir à cette heure-ci ?

Kotwal-ji, c'est moi, le sirdar des burkundazes, lui répondit en bhojpuri un des hommes qui avaient escorté la flotte. Je voulais vous voir dès ce soir. Puis-je vous demander de prendre la peine de venir à bord de mon pulwar ?

La voix était familière, et les instincts de Deeti furent instantanément en alerte.

Kalua, chuchota-t-elle, va-t'en d'ici, cours vers les bancs de sable. Je crois que je connais cet homme. Il y aura des problèmes si tu es reconnu. Va vite te cacher.

Et toi ?

Ne t'inquiète pas, j'ai mon sari pour me protéger. Je ne risque rien. Je te rejoindrai dès que j'aurai découvert ce qui se passe. Pars maintenant, chal !

Le kotwal était flanqué de deux péons qui portaient des branches enflammées pour lui montrer le chemin. Alors qu'il atteignait le bord du fleuve, la lumière des torches éclaira l'homme sur le bateau, et Deeti reconnut le sirdar qui l'avait fait entrer dans la factorerie d'opium le jour du malaise de son mari. Ce qui excita son inextinguible curiosité : que pouvait bien avoir à faire le sirdar avec le kotwal des quais de Chhapra ? Décidée à en savoir plus, Deeti s'avança à portée de voix des deux hommes. Les paroles du sirdar flottèrent jusqu'à elle, par fragments.

... Il l'a enlevée sur le bûcher... on les a vus ici récemment, près du temple d'Ambaji... vous apparte-nez à notre caste, vous comprenez...

Kya áfat – quelle calamité ! C'était le kotwal qui parlait maintenant. Que voulez-vous de moi ? Je ferai tout ce que je peux... *tauba, tauba*...

... Bhyro Singh paiera généreusement toute aide que vous pourrez lui offrir... comme vous pouvez le comprendre, l'honneur de la famille ne sera pas res-tauré jusqu'à ce qu'ils soient morts...

298

Je vais passer le mot, promit le kotwal. S'ils sont ici, vous pouvez être sûr que nous les attraperons.

Il était inutile d'en entendre davantage : Deeti se précipita vers le banc de sable où l'attendait Kalua. Une fois à bonne distance, ils trouvèrent un endroit où s'asseoir et elle lui raconta ce qu'elle venait d'apprendre – que la famille de son époux défunt, décidée à les pourchasser, avait eu vent de leur présence dans Chhapra. Il serait très risqué d'y demeurer un jour de plus.

Kalua écouta, l'air pensif, presque en silence. Allongés l'un contre l'autre, sous un croissant de lune, ils se turent. Ils restèrent éveillés jusqu'à ce que les hululements des chouettes aient cessé et que l'appel d'une huppe signale l'approche du jour. C'est alors que Kalua dit doucement :

Les girmitiyas partiront à l'aube...

Sais-tu où est ancré leur bateau ?

Juste hors de la ville, à l'est.

Viens. Allons-y.

En évitant les quais, ils contournèrent le centre de la ville et attirèrent les hurlements des hordes de chiens qui envahissaient les ruelles la nuit. Aux limites est du bourg, ils furent interceptés par un chowkidar qui, prenant Deeti pour une prostituée, voulut l'emmener dans son chokey. Au lieu de résister, elle lui expliqua qu'après avoir travaillé toute la nuit elle était trop souillée pour aller avec lui sans se baigner d'abord dans le fleuve. Il les laissa partir après avoir fait promettre à Deeti de revenir mais, quand ils eurent enfin réussi à le semer, le soleil s'était déjà levé. Ils parvinrent au fleuve juste au moment où le bateau des migrants quittait son ancrage : sur le pont, le duffadar supervisait les marins en train de hisser les voiles.

Ramsaran-ji ! Ils dévalèrent une berge sableuse en hurlant son nom : Ramsaran-ji ! Attendez...

Le duffadar regarda par-dessus son épaule et reconnut Kalua. Il était trop tard pour ramener le pulwar au rivage, et il leur fit donc un geste d'appel.

Venez ! Jetez-vous à l'eau, ce n'est pas très profond...

À l'instant de s'exécuter, Kalua dit à Deeti :

On ne pourra plus revenir, après ça. Tu es sûre de vouloir continuer ?

Est-ce là une question à poser ? répliqua-t-elle avec une vive impatience. Est-ce le moment de rester planté comme un arbre ? Viens ! Allons-y – chal, na...

Kalua n'avait plus rien à dire car, au fond de son cœur, ses propres doutes avaient été dissipés depuis longtemps. C'est sans hésitation qu'il prit Deeti dans ses bras et s'avança dans l'eau vers le pulwar.

*

Jodu se trouvait sur le pont quand le capitaine Chillingworth et Mr Cowle vinrent inspecter l'*Ibis*. Il fut donc parmi les rares témoins de tout le tamasha du commencement à la fin. Le moment n'aurait pu plus mal tomber : les deux hommes arrivèrent la veille du jour où l'*Ibis* devait être remorqué en cale sèche, alors qu'il régnait à bord un certain chaos. Pire encore, ils surgirent peu après le repas de midi, tandis que tous les membres de l'équipage avaient la tête alourdie par la chaleur et le corps engourdi par la nourriture. Pour une fois, Serang Ali avait permis aux marins de quart de descendre dans le fana faire la sieste. Lui-même était resté sur le pont pour garder un œil sur Jodu dont c'était le tour de vaisselle – mais la température était de nature à faire flancher toute vigilance, et très vite il s'était allongé lui aussi dans un coin abrité derrière l'habitacle.

Avec le passage du soleil, les ombres des mâts s'étaient réduites à de petits cercles et c'est à l'intérieur de l'un d'eux qu'était installé Jodu, vêtu seulement d'un langot à carreaux, pour récurer plats en métal et récipients en terre cuite. Le seul autre marin sur le pont était Steward Pinto qui retournait à la cambuse, plateau en main, après avoir servi son repas à Zachary dans le carré des officiers à l'arrière. C'est lui qui fut le premier à repérer Mr Crowle et c'est son cri d'alarme – *Burra malum áyá* – qui alerta Jodu, lequel, repoussant pots et plats, se réfugia à l'ombre de la rambarde et s'estima chanceux que le regard du burra malum passe sur lui sans s'arrêter.

Le burra malum avait l'allure d'un homme qui n'attend du monde que des problèmes ; bien que grand et large de carrure, il marchait les épaules voûtées et le cou en avant, comme prêt à foncer tête baissée sur tout obstacle. Il était vêtu avec grand soin d'une jaquette de drap fin, de pantalons étroits et d'un chapeau à large bord, mais de chaque côté de son visage une repousse de barbe rude et roussâtre lui donnait un vague air de débraillé. Jodu l'observa de près lorsqu'il arriva et nota que sa bouche avait un tic étrange qui découvrait les pointes de quelques dents de loup craquelées. Ailleurs, il aurait pu passer pour un homme quelconque sans grand intérêt, mais ici, sahib parmi une cargaison de lascars, il se savait un personnage imposant, et il fut clair, d'emblée, qu'il avait bien l'intention d'établir son autorité : ses yeux bleus se posaient vivement dans toutes les directions comme à la recherche de quelque chose contre quoi fulminer. Et ils ne furent pas longs à découvrir un sujet : là-bas, étendu derrière l'habitacle, se trouvait

Serang Ali dans un banyan et un lungi en loques, abruti par la chaleur, son bandana à carreaux recouvrant son visage, en train de ronfler.

La vue du lascar endormi parut allumer une sorte de fusée dans la tête du malum, qui se mit à jurer : «... saoul comme un fils de pute.... et à midi en plus ! » Il leva le pied et s'apprêtait à flanquer un coup quand Steward Pinto songea à une ruse et laissa tomber son plateau : le bruit du métal produisit l'effet désiré, et le serang se leva d'un bond.

Volé de son coup de pied, le burra malum jura encore plus fort, traitant le serang de sac à vin, de pou puant, et que croyait-il faire étendu de tout son long à cette heure de la journée ? Serang Ali fut lent à répondre car, selon son habitude après le repas de midi, il avait fourré un gros morceau de paan dans sa bouche : il avait à présent la joue si pleine que sa langue ne pouvait plus bouger. Il tourna la tête pour cracher le paan par-dessus bord mais il rata son but, répandant des déchets mouillés rouges sur le bastingage et le pont.

Le burra malum arracha alors un taquet de la rambarde et ordonna au serang de se mettre à genoux afin de nettoyer les saletés. Le tout sans cesser de jurer bien entendu, mais voilà que soudain il utilisait une insulte que tout le monde comprenait : Soor-ka-batcha.

Fils de porc ? Serang Ali ? À ce moment-là, plusieurs autres membres de l'équipage avaient émergé du fana pour voir ce qui se passait et, musulmans ou pas, tous furent scandalisés. En dépit de ses côtés un peu bizarres, Serang Ali était une figure de respect et d'autorité indiscutables, parfois sévère mais dans l'ensemble juste et toujours suprêmement compétent dans son métier de marin : l'insulter, c'était pisser sur tout le gaillard d'avant. Certains des hommes serrèrent les poings et s'avancèrent d'un pas ou deux vers le burra malum, mais le serang lui-même leur fit signe de rester en arrière. Pour désamorcer la situation, il s'agenouilla et commença d'éponger le pont avec son bandana.

Tout cela se déroula si vite que Zikri Malum n'était pas encore sorti du carré. À présent, se précipitant sur le pont, il découvrit le serang à quatre pattes.

— Hé, que se passe-t-il ici ? Qu'est-ce que c'est que ce vacarme ?

Apercevant alors le commandant en second, il s'interrompit.

Durant une minute, les deux officiers se défièrent du regard, puis éclata une véhémente discussion. À voir le burra malum, on aurait cru qu'un objet volant lui était tombé sur le nez : qu'un sahib puisse prendre la défense d'un lascar, et devant tant d'autres, c'était plus qu'il n'en pouvait supporter. Brandissant le taquet, il s'avança vers Zikri Malum d'un air menaçant : il était de très loin le plus gros et le plus âgé des deux hommes, mais, face à son agresseur, Zikri Malum ne recula pas d'un pouce, tout en gardant son calme, ce qui lui valut le respect unanime de l'équipage. Beaucoup de lascars pensaient qu'il aurait le dessus dans une bagarre, et ils n'auraient été que trop contents de voir les malums se sauter à la gorge – quoi qu'il en soit, ç'aurait été un spectacle rare que celui de deux officiers se tapant dessus ; une histoire à raconter pendant des années.

Jodu n'était pas de ceux qui espéraient un corps-à-corps, et il fut très heureux d'entendre une autre voix résonner sur le pont pour mettre fin à l'altercation :

— Arrêtez là-bas... *Bas !*

Avec les deux malums nez à nez, personne n'avait remarqué l'arrivée du capitaine sur le pont : en se retournant, Jodu vit un gros sahib chauve qui s'agrippait aux saisines et tentait de reprendre son souffle. Il était beaucoup plus vieux que Jodu s'y attendait, et visiblement pas dans le meilleur état physique, car l'effort de monter l'échelle du bord lui avait coupé la respiration et il avait le visage couvert de sueur.

Mais, bien portant ou pas, c'est d'une voix autoritaire que le capitaine mit fin à la dispute des malums :

— Cessez-moi ça, vous deux ! Assez de vos histoires de gamins !

L'ordre calma les deux officiers, qui s'efforcèrent de faire bonne figure, allant même jusqu'à se serrer la main. Le capitaine se dirigea vers la plage arrière et ils lui emboîtèrent le pas.

Cependant, après le départ des officiers, une autre surprise attendait l'équipage. Steward Pinto, dont le visage avait pris une étrange couleur cendrée, lâcha :

Je connais ce burra malum – Mr Crowle. J'ai servi à bord du même bateau que lui, autrefois...

Le mot se répandit à toute allure et, d'un commun accord, les lascars se retirèrent dans l'obscurité du fana, où ils firent cercle autour du steward.

C'était il y a quelques années, dit Steward Pinto, sept ou huit peut-être. Il ne se souviendra pas de moi – je n'étais pas steward à l'époque mais cuisinier, dans la cambuse. Mon cousin Miguel, d'Aldona, était aussi sur ce bateau : il était un peu plus jeune que moi, encore un moussaillon. Un jour de mauvais temps, alors qu'il aidait à servir le dîner, il a renversé un peu de soupe sur ce Crowle qui, fou de rage, a déclaré que Miguel n'était pas digne de servir au mess, l'a pris par l'oreille, l'a traîné sur le pont et lui a annoncé que dorénavant il travaillerait sur le gréement avant. Or, si

Miguel ne renâclait pas à la tâche, il ne pouvait pas grimper au mât. L'idée d'aller tout en haut du tabar le terrifiait à mort. Il a supplié et supplié, mais Crowle a refusé de l'écouter. Même le serang est allé expliquer le problème : Fouettez le gamin, il a dit, faites-lui nettoyer les latrines, mais ne l'envoyez pas là-haut ; il ne peut pas grimper, il tombera et il mourra. Mais l'intervention du serang n'a fait qu'empirer les choses – car savez-vous ce que ce salaud de Crowle a fait ? Quand il a compris combien Miguel avait peur, il a délibérément rendu l'escalade plus difficile en supprimant les enfléchures : sans les échelles, le trikat-wale ne pouvait aller dans la mâture qu'en grimpant le labran en fibres de coco qui vous sciaient les mains et les doigts de pied. C'était dur même pour des hommes expérimentés, car on grimpait souvent avec le corps suspendu à l'envers, comme un hamac rempli. Pour un type du genre de Miguel, c'était presque impossible, et Crowle devait savoir ce qui arriverait...

Et alors ? dit Cassem-meah. Est-ce qu'il est tombé sur le pont ?

Pinto se passa rapidement une main sur les yeux.

Non, le vent l'a emporté – l'a emporté comme un cerf-volant.

Les lascars échangèrent des regards, et Simba Cader secoua la tête d'un air abattu.

Rien de bon ne sortira de rester sur ce bateau, je le sens dans mes os.

On pourrait disparaître, suggéra Rajoo d'un ton plein d'espoir. Le bateau entre en cale sèche demain. Quand il reviendra, on pourrait tous être partis.

Soudain, d'une voix basse mais pleine d'autorité, Serang Ali reprit le commandement.

Non, dit-il. Si nous désertons, ils blâmeront Zikri Malum. Il a fait un grand bout de chemin avec nous

– regardez-le : tout le monde peut voir qu'il est en voie de réussir. Aucun autre malum n'a jamais partagé notre pain et notre sel. On ne peut que gagner en lui gardant notre confiance : ce sera peut-être dur pendant quelque temps, mais à la fin ce sera pour notre bien.

Ici, se sentant en désaccord avec les autres, le serang jeta un coup d'œil autour de lui, comme à la recherche de quelqu'un prêt à le rejoindre dans son allégeance au malum.

Jodu fut le premier à réagir.

Zikri Malum m'a aidé, dit-il, et j'ai une dette envers lui ; je resterai, même si personne d'autre ne le fait.

Une fois que Jodu se fut engagé, beaucoup d'autres déclarèrent qu'ils suivraient le même cap, mais Jodu savait que c'était lui qui avait maîtrisé la barre, et Serang Ali reconnut le fait en lui adressant un petit signe de tête.

Jodu comprit alors qu'il n'était plus désormais un petit écrabouilleur de crabes mais un vrai lascar assuré de sa place dans l'équipage.

Onze

Les migrants n'étaient sur le Gange que depuis quelques jours quand la mousson vint balayer le fleuve et les noyer sous un déluge orageux. Ils accueillirent les pluies avec des cris de gratitude car les jours précédents avaient été horriblement chauds, surtout dans la cale surpeuplée. À présent, des vents puissants remplissant son unique voile en loques, le disgracieux pulwar se mit à bien avancer, quoique contraint à constamment virer de bord entre les rives. Quand le vent tombait et que les averses cessaient, le bateau utilisait son complément de vingt longues rames, la main-d'œuvre étant fournie par les migrants eux-mêmes. Les rameurs se relayaient à chaque heure et les chefs d'équipe avaient soin de bien faire travailler chaque homme à son tour. Seuls les rameurs, l'équipage et les gardes avaient le droit d'être sur le pont – les autres devaient rester dans la cale où logeaient les migrants.

La cale occupait toute la longueur du bateau et n'offrait ni compartiments ni divisions : elle ressemblait à une remise flottante, avec un plafond si bas qu'un homme ne pouvait pas s'y tenir debout par crainte de se cogner la tête. Les nombreux sabords d'aération étaient en général fermés à cause des voleurs, des brigands et autres bandits exerçant leurs talents sur le fleuve ; dès le début des pluies, ils restèrent clos en permanence ou presque, de sorte que très peu de lumière pénétrait à l'intérieur, même quand les nuages s'éclaircirent.

La première fois que Deeti jeta un coup d'œil dans la cale, elle eut l'impression d'être à deux doigts de dégringoler dans un puits : tout ce qu'elle put voir, à travers le ghungta de son sari, c'étaient les blancs d'une myriade d'yeux brillant dans le noir, levés vers elle et aveuglés par la lumière. Elle descendit l'échelle avec beaucoup de précaution, en ayant soin de garder son visage voilé. Quand ses yeux à elle se furent accoutumés à l'obscurité, elle vit qu'elle se trouvait au milieu d'une assemblée dense : plusieurs douzaines d'hommes étaient regroupés autour d'elle, certains accroupis, d'autres couchés recroquevillés sur des nattes et d'autres encore assis, le dos contre la coque. Un ghungta semblait une bien mince protection contre l'assaut de tant de regards curieux, et Deeti alla promptement se mettre à l'abri derrière Kalua.

La section des femmes se trouvait très à l'avant, dans une alcôve ménagée par un rideau entre les parois de la proue : Kalua y précéda Deeti, lui frayant un chemin au travers de l'amas des corps. Arrivée à l'alcôve, Deeti s'arrêta brusquement, et c'est une main tremblante qu'elle posa sur le rideau.

Ne t'éloigne pas, chuchota-t-elle, nerveuse, à l'oreille de Kalua. Reste tout près – qui sait comment sont ces femmes ?

Theekba – ne t'inquiète pas, je serai à côté, dit-il en la faisant entrer.

Deeti s'attendait à ce que la section des femmes fût tout aussi surpeuplée que celle des hommes, mais en passant le rideau elle ne découvrit qu'une demi-douzaine de silhouettes voilées. Plusieurs étaient allongées sur le plancher et, à l'entrée de Deeti, elles se poussèrent pour lui faire place; Deeti s'accroupit lentement sur ses hanches, le visage toujours couvert. Tout le monde étant accroupi et voilé, s'ensuivit une séance d'estimation mutuelle aussi embarrassée et inconclusive que l'examen d'une nouvelle mariée par les voisins de son époux. Pour commencer, personne ne parla, mais un brusque coup de vent ayant fait gîter le pulwar, les femmes tombèrent et s'étalèrent les unes sur les autres. Au milieu des grognements et des rires, le ghungta de Deeti lui glissa du visage et, en se redressant, elle se trouva nez à nez avec une femme pourvue d'une énorme bouche d'où saillait, telle une pierre tombale inclinée, une seule et unique dent. Elle s'appelait, Deeti l'apprendrait plus tard, Heeru, et elle souffrait de périodes d'absence de mémoire durant lesquelles elle restait à contempler ses ongles sans les voir. Il ne fallut pas longtemps à Deeti pour comprendre que Heeru était la plus inoffensive des créatures, mais, lors de cette première rencontre, elle fut très déconcertée par sa curiosité franche et directe.

Qui es-tu? demanda Heeru. *Toha nám patá batáv tani?* Si tu ne t'identifies pas, comment saurons-nous qui tu es?

En qualité de nouvelle venue, Deeti savait qu'elle aurait à se raconter elle-même avant que les autres en fassent autant. Elle allait s'identifier comme Kabutri-ki-ma, le nom qu'elle portait depuis la naissance de sa fille, quand elle songea soudain que si elle voulait empêcher les parents de son mari de la trouver, Kalua et elle devraient utiliser d'autres noms que ceux sous lesquels ils étaient communément connus. Comment alors s'appeler ? Son vrai nom fut le premier à lui venir à l'esprit et, comme il n'avait jamais été utilisé par personne, il en valait bien un autre.

Aditi, répondit-elle doucement, je m'appelle Aditi.

Elle ne l'avait pas plus tôt prononcé que le nom devint réel : voilà qui elle était – Aditi, une femme ayant reçu, par un caprice des Dieux, le don d'une seconde vie.

Oui, reprit-elle en élevant un peu la voix de manière à ce que Kalua l'entende, je suis Aditi, l'épouse de Madhu.

Qu'une femme mariée se présente sous son propre nom ne fut pas perdu pour les autres. Le regard de Heeru se voila de pitié : elle aussi avait été mère autrefois et elle s'appelait en fait Heeru-ki-ma. Bien que cette enfant fût morte depuis un moment, son nom, par une cruelle ironie d'abréviation, se perpé-tuait par sa mère. Heeru fit claquer sa langue triste-ment tout en ruminant le sort infortuné de Deeti.

Alors ton ventre est vide ? Pas d'enfants ?

Non, dit Deeti.

Fausses couches ?

La question fut posée par une femme maigre, aux cheveux striés de gris : c'était Sarju et, comme Deeti le découvrirait plus tard, la plus âgée du groupe. Dans son village natal, près d'Ara, elle avait été une *dái*, une sage-femme, mais une faute commise lors de la naissance du fils d'un thakur lui avait valu d'être chassée de sa maison. Elle tenait des deux mains sur ses genoux un gros baluchon de toile, comme si elle protégeait un trésor.

Ce jour-là, Deeti n'eut pas la présence d'esprit de songer à une bonne réponse quand la sage-femme répéta sa question :

Fausses couches? Mort-nés? Comment as-tu perdu les petits?

Deeti se tut, mais son silence était assez suggestif pour provoquer un élan de sympathie :

Ça fait rien... tu es jeune et forte... ton ventre se remplira bientôt...

Une des femmes s'approcha alors de plus près, une adolescente avec des yeux aux longs cils et le regard confiant; sur son menton, nota Deeti, elle avait un tatouage qui complétait à la perfection l'ovale de son visage : trois points minuscules formant une pointe de flèche.

É tobran ját kaun ha ? demanda la fille avec impétuosité. Et ta caste?

Je suis...

Une fois de plus, juste au moment de fournir la réponse habituelle, la langue de Deeti trébucha sur le mot qui lui venait aux lèvres : le nom de sa caste était une partie aussi intime d'elle que le souvenir du visage de sa fille – cependant il semblait maintenant que lui aussi appartenait à son passé, à l'autre Deeti. Elle se reprit, hésitante :

Nous, mon *jora* et moi... Confrontée à la perspective de couper toutes ses amarres avec le monde, elle se sentit à bout de souffle. Elle s'arrêta pour aspirer une grosse bouffée d'air avant de recommencer : Nous, mon mari et moi, nous sommes chamars...

Sur quoi, la jeune fille poussa un cri et, ravie, jeta son bras autour de la taille de Deeti.

Toi aussi? demanda Deeti.

Non. Je suis une mussahar, mais ça fait de nous des sœurs, pas vrai?

Oui, dit Deeti en souriant, nous pourrions être sœurs, sauf que tu es si jeune que tu devrais être ma nièce.

Ce qui enchanta la gamine.

C'est ça, s'écria-t-elle, tu peux être ma *bhauji hamár* – ma belle-sœur !

Cet échange irrita certaines des femmes, qui se mirent à réprimander l'adolescente :

Qu'est-ce que tu as, Munia ? Tout ça n'a plus aucune importance ! Nous sommes toutes sœurs, maintenant, non ?

Oui, c'est vrai, répondit Munia en hochant la tête, – mais sous le couvert de son sari, elle pressa un peu la main de Deeti comme pour affirmer un lien spécial et secret.

*

— Neel Rattan Halder, le temps est venu...

Mr Kendalbushe commençait à peine à présenter ses conclusions qu'il dut se mettre à jouer de son marteau car du tapage avait éclaté dans le tribunal dès qu'on avait remarqué que le juge avait omis le titre de l'accusé. L'ordre rétabli, le juge reprit son discours, les yeux fixés sur Neel installé sur un banc au pied de l'estrade.

— Neel Rattan Halder, le temps est venu de conclure ce procès. Après avoir soigneusement considéré toutes les preuves soumises à ce tribunal, le jury vous a déclaré coupable, et il me revient maintenant le pénible devoir de vous appliquer la sentence prévue par la loi pour contrefaçon. Au cas où vous ne seriez pas conscient de l'importance de votre délit, laissez-moi vous expliquer que, sous la loi anglaise, ce délit est un crime de la plus grande gravité et qu'il était jusqu'à récemment considéré comme capital.

Ici, le juge s'interrompit pour s'adresser directement à Neel :

— Comprenez-vous ce que cela signifie ? Cela signifie que la contrefaçon était punie de pendaison – une mesure qui n'a pas peu contribué à assurer la prospérité actuelle de la Grande-Bretagne et à lui conférer le gardiennage du commerce mondial. Et si ce crime s'est révélé difficile à prévenir dans un pays tel que l'Angleterre, il ne peut que l'être bien davantage dans une contrée telle que celle-ci qui n'est ouverte que depuis peu aux bénéfices de la civilisation.

Juste alors, à travers le crépitement assourdi d'une averse, Neel perçut le faible écho de la voix d'un vendeur de confiseries quelque part dans la rue : *Joynagorer moa...* En entendant ce lointain appel, sa bouche se remplit du goût remémoré d'une douceur croustillante, tandis que le juge poursuivait en observant que, puisqu'on disait, fort justement, qu'un parent qui ne châtiait pas un enfant se rendait coupable d'esquiver sa responsabilité d'éducateur, alors ne pouvait-on pas dire aussi que les nations désignées pour remplir cette mission divine seraient coupables de négliger leur devoir sacré si elles se montraient insuffisamment rigoureuses dans leur châtiment des peuples incapables d'une honnête conduite de leurs affaires ?

— La tentation toujours présente dont sont affligés ceux qui assument le poids de la gouvernance, continua le juge, c'est l'indulgence, la puissance du sentiment paternel étant telle qu'elle amène chaque parent à partager les souffrances de ses enfants et pupilles. Pourtant, aussi pénible que ce soit, le devoir exige que nous mettions de côté nos sentiments naturels d'affection au moment de dispenser la justice...

De sa place sur le banc des accusés, Neel ne voyait de Mr Kendalbushe que la moitié supérieure du visage, encadré bien entendu par une grosse perruque blanche. Chaque fois que le juge secouait la tête pour souligner ses propos, un petit nuage de poussière paraissait s'élever des boucles poudrées et demeurer en suspension comme un halo. Ayant vu des reproductions de tableaux italiens, Neel connaissait un peu la signification des halos, et il lui vint un instant à l'esprit de se demander si l'effet était intentionnel ou non. Mais ses conjectures furent interrompues par l'appel de son nom.

— Neel Rattan Halder, aboya le juge. Il a été établi au-delà de tout doute raisonnable que vous avez de façon répétée imité la signature de l'un des plus respectables marchands de cette ville, Mr Benjamin Brightwell Burnham, avec la claire intention d'escroquer un grand nombre de vos parents, amis et associés, des gens qui vous avaient honoré de leur confiance à cause du respect qu'ils portaient à votre famille et à cause de la réputation sans tache de votre père le défunt raja Ram Rattan Halder de Raskhali, dont on pourrait vraiment dire que le seul reproche qu'on lui fera à jamais est d'avoir engendré un criminel aussi infâme que vous. Je vous demande, Neel Rattan Halder, de réfléchir à ceci : si un délit tel que le vôtre mérite châtiment chez un homme ordinaire, alors combien plus fortement appelle-t-il la réprobation quand la personne qui en est coupable vit dans la richesse, un homme au premier rang de la société indigène et dont la seule intention est de s'enrichir davantage aux dépens des siens. Comment la société doit-elle juger un faussaire qui est aussi un homme éduqué, jouissant de tous les conforts que la fortune peut procurer, dont les domaines sont si immenses qu'ils le portent au-dessus de tous ses compatriotes, un homme considéré comme un être supérieur, voire une divinité, parmi ses pairs ? Quelle noirceur la conduite d'un tel homme ne revêt-elle pas quand, pour simplement ajouter un peu au contenu de ses coffres, il commet un crime propre à causer la ruine de ses propres parents, dépendants et inférieurs ? Ne serait-ce pas le devoir de ce tribunal que de traiter cet homme de manière exemplaire, pas simplement pour observer strictement la loi mais aussi pour remplir cette mission sacrée qui nous demande d'instruire les natifs de ce pays dans les lois et usages qui gouvernent la conduite des nations civilisées ?

Tandis que la voix continuait de ronronner, il sembla à Neel que les mots du juge se transformaient aussi en poussière pour rejoindre le nuage blanc circulaire suspendu au-dessus de la perruque. L'éducation de Neel en anglais avait été à la fois si complète et si lourdement orientée vers l'étude des textes qu'il trouvait plus facile, même maintenant, de suivre le langage parlé en le convertissant mentalement en écriture. Un des effets de l'opération était de séparer le langage de son immédiateté, conférant aux mots une abstraction réconfortante, aussi distante de ses propres circonstances que l'étaient les vagues de Windermere et les pavés de Canterbury. De sorte qu'il lui semblait maintenant, alors que les mots se déversaient de la bouche du juge, entendre le bruit de cailloux tintant au fond d'un puits lointain.

— Neel Rattan Halder, dit le juge en brandissant une liasse de papiers, il apparaît qu'en dépit de votre nature opiniâtre et dépravée vous ne manquez ni de fidèles ni de soutiens, car ce tribunal a reçu plusieurs pétitions en votre faveur, certaines signées par les indigènes les plus respectables, et même quelques-unes par des Anglais. Ce tribunal est également en possession d'une opinion offerte par des pandits et des munshis instruits dans les lois de votre religion : ils affirment qu'il n'est pas légal de punir un homme de votre caste et de votre position comme d'autres le seraient. En outre, le jury a pris l'extraordinaire et inhabituelle initiative de vous recommander à la clémence du tribunal.

Avec un geste de dédain, le juge laissa échapper les papiers de sa main.

— Qu'il soit noté que rien n'est plus estimé par ce tribunal qu'une recommandation du jury, car ses membres comprennent les us et coutumes des peuples et ils pourraient avoir connaissance de circonstances atténuantes qui ont échappé à l'attention du juge. Soyez assuré que j'ai soumis tout argument placé devant moi au plus sérieux des examens, dans l'espoir d'y trouver quelque bonne raison de m'écarter du droit chemin de la justice. Je vous confesse que mes efforts ont été vains : dans aucune de ces pétitions, recommandations et opinions je n'ai pu découvrir le moindre motif de circonstances atténuantes. Considérez, Neel Rattan Halder, l'opinion offerte par les savants pandits de votre religion selon laquelle un homme de votre rang devrait être exempté de certaines formes de châtiments parce que ces sentences pèseraient aussi sur votre innocente épouse et votre enfant en leur faisant perdre leur caste. Je reconnais parfaitement la nécessité d'adapter la loi aux usages religieux des indigènes dans la mesure où cela demeure compatible avec la justice. Mais nous ne jugeons d'aucun mérite l'affirmation selon laquelle des hommes de haute caste devraient être punis de manière moins sévère que les autres : un tel principe n'a jamais été admis et ne le sera jamais par la loi anglaise, dont la base même est la croyance que tous sont égaux devant elle...

316

Le propos tenait tellement de l'absurde que Neel dut baisser la tête de crainte de ne pouvoir dissimuler un sourire : car si sa présence sur le banc des accusés prouvait quelque chose, c'était bien le contraire du principe d'égalité énoncé avec tant de force par le juge, non ? Durant son procès, il était devenu risiblement évident à Neel que, dans ce système judiciaire, c'étaient les Anglais eux-mêmes – Mr Burnham et consorts – qui étaient exemptés de la loi appliquée aux autres : eux qui étaient devenus les nouveaux brahmins du monde.

Le silence se fit soudain plus profond. Neel leva les yeux et vit le juge qui le fusillait du regard :

— Neel Rattan Halder, la pétition soumise en votre faveur nous implore de vous accorder les circonstances atténuantes sous le prétexte que vous avez été un homme riche, que votre jeune et innocente famille perdra sa caste, sera méprisée et ostracisée par ses parents et alliés. En ce qui concerne ces derniers, j'ai une trop grande estime à l'égard du caractère indigène pour croire que votre famille pourrait être guidée par un principe aussi erroné mais, en tous les cas, on ne saurait permettre à cette considération d'influencer notre interprétation de la loi. Quant à votre richesse et votre position dans la société, elles ne servent, à notre sens, qu'à aggraver votre faute. En prononçant votre sentence, je fais face à un choix des plus durs : je peux décider soit de laisser la loi s'appliquer en toute impartialité, soit d'établir en tant que principe légal qu'il existe en Inde une catégorie de personnes qui ont le droit de commettre des crimes sans encourir de châtiment.

Voilà, pensa Neel, et tu en es et moi non.

— Désireux de ne pas ajouter à votre détresse, reprit le juge, il me suffira de dire qu'aucune des plaidoiries en votre faveur n'a suggéré un seul bon argument qui puisse modifier le cours de la loi. Une récente jurisprudence, en Angleterre autant que dans ce pays, a établi la contrefaçon comme un crime pour lequel la confiscation de toute propriété est une condamnation insuffisante : elle comporte la sanction supplémentaire d'une déportation outre-mer pour une durée que devra déterminer le tribunal. C'est conformément à cette jurisprudence que ce tribunal prononce sa sentence, qui est que toutes vos propriétés seront saisies et vendues pour rembourser vos dettes, et que vous-même serez déporté dans le camp pénitentiaire des îles Maurice pour une période d'au moins sept ans. Qu'il en soit donc ainsi attesté, le vingtième jour de juillet, l'année 1838 de Notre Seigneur...

*

Très vite, en vertu de sa force prodigieuse, Kalua devint le rameur le plus prisé à bord du pulwar et lui seul, parmi les migrants, eut le droit de prendre un relais chaque fois que le temps le permettait. Le privilège lui plaisait beaucoup, l'effort de ramer étant plus qu'amplement payé par la récompense de se retrouver sur le pont, d'où il pouvait voir défiler la campagne rafraîchie par la pluie. Le nom des villages le long des rives lui faisait grande impression – Patna, Bakhtiyarpur, Teghra – et compter le nombre de coups de rames séparant l'un de l'autre se transforma pour lui en un jeu. De temps à autre, quand on approchait d'un endroit connu, Kalua descendait en informer Deeti : Barauni ! Munger ! L'enclos des femmes possédait plus que sa part de hublots – un sur les deux côtés. À chaque rapport de Kalua, Deeti et ses compagnes les entrouvraient rapidement pour contempler les villages en vue.

Chaque soir au coucher du soleil le pulwar s'arrêtait pour la nuit. Si les rives étaient dangereusement inhabitées, il jetait l'ancre au milieu du fleuve, mais s'il se trouvait au voisinage d'une ville populeuse comme Patna, Munger ou Bhagalpur, alors les marins l'amarraient directement au rivage. Le plus apprécié était quand le pulwar se mettait à quai des ghats d'une ville ou d'un port grouillant d'activité : entre deux averses, les femmes montaient s'asseoir sur le pont pour observer les citadins et rire des incroyables accents avec lesquels ils parlaient.

En route, elles n'avaient l'autorisation de monter sur le pont que pour le repas de midi : le reste du temps elles demeuraient recluses derrière leur rideau. Passer trois semaines dans cet espace réduit, sombre et sans air aurait dû être normalement une épreuve d'un ennui quasi insupportable. Pourtant, étrangement, il n'en fut rien : jamais deux heures pareilles ni deux jours semblables. La grande proximité, la faible lumière et le tambourinement de la pluie à l'extérieur avaient créé une atmosphère d'intimité pressante parmi les femmes ; parce qu'elles étaient étrangères l'une à l'autre, tout ce qui se disait sonnait neuf et surprenant ; même la plus ordinaire des discussions pouvait prendre des tournures inattendues. Il était étonnant, par exemple, de découvrir que pour faire de l'achar de mangue certaines étaient habituées à utiliser des fruits déjà tombés tandis que d'autres ne prenaient que des fruits tout juste cueillis ; pas moins surprenant d'apprendre que Heeru incluait de la férule parmi les épices de ses conserves tandis que Sarju omettait un ingrédient aussi essentiel que les graines de nigelle. Chaque femme avait toujours pratiqué sa propre méthode, persuadée qu'il n'en pouvait exister d'autre : déconcertant d'abord, puis très drôle et enfin très excitant de découvrir que les recettes variaient avec chaque maisonnée, famille et village, et que chacune était considérée comme incontestable par celles qui la mettaient en pratique. Un sujet tellement passionnant qu'il les occupa de Ghoga à Pirpainti : et si une affaire aussi banale pouvait générer tant de discussions, alors que dire de choses aussi importantes que l'argent et le lit matrimonial ?

Quant aux histoires, elles se succédaient sans fin : deux des femmes, Ratna et Champa, étaient sœurs, mariées à deux frères dont les terres, sous contrat avec la factorerie d'opium, ne pouvaient plus les nourrir ; plutôt que de mourir de faim, ils avaient décidé de s'engager comme girmitiyas tous ensemble – quel que dût être l'avenir, au moins ils auraient la consolation de le partager. Dookhanee était une autre femme qui voyageait en compagnie de son époux : ayant longtemps subi l'oppression d'une belle-mère violemment abusive, elle s'estimait heureuse que son mari ait accepté de fuir avec elle.

Deeti ne se sentait aucunement gênée de parler de son passé car elle avait déjà imaginé, avec force détails, une histoire dans laquelle elle était mariée à Kalua depuis l'âge de douze ans, vivant avec lui et son bétail dans un abri au bord de la route. Et si on lui demandait d'expliquer sa décision de traverser l'Eau noire, elle la mettait sur le compte des pehlwans et autres gros bras de Bénarès qui, incapables de battre son mari au combat, avaient réussi à le faire chasser du district.

À certaines de ces histoires, les femmes ne cessaient de revenir : celle de la séparation de Heeru et de son mari, par exemple, était racontée si souvent que toutes avaient l'impression de l'avoir vécue elles-mêmes. Elle s'était produite l'année précédente, au début de la saison froide, au cours de la grande foire au bétail de Sonepur. Heeru avait perdu son premier fils et seul enfant le mois précédent, et son mari l'avait persuadée que, si elle voulait jamais avoir un autre garçon, elle devait faire une puja au temple de Hariharnath, pendant la mela.

Heeru savait, bien entendu, qu'un grand nombre de personnes assistaient à la foire, mais elle n'était pas préparée à la foule assemblée sur les bancs de sable de Sonepur : la poussière soulevée par leurs pieds était si épaisse qu'elle transformait en lune le soleil de midi ; quant aux bétail et autres animaux, il y en avait tant qu'on avait l'impression que les rives du fleuve allaient s'effondrer sous leur poids. Il fallut à Heeru et à son mari toute une journée pour parvenir aux portes du temple et, tandis qu'ils attendaient d'y entrer, un éléphant, amené là par un zemindar, devint brusquement fou, éparpillant la foule. Heeru et son époux s'enfuirent dans des directions opposées, et ensuite, quand elle comprit qu'elle était perdue, elle fut prise d'une de ses crises d'amnésie. Pendant des heures, elle demeura assise sur le sable, contemplant ses ongles, et lorsque enfin elle se souvint d'aller à la recherche de son homme, il avait disparu : c'était comme vouloir trouver un grain de riz dans une avalanche de sable. Au bout de deux jours d'errance, Heeru décida de retourner dans son village – une entreprise difficile car il y avait soixante kos à parcourir, et cela à travers une région aux mains de dacoits impitoyables et de thugs assassins : pour une femme, s'embarquer seule sur un tel trajet était une invitation au meurtre, ou pire. Heeru parvint jusqu'à Revelganj, où elle décida d'attendre de rencontrer des parents ou des amis qui accepteraient de la prendre avec eux. Plusieurs mois passèrent durant lesquels elle survécut en mendiant, lavant du linge et transportant de la poussière dans une mine de salpêtre. Puis, un beau matin, elle aperçut une connaissance, un voisin de son village; ravie, elle se précipita sur lui, mais, quand il la reconnut, il s'enfuit comme s'il avait vu un fantôme. Lorsque, enfin, elle eut réussi à le rattraper, il lui raconta que son mari l'avait donnée pour morte et s'était remarié; sa nouvelle épouse était déjà cnccinte.

Tout d'abord, Heeru décida de regagner tout de même son village et de réclamer sa place dans sa maison, puis elle commença à se poser des questions. Pourquoi donc son mari l'avait-il emmenée à Sonepur? N'avait-il pas eu tout au long l'intention de l'abandonner, prêt à saisir n'importe quelle occasion favorable? Il l'avait certainement assez souvent insultée et battue dans le passé : que lui ferait-il s'il la voyait revenir maintenant?

Et le sort voulut que, juste comme elle réfléchissait à tout cela, un pulwar rempli de migrants soit venu s'amarrer au ghat...

L'histoire de Munia était apparemment la plus simple de toutes : quand on l'interrogeait sur sa présence à bord, elle répondait qu'elle allait rejoindre ses deux frères partis tous deux pour Mareech quelques années auparavant. Si on lui demandait pourquoi elle n'était pas mariée, elle répliquait qu'il n'y avait personne chez elle pour lui chercher un mari, son père et sa mère étant morts depuis peu. Deeti devinait qu'il y avait autre chose derrière cette histoire, mais elle avait soin de ne pas se montrer indiscrète : elle savait que, le moment venu, Munia lui raconterait tout – n'était-elle pas, elle, Deeti, la baujhi d'adoption, la belle-sœur dont tout le monde rêvait, amie, protectrice et confidente ? N'était-ce pas à elle que Munia s'adressait toujours dès qu'un homme trop entreprenant lui faisait des avances, la taquinait ou tentait de lui donner rendez-vous ? Elle savait que Deeti remettrait ces hommes à leur place en relatant ces incidents à Kalua : Regarde ce sale voyou en train de faire les yeux doux à Munia. Il croit qu'il peut la taquiner, la provoquer et faire toutes sortes de *chherkáni* juste parce qu'elle est jeune et jolie. Va donc lui faire la leçon ; dis-lui *aisan mat kará* – n'essaye pas de recommencer si tu ne veux pas te retrouver avec le foie du mauvais côté du ventre.

Kalua s'approchait alors d'un pas lourd du coupable et lui demandait, toujours poli : *Khul ke batáibo* – dis-moi franchement, ennuyais-tu cette fille ? Peux-tu me dire pourquoi ?

Ceci suffisait en général à mettre fin au problème, car se voir poser pareille question par quelqu'un de la taille de Kalua n'était pas vraiment du goût de beaucoup.

C'est après un épisode de ce genre que Munia déversa son histoire dans l'oreille de Deeti : elle tournait autour d'un homme de Ghazipur, un agent sous-traitant de la factorerie d'opium. Au cours d'une visite dans leur village, il l'avait vue travailler à la récolte et s'était appliqué à passer et à repasser par son chemin. Il lui avait apporté des babioles en lui affirmant qu'il était fou d'elle – et elle, toujours confiante et le cœur en émoi, avait cru tout ce qu'il lui disait. Ils s'étaient rencontrés secrètement dans les champs de pavots, pendant les festivals et les fêtes de mariage, alors que tout le village était occupé ailleurs. Elle avait beaucoup aimé le secret, la romance et même les caresses, jusqu'au soir où il l'avait prise de force. Après quoi, de peur d'être exposée à la réprobation publique, elle avait continué à lui obéir. Quand elle était tombée enceinte, elle avait présumé que sa famille la chasserait ou la ferait tuer mais, miraculeusement, ses parents l'avaient soutenue, en dépit de l'ostracisme de leur communauté. Cependant, c'étaient des gens très pauvres – au point qu'ils avaient dû vendre deux de leurs fils comme girmitiyas afin de joindre les deux bouts. Lorsque l'enfant de Munia avait eu dix-huit mois, ils avaient décidé de l'emmener chez l'agent – non pour le menacer ni le faire chanter, juste pour lui montrer qu'il leur avait donné une bouche de plus à nourrir. Il les avait écoutés patiemment puis les avait renvoyés en leur promettant toute l'aide nécessaire. Quelques jours plus tard, en pleine nuit, des hommes s'étaient approchés de leur hutte et y avaient mis le feu. Or Munia, ayant ses règles, était allée dormir ce soir-là loin dans les champs : elle avait vu la hutte brûler entièrement, avec à l'intérieur son père, sa mère et son enfant. Rester dans les environs après cela eût été courtiser la mort : elle était partie à la recherche du duffadar, comme l'avaient fait ses frères avant elle.

Oh, petite fille stupide à la cervelle d'oiseau ! s'écria Deeti. Comment as-tu pu le laisser te toucher...

Tu ne peux pas comprendre, soupira Munia. J'étais folle de lui : dans cet état, on fait n'importe quoi. Même si ça se produisait encore, je ferais pareil, je sais.

Que dis-tu, idiote ! dit Deeti. Comment peux-tu parler ainsi ? Après tout ce que tu as subi, tu dois t'assurer que ça n'arrivera jamais plus !

Jamais plus ? L'humeur de Munia changea soudain. Elle pouffa, une main sur la bouche. Cesserais-tu de manger du riz, dit-elle, parce que tu t'es cassé une dent sur un grain ? Mais comment vivrais-tu ?...

Chut ! ordonna Deeti, aussi scandalisée que désespérée. Tais-toi, Munia ! Pense à toi ! comment peux-tu jacasser aussi follement ? Tu imagines ce qui se passerait si les autres savaient ?

Munia fit la grimace.

Pourquoi j'irais leur dire ? Je t'ai tout raconté à toi parce que tu es ma bhauji. Je ne piperai pas un mot aux autres. De toute façon, elles parlent trop...

Il est vrai que le rythme des conversations entre les femmes baissait rarement et, quand cela se produisait, il leur suffisait de prêter l'oreille pour entendre les histoires qui s'échangeaient de l'autre côté du rideau, chez les hommes. C'est ainsi qu'elles apprirent les aventures de Jhugroo le querelleur, dont ses ennemis avaient réussi à se débarrasser en l'embarquant sur le pulwar alors qu'il était fin saoul ; de Cullookhan le sepoy qui, revenu au village après en avoir terminé avec l'armée, avait découvert qu'il ne supportait plus de rester chez lui ; de Rugoo le dhobi, fatigué de laver du linge, et de Gobin le potier qui avait perdu l'usage de son pouce.

Parfois, quand le pulwar jetait l'ancre pour la nuit, de nouvelles recrues montaient à bord, en général seules ou à deux, mais quelquefois en groupe d'une douzaine ou plus. À Sahibganj, où le fleuve prenait la direction du sud, quarante hommes attendaient – des montagnards descendus des plateaux du Jharkhand. Ils avaient des noms tels que Ecka et Turkuk ou Nukhoo Nack, et ils apportèrent avec eux des récits d'un pays en révolte contre ses nouveaux maîtres, de villages incendiés par les troupes de l'homme blanc.

Peu après, le bateau franchit une frontière invisible, emmenant ses passagers dans une région noyée de pluie dont les habitants parlaient un langage incompréhensible : à présent, quand le bateau s'arrêtait le soir, on ne pouvait plus saisir ce que disaient les badauds car ils lançaient leurs insultes et railleries en bengali. Pour ajouter au malaise croissant des migrants, le paysage changea aussi : les plaines plates, fertiles, populeuses cédèrent la place à des marais et des marécages ; le fleuve se fit saumâtre et son eau imbuvable ; chaque jour son niveau montait et descendait, découvrant de vastes bancs de boue ; les rives n'étaient plus qu'une masse de végétation dense, ni arbre ni buisson, surgissant tout droit du lit du fleuve sur des racines pareilles à des pilotis ; certaines nuits, on entendait les tigres rugir dans la forêt et le pulwar trembler sous les coups de queue répétés des crocodiles.

Jusqu'alors, les migrants avaient évité le sujet de l'Eau noire – il n'y avait aucune raison, après tout, de s'appesantir sur les dangers en perspective. Mais à présent, tandis qu'ils transpiraient dans la chaleur humide de la jungle, leurs craintes et appréhensions commencèrent à bouillonner. Le bateau devint un chaudron de rumeurs : on chuchotait que les rations à bord du navire sur lequel ils traverseraient l'Eau noire consistaient en bœuf et en porc ; ceux qui refuseraient d'en manger seraient fouettés au sang et on leur enfoncerait la viande dans la gorge. À l'arrivée à Mareech, ils seraient forcés de se convertir au christianisme ; on leur ferait consommer toutes sortes de nourritures interdites sorties de la mer ou de la jungle ; s'ils mouraient, leurs corps seraient labourés dans le sol comme de l'engrais car sur cette île rien n'était prévu pour les incinérations. La plus effrayante de toutes ces rumeurs concernait la question de savoir pourquoi les Blancs insistaient tellement pour qu'on leur fournisse de très jeunes gens plutôt que des hommes posés et riches d'expérience : c'est parce qu'ils recherchaient une huile qui ne se trouvait que dans le cerveau humain – le très précieux *mimiái-katel* connu pour être plus abondant parmi les êtres ayant tout récemment atteint l'âge adulte. La méthode employée pour extraire cette substance consistait à pendre les victimes par les chevilles avec des petits trous dans le crâne, ce qui permettait à l'huile de s'égoutter lentement dans un récipient.

La rumeur acquit une telle force que, quand on fut en vue de Calcutta, il y eut une explosion de désespoir dans la cale. Rétrospectivement, il semblait à tous qu'avec le voyage sur le Gange ils avaient goûté pour la dernière fois à la vie avant d'entamer une agonie longue et pénible.

*

Le matin de la réception, Paulette découvrit à son lever que, pendant la nuit, ses ongles avaient provoqué une alarmante éruption de marques rougeâtres sur son visage. Vexée jusqu'aux larmes, elle fut tentée un instant de faire tenir à Mrs Burnham un billet prétendant que, malade, elle ne pouvait quitter son lit – mais en fait, très vite, elle ordonna aux ab-dars de remplir le tub dans le goozle-connah. Pour une fois, elle fut ravie d'avoir recours aux services des cushy-girls de Mrs Burnham afin de se faire épiler les bras et laver les cheveux. Restait cependant à savoir ce qu'elle allait porter, et en y songeant Paulette faillit de nouveau fondre en larmes : jamais encore elle ne s'était préoccupée de ce genre de problème et elle n'arrivait pas à comprendre pourquoi elle s'en souciait maintenant. Qu'importait que Mr Reid vînt ou non ? Pour autant qu'elle sache, il remarquerait à peine sa présence. Néanmoins, quand elle essaya une des robes héritées de Mrs Burnham, d'une matière riche mais d'allure sévère, elle l'examina d'un œil inhabituellement critique : insupportable, cette idée de débarquer au dîner fagotée comme une marmotte en deuil. Mais que faire d'autre ? Acheter une robe neuve lui était impossible, non seulement parce qu'elle n'en avait pas la première roupie mais aussi parce qu'elle ne pouvait pas se fier à son propre goût en matière de mode memsahib.

Faute d'autre solution, elle appela à l'aide Annabel qui, en certains domaines, était bien plus avisée qu'on ne l'est en général à son âge. La gamine se révéla un merveilleux soutien : elle décida d'utiliser des bouts rebrodés d'un de ses propres châles pour raviver le col de la robe en soie noire de Paulette. Néanmoins, l'aide d'Annabel avait un prix.

— Mais enfin, tu t'es regardée, Puggly ? s'exclamat-elle. Tu t'agites comme une mouche ! Je ne t'ai jamais encore vue t'inquiéter de ta tenue. Ce ne serait pas à cause d'un amoureux, par hasard ?

— Enfin, non ! se hâta de répliquer Paulette. Bien sûr que non ! J'ai simplement le désir de ne pas disgracier ta famille lors d'une si importante occasion.

Annabel ne fut pas dupe.

— Tu essayes de séduire quelqu'un, pas vrai ? ditelle avec son sourire malin. Qui est-ce ? Je le connais ?

— Oh, Annabel, tu te trompes, ce n'est pas du tout ça ! s'écria Paulette.

Cependant on ne faisait pas facilement taire Annabel et, plus tard dans la journée, en voyant Paulette descendre l'escalier, tout équipée, elle poussa un cri perçant d'admiration.

— Tip-top, Paulette ! Shahbash ! Tu vas sombrer sous les baisers avant la fin de la nuit !

— Vraiment, Annabel ! Comme tu exagères !

Prenant ses jupes à deux mains, Paulette s'enfuit, contente qu'il n'y eût personne à portée de voix à part un chobdar de passage, deux farrashes très pressés, trois porteurs d'eau, deux ouvriers armés de burins et une équipe de jardiniers, les bras chargés de fleurs. Elle aurait été mortifiée que Mrs Burnham entende sa fille, mais heureusement la bee-bee était encore à sa toilette.

À l'entrée de la maison Burnham, communiquant avec la véranda, se trouvait un salon que Mrs Burnham appelait en riant son shishmull à cause de la grande quantité de miroirs vénitiens aux cadres dorés ornant les murs : c'est là en général que les invités étaient accueillis et installés avant l'annonce du dîner. Quoique d'imposantes proportions, cette pièce n'était certainement pas la plus grande de la maison et, quand tous ses chandeliers et autres candélabres étaient allumés, elle n'offrait que peu de recoins sombres ou paisibles – une nuisance pour Paulette dont la politique, lors des burra-khanas des Burnham, était de se faire le moins visible possible. Elle avait découvert par expérience que le mieux pour elle était de se réfugier dans un angle isolé du sheeshmull où une seule et unique chaise était collée à un bout de mur sans miroir : elle avait réussi à passer là les pre-mières heures de plus d'une soirée sans attirer d'autre attention que celle des khidmutgars chargés de servir du simkin et des sorbets. C'est donc droit sur ce coin qu'elle se dirigea, mais ce soir son habituel refuge ne l'abrita pas longtemps : elle venait juste d'accepter un gobelet glacé de sorbet au tamarin aigre-doux quand elle entendit Mrs Burnham l'appeler :

— Oh, Paulette ! Où t'étais-tu fourrée ? Je te cherchais partout. Capitaine Chillingworth a une question à te poser.

— À moi, madame ? s'écria Paulette, inquiète, en se levant.

— Oui, justement, et le voici.

Mrs Burnham s'écarta d'un pas, laissant Paulette face au capitaine.

— Capitaine Chilingworth, puis-je vous présenter Miss Paulette Lambert ?

Sur ce, Mrs Burnham disparut et Paulette resta seule avec le capitaine, qui se courba en respirant très fort.

— ... honoré, mademoiselle Lambert.

Sa voix basse, remarqua Paulette, faisait penser aux craquements de marrons écrasés sous les roues d'un fiacre. Même s'il n'avait pas été aussi bruyamment à court de souffle, on aurait deviné au premier coup d'œil que l'homme n'était pas en très bonne santé. Il avait un visage rouge marbré et une silhouette bizarrement gonflée. Sa tête comme son corps semblaient pendre autour d'une ossature autrefois large, massive et confiante en sa puissance ; ses traits – bajoues charnues, yeux larmoyants soulignés de grosses poches sombres – paraissaient choir d'épuisement. Il souleva son chapeau, découvrant un crâne complètement chauve sauf pour un cercle mité de cheveux tombant de ses bords comme une frange d'écorce pelée.

— J'ai remarqué une rangée de lataniers dans la grande allée, dit-il en épongeant son visage en sueur. On m'a affirmé que c'était votre œuvre, mademoiselle Lambert.

— C'est vrai, monsieur, répondit Paulette, c'est moi en effet qui les ai plantés. Mais ils sont encore si petits ! Je suis surprise que vous les ayez remarqués.

— Jolies plantes, les lataniers, dit le capitaine. On n'en voit pas beaucoup par ici.

— Je les aime tendrement, répliqua Paulette. Surtout les *latania commersonii*.

— Ah ! s'étonna le capitaine. Puis-je vous demander pourquoi ?

Soudain embarrassée, Paulette contempla la pointe de ses souliers.

— La plante a été identifiée, voyez-vous, par Philibert et Jeanne Commerson.

— Et qui, plaît-il, étaient-ils ?

— Mon grand-oncle et ma grand-tante. Des botanistes, tous deux, qui ont vécu plusieurs années à l'île Maurice.

— Ah !

Son froncement de sourcils s'accentua et il commença à poser une autre question, aussitôt perdue pour Paulette qui venait d'apercevoir Zachary franchissant la porte. Comme les autres messieurs, il était en manches de chemise, ayant confié sa veste à un khidmutgar avant d'entrer dans le shishmull. Avec ses cheveux nettement retenus par un ruban noir, sa chemise en dosootie et ses pantalons de nankin, pourtant des plus simples, il paraissait d'une incroyable élégance, d'autant plus qu'il était le seul homme présent à ne pas dégouliner de sueur.

Après l'arrivée de Zachary, Paulette fut incapable de répondre par plus d'une monosyllabe ou deux aux questions du capitaine, et elle nota à peine que le juge Kendalbushe, grimaçant de désapprobation devant sa tenue, murmurait :

— L'enfer est nu et la destruction est sans voile...

Pour ajouter à ses épreuves, au moment d'aller dîner, Mr Doughty se mit à la complimenter avec effusion sur son apparence :

— Ma parole, mademoiselle Lambert ! N'êtes-vous pas une vraie dandyzette aujourd'hui ! Tout ce qu'il faut pour mettre un gars la quille en l'air !

Puis, heureusement, il aperçut la table et oublia aussitôt Paulette.

Laquelle table, ce soir-là, était de taille modeste avec seulement deux rallonges sur six, mais ce qui lui manquait en longueur elle le compensait plus que largement par la hauteur et le poids des mets exposés en un unique et spectaculaire service de plats et assiettes arrangés en une ziggurat tourbillonnante de comestibles. Il y avait de la soupe de tortue verte, servie artistiquement en coquille, une tourte à la viande hachée, un mouton rôti, une terrine de poulet et d'huîtres, une fougasse de gibier, du poisson au vinaigre agrémenté de persil, un vindaloo de bœuf avec toutes les garnitures requises, et des plateaux entiers de minuscules ortolans et de pigeonneaux rôtis, tous les oiseaux disposés de façon à imiter une formation de vol. La pièce centrale était la préférée des cuisines de Bethel : un paon rôti et farci, monté sur un support d'argent, sa queue étalée comme pour un accouplement immédiat.

Devant ce spectacle, Mr Doughty eut le souffle brièvement coupé.

— Eh bien, murmura-t-il enfin en s'épongeant un front déjà suant de gourmandise, voici un tableau digne d'un pinceau de chinoiserie !

— Exactement, monsieur, dit Paulette, bien que n'ayant pas entendu vraiment ce qu'il avait dit – car son attention, sinon son regard, se concentrait sur la place à sa gauche où Zachary avait surgi.

Néanmoins, elle n'osa pas tourner le dos au pilote, ayant été souvent réprimandée par Mrs Burnham pour avoir commis la faute de s'adresser à son voisin de gauche hors de propos.

Mr Doughty continuait à s'émerveiller sur le menu quand Mr Burnham s'éclaircit la gorge pour réciter le bénédicité :

— Nous vous remercions, Seigneur...

À l'exemple des autres convives, Paulette leva ses mains jointes sur son menton et baissa les paupières – mais sans pouvoir s'empêcher de lancer un coup d'œil furtif à son voisin, pour se retrouver très décontenancée quand son regard croisa celui de Zachary qui, lui aussi, jetait un coup d'œil de côté en douce par-dessus ses doigts. Tous deux rougirent, détournèrent aussitôt la tête juste à temps pour faire écho à l'« amen » retentissant de Mr Burnham.

Sans perdre une seconde, Mr Doughty embrocha un ortolan.

— À l'assaut, mademoiselle Lambert ! chuchota-t-il en laissant tomber l'oiseau dans l'assiette de Paulette. Croyez-en un vieil expert : faut y aller fissa avec les ortolans. Ce sont toujours les premiers à partir.

— Eh bien, merci.

Les mots de Paulette échappèrent au pilote désormais tout entier concentré sur le mouton rôti. Son illustre compagnon de droite ainsi occupé, Paulette fut enfin libre de se tourner vers Zachary.

— Je suis heureuse, monsieur Reid, dit-elle poliment, que vous ayez pu nous consacrer une soirée.

— Pas autant que je le suis, mademoiselle Lambert, répliqua Zachary. Ce n'est pas si souvent que je suis invité à un tel festin.

— Pourtant, monsieur Reid, mon petit doigt m'a raconté que vous étiez très sortant ces derniers temps.

— Sort... sortant ? s'étonna Zachary, surpris. Que voulez-vous donc signifier par là, mademoiselle Lambert ?

— Pardonnez-moi. Je veux dire : prié à dîner – que vous aviez beaucoup dîné en ville récemment, non ?

— Mr Doughty et son épouse ont été très aimables, expliqua Zachary. Ils m'ont emmené avec eux deux ou trois fois.

— Vous avez de la chance, dit Paulette avec un sourire conspirateur. Votre collègue, Mr Crowle, n'est pas, je crois, aussi fortuné ?

— Je ne saurais le dire, mademoiselle.

Paulette baissa la voix.

— Voyez-vous, il vous faut être prudent avec Mr Crowle. Mrs Burnham affirme que c'est une horrible brute.

Zachary se raidit.

— Je n'ai aucune peur de Mr Crowle.

— Mais soyez prudent, monsieur Reid. Mrs Burnham déclare qu'elle refusera toujours de le recevoir. Il ne faut pas lui parler de votre présence ici ce soir.

— N'ayez crainte, mademoiselle, rétorqua Zachary souriant à son tour. Mr Crowle n'est pas un homme à qui je serais amené à faire des confidences.

— Il n'est donc pas à bord du bateau ?

— Non. Aucun de nous n'y est. L'*Ibis* est en cale sèche et, entre-temps, nous sommes tous en liberté. Je me suis installé dans une pension.

— Vraiment ? Où donc ?

— Dans Kidderpore – Watsongunge Lane. C'est Jodu qui me l'a trouvée.

— Oh ?

Paulette jeta un rapide regard par-dessus son épaule pour s'assurer que personne d'autre n'avait entendu le nom de Jodu et, tranquillisée, se tourna de nouveau vers Zachary.

Récemment, Mr Burnham avait installé un nouveau système pour rafraîchir la salle à manger. Connu sous le nom de «thermantidote», l'appareil consistait en une hélice recouverte d'un épais tapis de fibres odorantes de khus. Les hommes autrefois employés à tirer les cordelettes des punkahs se consacraient désormais au fonctionnement du thermantidote : tandis que l'un d'eux mouillait le tapis végétal de la machine, un autre faisait tourner l'hélice avec une poignée, forçant un courant d'air constant à travers le tapis trempé. Ainsi, grâce à l'évaporation, la machine était censée créer une brise merveilleusement rafraîchissante. Telle était en tout cas la théorie – mais en temps de pluie le thermantidote ajoutait beaucoup à l'humidité, faisant transpirer tout le monde encore plus que d'habitude. Il produisait aussi un terrible grincement qui couvrait souvent les conversations. Mr Burnham et Mr Doughty étaient parmi les rares individus capables de se faire entendre sans effort par-dessus la machine – ceux dotés de voix plus faibles devaient hurler, ce qui augmentait encore la moiteur régnante. Dans le passé, assise à côté de colonels sourds et de comptables bègues, Paulette avait souvent eu l'occasion de déplorer l'introduction de la nouvelle machine, mais aujourd'hui elle était ravie sans réserve de sa présence puisqu'elle lui permettait de parler avec Zachary sans craindre d'être entendue.

— Puis-je vous demander, monsieur Reid, reprit-elle, où se trouve Jodu à présent. Que devient-il?

— Il essaye de gagner un peu d'argent pendant la remise en état de l'*Ibis*, répondit Zachary. Il m'a demandé un prêt modeste de façon à pouvoir louer un petit ferry-boat. Il reviendra à bord dès que nous serons en mesure de faire voile.

Paulette repensa aux jours paresseux pendant lesquels Jodu et elle, installés dans les arbres des Jardins botaniques, contemplaient les bateaux sur le Hooghly.

— Il a donc réalisé son rêve. Il fera partie de votre équipage ?

— C'est cela : juste comme vous le souhaitiez. Il ira à Port Louis avec nous quand nous partirons en septembre.

— Ah ! Il ira à l'île Maurice ?

— Oui, dit Zachary. Connaissez-vous ces îles ?

— Non. Je n'y suis jamais allée, bien que ma famille y ait vécu autrefois. Mon père était botaniste, voyez-vous, et à Maurice il existe un très célèbre Jardin des plantes. C'est là aussi que mon père et ma mère se sont mariés. Voilà pourquoi j'ai une très grande envie de connaître l'endroit...

Elle s'interrompit : il lui semblait soudain insupportablement injuste que Jodu puisse partir pour cette île alors qu'elle, Paulette, avec tous ses titres de priorité, en était privée.

— Que se passe-t-il ? s'enquit Zachary, inquiet de sa pâleur. Vous allez bien, mademoiselle Lambert ?

— Une idée m'est venue, dit Paulette, tentant de donner un tour léger à son brusque changement d'humeur. J'ai pensé que moi aussi j'adorerais me rendre à Maurice avec l'*Ibis*. Tout comme Jodu, en travaillant à bord.

Zachary éclata de rire.

— Croyez-moi, mademoiselle Lambert, une goélette n'est pas un endroit pour une femme – pardon, une dame, je veux dire. Surtout pour quelqu'un accoutumé à vivre ainsi... – Il fit un geste en direction de la table surchargée.

— Vraiment, monsieur Reid ? s'étonna Paulette en levant un sourcil. Selon vous, il n'est donc pas possible à une femme d'être *matelot* ?

Souvent, incapable de trouver le mot juste, Paulette empruntait un terme français, croyant qu'il passerait pour anglais si elle le prononçait exactement comme il s'épelait. Cette stratégie marchait assez bien dans l'ensemble mais, de temps à autre, elle produisait des résultats inattendus : devant la mine surprise de Zachary, Paulette comprit que c'était à présent le cas.

— Matelote ? dit-il. Non, mademoiselle Lambert, je n'ai certainement jamais entendu parler de femmes matelotes.

— Marin ! rectifia Paulette triomphalement. C'est ce que je voulais dire. Vous pensez qu'il est impossible pour une femme de naviguer sous voile ?

— En qualité d'épouse du commandant, peut-être. – Zachary secoua la tête. – Mais jamais comme un membre de l'équipage : pas un marin digne de ce nom ne l'accepterait. Enfin, quoi, plus d'un se refuse même à prononcer le mot «femme» en mer de crainte de porter malheur au navire.

— Ah ! s'exclama Paulette. Il est alors évident, monsieur Reid, que vous n'avez jamais entendu parler de la célèbre Mme Commerson !

— En effet, mademoiselle Lambert, répliqua Zachary avec un froncement de sourcils. Quel pavillon bat-elle ?

— Mme Commerson n'était pas un bateau, monsieur Reid. C'était une savante : ma grand-tante, pour être précise. Et je tiens à vous informer qu'elle n'était plus de la première jeunesse quand elle s'est embarquée pour faire le tour du monde.

— Vraiment ? s'écria Zachary, sceptique.

— Mais oui, certes. Voyez-vous, avant son mariage, ma grand-tante s'appelait Jeanne Baret. Déjà jeune fille elle avait une ardente passion pour les sciences. Elle a beaucoup étudié Linné et les nombreuses nouvelles espèces de plantes et d'animaux qu'il venait de découvrir et de nommer. Ce qui la faisait brûler de l'envie de voir de ses propres yeux les richesses de la terre. Et ne voilà-t-il pas, monsieur Reid, qu'elle apprend qu'une grande expédition est organisée par M. de Bougainville, dans le but de faire exactement ce qu'elle-même souhaitait ? Cette idée l'enflamme et elle décide qu'elle aussi, à tout hasard, deviendra une expéditionnaire. Bien entendu, elle ne pouvait s'attendre que les hommes autorisent une femme à embarquer avec eux... alors pouvez-vous imaginer, monsieur Reid, ce qu'a fait ma grand-tante ?

— Non.

— Elle a fait la chose la plus simple, monsieur Reid. Elle s'est attaché les cheveux comme un homme et a demandé à embarquer sous le nom de Jean Bart. Et, qui plus est, elle a été acceptée par le grand M. de Bougainville lui-même ! Ça n'a pas été très difficile, monsieur Reid, je tiens à vous en informer : juste une question de se bander très fort la poitrine et d'allonger le pas en marchant. Elle a donc fait voile, portant pantalon, juste comme vous, et aucun des marins ni des savants n'a deviné son secret. Vous imaginez, monsieur Reid, tous ces savants, si grands connaisseurs de l'anatomie des animaux et des plantes ? Pas un seul ne soupçonnant la présence d'une fille parmi eux, si complètement masculine elle était ? Ce n'est que deux ans après qu'elle a été découverte, et savez-vous comment, monsieur Reid ?

— Je ne me risquerai pas à le deviner, mademoiselle.

— À Tahiti, quand les expéditionnaires sont descendus à terre, il a suffi aux indigènes de jeter un coup d'œil et ils ont su ! Le secret qu'aucun Français n'avait percé pendant deux ans de vie commune à bord, jour après jour, les Tahitiens l'ont découvert toutesweet. Mais ça n'avait plus aucune importance car, naturellement, M. de Bougainville ne pouvait pas l'abandonner et il lui a donc permis de rester. On dit que c'est elle qui par reconnaissance a baptisé la bougainvillée en l'honneur de l'amiral. C'est ainsi que Jeanne Baret, ma grand-tante, est devenue la première femme à faire le tour du monde en bateau. Et c'est ainsi, de plus, qu'elle a trouvé un mari, mon grand-oncle Philibert Commerson, un membre de l'expédition et un grand savant lui-même.

Ravie d'avoir ainsi triomphé de Zachary, Paulette le gratifia d'un sourire radieux.

— Vous voyez donc, monsieur Reid, que parfois il arrive en effet à une femme de faire partie d'un équipage.

Zachary but une longue gorgée de vin, mais le bordeaux ne l'aida guère à digérer l'histoire de Paulette : il tenta d'imaginer une femme se risquant à pareille imposture sur l'*Ibis* et fut certain qu'elle serait découverte en quelques jours sinon en quelques heures. Il repensa aux hamacs si proches que le remuement d'un homme suffisait à agiter tout le gaillard d'avant ; il songea à l'ennui des petites heures de la nuit et à ces défis que se lançaient les hommes de quart en ouvrant leur pantalon sous le vent pour mesurer la longueur de phosphorescence qu'ils pouvaient susciter sur la mer ; il repensa au rituel du bain hebdomadaire sur le pont avec tous les marins torse nu et beaucoup complètement dévêtus afin de pouvoir laver leur seul et unique caleçon. Comment une femme pourrait-elle jamais participer à tout cela ? Peut-être sur un navire rempli de mangeurs de grenouilles crasseux – qui sait à quelles diableries ils se livraient ? –, mais un clipper de Baltimore était un univers d'hommes, et pas un vrai marin ne voudrait qu'il en fût autrement, aussi grand soit son amour des femmes.

Remarquant son silence, Paulette s'enquit :

— Vous ne me croyez pas, monsieur Reid ?

— Eh bien, mademoiselle Lambert, je pense que cela pourrait se produire sur un navire français, dit-il avec réticence, sans pouvoir s'empêcher d'ajouter : Ce n'est pas la chose la plus facile que de distinguer une mamzelle d'un monsoo.

— Monsieur Reid !

— Pardonnez-moi...

Tandis que Zachary proférait ses excuses, une minuscule boulette de mie de pain survola les plats pour venir frapper en plein menton Paulette qui, levant les yeux, aperçut, de l'autre côté de la table, Mrs Doughty, souriante, en train de rouler les yeux comme pour indiquer qu'un fait de grande importance venait de se produire. Paulette regarda autour d'elle, étonnée, et ne put rien voir de remarquable hormis Mrs Doughty elle-même : l'épouse du pilote était extrêmement corpulente, avec un visage rond suspendu telle une pleine lune sous un vaste nuage de cheveux teints au henné ; pour l'heure, à voir ses gestes et grimaces, on aurait dit qu'elle subissait une sorte de convulsion planétaire. Paulette s'empressa de regarder ailleurs car elle avait très peur d'attirer l'attention de Mrs Doughty qui avait tendance à parler, d'abondance et à une vitesse exceptionnelle, d'affaires auxquelles elle n'entendait rien.

Heureusement, Mr Doughty lui épargna d'avoir à réagir.

— Shahbash, ma chère ! s'exclama-t-il à l'adresse de sa femme. Très bien visé ! – Puis, se tournant vers Paulette : – Dites-moi, mademoiselle Lambert, vous ai-je jamais raconté comment Mrs Doughty m'avait un jour bombardé avec un ortolan ?

— Eh bien non, monsieur.

— Ça s'est passé chez le gouverneur, poursuivit le pilote. Juste sous le nez du laat sahib. J'ai reçu l'oiseau en pleine figure. À une bonne vingtaine de pas. J'ai compris tout de suite que c'était la femme qu'il me fallait – un œil de lynx !

Là-dessus, ayant embroché le dernier ortolan avec sa fourchette, il le brandit en direction de son épouse. Paulette profita de l'occasion pour reporter de nouveau son attention sur Zachary.

— Dites-moi, monsieur Reid, comment faites-vous pour communiquer avec vos lascars ? Parlent-ils anglais ?

— Ils comprennent les ordres, répliqua Zachary. Et parfois, si besoin est, Serang Ali traduit.

— Et comment conversez-vous avec Serang Ali ?

— Il parle un peu l'anglais. Nous arrivons à nous comprendre. Le plus drôle, c'est qu'il ne peut même pas dire mon nom.

— Comment vous appelle-t-il alors ?

— Malum Zikri.

— Zikri ! s'écria-t-elle. Quel beau nom ! Savez-vous ce qu'il signifie en bengali ?

— Je ne savais même pas qu'il eût une signification, répliqua Zachary, surpris.

— Mais si. Il signifie : «Celui qui se souvient». Que c'est joli ! Puis-je vous appeler ainsi ?

Voyant alors Zachary rougir, Paulette regretta aussitôt son audace. Bénédiction : à cet instant les khidmutgars apparurent, distrayant tous les convives avec l'immense arbre à confiseries qu'ils apportaient. Trois étages à multiples branches, chacune chargée de mini-crèmes, gelées, puddings, blancs-mangers, sabayons et fruits confits.

Paulette s'apprêtait à recommander une crème de mangue à Zachary quand Mr Doughty réclama son attention avec la nostalgique histoire d'une oie lancée lors d'un dîner chez le gouverneur qui avait provoqué un duel et une interdiction officielle des bombardements à table. Il n'avait pas terminé que Mrs Burnham indiquait du regard à Paulette qu'il était temps pour les dames de se retirer au salon. Les khidmutgars s'avancèrent pour repousser leurs chaises et les femmes quittèrent la salle à manger à la suite de leur hôtesse.

À peine le seuil franchi d'un pas majestueux, Mrs Burnham abandonna Paulette à Mrs Doughty.

— Je vais me repoudrer le nez, lui murmura-t-elle discrètement à l'oreille. Bonne chance avec la vieille peau !

*

Dans la salle à manger, où les hommes s'étaient regroupés autour de leur hôte en bout de table, le capitaine Chillingworth déclina l'offre d'un cigare que lui faisait Mr Burnham.

— Merci, monsieur Burnham, dit-il en s'emparant d'un bougeoir, mais je préfère mes cigarillos malaisiens, si ça ne vous fait rien.

— À votre gré, répliqua Mr Burnham en se versant un verre de porto. Mais voyons, capitaine : donnez-nous des nouvelles de Canton. Apparaît-il que les Célestes entendront raison avant qu'il ne soit trop tard ?

Le capitaine soupira.

— Nos amis dans les usines américaines et anglaises ne le pensent pas. Presque tous croient qu'une guerre avec la Chine est inévitable. Franchement, la plupart d'entre eux la voient venir d'un bon œil.

— Ainsi donc, les Chinetoques sont toujours décidés à mettre fin au commerce de l'opium ?

— J'en ai peur, dit le capitaine. Les mandarins semblent vraiment déterminés. L'autre jour, ils ont décapité une demi-douzaine de vendeurs, juste aux portes de Macao. Ils ont exposé les corps en public pour la gouverne de tout le monde, Européens compris. Cela a fait de l'effet, pas de doute. En février, le prix du meilleur opium de Patna a sombré à quatre cent cinquante dollars la caisse.

— Bon Dieu ! s'exclama Mr Doughty. N'était-ce pas le double l'année dernière ?

— Absolument, approuva Mr Burnham en hochant la tête. Voyez-vous, c'est désormais évident – les Longues Queues ne reculeront devant rien pour nous exclure du marché. Et ils y réussiront, assurément, à moins que nous ne puissions convaincre Londres de réagir.

— Dites-moi, capitaine Chillingworth, intervint Mr Kendalbushe en se penchant sur la table : n'est-il pas vrai que notre représentant à Canton, Mr Elliott, a obtenu un certain succès en persuadant les mandarins de légaliser l'opium ? J'ai entendu dire qu'ils avaient commencé à réfléchir aux bénéfices du libre commerce.

Mr Doughty éclata de rire.

— Vous êtes trop optimiste, monsieur. Johnny Chinetoque est têtu comme une mule. Pas une chance de le faire changer d'idée.

— Néanmoins ce que le juge dit n'est pas sans fondement, s'empressa d'affirmer le capitaine. Il y a à Pékin un parti réputé pour être en faveur de la légalisation. Mais on raconte que l'empereur l'a écarté et a décidé de détruire le commerce à sa racine. Il aurait nommé un nouveau gouverneur pour faire le travail.

— Nous ne devrions pas être surpris, décréta Mr Burnham, les pouces dans les revers de sa veste, en regardant autour de la table avec satisfaction. Moi, je ne le suis certainement pas. Je savais dès le début que nous en viendrions là. Jardine & Matheson l'ont prédit tout du long, et je suis du même avis. Personne ne déteste la guerre plus que moi – de fait, je l'abhorre. Pourtant on ne peut nier qu'il y a des moments où la guerre n'est pas seulement juste et nécessaire, mais humaine aussi. Ce temps est venu en Chine : il n'y a rien d'autre à faire.

— Très juste, monsieur ! proclama Mr Doughty avec emphase. Il n'existe pas d'autre recours. En vérité, l'humanité l'exige. Il nous suffit de penser au pauvre paysan indien : que deviendra-t-il si son opium ne peut être vendu en Chine ? Déjà ces pauvres fichus hurremzads ont à peine de quoi manger : ils périront par milliers.

— Je crains que vous n'ayez raison, dit gravement le juge Kendalbushe. Mes amis des missions s'accordent sur la nécessité d'une guerre si la Chine doit s'ouvrir à la parole de Dieu. C'est tout à fait regrettable, certes, mais le mieux est de la faire et d'en terminer.

L'œil pétillant, Mr Burnham balaya du regard la table éclairée par les chandeliers.

— Puisque nous sommes tous d'accord, gentlemen, peut-être puis-je partager avec vous une petite nouvelle qui vient juste de me parvenir ? Sous le sceau du plus strict secret, bien entendu.

— Bien entendu.

— Mr Jardine a écrit pour dire qu'il avait enfin convaincu le Premier ministre.

— Ah ! C'est donc vrai, alors ? s'écria Mr Kendalbushe. Lord Palmerston consent à envoyer la flotte ?

Mr Burnham confirma d'un hochement de tête.

— Oui. Néanmoins, flotte est peut-être un trop grand mot. Mr Jardine pense qu'il ne faudra pas une très grande démonstration de force pour avoir raison des antiques moyens de défense de la Chine. Quelques frégates sans doute et deux douzaines de navires de commerce.

— Shahbash ! applaudit Mr Doughty. Alors, c'est donc la guerre ?

— Je crois que nous pouvons désormais la tenir pour certaine, répliqua Mr Burnham. Je suis sûr qu'il y aura un semblant de palabre avec les Célestes, mais qui se résumera à zéro – on peut faire confiance aux Longues Queues pour cela. Là-dessus la flotte arrivera et l'affaire sera vivement réglée. Ce sera la meilleure sorte de guerre – rapide et pas chère avec un résultat acquis d'avance. Il ne faudra pas plus d'une poignée de soldats anglais : deux bataillons de sepoys suffiront.

Mr Doughty éclata de rire à s'en secouer la bedaine.

— Oh, ça, sans aucun doute ! Nos Noirauds mettront les Jaunes en déroute à toute vitesse. Ça sera terminé en quinze jours.

— Et je ne serais pas surpris, dit Mr Burnham en poignardant l'air de son cigare, que les troupes soient applaudies quand elles entreront dans les rues de Canton.

— C'est une certitude absolue, renchérit Mr Doughty. Les Célestes seront tous dehors en masse à allumer leurs pétards. Aussi bête qu'il peut être par certains côtés, Johnny Chinetoque sait reconnaître une bonne chose quand il en voit une. Il sera ravi d'être débarrassé du tyran mandchou.

Zachary ne put se tenir davantage à l'écart de l'excitation qui montait autour de la table. Il intervint pour demander à Mr Burnham :

— Quand pensez-vous que la flotte sera prête, monsieur ?

— Je crois que deux frégates sont déjà en route, répliqua Mr Burnham. Quant aux navires de commerce, ceux de Jardine & Matheson, de même que les nôtres, commenceront bientôt à se rassembler. Vous serez de retour bien à temps pour vous y joindre.

— Bravo ! Bravo ! s'écria Mr Doughty en levant son verre.

Seul le capitaine Chillingworth semblait demeurer imperméable à la bonne humeur et à l'optimisme de tous : son silence devenu trop prononcé pour être ignoré, le juge Kendalbushe adressa un aimable sourire à son auteur.

— Quel dommage, capitaine Chillingworth, que votre santé ne vous permette pas de participer à l'expédition ! Pas étonnant que vous soyez triste. À votre place, je serais bien désolé aussi.

— Désolé ? – Tout à coup le capitaine Chillingworth se hérissa, sa voix assez ferme pour faire sursauter tout le monde. – Eh bien, non ! Je ne suis pas désolé le moins du monde. J'ai assez vu de choses pareilles dans ma vie, je peux parfaitement me passer d'une autre séance de boucherie.

— Boucherie ? – Le juge, surpris, battit des paupières. – Mais, capitaine Chillingworth, je suis sûr qu'il n'y aura pas plus de victimes que nécessaire. Il y a toujours un prix à payer, n'est-ce pas, pour faire le bien ?

— Le « bien », monsieur ? – Le capitaine Chillingworth s'efforça de se redresser sur sa chaise. – Je ne suis pas très sûr de savoir de quel bien vous parlez, le leur ou le nôtre ? Encore que je ne sache pourquoi je devrais me compter parmi vous, Dieu sait que je ne me suis guère fait de bien par mes actions.

Deux taches de couleur brillantes montèrent aux joues du juge pendant qu'il digérait le propos.

— Eh bien, capitaine, répliqua-t-il sèchement, vous ne faites crédit ni à vous ni à nous. Voulez-vous donc dire que rien de bon ne résultera de cette expédition ?

— Oh, mais si, monsieur ; on ne peut pas le nier. – Les mots du capitaine sortaient lentement, comme tirés d'un profond puits d'amertume. – Je suis persuadé que cette affaire fera beaucoup de bien à certains d'entre nous. Je crains cependant de ne pas être de ce nombre, tout comme beaucoup de Chinois. La vérité, monsieur, est que les hommes font ce que leur pouvoir leur permet. Nous ne sommes aucunement différents des pharaons ou des Mongols sinon que nous, quand nous tuons, nous nous sentons obligés de prétendre que c'est pour une cause supérieure. C'est cette prétention à la vertu, je vous le promets, que l'histoire ne nous pardonnera jamais.

Mr Burnham intervint alors en reposant avec force son verre sur la table.

— Allons, messieurs ! Nous ne pouvons faire attendre les dames jusqu'à ce que nous ayons résolu tous les problèmes du monde : il est temps de les rejoindre.

Un éclat de rire général brisa le climat de gêne. Ces messieurs se levèrent et quittèrent la salle. Zachary fut le dernier à franchir le seuil et il trouva, en sortant, son hôte qui l'attendait.

— Vous voyez, Reid, chuchota Mr Burnham en lui passant un bras autour des épaules, vous voyez pourquoi je m'inquiète des capacités de jugement du capitaine ? Beaucoup de choses vont dépendre de vous, Reid.

Zachary ne put s'empêcher d'être flatté.

— Merci, monsieur, répondit-il. Soyez assuré que je ferai de mon mieux.

*

Mrs Doughty regardait Paulette avec des yeux pétillants par-dessus le rebord de sa tasse :

— Eh bien, ma chère ! dit-elle. Vous avez certainement pratiqué un peu de magie, ce soir.

— Je vous demande pardon, madame ?

— Oh, ne croyez pas que vous puissiez jouer à l'oie blanche avec moi ! s'écria Mrs Doughty en secouant un doigt. Je suis certaine que vous avez remarqué, non ?

— Remarqué quoi, madame ? Je ne vous suis pas.

— Vous n'avez pas vu ? Il n'a pas touché à ses ortolans et a à peine goûté à la fougasse. Quel gaspillage ! Et il a posé tant de questions, aussi !

— Qui donc, madame ? De qui parlez-vous ?

— Mais enfin, de Mr Kendalbushe bien entendu : vous avez certainement tapé dans le mille, là ! Il ne vous a pas quittée des yeux !

— Le juge Kendalbushe ! s'exclama Paulette, paniquée. Ai-je fait quelque chose de mal, madame ?

— Non, petite idiote, répliqua Mrs Doughty en se tordant une oreille. Pas du tout. Mais je suis sûre que vous avez remarqué, non, comment il a refusé le rôti et snobé le paon ? C'est toujours un signe, je dis, quand un homme ne mange pas. Je peux vous l'affirmer, ma chère, il était dans tous ses états chaque fois que vous vous tourniez pour parler à Mr Reid !

Elle continua à jacasser, laissant Paulette plus convaincue que jamais que le juge l'avait repérée en train d'utiliser la mauvaise fourchette ou le couteau inapproprié, et qu'il allait s'empresser de rapporter cette erreur à Mrs Burnham.

Pis encore, quand la porte s'ouvrit pour laisser entrer les hommes, le juge fonça droit sur Paulette et Mrs Doughty, et se mit aussitôt à leur faire un sermon sur la gloutonnerie. Paulette feignit d'écouter, bien que tous ses sens fussent concentrés sur la présence invisible de Zachary, quelque part derrière elle. Mais elle ne réussit pas à se libérer avant pratiquement la fin de la soirée. Ce n'est que quand les invités prirent congé qu'elle parvint enfin à parler de nouveau à Zachary. En dépit de ses efforts pour se maîtriser, elle ne put s'empêcher de lui demander avec une plus grande véhémence qu'elle ne l'aurait voulu :

— Vous prendrez soin de lui, n'est-ce pas – mon Jodu ?

À sa surprise, il répliqua avec une intensité semblable :

— Vous pouvez en être sûre. Et s'il y avait autre chose que je puisse faire, mademoiselle Lambert, il vous suffira de demander.

— Il vous faut être prudent, monsieur Reid, dit Paulette gaiement. Avec un nom tel que Zikri, vous pourriez être amené à être pris au mot.

— Et avec joie, mademoiselle, répliqua Zachary. Vous pouvez faire appel à moi sans hésitation.

— Oh, monsieur Reid, s'écria Paulette, touchée par la sincérité du ton, vous avez déjà fait beaucoup trop !

— Quoi donc, mademoiselle Lambert ? Je n'ai rien fait du tout.

— Vous avez gardé mon secret, chuchota-t-elle. Peut-être ne pouvez-vous pas concevoir ce que cela signifie dans le monde où je vis ? Regardez autour de vous, monsieur Reid : voyez-vous quiconque ici qui croirait un seul instant qu'une memsahib puisse considérer un indigène – un domestique – comme un frère ? Non : on en tirerait les pires conclusions.

— Pas moi, mademoiselle Lambert, affirma Zachary. Vous pouvez en être certaine.

— Vraiment ? dit-elle en le regardant droit dans les yeux. Il ne vous paraît pas incroyable qu'un lien aussi intime et pourtant si innocent puisse exister entre une jeune fille blanche et un garçon d'une autre race ?

— Pas du tout, mademoiselle Lambert – enfin, quoi, moi-même... – Zachary s'interrompit soudain en se mettant à tousser dans son poing. – Je vous assure, mademoiselle Lambert, je connais beaucoup d'autres faits bien plus étranges.

Paulette sentit qu'il allait ajouter quelque chose, mais juste à cet instant il fut coupé dans son élan par une détonation fracassante. Dans le silence embarrassé qui suivit, personne ne jeta un coup d'œil dans la direction de Mr Doughty qui examinait le pommeau de sa canne avec une nonchalance affectée. Il revint à Mrs Doughty d'essayer de rattraper la situation.

— Ah ! s'écria-t-elle en tapant joyeusement des mains. Le vent se lève et nous devons faire voile. En avant, levons l'ancre ! Il nous faut partir !

Douze

Plusieurs jours s'écoulèrent sans qu'on sache à quelle date précise Neel serait envoyé à la prison d'Alipore, où les forçats attendaient en général leur déportation. Entre-temps, bien qu'il eût été autorisé à rester dans ses quartiers de Lalbazar, ses conditions de vie avaient changé de manière multiple et dramatique. Il n'avait plus droit à des visites à toute heure et il ne voyait souvent personne pendant des journées entières. Les policiers qui montaient la garde à sa porte ne se souciaient plus de lui fournir des distractions ; leur attitude, autrefois obséquieuse, était devenue brusque et hargneuse ; désormais, la nuit, ils verrouillaient sa porte et Neel ne sortait plus de sa chambre sans des chaînes aux poignets. Il n'était plus servi par ses propres domestiques et, quand il s'était plaint d'une accumulation de poussière dans ses appartements, le policier de garde lui avait demandé s'il désirait un jharu afin de faire le travail lui-même. N'eût été le ton moqueur de l'homme, Neel aurait peut-être dit oui, au lieu de quoi il secoua la tête.

Il n'y en a plus que pour quelques jours, n'est-ce pas ?

Très juste ! s'esclaffa le garde. Et après ça, t'iras dans le palais de tes beaux-parents. On s'occupera gentiment de toi là-bas – t'inquiète pas.

Durant une courte période, Neel continua à recevoir sa nourriture du palais de Raskhali puis, soudain, ce ne fut plus le cas. On lui remit, à la place, une cuvette en bois, un tapori semblable à celui de tous les prisonniers, contenant une sorte de bouillie de dal et de riz.

Qu'est-ce que c'est ? demanda-t-il au policier, qui lui répondit seulement par un haussement d'épaules indifférent.

Neel prit la cuvette, la posa par terre et s'éloigna, bien résolu à ne plus y prêter attention. Pourtant, très vite, la faim le fit revenir sur sa décision. Il s'assit en tailleur près de la cuvette et il en ôta le couvercle. Le contenu s'était coagulé en une mixture grise dont l'odeur lui donna un haut-le-cœur, mais il s'obligea à prendre quelques grains de riz du bout des doigts. Alors qu'il portait la main à sa bouche, il lui vint à l'esprit que c'était la première fois de sa vie qu'il mangeait quelque chose préparé par des gens d'une caste inconnue. Fut-ce à cause de cette pensée, ou peut-être simplement de l'odeur, en tout cas il fut pris d'une nausée si vive qu'il ne put terminer son geste. L'intensité de la résistance de son corps le stupéfia, car en réalité il ne croyait pas à la caste, du moins c'est ce qu'il avait répété maintes fois à ses amis et à quiconque voulait l'entendre. Si, en réponse, on l'accusait d'être devenu trop tãsh, trop occidentalisé, il rétorquait que non, son allégeance allait à Bouddha, Mahavira, Shri Chaitanya, Kabir et bien d'autres qui avaient tous combattu les contraintes de la caste avec autant de détermination que n'importe quel révolutionnaire européen. Neel s'était toujours enorgueilli d'appartenir à cette lignée égalitaire, d'autant qu'il avait la prérogative de s'asseoir sur un trône de raja : pourquoi, alors, n'avait-il jamais encore mangé quelque chose préparé par des mains inconnues ? Il ne pouvait songer à aucune raison hormis l'habitude : parce qu'il avait toujours accompli ce qu'on attendait de lui ; parce que l'armée de ceux qui contrôlaient son existence quotidienne avait fait en sorte qu'il en soit ainsi et pas autrement. Il avait considéré ces routines comme une performance, un devoir et rien de plus ; une de ces multiples petites comédies exigées par la vie en société, par la samsara – rien de tout cela n'avait de signification réelle ; c'était juste une illusion. Il s'agissait simplement de tenir un rôle dans la grande charade du comportement de pater familias. Pourtant la nausée qui s'était emparée de lui n'avait rien d'irréel, et cette sensation de *ghrina*, cette révulsion qui lui tordait l'estomac et le corps tout entier en lui donnant envie de fuir la bassine devant lui, n'était pas une illusion.

Il se leva et s'écarta de la cuvette pour tenter de se maîtriser. Il était clair que cela n'était plus l'affaire d'un seul repas ; c'était une question de vie ou de mort : serait-il capable de survivre ou pas ? Il revint au tapori, s'assit à côté, prit une bouchée du gruau, la porta à ses lèvres et se força à l'avaler. Il eut l'impression d'ingérer une poignée de braises brûlantes, car chaque grain traçait une piste de feu à travers ses entrailles – pourtant il refusa de s'arrêter ; il mangea un peu encore et puis encore, jusqu'à ce que sa peau semble se détacher de son corps. Cette nuit-là, ses rêves furent hantés par une vision de lui-même devenu un cobra en mue, un serpent luttant pour se libérer de sa peau usée.

Le lendemain matin à son réveil, il trouva une feuille de papier glissée sous sa porte, un avis, imprimé et rédigé en anglais : «Burnham Bros. annonce la vente, par décision de la Cour suprême de justice, d'une belle résidence connue sous le nom du Raskhali Rajbari...» Il contempla la feuille dans un brouillard, la parcourant et la reparcourant des yeux. Jamais il ne s'était laissé aller à envisager pareille possibilité : le déluge de ses malheurs était tel que, pour éviter de s'y noyer, il avait choisi de ne pas trop s'enquérir des implications précises du jugement de la Cour suprême. À l'idée de ce que la vente du rajbari signifierait pour ceux qui dépendaient de lui, il sentit ses mains commencer à trembler. Qu'adviendrait-il des serviteurs et employés de sa famille, de toutes ses parentes veuves ?

Et surtout que deviendraient Malati et Raj ? Où iraient-ils ? La maison ancestrale de sa femme, où ses frères habitaient maintenant, quoique n'offrant rien d'une imposante demeure était certainement assez grande pour les accueillir. Mais ayant désormais, en même temps que son mari, irrémédiablement perdu sa caste, il n'était plus question pour Malati d'y chercher refuge ; si ses frères la prenaient sous leur toit, leurs propres fils et filles ne pourraient jamais plus trouver épouses ou époux de leur rang. Malati était bien trop orgueilleuse, il le savait, pour mettre ses frères dans la situation d'avoir à la renvoyer.

Il se mit à taper très fort sur sa porte verrouillée et continua jusqu'à ce qu'un garde l'ouvre. Il lui fallait, dit-il au policier, faire parvenir un message urgent à sa famille, et il entendait que les dispositions néces- saires soient prises dans ce but : il insisterait jusqu'à ce qu'il ait obtenu satisfaction.

Insister ? s'esclaffa le garde en secouant la tête avec un air de dérision. Et pour qui se prenait-il ? Un raja, peut-être ?

Néanmoins le mot dut être passé car, plus tard dans la journée, il entendit une clé tourner dans la serrure. À cette heure de l'après-midi, le bruit ne pouvait qu'annoncer un visiteur, aussi Neel se précipita-t-il, s'attendant à trouver Parimal sur le seuil, ou peut-être un de ses gomustas ou daftardars. Mais quand la porte s'ouvrit, ce fut sur son épouse et son fils, debout dehors.

Vous ?

Il pouvait à peine parler.

Oui.

Malati portait un sari de coton bordé de rouge et, bien que sa tête fût couverte, le sari n'était pas drapé de façon à voiler son visage.

Tu es venue ainsi ? Neel se plaça rapidement de côté pour qu'elle puisse s'avancer hors de la vue d'autrui. Dans un endroit où n'importe qui peut te voir ?

Malati rejeta la tête en arrière et son sari lui tomba sur les épaules en découvrant ses cheveux.

— Quelle importance désormais ? dit-elle calmement. Nous ne sommes plus à présent différents du reste des gens dans la rue.

Neel se mordit la lèvre d'inquiétude.

Mais la honte ? s'écria-t-il. Es-tu sûre que tu vas pouvoir vivre avec ?

Moi ? répliqua-t-elle sans s'émouvoir. Qu'est-ce que ça peut me faire ? Ce n'est pas pour moi que j'ai vécu en purdah – c'est parce que toi et ta famille le vouliez. Et cela ne signifie plus rien désormais : nous n'avons plus rien à sauver ni plus rien à perdre.

Raj entoura de son bras la taille de son père et il y enfouit son visage. Il sembla soudain à Neel que son fils avait rapetissé – ou était-ce qu'il ne pouvait pas se rappeler l'avoir jamais vu avec une veste de grosse toile et un dhoti lui arrivant au genou ?

Nos cerfs-volants... sont-ils... ?

Il avait tenté de garder un ton léger et sa voix l'avait puni en mourant dans sa gorge.

Je les ai tous jetés dans le fleuve, répliqua l'enfant.

Nous avons donné la plupart de nos affaires, s'empressa d'ajouter Malati. Relevant son sari, elle s'empara du jharu laissé dans un coin par le garde et se mit à balayer le sol. Nous n'avons gardé que ce que nous pouvons emporter.

Emporter où ? demanda Neel. Où penses-tu aller ?

C'est tout arrangé, déclara-t-elle en s'activant avec son balai. Tu n'as pas à t'inquiéter.

Mais je dois savoir, insista-t-il. Où vas-tu ? Tu dois me le dire.

Chez Parimal.

Chez Parimal ? répéta Neel, stupéfait : il n'avait jamais songé que Parimal puisse avoir un endroit à lui autre que ses quartiers au Rajbari. Où est la maison de Parimal ?

Pas très loin de la ville, dit Malati. J'ignorais son existence moi aussi jusqu'à ce qu'il m'en parle. Il a acheté de la terre, il y a quelques années, avec ses économies. Il va nous en donner un petit bout.

Déconcerté, Neel s'affala sur son lit de corde en tenant son fils par les épaules. À travers sa tunique, il sentit les larmes de Raj sur sa peau, et il attira l'enfant contre lui plus étroitement encore, enfonçant son menton dans son épaisse chevelure noire. Puis son propre visage se mit à le picoter et il se rendit compte que ses yeux s'étaient gonflés d'une substance aussi corrosive que de l'acide, la profonde horreur d'avoir trahi sa femme et son fils et l'amertume de soudain comprendre qu'il avait passé toute son existence en somnambule, traversant les jours comme si sa vie n'avait pas plus d'importance qu'un petit rôle dans une pièce écrite par quelqu'un d'autre.

Malati reposa le jharu et vint s'asseoir à côté de Neel.

Tout ira bien, affirma-t-elle avec insistance. Ne t'inquiète pas pour nous ; nous nous débrouillerons. C'est toi qui dois te montrer fort. Pour notre salut, sinon pour le tien, il faut que tu restes en vie : je ne pourrais pas supporter d'être veuve, pas après tout cela.

Tandis que les mots de son épouse pénétraient en lui, ses larmes se séchèrent, et il ouvrit les bras pour serrer Malati et Raj contre sa poitrine.

Écoutez-moi, dit-il. Je resterai en vie. Je vous en fais la promesse. Quand ces sept années se seront écoulées, je reviendrai pour vous emmener tous deux loin de cette terre maudite, et nous commencerons une vie nouvelle dans un autre endroit. Je ne vous demande qu'une seule chose : ne doutez jamais de mon retour, car je reviendrai.

*

La réception en l'honneur du capitaine Chillingworth, avec toute son agitation et son tintamarre, était à peine terminée que Paulette se trouvait de nouveau mandée dans la chambre à coucher de la burra bee-bee. L'appel vint peu après le départ de Mr Burnham pour son dufter, et les roues de son fiacre s'écrasaient encore sur les marrons de l'allée de Bethel qu'un khidmutgar frappait à la porte de Paulette pour lui faire part de la convocation. Mrs Burnham n'étant pas, en général, à cette heure de la matinée, totalement réveillée de sa dose habituelle

de laudanum, il paraissait donc naturel de supposer
que l'affaire était d'une urgence particulière, suscitée
par un tiffin paroissial imprévu ou un autre divertissement inattendu de ce genre. Mais, à l'instant de
son arrivée dans la chambre de la bee-bee, Paulette
comprit qu'il s'agissait d'une occasion sans précédent
– non seulement Mrs Burnham était parfaitement
réveillée, elle était en fait debout, ouvrant les volets et
naviguant tout sourires dans la pièce.

— Oh, Puggly ! s'écria-t-elle à l'entrée de Paulette.
Voyons, enfin, où étais-tu, ma chère ?

— Mais, madame, répliqua Paulette, je suis venue
tout de suite, dès qu'on m'a dit.

— Vraiment, chérie ? s'étonna la bee-bee. Il me
semble avoir attendu pendant des siècles. J'étais
convaincue que tu étais partie te faire frire des auber-
gines.

— Ah, madame ! protesta Paulette, ce n'est pas la
bonne heure.

— Non, ma chère, approuva Mrs Burnham. Et ce
n'est pas le moment de se tourner les pouces quand
pareille nouvelle vous attend.

— Des nouvelles ? dit Paulette. Il y a des nouvelles ?

— Eh bien, oui, il y en a ; mais asseyons-nous
d'abord sur le lit, chère Puggly. Ce n'est pas le genre
de choses dont on veut discuter sur ses deux pieds.

Prenant Paulette par la main, la be-bee lui fit traverser la chambre et lui ménagea une place à côté
d'elle au bord du lit.

— Que se passe-t-il, madame ? demanda Paulette,
de plus en plus inquiète. Rien de mal, j'espère ?

— Dieu du ciel, non ! répliqua Mrs Burnham.
C'est la meilleure des nouvelles possibles !

La voix de Mrs Burnham contenait tant de chaleur et ses yeux bleus tant de sympathie que Paulette fut prise d'un peu d'appréhension. Quelque chose clochait, elle le savait : la bee-bee, avec ses incroyables pouvoirs de divination, avait-elle réussi à découvrir le plus important de ses secrets ?

— Oh, madame, lâcha-t-elle, ce n'est pas au sujet de... ?

— Mr Kendalbushe ? compléta Mrs Burnham, ravie. Enfin, comment as-tu fait pour le savoir ?

Le souffle coupé, Paulette ne put que répéter, stupéfaite :

— Mr Kendalbushe ?

— Espèce de petite diablesse rusée ! s'exclama la bee-bee en lui donnant une tape sur le poignet. Avais-tu deviné ou bien quelqu'un t'a-t-il mise au courant ?

— Ni l'un ni l'autre, madame. Je vous assure, je ne sais pas...

— Ou est-ce simplement le cas, poursuivit malicieusement la bee-bee, de deux cœurs battant à l'unisson comme les cloches d'un campanile ?

— Oh, madame, s'écria Paulette, angoissée. Ce n'est rien de tel.

— Eh bien, alors, je ne peux pas imaginer comment tu as su, déclara la bee-bee en s'éventant de son bonnet de nuit. Quant à moi, je suis littéralement tombée à la renverse quand Mr Burnham m'a tout raconté ce matin.

— Raconté quoi, madame ?

— Son entrevue avec le juge, expliqua Mrs Burnham. Vois-tu, Puggly, ils ont dîné au Bengal Club hier et, après avoir cancané à propos de ci et de ça, Mr Kendalbushe a demandé s'il pouvait aborder une affaire un peu délicate. Or, tu le sais, très chère,

Mr Burhnam tient Mr Kendalbushe dans la plus haute estime et, bien entendu, il a dit oui. Et devine un peu, chère Puggly, quel était le sujet de cette affaire ?

— Un point de droit ?

— Non, chérie, c'est bien plus délicat que cela : ce qu'il souhaitait demander c'était si toi, Puggly chérie, tu voudrais bien considérer sa démarche avec faveur.

— Sa démarche ? s'étonna Paulette en pleine confusion. Mais je n'ai jamais remarqué comment il marchait.

— Pas cette sorte de démarche, petite idiote, s'esclaffa gentiment Mrs Burnham. Sa demande en mariage, voilà ce qu'il voulait dire. Tu ne saisis pas, Puggly ? Il a le projet de demander ta main.

— Ma main ? À moi ? cria Paulette horrifiée. Mais, madame, pourquoi moi ?

— Parce que, ma chère, répliqua Mrs Burnham toujours en riant, il est très impressionné par tes manières simples et ta modestie. Tu as vraiment gagné son cœur. Peux-tu imaginer, ma chérie, quel prodigieux tour de kismet ce sera pour toi d'emballer Mr Kendalbushe ? C'est un vrai nabab – il a fait des masses de roupies grâce au commerce avec la Chine. Depuis qu'il a perdu sa femme, il n'y a pas une fille dans la ville qui n'ait essayé de le conquérir. Je peux te l'assurer, chérie, il y a une armée de mems qui donneraient leur dernier penny pour être dans tes pantoufles.

— Mais avec tant de magnifiques memsahibs se le disputant, madame, pourquoi choisirait-il une pauvre créature telle que moi ?

— Il est à l'évidence très impressionné par ton désir de t'améliorer, ma chère, expliqua la bee-bee. Mr Burnham lui a dit que tu étais la plus appliquée des élèves qu'il ait jamais eues. Et comme tu le sais, chérie, Mr Burnham et le juge sont totalement d'accord sur ces choses.

— Pourtant, madame, protesta Paulette, incapable de maîtriser le tremblement de ses lèvres, il y en a certainement beaucoup d'autres qui connaissent les Écritures bien mieux que moi. Je ne suis qu'une simple novice.

— Mais, très chère, répliqua Mrs Burnham riant de plus belle, c'est exactement la raison pour laquelle tu as gagné sa considération – tu es une ardoise vierge et tu es prête à apprendre.

— Ah, madame, gémit Paulette en se tordant les mains, vous plaisantez sûrement. Ce n'est pas gentil.

La bee-bee s'étonna de la détresse dont témoignait Paulette.

— Oh, Puggly, n'es-tu pas contente de l'intérêt que te porte le juge ? C'est un grand triomphe, je t'assure. Mr Burnham l'approuve de tout cœur et a promis à Mr Kendalbushe de tout faire en son pouvoir pour te convaincre. Ils ont même tous deux décidé de partager la charge de ton instruction pendant un temps.

— Mr Kendalbushe est trop aimable, dit Paulette en essuyant ses larmes sur sa manche. Et Mr Burnham aussi. Je suis grandement honorée, madame – pourtant je dois confesser que mes sentiments ne sont pas pareils à ceux de Mr Kendalbushe.

Mrs Burnham fronça le sourcil et se redressa.

— Les sentiments, ma chère Puggly, dit-elle sévèrement, sont pour les dhobis et les catins. Nous, mems, nous ne pouvons laisser ce genre de choses nous encombrer ! Non, chère, permets-moi de te dire : tu as de la chance qu'un juge ait jeté les yeux sur toi. Il ne faut pas rater le coche ! Une fille dans ta situation ne peut espérer un meilleur butin !

— Ah, madame ! – à présent Paulette pleurait franchement –, les choses de ce monde ne sont-elles pas d'aucune valeur à côté de l'amour ?

— L'amour ? s'exclama Mrs Burnham de plus en plus étonnée. De quoi diable parles-tu ? Ma petite Puggly, étant donné tes perspectives d'avenir, tu ne peux pas te laisser entraîner par tes émotions. Je sais que le juge n'est plus très frais, mais il est certainement encore capable de te faire un marmot ou deux avant de devenir gâteux. Et après ça, ma chérie, eh bien, il n'existe rien dont une mem ait besoin qui ne puisse être soigné par un bon bain et les soins d'une ou deux cushy-girls. Crois-moi, Puggly, les hommes de cet âge ont leur avantage. Pas de bang-bang à toute heure de la nuit, pour commencer. Je peux te dire, très chère, qu'il n'y a rien de plus assommant que d'être trifouillée par un outil juste au moment où on est prête pour une petite gorgée de laudanum et une bonne longue nuit de sommeil.

— Mais, madame, dit Paulette, misérable, ne sentez-vous pas qu'il serait pénible de passer ainsi toute une vie ?

— Ça, c'est qu'il y a de mieux dans l'histoire, dit Mrs Burnham avec entrain. Tu n'auras pas à le faire. Le juge n'est pas un poulet de printemps, après tout, et je doute qu'il en ait pour longtemps ici-bas. Et imagine ! Après le départ de ce cher saint homme, tu pourras filer à Paris avec son trésor et, avant que tu le saches, un duc ou un marquis sans le sou viendra te demander ta main à genoux.

— Mais madame, sanglota Paulette, quel profit tirerai-je de tout cela si ma jeunesse est perdue et que j'ai perdu aussi l'amour qui est dans mon cœur ?

— Enfin, chère Puggly, protesta la bee-bee, tu pourrais apprendre à aimer le juge, n'est-ce pas ?

— On ne peut pas apprendre à aimer, madame, rétorqua Paulette. L'amour, c'est sûrement plus comme un *coup de foudre*, comment dites-vous en anglais – comme être pénétrée par son dard ?

— Pénétrée par son dard ? – Mrs Burnham plaqua ses deux mains sur ses oreilles scandalisées. – Puggly ! Il faut absolument faire attention à ce que tu dis !

— N'est-ce pas vrai, madame ?

— Je n'en sais certainement rien. – Ses soupçons éveillés, Mrs Burnham tourna la tête pour appuyer son menton sur sa main et lancer un long regard inquisiteur à Paulette. – Je te prie, dis-moi, chère Puggly – il n'y a personne d'autre, non ?

Sachant qu'elle en avait laissé deviner plus qu'elle aurait dû, Paulette fut prise de panique. Pourtant il était vain de nier, elle le savait, car raconter un gros mensonge à quelqu'un d'aussi perspicace que Mrs Burnham revenait tout bonnement à doubler les risques d'être percée à jour. Aussi baissa-t-elle la tête en silence.

— Je le savais ! s'écria triomphalement la bcc-bcc. C'est cet Américain, n'est-ce pas – Hezekiah, Zebediah ou Dieu sait quoi ? Tu as perdu la tête, Puggly ! Ça ne marchera jamais. Tu es trop pauvre pour te jeter dans les bras d'un marin, aussi élégant et beau parleur soit-il. Un jeune matelot – enfin, c'est le pire des kismets qu'une femme pourrait souhaiter, pire même qu'un gendarme ! Ils ne sont jamais là quand on en a besoin, ils n'ont jamais la moindre roupie à eux et ils sont morts avant que leurs marmots soient sortis des langes. Avec un marin pour époux, il te faudrait trouver un travail de bonne à tout faire juste pour joindre les deux bouts ! Je ne pense pas que ça te conviendrait vraiment, ma jolie, de nettoyer les saletés des autres et de vider leurs pots de chambre.

Non, chérie, ce n'est pas permissible, je refuse d'en entendre parler...

Soudain, comme ses soupçons se précisaient, la bee-bee s'interrompit et porta les mains à sa bouche.

— Oh, mon Dieu ! Mon Dieu, Puggly chère, dis-moi, tu n'as pas... ? tu n'as pas... Non ! Dis-moi que ce n'est pas vrai !

— Quoi donc, madame ? demanda Paulette, interdite.

La voix de la bee-bee se réduisit à un chuchotement :

— Tu ne t'es pas compromise, Puggly chérie, n'est-ce pas ? Non. Je n'y croirais pas.

— Compromise, madame ? – Paulette leva fièrement le menton et redressa les épaules. – Dans les affaires de cœur, madame, je ne pense pas que des demi-mesures et des compromissions soient possibles. L'amour n'exige-t-il pas que nous lui donnions tout ?

— Puggly !... – S'étranglant à moitié, Mrs Burnham s'éventa d'un oreiller. – Oh, ma chère ! Oh, Dieu du ciel ! Dis-moi, chère Puggly, je dois être informée du pire. – Elle avala un peu de salive et appuya la main sur son sein palpitant. – Y a-t-il ?... non, sûrement, il n'y a pas... ! non... Seigneur !

— Oui, madame ? dit Paulette.

— Puggly, dis-moi la vérité, je t'en conjure : il n'y a pas de rôti dans le four, n'est-ce pas ?

— Eh bien, madame...

Un peu surprise d'entendre Mrs Burnham tant s'échauffer à propos d'une chose aussi banale, Puggly fut tout de même heureuse de voir la conversation prendre une autre direction et lui fournir ainsi une bonne occasion de s'esquiver. Se tenant l'estomac, elle laissa échapper un gémissement :

— Madame, pardonnez-moi, vous avez raison : je me sens vraiment un peu *foireuse* aujourd'hui.

— Ah, chère, chère Puggly ! – La bee-bee tamponna ses yeux larmoyants et serra Paulette sur son cœur avec pitié. – Bien sûr que tu es furieuse ! Ces canailles de marins ! Avec toutes les cochonneries qu'ils font entre eux, on penserait qu'ils laisseraient en paix les petites jeunes filles ! Mes lèvres sont scellées, bien entendu – personne ne saura rien de moi. Mais, Puggly chérie, ne vois-tu pas ? Pour ton propre salut tu dois épouser Mr Kendabushe sur l'heure ! Il n'y a pas de temps à perdre !

— En effet, madame, il n'y a pas de temps à perdre ! – Juste au moment où Mrs Burnham s'emparait du laudanum, Paulette bondit et se précipita vers la porte. – Pardonnez-moi, madame, il me faut partir. La chaise n'attendra pas !

*

À peine le mot « Calcutta » avait-il été prononcé que chaque sabord dans le pulwar des migrants s'ouvrit en grand. Dans la section des hommes, beaucoup plus peuplée, on échangea coups de coude et coups de pied sans pouvoir toujours s'assurer d'un bon poste d'observation ; les femmes eurent plus de chance – avec deux fenêtres à partager, elles purent toutes contempler le rivage à mesure que la cité approchait.

Au cours du voyage, le bateau avait fait escale dans tant de grandes villes populeuses – Patna, Bhagalpur, Munger – que les panoramas urbains n'avaient plus rien de nouveau. Pourtant, même le plus blasé des girmitiyas fut totalement surpris par le spectacle qui se déroulait sous leurs yeux : les ghats, bâtiments et chantiers qui bordaient le Hooghly étaient si nombreux, si peuplés et d'une telle taille que les migrants se turent, à la fois admiratifs et atterrés. Comment était-il possible de vivre au milieu d'un tel encombrement et d'une telle saleté, sans la moindre étendue de verdure en vue ; ces individus appartenaient sûrement à une autre espèce du genre humain, non ?

Plus près des quais, le trafic fluvial augmenta et, bientôt entouré d'une forêt de mâts, d'épars et de voiles, le pulwar faisait piètre figure, mais Deeti fut soudain saisie d'affection pour lui : au milieu de tant de choses inhabituelles et intimidantes, il ressemblait à une grande arche protectrice. Comme tout un chacun, elle avait souvent attendu avec impatience la fin de cette étape du voyage – mais à présent, c'est avec une terreur croissante qu'elle entendait le duffadar et les sirdars préparer le débarquement des migrants.

Les femmes réunirent leurs possessions en silence et se glissèrent hors de leur enclos : Ratna, Champa et Dookhanee se hâtèrent de rejoindre leurs époux, mais Deeti, s'étant bombardée la gardienne des célibataires, rassembla Munia, Sarju et Heeru et les emmena avec elle attendre Kalua. Les sirdars vinrent bientôt déclarer aux migrants qu'ils seraient transportés dans leur camp, par dix ou douze à la fois, à bord de bateaux à rames loués. Les femmes furent appelées les premières ; avec leurs maris, elles émergèrent sur le pont et y trouvèrent une barque les attendant à couple du pulwar.

Comment allons-nous descendre là-dedans ? s'inquiéta Sarju, car le canot était fort bas sur l'eau, très en dessous du pont du pulwar.

Mais oui, comment ? s'écria Munia. Je ne peux pas sauter si loin !

Si loin! Un éclat de rire moqueur leur revint en écho de la barque. Enfin, quoi, un bébé le ferait. Allez, allez, y a rien à craindre...

C'était le passeur qui parlait, s'exprimant en un hindoustani rapide et urbanisé que Deeti comprenait à peine. Un tout jeune homme, vêtu non pas du longhi et de la tunique habituels mais d'un *patloon* et d'une blouse bleue qui tourbillonnait autour de sa poitrine musclée. Le soleil donnait un reflet cuivré à ses cheveux bruns épais que retenait un bandana noué de façon désinvolte. Il riait, la tête rejetée en arrière, et son regard vif et insolent semblait dévoiler les jeunes femmes.

Quel garçon élégant! chuchota Munia à Deeti sous son ghungta.

Ne le regarde même pas, l'avertit Deeti. C'est un de ces séducteurs des rues, un vrai bãka-bihari.

Mais le passeur continuait à se tordre de rire tout en les appelant :

Qu'est-ce que vous attendez? Sautez donc! Dois-je tendre mon filet pour vous attraper comme des poissons?

Munia pouffa et Deeti ne put s'empêcher de sourire; il fallait bien l'avouer : le garçon avait quelque chose de séduisant. Peut-être était-ce dû à ses yeux brillants ou à la malice insouciante de son expression – ou alors à cette étrange petite cicatrice sur son front qui lui donnait l'air d'avoir trois sourcils au lieu de deux?

Hé! cria Munia en gloussant, suppose que nous sautions et que tu nous laisses tomber? Que se passera-t-il?

Pourquoi laisserais-je tomber une maigre petite comme toi? répliqua le passeur avec un clin d'œil.

367

J'ai attrapé des poissons bien plus gros ! Saute et tu verras...

Les choses étaient allées trop loin, décida Deeti ; en qualité de femme mariée la plus âgée du groupe, il était de son devoir de veiller aux convenances. Elle se tourna vers Kalua et se mit à le tancer :

Qu'est-ce que tu fais donc ? Pourquoi n'es-tu pas déjà dans cette barque pour nous aider à y descendre ? Veux-tu donner à ce petit débauché l'occasion de nous tripoter ?

Penauds, Kalua et les autres hommes passèrent à bord de la barque et aidèrent les femmes à descendre une à une. Munia resta en arrière jusqu'à ce qu'il n'y ait qu'une seule paire de mains vacantes – celles du jeune matelot. Elle sauta et il l'attrapa par la taille avant de la déposer doucement dans le canot : au cours du transfert – incident voulu ou non, Deeti n'aurait pu dire –, le voile de Munia glissa ; suivit un long moment pendant lequel aucune barrière ne se dressa entre le sourire coquin de la coquette et le regard affamé du séducteur.

Combien de temps la jeune fille se serait permis cette liberté, Deeti l'ignorait et n'avait aucune envie de le savoir.

Munia ! cria-t-elle sur un ton sévère. *Tu kahé aisan kaíl karala ?* Comment peux-tu te comporter ainsi ? Tu n'as pas honte ? Couvre-toi tout de suite !

Sans protester, Munia drapa son sari sur son visage et alla s'asseoir à côté de Deeti. Mais en dépit de son attitude modeste, Deeti le devinait à l'angle de sa tête, le regard de la jeune fille était toujours noyé dans celui du jeune homme.

Aisan mat kará ! lança-t-elle, furieuse, en flanquant un coup de coude à Munia. Ne continue pas ainsi... que vont penser les gens ?

J'écoute seulement ce qu'il dit, protesta Munia. C'est pas un crime, non ?

Deeti devait reconnaître qu'il était difficile de ne pas prêter attention au passeur car il parlait presque sans interruption, fournissant un commentaire continu sur le paysage : ... ici, à votre gauche, les entrepôts d'opium... un bel endroit où se perdre, hein ?... pour y trouver le bonheur éternel...

Tout en parlant, il se tournait de telle sorte que Deeti se rendit parfaitement compte que lui et Munia ne cessaient de se défier du regard. Indignée, elle en appela aux hommes :

Voyez comment ce lascar jacasse ! Allez-vous le laisser continuer avec ses vantardises ? N'y a-t-il rien que vous puissiez faire ? Montrez-lui que vous n'êtes pas des mauviettes, vous non plus – *josh dikháwat chalatbá !*

Mais son intervention ne servit en rien car les hommes aussi écoutaient bouche bée : bien qu'ils eussent déjà eu vent des beaux parleurs de la ville, ils n'en avaient jamais encore vu un en chair et en os ; ils étaient fascinés, et quant à réprimander le gredin, ils savaient trop bien qu'il ne ferait que se moquer davantage de leurs expressions de campagnards.

La barque vira dans un chenal et, peu après, le passeur désigna un ensemble de murailles sinistres se dressant au loin.

La prison d'Alipore, annonça-t-il gravement, la plus terrible de tout le pays... Ah, si vous saviez les horreurs et les tortures de cet endroit !... Bien sûr, vous les découvrirez bientôt vous-mêmes...

Inquiets des multiples rumeurs qu'ils avaient entendues, les migrants échangèrent des regards nerveux.

Pourquoi allons-nous vers la prison ? s'enquit l'un d'eux.

On ne vous l'a pas dit ? répliqua d'un ton dégagé le passeur. C'est là où on m'a donné l'ordre de vous emmener. Ils vont faire des bougies avec la cire de vos cerveaux...

Cela suscita plusieurs cris d'angoisse auxquels le passeur répondit par un éclat de rire malicieux.

Non, je plaisantais... Non, ce n'est pas où vous allez... non, je vous emmène au ghat d'incinération là-bas... vous voyez les flammes, la fumée ?... on va tous vous faire cuire – tout crus en plus...

D'autres exclamations anxieuses ne firent qu'amuser davantage le jeune matelot. N'en pouvant plus d'être ainsi moqué, le mari de Champa hurla :

Hasé ka ká bátbá ré ? De qui te fiches-tu ? *Hum kuchho na ho ?* Tu nous prends pour des moins que rien ? Tu veux une raclée, hein ?

D'un idiot de paysan comme toi ? s'exclama le passeur en riant de plus belle. Espèce de *deháti* – j'te donne un petit coup de rame et tu te retrouves à la flotte...

Soudain, à l'instant où allait éclater une bagarre, la barque accosta à une jetée, où elle fut promptement arrimée devant une grande étendue de terrain nouvellement défrichée, encore jonchée de troncs d'arbres récemment abattus. Au centre, trois grosses cabanes au toit de chaume faisaient cercle ; non loin de là, à côté d'un puits, se trouvait un modeste sanctuaire avec un fanion rouge flottant au bout d'un poteau.

... Nous y voilà, dit le passeur, c'est ici qu'on débarque : dans le nouveau dépôt des girmitiyas, tout juste construit et aménagé pour l'arrivée du troupeau...

Ça ? Qu'est-ce que tu racontes ? Tu es sûr ?

... Oui, oui, c'est ça...

Il fallut un moment avant que quiconque bouge : le camp paraissait si paisible que les migrants n'arrivaient pas à croire qu'il leur fût destiné.

... Allez, barrez-vous vous maintenant... Vous pensez que j'ai que ça à faire ?

En débarquant, Deeti eut soin de faire passer Munia devant elle – mais sa présence protectrice ne gêna nullement le jeune marin, qui leur adressa un éblouissant sourire, accompagné d'un :

Mesdames, pardonnez-moi si je vous ai offensées... je n'en avais pas l'intention... Je m'appelle Azad... Azad le lascar...

Deeti savait que Munia mourait d'envie de s'attarder sur la jetée, aussi la poussa-t-elle adroitement pour l'obliger à avancer tout en essayant d'attirer son attention sur le camp :

Regarde, Munia, on y est ! Notre dernière chance de repos avant qu'on nous jette sur l'Eau noire...

Au lieu d'aller rejoindre les autres à l'intérieur, Deeti décida de faire une visite au sanctuaire.

Viens, dit-elle à Kalua, allons d'abord au mandir : une arrivée sans encombre exige une prière de remerciements.

Le temple, fait de bambous tressés, avait quelque chose de rassurant dans sa simplicité. En s'en approchant, Deeti, impatiente, accélérait le pas quand soudain, un peu surprise, elle aperçut un gros homme aux cheveux longs qui dansait, tourbillonnait, les paupières closes en extase et les bras serrés autour de sa poitrine comme s'il étreignait une amante invisible. Sentant leur présence, il s'arrêta et ouvrit grand des yeux étonnés.

Kyá ? Quoi ? dit-il dans un hindi très accentué. Les coolies ? Déjà là ?

C'était un homme à la silhouette étrange, remarqua Deeti, avec une tête énorme, de larges oreilles décollées et des yeux exorbités qui lui donnaient l'air de contempler le monde à travers une loupe. Elle n'aurait su dire s'il était furieux ou simplement décontenancé, et elle s'abrita prudemment derrière Kalua.

Il fallut une ou deux minutes à l'homme pour prendre la mesure de l'imposante taille de Kalua et, une fois qu'il l'eut jaugée, il radoucit un peu le ton.

Êtes-vous des girmitiyas ? s'enquit-il.

Ji, fit Kalua avec un signe de tête.

Quand êtes-vous arrivés ?

Juste maintenant, répliqua Kalua. On est les premiers.

Si tôt ? On ne vous attendait que bien plus tard...

Toutes dévotions oubliées, l'homme fut soudain saisi d'une activité frénétique.

Venez, venez, s'écria-t-il avec moult gesticulations. Vous devez d'abord aller au daftar vous faire enregistrer. Venez avec moi. Je suis le gomusta et je suis en charge de ce camp.

Non sans hésitation, Deeti et Kalua le suivirent jusqu'à l'une des trois cabanes. S'arrêtant à peine pour ouvrir la porte, le gomusta lança à voix haute :

— Doughty Sabib – des coolies arrivent ; les formalités d'enregistrement doivent commencer immédiatement.

Faute de réponse, il se hâta d'entrer en faisant signe à Deeti et Kalua de lui emboîter le pas.

À l'intérieur se trouvaient plusieurs bureaux et un vaste fauteuil dans lequel était affalé un Anglais corpulent aux grosses bajoues en train de ronfler gentiment. Son souffle s'échappait lentement en bulles de ses lèvres et le gomusta dut l'appeler deux fois par son nom avant qu'il remue.

— Doughty Sabib ! Sir, ayez l'amabilité de vous lever et soulever.

Une demi-heure auparavant à peine, Mr Doughty avait quitté la table d'un magistrat local où il avait participé à un énorme déjeuner copieusement arrosé de multiples carafes débordantes de bière brune et blonde. À présent, entre la chaleur et l'alcool, ses yeux étaient collés de sommeil, de sorte qu'il s'écoula plusieurs minutes entre l'ouverture de sa paupière droite et celle de sa paupière gauche. Quand il prit enfin conscience de la présence du gomusta, il n'était pas d'humeur à plaisanter : c'était contre sa volonté qu'il avait été engagé pour aider à l'enregistrement des migrants et il n'allait certainement pas se laisser exploiter.

— Bon Dieu, t'as quoi dans les yeux, Babouin ! Tu ne vois donc pas que je me repose un peu ?

— Que faire, sir ? dit le gomusta. Je veux pas intrusionner dans vos parties privées mais hélas on n'y peut rien. Les coolies pleuvent comme le déluge. De sorte qu'il faut compléter sans délai les formalités d'enregistrement.

En tournant un peu la tête, le pilote aperçut Kalua, et le spectacle l'incita à s'efforcer de se lever.

— Eh bien, en voilà une sacrée grosse canaille !

— Oui, sir. Un phénoménal grand gaillard.

Marmonnant dans sa barbe, le pilote vacilla jusqu'à un bureau, ouvrit un énorme registre relié en cuir, trempa une plume dans l'encre et s'adressa au gomusta :

— Bien, allons-y, Pander. Tu connais la procédure.

— Oui, sir. Je fournirai toutes les informations nécessaires. – Le gomusta pencha la tête dans le direction de Deeti. – La femme ? demanda-t-il à Kalua. Quel est son nom ?

Elle s'appelle Aditi, malik ; c'est ma femme.

— Qu'est-ce qu'il a dit ? rugit Mr Doughty en mettant sa main en cornet à l'oreille. Parlez plus fort là-bas !

— Le nom de la dame est rapporté comme étant Aditi, sir.

— Aditty ? – La pointe de la plume de Mr Doughty s'abaissa sur le registre et commença à écrire. – Aditty, donc. Un nom sacrément idiot, mais si c'est ainsi qu'elle veut qu'on l'appelle, allons-y.

Caste ? dit le gomusta à Kalua.

Nous sommes des chamars, malik.

District ?

Ghazipur, malik.

— Espèce de foutu crétin de Babouin, intervint Mr Doughty. Tu as oublié de lui demander son nom.

— Désolé, sir. Immédiatement je vais rectifier. – Baboo Nob Kissin se tourna vers Kalua. – Et toi, qui es-tu ?

Madhu.

— Comment, Pander ? Qu'est-ce qu'a dit l'animal ? Maddow ? Et le nom de son père ?

La question prit de court Kalua : ayant volé le nom de son père, le seul expédient auquel il songea fut d'opérer l'échange.

Il s'appelait Kalua, malik.

Ce qui contenta le gomusta mais pas le pilote :

— Comment diable dois-je épeler ça ?

Le gomusta se gratta la tête.

— Si je peux avancer une proposition, sir, pourquoi ne pas faire ainsi ? D'abord écrire C-o-l comme col, puis v-e-r. Colver. Ça devrait aller plus ou moins bien.

La pointe rouge de la langue du pilote surgit au coin de sa bouche tandis qu'il traçait les lettres.

— Nous y sommes, dit-il. C'est comme ça que je l'enregistre alors : Maddow Colver.

— Maddow Colver.

Deeti, debout à côté de son mari, l'entendit murmurer le nom, pas comme le sien mais comme s'il appartenait à quelqu'un d'autre. Puis il le répéta, sur un ton plus confiant, et quand il revint à ses lèvres pour la troisième fois, le son n'en était plus nouveau ou étrange : il était devenu à lui autant que sa peau, ses yeux, ses cheveux.

— Maddow Colver.

Plus tard, parmi ceux qui se prétendraient ses descendants, bien des histoires seraient inventées à propos du nom de l'ancêtre fondateur et des raisons pour lesquelles le prénom Maddow était si fréquemment utilisé dans la parentèle. Tandis que beaucoup choisiraient de remanier leurs origines, s'inventant d'aristocratiques lignées imaginaires, un petit nombre s'en tiendrait obstinément à la vérité : qui était que ces noms sacrés étaient le résultat de la prononciation trébuchante d'un gomusta débordé et de l'audition défaillante d'un pilote anglais plus qu'à moitié dans les vapeurs...

*

Bien que Lalbazar et Alipore fussent toutes deux des prisons, elles ne se ressemblaient pas plus qu'un marché à un cimetière : Lalbazar était entourée par le bruit et la presse des rues les plus actives de Calcutta tandis qu'Alipore se situait à la limite d'une étendue de terrain désert aux abords de la ville, et le silence pesait sur elle comme le couvercle d'un cercueil. C'était la plus grande prison de l'Inde et ses remparts de forteresse dominaient l'étroit chenal de Tolly's

Nullah, très en vue des gens qui se rendaient en bateau au camp des migrants. Cependant, rares étaient ceux qui souhaitaient laisser traîner leur regard sur ces murs : la crainte qu'inspirait le sinistre édifice était telle que la plupart choisissait de détourner les yeux, allant même jusqu'à payer le passeur pour qu'il les avertisse de son approche.

Il était tard la nuit quand le fiacre vint chercher Neel à Lalbazar pour l'emmener à Alipore. Le trajet s'effectuait en à peu près une heure, en règle générale, mais ce soir-là le cocher emprunta une route beaucoup plus longue; il contourna Fort William et s'en tint aux chemins calmes le long des bords du fleuve. Cela afin de prévenir tout problème car on avait parlé de manifestations publiques de sympathie à l'égard du raja condamné : Neel l'ignorait et le parcours lui parut simplement la prolongation d'une sorte particulière de tourment, où le désir d'en finir avec les incertitudes des derniers temps se heurtait à l'envie de faire durer éternellement cet ultime passage à travers la ville.

La demi-douzaine de gardes qui accompagnaient Neel passaient le temps en échangeant des plaisanteries grivoises; ils imaginaient faire partie d'un cortège nuptial chargé d'escorter le jeune marié jusque chez les parents de sa nouvelle épouse, la nuit de ses noces. Neel comprit, vu la nature expérimentée de leurs boutades, qu'ils avaient déjà joué cette comédie maintes fois, lors du transport de prisonniers. Ignorant leurs saillies, il chercha à tirer le maximum du trajet – mais il y avait peu à voir dans l'obscurité et c'est surtout grâce à sa mémoire qu'il put reconstituer le cours du voyage, revoyant en esprit le clapotis des eaux du fleuve et l'étendue ombragée de la grand-place de la ville.

À l'approche de la prison, le fiacre accéléra son allure et Neel s'obligea à penser à autre chose : les hurlements proches des chacals et le parfum ténu des fleurs. Au changement du bruit des roues, il comprit que la voiture traversait les douves de la forteresse, et ses doigts s'enfoncèrent dans le cuir craquelé de la banquette. Dans un grincement, le fiacre s'arrêta et la porte s'ouvrit, laissant Neel percevoir la présence d'une multitude d'individus attendant dans l'obscurité. Comme les pattes d'un chien refusant d'avancer s'accrochent à sa laisse, ses doigts s'enfoncèrent encore plus dans le rembourrage en crin du siège : même quand les gardes commencèrent à le pousser et le bousculer – Chalo ! On y est ! Tes beaux-parents attendent ! –, ils refusèrent de céder. Neel tenta de dire qu'il n'était pas encore prêt, qu'il avait encore besoin d'une minute ou deux, mais ses accompagnateurs n'étaient pas disposés à l'indulgence. D'une poussée, on lui fit lâcher prise ; il descendit en trébuchant et posa le pied sur le bord de son dhoti, qui se défit. Rougissant d'embarras, il dégagea ses bras afin de se rajuster.

Attendez, attendez – mon dhoti, ne voyez-vous pas... ?

À sa descente de voiture, Neel était passé sous la garde d'un nouveau groupe de geôliers, des hommes d'une trempe totalement différente de celle des policiers de Lalbazar : vétérans endurcis des campagnes de l'East India Company, ils portaient l'uniforme des sepoys ; recrutés dans les profondeurs de l'arrière-pays, ils témoignaient tous du même mépris pour les citadins. C'est plus surpris qu'irrité que l'un d'eux donna un coup de genou dans les reins de Neel.

Bouge-toi, abruti, il est déjà tard...

Ce traitement inédit plongea dans la confusion Neel, convaincu qu'il devait y avoir une erreur. Luttant encore avec son dhoti, il protesta :

Stop ! Vous ne pouvez pas me traiter ainsi : ne savez-vous pas qui je suis ?

Il y eut un moment d'arrêt dans le mouvement des mains posées sur lui, puis quelqu'un s'empara du bout de son dhoti et tira brutalement dessus. Le vêtement le fit tourner en se défaisant et, tout près, une voix lança :

Tiens, voilà une vraie Draupadi... s'accrochant à son sari...

Une autre paire de mains se saisit de la kurta de Neel et la déchira, révélant le linge de corps.

Plus un Shikandi, à mon avis...

La pointe d'une lance le cueillit au bas du dos, l'envoyant tituber le long d'un couloir sombre, les bouts de son dhoti traînant derrière lui comme la queue décolorée d'un paon défunt. Au fond du couloir, dans une pièce éclairée par une torche, un homme blanc était assis à un bureau. Il portait l'uniforme d'un gardien-chef de prison et il était clair qu'il attendait dans la pièce depuis un temps considérable et mourait d'impatience.

Neel fut soulagé de se trouver enfin en présence d'une autorité.

— Sir ! s'écria-t-il, j'entends protester contre ce traitement. Vos hommes n'ont pas le droit de me frapper ou de déchirer mes vêtements.

Le gardien-chef leva la tête, ses yeux bleus durcis d'une incrédulité qui n'aurait pas pu être plus grande si la phrase avait été prononcée par une des chaînes accrochées au mur. Pourtant, à en juger par ce qui se passa ensuite, il est évident que sa réaction initiale fut suscitée non par la portée des paroles de Neel, mais par le fait qu'elles lui aient été adressées dans son propre langage par un condamné indigène ; sans répondre à Neel, il se tourna vers les sepoys et ordonna, en un hindoustani approximatif :

Mooh khol... ouvrez-lui la bouche.

Aussitôt, les gardes qui encadraient Neel se saisirent de son visage et lui ouvrirent adroitement la bouche pour lui fourrer une cale de bois entre les dents afin de maintenir les mâchoires séparées. Puis un aide-infirmier en tunique blanche s'avança et entreprit de compter les dents en les tapotant du bout d'un doigt ; sa main, dont l'odeur remplit la tête de Neel, puait l'huile de moutarde et le dal – à croire que les restes de son dernier repas logeaient sous ses ongles. Rencontrant un vide, le doigt s'enfonça dans la mâchoire comme pour s'assurer que la molaire manquante ne s'y cachait pas. La douleur inattendue rappela soudain à Neel le moment précis où il avait perdu cette dent : quel âge avait-il eu alors, il ne pouvait s'en souvenir, mais il revoyait une véranda ensoleillée, avec sa mère au fond se balançant sur une jhula ; il se vit courir vers l'angle aigu de la balançoire... et il eut l'impression d'entendre la voix de sa mère et de sentir sa main dans sa bouche retirant la dent cassée.

— En quoi tout cela est-il nécessaire, sir ? protesta Neel dès qu'on lui ôta la cale de la bouche. Quel en est le but ?

Le chef ne leva pas les yeux du registre dans lequel il consignait les résultats de l'examen, mais l'aide-infirmier se pencha vers le prisonnier pour lui chuchoter quelque chose à propos de signes particuliers et d'indications de maladies contagieuses. Ce qui ne suffit pas à Neel, bien déterminé maintenant à ne pas être ignoré.

— S'il vous plaît, sir, y a-t-il une raison pour laquelle je ne peux pas obtenir une réponse à ma question ?

Sans le moindre coup d'œil dans sa direction, l'Anglais lança un autre ordre :

Kapra utaro... déshabillez-le.

Les sepoys répondirent en bloquant les bras de Neel contre son torse : une longue pratique les avait rendus très experts à débarrasser de leurs vêtements les condamnés, dont beaucoup auraient préféré mourir – ou tuer – plutôt que de subir la honte d'une nudité étalée. La résistance de Neel ne présenta pour eux aucune difficulté, et ils lui arrachèrent très vite le reste de ses habits ; puis ils le maintinrent droit en coinçant ses membres de manière à exposer pleinement son corps nu à l'examen de ses geôliers. Soudain, Neel sentit la caresse inattendue d'une main sur ses orteils et, baissant les yeux, il vit l'aide-infirmier lui effleurer les pieds du bout des doigts comme pour lui demander pardon de ce qu'il s'apprêtait à faire. Il eut à peine le temps de percevoir le geste, dans son humanité imprévue, que les mêmes doigts s'enfonçaient dans son bas-ventre.

Poux ? Morpions ? Puces ?

Aucun, sahib.

Taches de naissance ? Lésions ?

Non.

La caresse des doigts de l'infirmier avait quelque chose que Neel n'aurait jamais pu imaginer entre deux êtres humains – ni intime ni irrité, ni tendre ni lascif, c'était le toucher désintéressé du maître, de l'acquisition ou de la conquête ; comme si son corps était passé en la possession d'un nouveau propriétaire qui l'inspectait à la manière dont on inspecterait une maison qu'on vient d'acquérir, attentif aux signes de délabrement ou de négligence tout en assignant mentalement à chaque pièce un nouvel usage.

— Syphilis ? Gonorrhée ?

C'étaient les premiers mots en anglais que prononçait le gardien-chef et, en les disant, il regarda le prisonnier avec une très vague trace de sourire.

Neel était maintenant debout, les jambes écartées et les bras tendus au-dessus de la tête, tandis que l'infirmier l'examinait à la recherche de taches de naissance ou d'autres marques particulières indélébiles. Néanmoins la moquerie dans le regard de son geôlier ne lui échappa pas et il fut prompt à réagir.

— Sir, dit-il, ne pouvez-vous pas vous permettre de m'offrir la dignité d'une réponse ? Ou bien serait-ce que vous n'avez pas confiance dans votre capacité à parler anglais ?

Les yeux de l'homme lancèrent des éclairs et Neel comprit qu'il l'avait piqué au vif simplement en s'adressant à lui dans sa propre langue – une chose à l'évidence considérée comme un acte d'une intolérable insolence chez un condamné indien, une profanation du langage. La prise de conscience que, même dans son état présent, nu, impuissant à se défendre des mains qui inventoriaient son corps, il était encore capable d'affronter un homme dont l'autorité sur lui était absolue lui donna le vertige ; exultant, impatient d'explorer ce nouveau domaine de pouvoir, il décida que désormais, dans cette prison comme dans le reste de sa vie de condamné, il parlerait l'anglais chaque fois que ce serait possible, partout, en commençant par aujourd'hui, ici et maintenant. Mais l'urgence de son désir était telle que les mots lui faillirent et qu'aucune parole, aucune phrase bien à lui ne lui vint à l'esprit, simplement des bribes de Shakespeare qu'on lui avait fait apprendre autrefois :

— C'est bien là l'excellente fatuité des hommes... de rendre responsables de nos désastres le soleil, la lune et les étoiles...

Le gardien-chef l'interrompit avec un ordre rageur :

Gánd dekho.... penchez-le en avant, vérifiez son cul...

Sa tête entre les jambes, Neel refusa de se taire.

— Homme orgueilleux investi d'une autorité passagère, son essence vitreuse comme un singe en colère...

Sa voix s'éleva jusqu'à ce que les murs de pierre fassent écho à ses mots. Alors qu'il se redressait, l'Anglais quitta son siège. Il s'approcha de Neel et, s'arrêtant à un pas de distance, il lui asséna une gifle magistrale.

— Ferme ta gueule, bagnard !

Dans un coin de son cerveau, Neel nota que, le gardien-chef l'ayant frappé de la main gauche, il aurait dû en temps normal, chez lui, aller prendre un bain et se changer. Mais cela se passait dans une autre vie : ici, l'important c'est qu'il avait réussi à forcer enfin l'homme à lui parler en anglais.

— Je vous souhaite une excellente journée, sir, marmonna-t-il en courbant la tête.

— Faites-moi disparaître ce trou du cul hors de ma vue !

Dans une petite pièce adjacente, Neel reçut un ballot de vêtements. Un sepoy énuméra les articles à mesure qu'il les remettait au prisonnier : une gamchha, deux tricots de corps, deux dhotis de tissu grossier, une couverture.

Tu as intérêt à en prendre soin, c'est tout ce que tu auras pour les six prochains mois.

Les dhotis étaient d'une texture épaisse et rude, tenant plus du sac de jute que du coton tissé. Dépliés, ils se révélèrent être moitié moins longs et larges que les six mètres de tissu auxquels Neel était habitué. Noués à la taille, ils atteindraient à peine les genoux et ne pouvaient donc être utilisés qu'en pagnes – mais Neel n'avait jamais eu l'occasion de draper un pagne, et il se montra si maladroit qu'un des sepoys aboya :

T'attends quoi ? Couvre-toi ! – comme s'il avait choisi lui-même d'être dépouillé de ses vêtements.

Le sang lui monta à la tête et il poussa son bas-ventre en avant, le pointant du doigt avec une désin-volture folle.

Pourquoi ? Est-ce que vous n'avez pas tout vu ? Que reste-t-il encore ?

Une expression de pitié envahit le regard du sepoy.

As-tu perdu toute honte ?

Et Neel hocha la tête, comme pour dire oui, c'est vrai : car il était vrai qu'à ce moment précis il n'éprouvait aucune honte, ni aucune autre forme de responsabilité pour son corps, seulement l'impression d'avoir évacué sa propre chair pour en abandonner l'usufruit à la prison.

Bouge-toi, allons-y !

Perdant patience, les sepoys arrachèrent le dhoti des mains de Neel et lui montrèrent comment le nouer, les bouts passés entre les jambes et rentrés dans le dos. Puis, de la pointe de leurs lances, ils poussèrent Neel le long d'un corridor obscur jusqu'à une cellule, petite mais brillamment éclairée avec des bougies et des lampes à huile. Au centre de la pièce, un homme nu à la barbe blanche attendait assis sur une natte tachée d'encre : son torse était couvert d'un filet compliqué de tatouages, et sur un carré de tissu plié devant lui se trouvait un assortiment d'aiguilles scintillantes. L'homme ne pouvait être qu'un *godna-wala*, un tatoueur ; quand Neel le comprit, il tourna les talons pour plonger vers la sortie – mais l'exercice était familier aux sepoys qui le plaquèrent rapidement au sol ; le maintenant immobile, ils le transportèrent sur la natte et l'y installèrent de sorte que sa tête repose sur le genou du tatoueur, le regard levé vers le vénérable visage.

Les yeux du vieil homme contenaient une douceur qui permit à Neel de retrouver sa voix.

Pourquoi ? dit-il alors que l'aiguille s'approchait de son front. Pourquoi faites-vous ça ?

C'est la loi, répliqua paisiblement le tatoueur. Tous les déportés doivent être marqués de façon à ce qu'on puisse les reconnaître s'ils tentent de fuir.

Puis l'aiguille siffla sur sa peau et il n'y eut plus place dans l'esprit de Neel pour autre chose que les spasmes de douleur émanant de son front : il semblait que le corps qu'il pensait avoir évacué se vengeait de lui avoir vu nourrir une telle illusion, lui rappelant qu'il en était l'unique locataire, le seul être à qui il pouvait annoncer son existence à travers sa capacité de souffrance.

Le tatoueur observa une pause comme par pitié et chuchota :

Tenez, mangez ça. Il passa la main sur le visage de Neel et poussa une petite boule de gomme entre ses lèvres. Ça aidera, mangez...

Tandis que l'opium commençait à se dissoudre dans sa bouche, Neel se rendit compte que ce n'était pas l'intensité de la douleur qu'adoucissait la drogue mais plutôt sa longueur : l'opération, qui dut prendre des heures d'un travail laborieux, lui parut durer seulement quelques moments très concentrés. Puis, comme à travers un épais brouillard hivernal, il entendit la voix du tatoueur lui murmurer à l'oreille :

Raja sah'b... Raja sah'b...

Neel ouvrit les yeux et vit que sa tête reposait encore sur les genoux du vieil homme ; les sepoys, entre-temps, s'étaient assoupis aux quatre coins de la cellule.

Que se passe-t-il ? dit-il en remuant.

Ne vous inquiétez pas, raja sahib, chuchota le tatoueur. J'ai mis de l'eau dans l'encre ; la marque ne durera pas plus de quelques mois.

Neel avait l'esprit trop embrouillé pour comprendre.

Pourquoi ? Pourquoi faites-vous cela pour moi ?

Raja sahib, vous ne me reconnaissez pas ?

Non.

Le tatoueur rapprocha encore un peu plus ses lèvres.

Ma famille est de Raskhali : votre grand-père nous a donné un terrain pour nous y installer. Nous mangeons votre sel depuis trois générations.

Il mit un miroir entre les mains de Neel et baissa la tête.

Pardonnez-moi, raja sahib, pour ce que j'ai été forcé de faire...

Levant le miroir, Neel vit que ses cheveux avaient été coupés très court et que deux rangées irrégulières de minuscules caractères latins avaient été tracées sur le côté droit de son front :

faussaire
alipore 1838

Treize

La chambre dans la pension de Watsongunge était juste assez grande pour s'y tourner, et le lit était un sommier de cordages sur lequel Zachary avait étalé une couche de ses vêtements afin de protéger sa peau de la rugosité des fibres de coco. Au pied du lit, si proche qu'il aurait pu poser les jambes sur le rebord, se trouvait une fenêtre – ou plutôt un trou carré qui avait perdu depuis longtemps ses volets. L'ouverture donnait sur Watsongunge Lane – une enfilade tortueuse de gargotes, pensions et établissements mal famés qui aboutissait au chantier où l'*Ibis*, en carénage, était calfaté et remis en état pour sa prochaine traversée. Mr Burnham n'avait pas été très content du choix de Zachary : « Watsongunge ? Il n'y a pas endroit plus impie au monde, à part le North End de Boston ! Pourquoi un homme irait-il se fourrer dans pareil bouge au lieu de profiter des simples conforts de la mission pour marins du révérend Johnson ? »

Zachary était dûment allé jeter un coup d'œil sur la mission, pour en revenir très vite après avoir aperçu Mr Crowle qui s'y était déjà installé. Sur le conseil de Jodu, il s'était décidé en faveur de la pension de

Watsongunge : le fait qu'elle soit à quelques minutes de distance du chantier lui avait servi d'excuse. Que son employeur fut satisfait ou non par ce raisonnement n'était pas clair pour Zachary car, depuis quelque temps, il soupçonnait Mr Burnham de le faire espionner. Un soir, répondant, à une heure étrangement tardive, à un coup à la porte, Zachary avait ouvert pour se trouver face au gomusta de Mr Burnham. L'homme s'était balancé d'un côté et de l'autre, donnant l'impression qu'il essayait de voir si Zachary avait introduit clandestinement quelqu'un dans sa chambre. Interrogé sur les raisons de sa présence, il avait prétendu être le porteur d'un cadeau – qui s'était révélé consister en un pot de beurre à moitié fondu – que, flairant un piège, Zachary avait refusé d'accepter. Plus tard, le propriétaire de la pension, un Arménien, l'avait informé que le gomusta s'était enquis de savoir si Zachary avait été vu en compagnie de prostituées – à ceci près qu'il avait utilisé, apparemment, les mots «jeunes bergères». Jeunes bergères ! Il se trouvait que depuis sa rencontre avec Paulette l'idée de payer une femme répugnait à Zachary, de sorte que l'espionnage du gomusta n'avait pas eu de résultat. Néanmoins l'homme ne s'était pas découragé pour autant : quelques soirs auparavant, Zachary l'avait aperçu rôdant dans la ruelle, vêtu d'un étrange accoutrement – une robe orange qui lui donnait l'allure d'une possédée ayant perdu la raison.

C'est pourquoi, réveillé de nouveau un soir par des coups discrets mais insistants à la porte, la première réaction de Zachary fut d'aboyer :

— Est-ce vous, Pander ?

Faute de réponse, il se leva péniblement, tout ensommeillé, en rajustant le longhi qu'il avait pris l'habitude de porter la nuit. Il en avait acheté plusieurs et en avait étendu un au travers de la fenêtre sans volets pour empêcher d'entrer les corbeaux autant que la poussière qui s'élevait en nuages du sol en terre battue de la ruelle. Mais la barrière de tissu n'amoindrissait pas le tapage provoqué par les marins, les lascars et autres débardeurs faisant la fête dans les bordels voisins. Zachary avait découvert qu'il pouvait presque dire l'heure d'après le volume sonore, qui avait tendance à atteindre le maximum vers minuit pour se réduire jusqu'au silence à l'aube. Il nota que la rue n'était ni à son plus bruyant ni à son plus silencieux – et en conclut qu'il restait encore deux ou trois heures avant le lever du jour.

— Je vous jure, Pander, grogna-t-il tandis que les toc-toc persistaient, qu'il vaut mieux que vous ayez une bonne raison pour me déranger, autrement je m'en vais vous botter drôlement le cul ! – Il tira le loquet et ouvrit la porte mais, le couloir étant plongé dans l'obscurité, il ne put voir immédiatement qui s'y trouvait. – Qui êtes-vous ?

La réponse lui vint dans un chuchotement :

— Jodu le mousse, monsieur !

— Bon Dieu de bon Dieu ! – Pris de court, Zachary laissa le visiteur pénétrer dans sa chambre. – Qu'est-ce que tu fous à m'embêter à cette heure de la nuit ?

Une lueur de suspicion envahit son regard.

— Dis-moi, c'est pas Serang Ali qui t'envoie, non ? Va dire à ce rufian lubrique que mon mât se tient tout seul.

— En avant, monsieur ! s'écria Jodu. À vos rames ! Serang Ali n'a rien envoyé.

— Alors, qu'est-ce que tu fais ici ?

— Message, monsieur ! Jodu fit un signe comme pour indiquer qu'on le suive. Au bateau !

— Où veux-tu m'emmener ? dit Zachary, irrité. En guise de réponse, Jodu lui tendit simplement son banyan pendu au mur. Zachary faisant mine d'enfiler ses pantalons, Jodi secoua la tête pour lui faire comprendre qu'un longhi suffisait.

— Larguons les amarres, monsieur ! En avant toute !

Zachary mit ses chaussures et suivit Jodu dehors. Ils descendirent vite la ruelle en direction du fleuve, laissant derrière eux les cabarets et les bordels, dont beaucoup étaient encore ouverts. Quelques minutes plus tard, ils arrivaient dans une partie peu fréquentée du rivage, où plusieurs canots étaient à l'ancre. Jodu en désigna un et attendit que Zachary y embarque avant de prendre les rames et le large.

— Hé, minute ! s'écria Zachary tandis que Jodu entamait sa manœuvre. Où m'emmènes-tu à présent ?

— Alerte à l'avant !

Comme en réponse éclata le bruit d'une pierre à feu. Zachary se retourna vivement et vit que les étincelles provenaient de l'autre bout du canot couvert d'un taud de chaume. D'autres étincelles illuminèrent un instant la tête encapuchonnée d'une femme drapée d'un sari.

Furieux, Zachary, ses soupçons confirmés, fit face à Jodu.

— Juste comme je l'avais pensé – tu veux jouer les maquereaux, hein ? Alors laisse-moi te dire : si j'avais besoin d'ancrer ma bite, je trouverais le chemin tout seul. J'aurais pas besoin d'un petit merdeux pour me montrer comment...

Il fut interrompu par une voix féminine appelant son nom :

— Monsieur Reid !

Il pivotait sur ses talons pour y regarder de plus près quand la femme en sari reprit :

— C'est moi, monsieur Reid.

Un coup de pierre à feu éclaira de nouveau juste assez la scène pour permettre à Zachary de reconnaître Paulette.

— Mademoiselle Lambert ! s'exclama-t-il en portant la main à sa bouche. Pardonnez-moi. Je ne savais pas... je ne vous ai pas vue...

— C'est vous qui devez me pardonner, monsieur Reid, dit Paulette, de vous déranger de la sorte.

Zachary lui prit la pierre à feu des mains et alluma une chandelle. L'opération terminée et leurs visages éclairés par un reflet de lumière, il s'enquit :

— Si je ne suis pas indiscret, mademoiselle Lambert, comment se fait-il que vous soyez pareillement vêtue, d'un... d'un...

— Sari ? compléta Paulette. Un déguisement, pourriez-vous dire, encore que je me sente moins travestie ainsi que quand nous nous sommes vus la dernière fois.

— Et aurais-je l'audace de vous demander, mademoiselle Lambert, ce qui vous amène ici ?

Paulette demeura un instant silencieuse, comme songeant au meilleur moyen de s'expliquer.

— Vous rappelez-vous, monsieur Reid, m'avoir dit que vous seriez heureux de m'aider si j'en avais besoin ?

— Certes... mais – lui-même perçut le doute dans sa voix.

— Vous ne le pensiez donc pas vraiment ? dit-elle.

— Bien sûr que si, répliqua-t-il. Mais si je dois vous aider, il me faut savoir ce qui se passe.

— J'espérais que vous m'aideriez à trouver un passage, monsieur Reid.

— Un passage pour où ? s'écria-t-il, inquiet.

— L'île Maurice. Là où vous allez.

— Aux îles Maurice ? Pourquoi ne pas demander cela à Mr Burnham ? C'est lui qui pourrait vous aider.

Paulette s'éclaircit la gorge.

— Hélas, monsieur Reid, c'est impossible. Comme vous le voyez, je ne suis plus sous la protection de Mr Burnham.

— Et pourquoi donc, si je peux me permettre ?

— Est-il vraiment nécessaire que vous le sachiez ? murmura-t-elle avec une toute petite voix

— Si je dois vous aider, il le faut absolument.

— Ce n'est pas un sujet agréable, monsieur Reid.

— Ne vous inquiétez pas pour moi, mademoiselle Lambert. Je ne suis pas facilement troublé.

— Je vais vous raconter – si vous insistez. – Elle se tut un instant, le temps de se ressaisir. – Vous rappelez-vous, monsieur Reid, l'autre soir ? Nous avons parlé pénitence et châtiment. Très brièvement.

— Oui. Je me souviens.

— Monsieur Reid, dit Paulette, rajustant son sari autour de ses épaules, je n'avais aucune idée de ces choses lorsque je suis allée vivre à Bethel. Je ne savais rien des Écritures ni des affaires de religion. Mon père, voyez-vous, avait une grande détestation des gens d'Église, en réalité il les avait en horreur... mais cela n'était pas inhabituel chez les hommes de son temps...

Zachary sourit.

— Oh, ça existe encore, mademoiselle Lambert, cette aversion pour les pasteurs et les chasseurs de démons – en fait, je dirais que ça n'est pas près de disparaître.

— Vous riez, monsieur Reid. Mon père aussi aurait plaisanté – sa haine de la bondieuserie était immense. Mais pour Mr Burnham, comme vous le savez, ces choses ne sont pas des sujets d'amusement. Quand il a découvert la profondeur de mon ignorance, il en a été bouleversé et il a décidé qu'il était impératif pour lui de se charger personnellement de mon éducation, malgré toutes ses autres occupations pressantes. Pouvez-vous imaginer, monsieur Reid, à quel point j'ai été décontenancée ? Comment pouvais-je refuser une offre aussi généreuse de la part de mon bienfaiteur et protecteur ? Pourtant je n'ai pas voulu être une hypocrite et me prétendre une croyante alors que je ne le suis pas. Savez-vous, monsieur Reid, qu'il y a des religions dans lesquelles une personne peut être mise à mort pour hypocrisie ?

— Vraiment ? s'étonna Zachary.

Paulette hocha la tête.

— Oui, vraiment. Vous imaginez donc, monsieur Reid, combien j'ai discuté avec moi-même avant de décider qu'il n'y avait aucun motif de refuser ces leçons – en pénitence et en prières, ainsi que Mr Burnham se plaisait à les décrire. Ces leçons se donnaient dans le bureau où il gardait sa bible, et presque toujours dans la soirée, après dîner, quand la maison était silencieuse et que Mrs Burnham s'était retirée dans sa chambre avec sa teinture de laudanum bien-aimée. À cette heure-là, les domestiques aussi, qui sont, comme vous l'avez vu, en grand nombre dans la maison, regagnaient sans tarder leurs propres quartiers, de sorte qu'on n'entendait plus le tapotement assourdi de leurs pas. C'était le moment le plus favorable à la contemplation et à la pénitence, disait Mr Burnham, et sa description était certainement juste car l'atmosphère de son bureau était d'une extrême solennité. Le rideau était déjà tiré quand j'entrais et Mr Burnham s'empressait alors de verrouiller la porte

– afin d'éviter, expliquait-il, toute interruption dans les travaux de la vertu. Le bureau était plongé dans l'obscurité car il n'y avait pour lumière que le candélabre au-dessus du lutrin sur lequel reposait la bible ouverte. Je m'approchais pour trouver le passage du jour, déjà choisi, la page retenue par un marque-page en soie, et je prenais place sur mon siège, un petit tabouret derrière le lutrin. Dès que j'étais assise, Mr Burnham prenait sa place à son tour et commençait. Quel tableau il faisait, monsieur Reid ! Avec les flammes des bougies reflétées dans ses yeux ! Sa barbe brillant, comme prête à s'illuminer, tel un buisson ardent ! Ah, monsieur Reid, si seulement vous aviez été là : vous aussi vous vous seriez émerveillé !

— Je ne parierais pas beaucoup là-dessus, mademoiselle, répliqua sèchement Zachary. Mais je vous en prie, continuez.

Pauline se retourna pour regarder par-dessus son épaule vers l'autre rive du fleuve maintenant visible sous le clair de lune.

— Comment décrire cela, monsieur Reid ? La scène rappelait un tableau des anciens patriarches de la Terre sainte. Quand il lisait, la voix de Mr Burnham ressemblait à une puissante cascade brisant le silence d'une grande vallée. Et les textes qu'il choisissait ! J'avais l'impression d'être clouée sur place par son regard comme un pharisien dans le désert. Si je fermais les yeux, ses mots me brûlaient les paupières : « De même que les mauvaises herbes sont arrachées et jetées au feu, ainsi en sera-t-il à la fin des jours. Le Fils de l'homme enverra ses anges et ils arracheront de son royaume tout ce qui engendre le péché et tout ce qui fait le mal. » Connaissez-vous ces paroles, monsieur Reid ?

393

— Je crois les avoir entendues, répliqua Zachary, mais ne me demandez pas de les citer par le détail maintenant.

— Ce passage m'a beaucoup impressionnée, reprit Paulette. Ah, comme je tremblais, monsieur Reid ! Tout mon corps était secoué comme par la fièvre des marais. Ainsi se sont passées les choses, monsieur Reid, et je ne me suis point étonnée que mon père ait négligé mon éducation biblique. C'était un homme timide et je redoute l'angoisse que ces textes lui auraient causée. – Paulette ramena son ghungta sur sa tête. – Ainsi avons-nous continué, leçon après leçon, jusqu'à ce que nous arrivions un soir à une épître des Hébreux. « Si vous supportez le châtiment, Dieu vous traitera en fils ; car quel fils est-il, celui que le père ne châtie pas ? Mais si vous demeurez sans châtiment, tandis que tous les autres en ont eu leur part, alors vous n'êtes que des bâtards et non des fils. » Connaissez-vous ces lignes, monsieur Reid ?

— Bien peur que non, mademoiselle Lambert, du fait que je ne vais pas beaucoup à l'église et le reste.

— Je ne les connaissais pas non plus, poursuivit Paulette. Mais pour Mr Burnham, elles contenaient un message important – c'est ce qu'il m'avait dit avant de commencer sa lecture. Quand il s'est arrêté, j'ai vu qu'il était grandement ému car sa voix tremblait et ses mains aussi. Il est venu s'agenouiller à côté de moi et m'a demandé, presque sévèrement, si j'avais été châtiée. Je fus alors plongée dans la plus grande confusion car je savais, d'après ce texte, que reconnaître n'avoir jamais été châtiée revenait à se proclamer bâtarde. Pourtant, que pouvais-je dire, monsieur Reid, car la vérité est que de sa vie mon père ne m'a jamais battue ? Honteuse, je confessai mon manque de châtiment, sur quoi Mr Burnham m'a demandé si je n'aimerais pas en être instruite car c'était une leçon très nécessaire à la vraie pénitence. Pouvez-vous imaginer, monsieur Reid, la foule de mes craintes à la pensée d'être corrigée par un homme aussi puissant et vigoureux ? Pourtant j'ai rassemblé mon courage et j'ai dit : «Oui, je suis prête.» Mais là, une surprise m'attendait, monsieur Reid, car ce n'était pas moi qu'il avait choisie pour être corrigée...

— Mais alors qui ? interrompit Zachary.

— Lui, répliqua Paulette. Lui-même.

— Saperlipopette ! s'écria Zachary. Vous n'êtes pas en train de me dire que c'est Mr Burnham qui souhaitait être fouetté ?

— Si, confirma Paulette. J'avais mal compris. C'est lui qui voulait subir la correction tandis que je ne serais que l'instrument de sa punition. Songez à ma nervosité, monsieur Reid. Si votre bienfaiteur vous demande d'être l'instrument de son châtiment, comment refuser ? J'ai donc accepté, et Mr Burnham a pris alors une posture des plus singulières. Il m'a priée de rester assise, a abaissé son visage jusqu'à mes pieds, a pris mes babouches entre ses mains et s'est accroupi comme un cheval buvant dans une mare. Puis il m'a supplié de soulever un bras et de le frapper sur... sur sa *fesse*.

— Sur sa face ? Son visage ? Allons, mademoiselle Lambert ! Vous plaisantez, c'est sûr !

— Mais non – pas son visage. Comment dit-on... la partie postérieure du torse... l'opposé du devant ?

— La poupe ? Le tableau arrière ?

— C'est cela. Son tableau arrière, comme vous dites, était à présent haut en l'air, et c'est dessus qu'il voulait que je concentre le châtiment. Vous imaginez, monsieur Reid, ma détresse à l'idée d'attaquer ainsi mon bienfaiteur – mais impossible de le dissuader. Il affirma que mon éducation spirituelle risquait autrement de ne pas progresser. «Frappe! cria-t-il. Frappe-moi de ta main!» Alors que pouvais-je faire, monsieur Reid? J'ai prétendu qu'il y avait un moustique à cet endroit et lui ai tapé dessus. Mais ça n'a pas suffi. J'ai entendu un grognement à mes pieds – un son étouffé car Mr Burnham avait maintenant l'orteil de ma babouche entre ses dents –, et il a crié de nouveau : «Plus fort, plus fort, frappe de toutes tes forces!» Nous avons continué ainsi un moment, et j'avais beau redoubler mes coups, il me demandait d'y aller encore plus fort – bien que je sache qu'il souffrait car je le sentais mordre et sucer mes babouches qui étaient maintenant très mouillées. Quand enfin il s'est remis debout, j'étais sûre qu'il allait m'accabler de reproches et de protestations. Mais non! Il était content comme je ne l'avais jamais vu. Il m'a chatouillée sous le menton et dit : «Brave petite, tu as bien appris ta leçon. Mais attention! Tout sera perdu si tu en parles. Pas un mot – à quiconque!» Ce qui était inutile, car bien entendu je n'aurais jamais rêvé de mentionner choses pareilles.

— Parbleu! – Zachary laissa échapper un long sifflement. – Et est-ce arrivé encore?

— Oui, répliqua Paulette. Très souvent. Ces leçons commençaient toujours avec des lectures et se terminaient ainsi. Croyez-moi, monsieur Reid, j'essayais constamment d'administrer mes corrections au mieux de mes capacités et pourtant, bien que souvent Mr Burnham parût souffrir, mon bras semblait n'être jamais assez fort à son goût. Je le voyais de plus en plus déçu. Un jour, il m'a dit : «Ma chère enfant, je regrette de te dire qu'en fait d'instrument de punition, ton bras n'est pas ce qu'on peut souhaiter de mieux.

Peut-être te faudrait-il un autre moyen ? J'en connais justement un... »

— Qu'avait-il en tête ?

— Avez-vous déjà vu... ? – Paulette s'interrompit, réfléchit, reprenant le mot qu'elle allait utiliser. – Ici, en Inde, il existe une sorte de balai dont se servent les balayeurs pour nettoyer les commodes et les cabinets. C'est fait de centaines de très fines tiges liées ensemble – les tiges de feuilles de palmier. Ces balais s'appellent des « jhatas » ou « jharus » et ils produisent un bruissement...

— Il voulait être battu avec un balai ? s'exclama Zachary, sidéré.

— Pas un balai ordinaire, monsieur Reid ! cria Paulette. Avec le balai d'un balayeur ! Je lui ai dit : « Savez-vous, monsieur, que pareils balais sont utilisés pour nettoyer les cabinets et sont considérés comme tout à fait impurs ? » Il n'a pas été troublé du tout. Il a dit : « Eh bien alors, c'est l'instrument parfait pour mon humiliation ; il sera un rappel de la nature déchue de l'Homme comme du caractère honteux et corrompu de nos corps. »

— Tiens, ce serait un nouveau moyen de se débarrasser de ses cendres, ricana Zachary.

— Vous ne sauriez imaginer, monsieur Reid, le labeur que ce fut de trouver cet instrument. Pareils objets ne se vendent pas dans le bazar. Il a fallu que j'essaye d'en acquérir un pour découvrir qu'ils étaient fabriqués à la maison par ceux qui les utilisent, et qu'ils ne sont pas plus à la disposition des autres que les instruments d'un médecin ne le sont à ses patients. J'ai dû convoquer un balayeur, et ça n'a pas été chose facile, croyez-moi, que de l'interroger, car la moitié du personnel de la maison s'est regroupée pour écouter, et je les entendais discuter entre eux la raison pour laquelle je pouvais bien vouloir me procurer cet objet. Avais-je pour but de devenir un balayeur ? Et de leur voler leur emploi ? Mais pour être brève, j'ai fini par obtenir un jharu la semaine dernière. Et, voici quelques jours, je l'ai apporté dans son bureau à Mr Burnham.

— Allez-y, laissez filer, mademoiselle Lambert.

— Oh, monsieur Reid, eussiez-vous été là, vous n'auriez pas pu ne pas noter le mélange de joie et d'anticipation avec lequel mon bienfaiteur a examiné l'instrument de son imminent châtiment. Cela se passait comme je vous l'ai dit, il y a seulement quelques jours, et je me rappelle donc le passage qu'il avait décidé de lire : «Et ils ont complètement détruit tout ce qui se trouvait dans la ville, hommes et femmes, vieux et jeunes, bœufs, moutons et ânes, avec le fil de l'épée.» Puis il a mis le jharu entre mes mains en disant : «Je suis la ville et ceci est ton épée. Bats-moi, frappe-moi, brûle-moi de ton feu.» Il s'est agenouillé, comme toujours, son visage à mes pieds et son tableau arrière en l'air. Comme il s'est tortillé et comme il a piaillé quand j'ai lancé le balai sur sa poupe ! Vous auriez cru, monsieur Reid, qu'il était à l'agonie ; j'étais moi-même persuadée de risquer de lui infliger quelque terrible blessure, mais quand je me suis arrêtée pour lui demander s'il ne désirait pas que je cesse, il s'est mis carrément à hurler : «Non, non, continue ! Plus fort !» Alors j'ai pris mon élan et je l'ai fouetté avec le jharu, usant de toute ma force – qui, je vous le garantis, n'est pas négligeable – jusqu'à ce que finalement il gémisse et que son corps s'affaisse totalement par terre. Quelle horreur ! ai-je pensé, le pire est arrivé ! Je l'ai tué, c'est certain ! Je me suis penchée sur lui et j'ai chuchoté : «Oh, pauvre monsieur Burnham – vous allez bien ?» Immense a été mon soulagement, je vous assure, quand il a bougé et remué la tête. Pourtant il continuait à ne pas se relever, non, il restait étendu à se tortiller sur le parquet comme un ver de terre jusqu'à la porte. «Êtes-vous blessé, monsieur Burnham, ai-je demandé en le suivant. Vous êtes-vous brisé le dos? Pourquoi restez-vous ainsi par terre? Pourquoi ne vous remettez-vous pas debout?» Il m'a répondu avec un gémissement : «Tout va bien, ne t'inquiète pas, va au pupitre et relis la leçon.» Mais je n'avais pas plus tôt tourné le dos pour lui obéir qu'il a sauté lestement sur ses pieds, a soulevé le loquet et s'est précipité dans l'escalier. Je repartais vers le pupitre quand j'ai aperçu par terre une marque curieuse, une longue tache humide comme si une créature mince et visqueuse avait rampé sur le parquet. J'ai alors eu la certitude que, profitant d'un moment d'inattention, un mille-pattes ou un serpent s'était introduit dans la pièce – car, on le sait, pareil fait arrive souvent en Inde, monsieur Reid. Et à ma grande honte, je dois l'avouer, j'ai hurlé...

Elle s'interrompit, fort agitée, et tordit le bord de son sari entre ses mains.

— Je sais que cela peut me faire plonger dans votre estime, monsieur Reid, car je suis parfaitement consciente de ce qu'un serpent est autant notre frère en nature qu'une fleur ou un chat, pourquoi donc en avoir peur? Mon père a souvent essayé de me raisonner à ce sujet, mais je regrette de dire que je n'ai jamais pu concevoir d'affection pour ces créatures. J'espère que vous ne me jugerez pas trop sévèrement?

— Oh, je vous l'accorde, mademoiselle Lambert, dit Zachary, il ne faut pas plaisanter avec les serpents, aveugles ou pas.

— Vous ne serez donc pas surpris, reprit Paulette, d'apprendre que j'ai crié et crié jusqu'à ce qu'au moins un des vieux khidmutgars apparaisse. « *Sãp !* *Sãp !* lui ai-je dit. Un serpent de la jungle est entré dans la pièce. Chasse-le ! » Il s'est baissé pour examiner la tache et, quand il s'est relevé, il a dit la chose la plus étrange, monsieur Reid, vous ne le croirez pas...

— Allez-y, mademoiselle : faites cracher la baleine.

— Il a déclaré : « Ceci n'a pas été fait par un serpent de la jungle ; ceci est la marque du serpent qui vit en l'homme. » J'ai pensé qu'il s'agissait d'une allusion biblique, monsieur Reid, et j'ai donc répliqué « Amen ». Je me suis même demandé si je ne devrais pas ajouter un « Alléluia » – mais le vieux serviteur a éclaté de rire et est parti précipitamment. Et moi, monsieur Reid, je ne saisissais toujours pas la signification de cette affaire. Toute la nuit, je suis restée éveillée en y songeant, mais avant l'aube, soudain j'ai compris. Après quoi, bien entendu, je ne pouvais plus rester dans cette maison ; j'ai envoyé un message à Jodu par un autre marinier, et me voici. Mais se cacher de Mr Burnham à Calcutta est très difficile – je serais découverte en très peu de temps, et qui sait avec quelles conséquences ? Je dois donc fuir le pays, monsieur Reid, et j'ai décidé de l'endroit où j'irai.

— Et où est-ce ?

— À l'île Maurice, monsieur Reid. C'est là que je dois aller.

Pendant ce temps, tout en manœuvrant les rames, Jodu avait écouté très attentivement Paulette, de sorte que Zachary en conclut que le mousse entendait pour la première fois le récit de ce qui s'était passé entre elle et Mr Burnham. D'ailleurs, comme pour le confirmer, une discussion animée éclata entre les jeunes gens, et l'embarcation commença à dériver, avec Jodu, appuyé sur ses rames, déversant un flot gémissant de bengali.

D'un coup d'œil vers la rive, Zachary nota le reflet de la lune sur les tuiles vertes d'un pavillon et il se rendit compte qu'ils avaient dérivé assez loin en aval pour se trouver à la hauteur du domaine Burnham. Bethel se dressait à l'horizon, telle la coque d'un sombre navire, et sa vue renvoya soudain Zachary à ce dîner lors duquel Paulette, toute rose et virginale dans sa sévère robe noire, avait été assise près de lui ; il se rappela la brise musicale de sa voix et sa propre incapacité, tout au long de la soirée, à comprendre comment cette jeune fille, avec son étrange mélange de mondanité et d'innocence, était la même Paulette sur laquelle il était tombé dans l'entrepont, enlacée avec ce jeune mousse de lascar qu'elle appelait son frère. Même alors, il avait surpris une sorte de mélancolie derrière son sourire : à présent, réfléchissant à ce qui pouvait en être la cause, un souvenir lui revint. Celui de sa mère lui racontant comment elle avait été pour la première fois convoquée par le maître – son père – dans la cabine au milieu des bois qu'il réservait à ses coucheries avec les esclaves. Elle n'avait que quatorze ans à l'époque, disait-elle, et elle était demeurée tremblante sur le seuil, ses pieds refusant d'avancer, même quand le vieux Mr Reid lui avait ordonné de cesser de pleurnicher et de venir se mettre au lit.

La question de savoir si Mr Burnham était un être humain meilleur ou pire que l'homme qui l'avait engendré paraissait à Zachary n'avoir ni sens si but, car pour lui, à l'évidence, le pouvoir faisait commettre des actes inexplicables à ses détenteurs – qu'ils fussent capitaines, hommes d'affaires ou simples propriétaires, comme son père. Une fois cela admis, il en découlait aussi que les caprices des maîtres pouvaient être parfois généreux et cruels, car n'était-ce pas une telle impulsion qui avait amené le vieux Mr Reid à accorder sa liberté à sa mère afin que Zachary ne naisse pas esclave ? Et n'était-il pas également vrai que Zachary lui-même avait suffisamment bénéficié des bontés de Mr Burnham pour l'empêcher de le juger trop vite ? Pourtant, il avait été bouleversé d'entendre sa mère parler de cette première fois, dans la cabane au milieu des bois, et bien que l'expérience de Paulette ne fût en aucun cas similaire il avait eu le cœur serré en écoutant son récit – un mouvement de compassion mais aussi l'éveil d'un instinct de protection.

— Mademoiselle Lambert, lâcha-t-il soudain, intervenant dans sa dispute avec Jodu, mademoiselle Lambert, croyez-moi, si j'avais les moyens de me marier, je vous demanderais à l'instant de...

Paulette l'interrompit avant qu'il ait pu terminer sa phrase.

— Monsieur Reid, répliqua-t-elle fièrement, vous vous trompez beaucoup si vous m'imaginez à la recherche d'un époux. Je ne suis pas une chatte perdue en quête d'un nouveau ménage. Et je ne peux certainement pas concevoir d'union plus méprisable que celle d'un homme prenant femme par pitié !

Zachary se mordit la lèvre.

— Je ne voulais pas vous offenser, mademoiselle Lambert. Croyez-moi : ce n'est pas la pitié qui m'a inspiré ce que j'ai dit.

Paulette redressa les épaules et dégagea le pan du sari qui lui couvrait la tête.

— Vous vous trompez, monsieur Reid, si vous pensez que je vous ai prié de venir ici pour solliciter votre protection – car si Bethel m'a bien enseigné une leçon, c'est que la gentillesse des hommes a toujours un prix...

Le mot fit sursauter Zachary.

— Holà, mademoiselle Lambert! Je n'ai pas parlé d'argent. Je sais tenir ma langue devant une dame.

— Une dame! répliqua Paulette avec mépris. Est-ce à une dame qu'on fait pareille offre? Ou plutôt à une de ces femmes... assises à la fenêtre.

— Vous êtes sur le mauvais bord, mademoiselle Lambert. Je n'ai jamais voulu dire cela. – Mortifié, Zachary se sentit rougir et, pour se calmer, il prit les rames des mains de Jodu et se mit à ramer. – Alors pourquoi donc souhaitiez-vous me voir, mademoiselle Lambert? demanda-t-il.

— Je vous ai prié ici, monsieur Reid, parce que je veux découvrir si vous êtes digne du nom que vous portez : Zikri.

— Je ne saisis pas ce que vous entendez par là, mademoiselle.

— Puis-je alors vous rappeler, monsieur Reid, que l'autre soir vous m'avez affirmé que si jamais j'avais besoin de quelque chose, il me suffirait de venir vous le demander? Je vous ai fait venir ici ce soir parce que je voulais savoir si votre promesse n'était que bagatelle lancée à la légère ou bien si vous étiez vraiment un homme honorant sa liberté sur parole.

Zachary ne put retenir un sourire.

— Vous faites encore erreur là, mademoiselle. J'ai connu bien des barreaux mais pas ceux d'une prison.

— Honorant sa parole, se corrigea Paulette. Voilà ce que je veux dire. Je veux savoir si vous êtes un homme de parole. Allons : dites-moi la vérité. Êtes-vous de parole ou non ?

— Cela dépend, mademoiselle Lambert, répondit Zachary, prudent, s'il est en mon pouvoir de vous donner ce que vous désirez.

— C'est le cas, rétorqua Paulette fermement. C'est certainement le cas – autrement je ne vous le demanderais pas.

— De quoi s'agit-il, alors ? dit Zachary, de plus en plus soupçonneux.

Paulette le regarda droit dans les yeux et sourit.

— Je voudrais me joindre à l'équipage de l'*Ibis*, monsieur Reid.

— Quoi ?

Zachary ne pouvait en croire ses oreilles, et, dans un instant d'inattention, sa prise sur les rames se relâcha et le courant, qui les lui arracha, les aurait littéralement balayées sans la vigilance de Jodu qui en rattrapa une et s'en servit pour ramener l'autre près du bateau. En se penchant par-dessus le plat-bord pour la récupérer, Zachary se surprit à échanger un coup d'œil avec Jodu, qui secoua la tête pour indiquer qu'il savait parfaitement ce que Paulette avait en tête et qu'il avait déjà décidé qu'il n'en était pas question. Unis par cette complicité secrète, les deux hommes prirent chacun un aviron et se mirent à ramer ensemble, coude à coude, le visage tourné vers Paulette : disparus le lascar et le malum, et, en lieu et place, une confédération de mâles s'unissant pour faire front à un adversaire aussi déterminé que rusé.

— Oui, monsieur Reid, répéta Paulette, voilà ma requête : avoir la permission de me joindre à votre équipage. Je serai l'un de vos marins : mes cheveux seront tirés, mes vêtements pareils aux leurs... Je suis solide... Je peux travailler.

Zachary appuya fort sur sa rame et la barque fit un bond en avant contre le courant, laissant le domaine Burnham dans son sillage : il était content de ramer, maintenant, car il trouvait un certain réconfort dans la dureté de la poignée qui irritait les callosités de sa paume ; il y avait même quelque chose de rassurant dans l'humidité de son épaule, là où son bras s'écrasait contre celui de Jodu : la proximité, la sensation et l'odeur de sueur – tout cela rappelait l'intimité implacable de la vie à bord, la rudesse et la familiarité qui rendaient les marins aussi effrontés que des animaux, ne se souciant aucunement de dire tout haut ou même de faire en public ce qui partout ailleurs aurait suscité une honte mortelle. Dans le gaillard d'avant se trouvaient réunies toute la saleté, la vilenie et la lubricité de l'état d'homme, et il était nécessaire que cela restât contenu, de façon à épargner au monde la puanteur des eaux de cale.

Mais Paulette continuait à plaider sa cause :

— ... Personne ne saura qui je suis, monsieur Reid, sauf vous et Jodu. Il s'agit simplement de savoir maintenant si vous honorerez votre parole ou non.

Dans l'impossibilité de retarder davantage sa réponse, Zachary secoua la tête.

— Il vous faut abandonner cette idée, mademoiselle Lambert. Ce n'est tout simplement pas concevable.

— Pourquoi donc ? lança-t-elle avec défi. Donnez-moi juste une bonne raison.

— Cela ne se peut faire, un point, c'est tout. Comprenez bien : ce n'est pas seulement que vous êtes une femme, c'est aussi que vous êtes blanche. L'*Ibis* prendra la mer avec un équipage composé entièrement de lascars, ce qui signifie que seuls ses officiers seront des « Européens », comme on dit ici. Il n'y en a que trois : premier officier, second officier et capitaine. Vous avez déjà rencontré le capitaine ; et le premier officier, laissez-moi vous dire, est un individu du caractère le plus infâme qui soit. Ce n'est pas là une compagnie que vous souhaiteriez, même si vous étiez un homme – de toute manière les couchettes pour Blancs sont déjà prises. Pas de place pour un autre buckra à bord !

Paulette éclata de rire.

— Oh, mais vous ne m'avez pas comprise, monsieur Reid. Bien entendu, je ne m'attends pas à être officier comme vous. Ce que je veux, c'est m'engager comme lascar, pareil à Jodu.

— Enfer et damnation !...

Une fois de plus, Zachary relâcha sa prise sur sa rame qui, heurtant un gros crabe, recula brusquement et vint le frapper en plein ventre.

Jodu tenta de garder le cap, mais le temps que Zachary se remette, le courant les ramenait en arrière et ils se trouvaient de nouveau à hauteur du domaine Burnham – néanmoins Paulette ne se préoccupait pas plus de la vue de Bethel que des gémissements venus du centre du bateau.

— Oui, monsieur Reid, poursuivit-elle, si seulement vous consentiez à m'aider, cela pourrait s'arranger facilement. Tout ce que Jodu peut faire, je peux le faire aussi – c'est vrai depuis notre enfance, lui-même vous le confirmera. Je peux grimper plus haut que lui, je peux nager et courir beaucoup mieux, et je peux ramer presque aussi fort. Quant aux langages, je peux parler le bengali et l'hindoustani comme lui. Il est vrai qu'il est plus sombre de teint, mais je ne suis pas pâle au point de ne pouvoir passer pour un Indien. Je vous assure qu'il n'y a jamais eu un instant dans nos vies où nous n'avons pas été capables de persuader un étranger que nous étions frères – il me suffisait d'échanger ma robe-tablier pour un longhi et de nouer une gamchha autour de ma tête. Nous nous sommes ainsi promenés partout, sur le fleuve et dans les rues de la ville : demandez-lui – il ne pourra le nier. Si lui peut être un lascar, alors, soyez-en sûr, moi aussi. Avec du kajal, un turban et un longhi, personne ne saura qui je suis. Je travaillerai sous le pont et on ne me verra jamais.

L'image de Paulette en longhi et turban surgit devant les yeux de Zachary – et lui parut si répugnante, si peu naturelle, qu'il secoua la tête pour la chasser. Il était déjà assez difficile de réconcilier la jeune femme en sari avec la Paulette qui avait envahi ses rêves : la rose délicate qu'il avait rencontrée sur le pont de l'*Ibis*, son visage encadré par un bonnet et un frisottis de dentelle bouillonnant sous le cou. Elle avait conquis plus que son regard : pouvoir lui parler, l'accompagner, il n'avait rien désiré de plus. Mais penser à cette jeune fille vêtue d'un sarong et d'un chiffon de tête, s'accrochant pieds nus aux enflé chures, dévorant du riz et arpentant le pont en sentant l'ail – c'était revenir à s'imaginer amoureux d'un lascar ; un homme faisant la cour à un singe.

— Mademoiselle Lambert, dit-il fermement, votre idée est une voile de fumée : elle ne pourra jamais prendre le moindre souffle de vent. Pour commencer, c'est notre serang qui procède à l'engagement des lascars, pas nous. Il les recrute par l'intermédiaire d'un ghaut-serang... et, à ce que je sache, il ne prend pas un homme qui ne soit son cousin, son oncle ou pire. Je n'ai rien à dire là-dessus : c'est lui qui décide.

— Le serang a pourtant bien pris Jodu, non ?

— Oui, mais ce n'était pas sur mon intervention, c'était à cause de l'accident.

— Et si Jodu parlait pour moi, me prendrait-il ou pas ?

— Peut-être. – Un coup d'œil en biais révéla à Zachary un Jodu au visage crispé de colère : sans aucun doute, le garçon était complètement d'accord avec lui sur cette affaire, il n'y avait donc pas de raison de ne pas le laisser s'exprimer lui-même. – Avez-vous demandé à Jodu ce qu'il en pensait ?

Jodu émit alors un long sifflement suivi d'un chapelet de mots et d'exclamations qui ne laissaient aucun doute sur son opinion – « Holà !... comment elle vivra à côté de plein d'hommes... Elle sait pas distinguer un crochet d'un guindeau... un bout-dehors d'une courge... » Dans un élan final de rhétorique, il lança la question : « Lady lascar ?... » et y répondit en crachant par-dessus le plat-bord avec un méprisant : « Levez-moi l'ancre ! »

— Ne prêtez aucune attention au cher petit chou, s'empressa de dire Paulette. Il blablate parce qu'il est jaloux et refuse d'admettre que je peux être un aussi bon marin que lui. Il aime à penser que je suis sa petite sœur sans défense. De toute façon, peu importe ce qu'il pense, monsieur Reid, parce qu'il fera ce que vous lui direz. Tout dépend de vous, monsieur Reid, pas de Jodu.

— Mademoiselle Lambert, répliqua gentiment Zachary, c'est vous qui m'avez affirmé qu'il était comme un frère pour vous. Ne voyez-vous pas que vous le mettriez en danger si vous poursuiviez votre idée ? Que croyez-vous que les autres lascars lui feraient s'ils découvraient qu'il les a trompés en introduisant une femme dans le gaillard d'avant ? Plus d'un marin a été tué pour bien moins. Et songez, mademoiselle Lambert, à ce qu'on vous ferait à vous si vous étiez découverte – et vous le seriez sûrement, rien ni aucun complot ne saurait l'empêcher. Croyez-moi, mademoiselle Lambert, on préfère ne pas y penser.

Jusqu'ici Paulette s'était tenue fièrement bien droite, mais là ses épaules commencèrent à s'affaisser.

— Vous ne m'aiderez donc pas, dit-elle lentement d'une voix entrecoupée. Bien que vous m'ayez donné votre parole.

— Si je pouvais vous aider d'une autre manière, je n'en serais que trop heureux, dit Zachary. J'ai un peu d'argent de côté, mademoiselle Lambert – ce pourrait être suffisant pour vous acheter un billet sur un autre bateau.

— Ce n'est pas votre charité que je veux, monsieur Reid, répliqua Paulette. Ne comprenez-vous pas que je dois me prouver à moi-même ? Croyez-vous que quelques menus obstacles auraient empêché ma grand-tante d'entreprendre son voyage ? – La lèvre tremblante et gonflée, elle essuya une larme de frustration. – Je vous avais cru un autre homme, monsieur Reid, un homme d'honneur, mais je vois que vous n'êtes rien d'autre qu'un piètre *hommelette*.

— Une omelette ?

— Oui, votre parole ne vaut pas un clou.

— Désolé de vous décevoir, mademoiselle Lambert, mais je crois que c'est pour le mieux. Un clipper n'est pas un endroit pour une jeune fille comme vous.

— Oh, c'est donc ça – impossible pour une fille ? – Paulette releva la tête, le regard assassin. – À vous entendre, monsieur Reid, on croirait que vous avez inventé l'eau chaude. Mais vous avez tort : je peux le faire et je le ferai.

— Je vous souhaite bonne chance, mademoiselle, répondit Zachary.

— N'ayez pas l'audace de vous gausser de moi, monsieur Reid ! s'écria Paulette. Je peux connaître des difficultés pour l'instant mais je me rendrai à l'île Maurice et, quand j'y arriverai, je vous rirai au nez. Je vous traiterai de noms que vous n'avez jamais entendus.

— Vraiment ? – Avec la fin de la bataille en vue, Zachary se permit un sourire. – Et que peuvent-ils bien être, mademoiselle ?

— Je vous appellerai... – Paulette s'interrompit, à la recherche d'un juron suffisamment insultant pour exprimer la colère qui régnait dans son cœur. Soudain, un mot explosa sur ses lèvres : – Maître-queux ! Voilà ce que vous êtes, monsieur Reid ! Un horrible maître-queux !

— Maître-queux ? répéta Zachary, étonné, tandis que Jodu, ravi d'entendre un son familier, traduisait : « Maître-coq ? »

— Oui, dit Paulette d'une voix tremblante d'émotion. Mrs Burnham affirme que c'est la chose la plus innommable et qu'elle ne devrait jamais être nommée par une dame. Vous pouvez penser que le roi est votre cousin, monsieur Reid, mais laissez-moi vous dire ce que vous êtes en réalité : un innommable maître-queux !

Devant l'absurdité du propos, Zachary éclata de rire et chuchota en aparté à Jodu :

— Est-ce que je suis rétrogradé à la cambuse comme cuisinier ou bien que veut-elle dire ?

— Cuisinier ? – L'échange n'avait pas échappé à Paulette. – Cuisinier et moussaillon, voilà la jolie paire que vous faites à vous deux, ni l'un ni l'autre capable de tenir sa parole. Mais attendez un peu – vous ne me laisserez pas derrière !

Quatorze

Ce n'est qu'au monde extérieur que la prison d'Alipore offrait l'apparence d'un royaume uni : à ses pensionnaires, elle donnait plutôt le sentiment d'un archipel de petits fiefs, chacun avec ses propres gouvernance, gouverneurs et gouvernés. Le transfert de Neel de la sphère extérieure de la prison, où régnaient les autorités britanniques, au domaine intérieur, prit plus d'une journée : il passa la première nuit dans une cellule provisoire et ce n'est qu'au soir du second jour qu'il fut assigné à une section spéciale. Il avait alors été pris d'un étrange sentiment de dissociation et, bien qu'il sût peu de choses des arrangements internes de la prison, il ne trahit aucune surprise quand ses gardes le confièrent à un autre détenu, un homme vêtu comme lui de coton blanc, à ceci près que son dhoti lui venait à la cheville et que sa tunique était propre. Il avait la charpente lourde d'un vieux lutteur et Neel fut prompt à noter ses signes d'éminence : le rebondi d'un ventre bien nourri, la barbe grise soigneusement taillée et l'énorme trousseau de clés à la ceinture ; à son passage devant les cellules, les prisonniers le saluaient invariablement avec déférence, s'adressant à

411

lui comme à Bishu-ji. À l'évidence, Bishu-ji était un des jemadars de la prison – un condamné qui, par raison de séniorité, de force de caractère ou tout bonnement de pure brutalité, avait été nommé à une position d'autorité par les gouverneurs de la prison.

La section dans laquelle Neel se trouvait maintenant s'organisait autour d'une cour carrée pourvue d'un puits d'un côté et d'un grand margousier de l'autre. C'est dans cette cour que les détenus faisaient la cuisine, mangeaient et se lavaient ; la nuit, ils dormaient à plusieurs dans des cellules, et leurs matinées se passaient en travaux forcés – le reste du temps la cour était le centre de leurs vies, le foyer où leurs journées commençaient et finissaient. Pour l'heure, le dîner étant terminé, les feux se mouraient et les grandes portes qui entouraient la cour se fermaient bruyamment derrière chaque groupe de condamnés retournant dans leurs cellules. Parmi les hommes restés dehors, certains, rassemblés autour du puits, récuraient les ustensiles de cuisine ; les autres, les jemadars, étaient tranquillement assis sous le grand margousier où quatre charpoys avaient été installés en cercle. Les jemadars étaient tous servis par quelques-uns de leurs fidèles, car chacun se trouvait à la tête d'une bande en partie criminelle, en partie familiale. À l'intérieur de ces groupes, les jemadars opéraient en qualité de patrons et de chefs de famille et, à la manière dont les zemidars étaient servis par des membres de leurs zenanas, ils l'étaient eux aussi par leurs chokras et disciples préférés. À présent, en fin de journée, les surveillants se délassaient en compagnie de leurs pairs tandis que leurs domestiques allumaient les hookas, préparaient les chillums de ganja et massaient les pieds de leurs maîtres.

Ce qui suivit ressembla à un panchayat, un conseil des anciens du village, au cours duquel Bishu-ji présenta à ses amis les détails de l'affaire de Neel. S'exprimant avec la compétence d'un juriste, il leur parla du zemindary de Raskhali, des accusations de falsification et du déroulement du procès devant la Cour suprême. Comment lui étaient venues ces informations, Neel ne pouvait l'imaginer, mais il sentit que Bishu-ji ne lui voulait pas de mal, et il lui fut reconnaissant pour l'exposé minutieux de son affaire.

Aux exclamations d'indignation qui accueillirent la conclusion du récit de Bishu-ji, Neel comprit que, même parmi ces vieux habitués de la prison, la sentence de déportation était considérée comme une horreur indicible. Convoqué au centre du groupe, il dut exhiber son front tatoué, qui fut examiné avec fascination et révulsion, compassion et terreur. Neel se prêta à l'examen sans hésitation, espérant que les marques sur sa peau lui conféreraient certains privilèges en le plaçant à part de condamnés moins importants. Un silence tomba, indiquant la fin des délibérations du panchayat, et Bishu-ji fit signe à Neel de le suivre.

Écoute, dit-il, tandis qu'ils traversaient la cour, laisse-moi t'expliquer nos règlements : la coutume veut que quand un nouveau prisonnier arrive, il soit alloué à l'un ou l'autre des jemadars, selon ses origines et son caractère. Mais avec quelqu'un comme toi, cet usage ne s'applique pas, puisque ta condamnation t'arrachera à jamais aux liens qui unissent ici les autres. Quand tu t'embarqueras sur ce bateau pour traverser l'Eau noire, toi et tes compagnons de déportation, vous formerez votre propre fraternité : vous serez votre propre village, votre famille, votre caste. C'est pourquoi la coutume ici pour des hommes tels que toi est de vivre à part, dans leur propre cellule, séparés du reste.

Neel hocha la tête.

Je comprends.

En ce moment, reprit Bishu-ji, il n'y a qu'un autre condamné à la même sentence que toi : lui aussi doit être déporté à Mareech, et vous voyagerez sans doute ensemble. Il est par conséquent juste que tu partages sa cellule.

Il y avait dans la voix de Bishu-ji une sorte d'avertissement.

Qui est cet homme ? demanda Neel.

Le visage de Bishu-ji se fendit dans un grand sourire.

Il s'appelle Aafat.

Aafat ? dit Neel, surpris : le mot signifiait « calamité », et il ne pouvait imaginer que quiconque pût choisir un nom pareil. Qui est-il ? D'où vient-il ?

Il vient de l'autre côté de la mer : du pays de Maha-Chin.

Il est chinois ?

C'est ce qu'on pense, vu son aspect, dit Bishu-ji. Mais il est difficile d'en être certain car nous ne savons presque rien de lui, excepté que c'est un afeemkhor.

Un drogué ? demanda Neel. Où se procure-t-il son opium ?

Ça, c'est le problème, répliqua le jemadar. C'est un afeemkhor qui n'a pas d'opium.

Ils avaient atteint la cellule à présent, et Bishu-ji cherchait la bonne clé dans son trousseau. Cette partie de la cour était mal éclairée et la cellule était si silencieuse qu'au premier coup d'œil Neel eut l'impression qu'elle était vide. Il demanda où se trouvait l'afeemkhor, et Bishu-ji répondit en le poussant à l'intérieur :

Il est ici ; tu vas le trouver.

Deux lits de corde et, dans un coin, un seau de toilette avec un couvercle en bois composaient le mobilier. Près du mur, un pichet en terre plein d'eau potable. Rien d'autre.

Il n'y a personne, dit Neel.

Il est là-bas, répliqua le jemadar. Écoute bien.

Peu à peu, Neel prit conscience d'un gémissement accompagné d'un léger cliquetis pareil à un claquement de dents. Un son si proche que sa source devait obligatoirement se situer dans la cellule : Neel s'agenouilla, regarda sous les charpoys et découvrit sous l'un d'eux une sorte de tas immobile. Il se recula, plus effrayé que révulsé, comme il aurait pu l'être par un animal méchamment blessé ou très malade – la créature produisait un bruit tenant plus de la plainte que d'un râle, et tout ce que Neel en voyait était un seul œil brillant. Puis Bishu-ji passa un bâton à travers les barreaux et l'enfonça sous le lit.

Aafat ! Sors de là ! Regarde, on t'a trouvé un autre déporté.

Poussé par le bâton, un bras sortit tel un serpent de dessous le lit, un bras incrusté de saleté. Suivit une tête, à peine visible à cause d'une épaisse couche de cheveux emmêlés et d'une longue barbe noire hirsute. Puis le reste du corps émergea lentement, couvert à tel point de boue et d'immondices qu'il devenait impossible de dire s'il était nu ou habillé. Soudain, une odeur abominable envahit la cellule, et Neel se rendit compte que l'homme n'était pas seulement couvert de boue mais aussi d'excréments et de vomissures.

Se détournant avec dégoût, Neel s'accrocha aux barreaux pour appeler Bishu-ji :

Tu ne peux pas me laisser ici, par pitié, fais-moi sortir...

Bishu-ji fit volte-face et revint sur ses pas.

Écoute, dit-il en brandissant un doigt vers Neel : Écoute – si tu crois pouvoir te cacher de cet homme, tu te trompes. À partir de maintenant, tu ne pourras plus jamais échapper à cet Aafat. Il sera à bord de ton bateau et tu devras gagner avec lui ta prison au-delà de l'Eau noire. Il est désormais tout ce que tu possèdes, il est ta caste, ta famille, ton ami ; ni frère ni épouse ni fils seront jamais aussi proches de toi que lui. Tu devras en faire ce que tu peux ; il est ton sort, ton destin. Regarde-toi dans un miroir et tu sauras : tu ne peux pas échapper à ce qui est écrit sur ton front.

*

Jodu ne fut pas surpris de découvrir une Paulette de plus en plus morose et rancunière après sa rencontre nocturne avec Zachary ; à l'évidence, elle le blâmait lui, Jodu, pour l'échec de son plan et, désormais, leurs chamailleries d'ordinaire sans conséquence prenaient souvent un tour inhabituellement méchant. Pour tous deux, vivre dans le ressentiment sur un petit bateau était plus que désagréable. Cependant, Jodu comprenait que Paulette se trouvait dans une situation cruelle, voire désespérée, sans argent ni beaucoup d'amis, et il ne pouvait se résoudre à la priver du refuge de son pansari. Mais celui-ci était seulement loué et retournerait à son propriétaire sur les quais dès que l'*Ibis* serait prêt à prendre la mer. Que ferait Paulette, alors ? Elle se refusait à discuter du sujet, et il ne pouvait pas le lui reprocher dans la mesure où il ne supportait guère d'y songer lui-même.

Entre-temps, il continuait à pleuvoir très dur et, un jour, Paulette fut prise dans une monstrueuse averse tropicale. Que ce soit à cause de ce déluge ou de son état d'esprit, elle tomba malade. Jodu, dans l'impossibilité de la soigner à bord de sa barque, décida de l'emmener dans une famille qui avait fort bien connu son père : plusieurs de ses membres avaient travaillé longtemps aux Jardins botaniques et avaient largement bénéficié de la générosité de Pierre Lambert. Avec eux, elle serait en sécurité et en de bonnes mains.

Ces gens vivaient dans un village un peu au nord de Calcutta, dans le Dakshineshwar et, en arrivant à leur porte, Paulette reçut un accueil suffisamment chaleureux pour chasser toute crainte que Jodu aurait pu avoir. Repose-toi et rétablis-toi, lui recommanda-t-il en la quittant. Je reviendrai dans deux ou trois mois et on décidera alors que faire. Elle répondit d'un vague hochement de tête, et ils en restèrent là.

Jodu regagna Calcutta à la rame, avec l'espoir de gagner rapidement un peu d'argent grâce à sa barque. Espoir déçu car les derniers orages de la mousson se révélèrent les plus violents de la saison, et il fut contraint de passer presque tout son temps amarré aux quais. Mais à la fin des pluies, après les longs mois de mousson, avec l'air plus propre et plus frais que jamais, et les vents vifs porteurs de renouveau, fleuves et routes se repeuplèrent très vite tandis que les fermiers se hâtaient d'apporter aux marchés le fruit tout neuf de leurs récoltes et que les clients envahissaient les bazars, pressés d'acheter de beaux vêtements pour Durga Puja, Dussehra et 'Id.

C'est au cours d'une de ces soirées animées, alors qu'il transportait des passagers dans son ferry, que Jodu aperçut en aval du fleuve l'*Ibis*, tout juste sorti de son carénage : il était à un poste d'amarrage entre deux bouées, mais même avec ses mâts dénudés il avait l'air d'un gage de la saison elle-même, astiqué et requinqué, avec une nouvelle couche de cuivre le long de sa ligne d'eau, ses mâts bien droits et luisants. Des volutes de fumée sortaient de la cheminée de la cambuse, et Jodu comprit ainsi que beaucoup de lascars se trouvaient déjà à bord ; pour une fois, il ne perdit pas de temps à discuter ses tarifs ou à asticoter les grippe-sous : il se débarrassa au plus vite de ses passagers et rama à toute vitesse vers la goélette.

Ils étaient là en effet, traînant autour du rouf, tous les vieux visages familiers, Cassem-meah, Simba Cader, Rajoo, Steward Pinto et les deux tindals, Babloo et Mamdoo. Même Serang Ali se fendit d'un sourire et d'un signe de tête. Après les bourrades et les grandes tapes dans le dos de rigueur, c'est le canot de Jodu qui devint le centre de la rigolade – dis donc, son taud est fait de vieux balais de cabinet ? Et ça, c'est une rame ou un râteau ? Personne, lui affirma-t-on, ne s'attendait à ce qu'il revienne : on pensait qu'il était parti chez les hommes-bâtons – tout le monde ne savait-il pas qu'aucun moussaillon ne pouvait être heureux sans un bâton en poupe ?

Et les malums ? Le kaptan ? Où sont-ils ?

Pas encore à bord, dit Rajoo.

Ce qui enchanta Jodu car cela signifiait que les lascars avaient pour l'heure le commandement du navire.

Viens donc, dit-il à Rajoo, on va inspecter le bateau pendant qu'on le peut.

Ils se dirigèrent d'abord vers la section réservée aux officiers, les cabines situées juste sous la plage arrière : ils savaient qu'ils n'y mettraient plus jamais les pieds, sauf en qualité de topas ou de serviteurs, et ils étaient décidés à en profiter au maximum. Pour y arriver, il leur fallait passer par une des deux descentes, l'une à bâbord qui menait aux cabines et l'autre à tribord au compartiment voisin, nommé «beech-kamra» – ou cabines par le travers. La descente de bâbord s'ouvrait sur le cuddy, le carré, l'endroit où les officiers prenaient leurs repas. Jodu fut étonné du soin avec lequel chaque chose avait été pensée, fabriquée, pour parer à toute éventualité : la table, au centre, était même entièrement bordée et pourvue de petits compartiments de façon à ce qu'aucun objet ne puisse glisser en cas de roulis. Les cabines, adjacentes au carré, étaient en comparaison plutôt spartiates, juste assez larges pour qu'on puisse s'y retourner, avec des couchettes pas tout à fait assez grandes pour qu'un homme puisse y allonger les jambes.

Un peu plus à l'arrière, la suite du capitaine n'avait certes, elle, rien de décevant : occupant toute la largeur de la coque, elle semblait, avec ses bois vernis et ses cuivres extraordinairement lumineux, digne d'un palais de raja. À un bout trônait un petit bureau superbement sculpté, avec de minuscules étagères et un encrier incrusté dans le bois ; de l'autre, une couchette spacieuse avec un bougeoir fixé sur le côté. Jodu se jeta sur le matelas et rebondit plusieurs fois.

Ah, s'écria-t-il, si seulement tu étais une fille – une Ranee au lieu d'un Rajoo! Tu imagines ce qu'on ferait, là-dessus?...

Un moment, les deux garçons se perdirent en rêves.

Un jour, soupira Jodu, un jour j'aurais un lit comme ça à moi tout seul.

... Et je serai le faghoor de Maha-Chin...

À l'avant des cabines des officiers se trouvait le beech-kamra des soldats et des gardiens. Cette partie du navire était relativement confortable elle aussi : équipée de couchettes plutôt que de hamacs, elle était assez bien éclairée par des hublots laissant passer la lumière du jour et plusieurs lampes pendues au plafond. Comme les cabines des officiers, cette kamra était reliée au pont principal par sa propre descente. Celle-ci plongeait plus profondément dans les entrailles du bateau et menait aux cales, réserves et magasins où étaient entreposées provisions et pièces de rechange.

À côté de la kamra, il y avait la partie du navire destinée aux migrants : l'entrepont, connu sous le nom de «boîte» ou «dabusa» chez les lascars. Les lieux avaient peu changé depuis la première fois que Jodu y avait pénétré : ils étaient toujours aussi sinistres, sombres et puants – un simple espace délimité par des entretoises arquées –, mais chaînes et boulons avaient disparu, remplacées par des latrines et un pissoir. Le dabusa inspirait une horreur frôlant la superstition parmi l'équipage, et ni Jodu ni Rajoo n'y traînèrent longtemps. Regrimpant l'échelle, ils regagnèrent en hâte leurs propres quartiers, le fana. C'est là qu'avait pris place le plus surprenant des changements : la partie arrière du compartiment avait été cloisonnée de façon à y aménager une cellule munie d'une porte solide.

Si y a une prison, ça veut dire qu'il va y avoir des forçats à bord.

Combien ?

Qui sait ?

La porte était ouverte et ils entrèrent. La cellule était aussi exiguë qu'un poulailler et aussi étouffante qu'une fosse aux serpents : hormis un judas sur la porte, elle n'avait qu'une seule autre ouverture, un minuscule conduit d'aération dans la cloison qui la séparait du dabusa. Jodu découvrit qu'en se dressant sur la pointe des pieds il pouvait coller son œil au trou d'aération.

Deux mois dans ce truc-là ! dit-il à Rajoo. Avec rien d'autre à faire qu'à espionner les coolies...

Rien à faire ! ricana Rajoo. Ils carderont de l'étoupe à s'en user les doigts : ils auront tant de besogne qu'ils en oublieront leurs noms !

Et à propos de besogne, dit Jodu, qu'est-ce qui se passe avec notre échange ? Crois-tu qu'ils vont me laisser prendre ta place sur le mât ?

Rajoo fit la moue.

J'ai parlé à Mamdoo Tindal aujourd'hui, mais il a dit qu'il fallait d'abord te mettre à l'épreuve.

Quand ?

Ils n'eurent pas à attendre longtemps la réponse. En revenant sur le pont, Jodu entendit une voix qui criait de loin en l'air :

Toi, là-bas ! L'homme-bâton !

Jodu leva la tête et aperçut Mamdoo Tindal qui le regardait depuis la kursi du mât de misaine et lui faisait signe d'un doigt.

Monte donc !

C'était l'épreuve, Jodu le comprit : il cracha dans ses mains, murmura un bismillah avant de s'attaquer à l'enfléchure. Il n'était pas à mi-chemin que ses mains blessées saignaient – à croire que sur la drisse de chanvre poussaient des épines – mais il tint bon. Non seulement il atteignit la kursi, mais il réussit même à essuyer ses mains sanguinolentes sur ses cheveux avant que le tindal voie les plaies.

Chalega ! dit Mamdoo Tindal avec un hochement de tête réticent. Ça ira... c'est pas mal pour une petite tapette...

Par crainte d'en dire trop, Jodu ne répondit que par un sourire modeste – mais un roi à son couronnement n'aurait pas pu se sentir plus triomphant que lui tandis qu'il s'installait sur la kursi : d'ailleurs, quel trône pouvait offrir une vue aussi majestueuse que les traverses, avec le soleil sombrant à l'ouest et ce fleuve d'embarcations défilant en dessous ?

Ah, ça te plaira ici, dit Mamdoo Tindal. Et si tu le lui demandes gentiment, Ghaseeti t'enseignera peut-être sa manière de lire le vent.

Lire le vent ? Comment ça ?

Comme ça. Prenant pied sur la vergue, le tindal s'allongea sur le dos et pointa ses jambes vers l'horizon, là où le soleil se couchait. Puis il leva les pieds et secoua son longhi, qui s'ouvrit comme un entonnoir et se remplit de vent.

Mamdoo poussa un gémissement de plaisir.

Oui ! Ghaseeti prédit que le vent va se lever. Elle le sent ! Sa main monte peu à peu sur ses chevilles, ses jambes, elle le sent là...

Sur ses jambes ?

Dans son trou à vent, espèce de trou du cul, où d'autre ?

Jodu éclata si fort de rire qu'il faillit tomber de sa traverse. Il n'y avait qu'une chose, se rendit-il compte avec un pincement de regret, qui aurait pu rendre la plaisanterie encore plus délectable, c'est si Paulette avait été présente pour la partager avec lui : c'était là le genre d'idiotie qui les avait toujours enchantés l'un et l'autre.

*

Il ne fallut pas longtemps à Neel pour comprendre que les tourments de son compagnon de cellule étaient gouvernés par certains rythmes prévisibles. Ses paroxysmes de tremblote, par exemple, commençaient par d'imperceptibles frissons, ceux d'un homme dans une pièce juste un peu trop froide pour son confort. Puis ces aimables frémissements s'intensifiaient jusqu'à devenir d'une violence propre à jeter le malheureux à bas de son charpoy, précipitant sur le sol son corps en convulsions. Ses muscles se dessinaient à travers la crasse, tour à tour contractés en des sortes de nœuds puis se détendant brièvement avant de se raidir de nouveau : on aurait cru voir une troupe de rats s'agitant dans un sac. Une fois les convulsions apaisées, l'homme demeurait inconscient un moment, puis quelque chose en lui se déclenchait encore ; sa respiration redevenait pénible et des râles s'échappaient de ses poumons, pourtant ses paupières demeuraient closes ; ses lèvres se mettaient à remuer et à former des mots, et il passait alors à un état de délire qui, d'une certaine façon, lui permettait de rester endormi bien qu'il se tournât d'un côté et de l'autre, dans une frénésie de mouvements, tout en criant très fort dans sa propre langue. Ensuite un feu paraissait s'allumer sous sa peau et il se mettait à se gifler le corps comme pour étouffer des flammes envahissantes. Faute apparemment d'y réussir, il faisait de ses mains des griffes, creusant sa chair pour en arracher, semblait-il, une couche de peau carbonisée. C'est seulement alors qu'il ouvrait les yeux : comme si son corps épuisé ne lui permettait pas de se réveiller avant qu'il ait tenté de s'écorcher totalement.

Aussi horribles que fussent ces symptômes, aucun n'affectait plus Neel que l'incontinence chronique de son compagnon. Voir, entendre et respirer un adulte pissant désespérément sur le sol, son lit et lui-même aurait été une épreuve pour n'importe qui, mais pour un maniaque de la propreté tel que Neel, c'était cohabiter avec l'incarnation de tout ce qu'il détestait. Plus tard, il apprendrait que l'une des propriétés majeures de l'opium est son énorme influence sur le système digestif : pris à petites doses, c'était un remède contre la diarrhée et la dysenterie ; en fortes quantités, il pouvait provoquer une paralysie des intestins – un symptôme commun chez les drogués. Inversement, le sevrage abrupt d'un corps habitué à une consommation excessive avait pour effet de provoquer des spasmes incontrôlables de la vessie et du sphincter, au point de les rendre incapables de retenir toute eau ou nourriture. Une situation qui d'ordinaire ne se prolongeait pas plus de quelques jours – le savoir n'aurait toutefois que chichement réconforté Neel pour qui chaque minute passée auprès de son compagnon dégoulinant, ruisselant, giclant, devenait d'une longueur incommensurable. Bientôt lui aussi se mit à trembler et à halluciner : derrière ses paupières closes, les giclées de merde sur le sol s'animaient et expédiaient des tentacules qui s'enfonçaient dans son nez, plongeaient dans sa bouche et le prenaient à la gorge. Combien de temps duraient ces crises, Neel l'ignorait, mais, de temps en temps, il ouvrait les yeux pour voir les visages des autres prisonniers le contemplant avec stupéfaction ; dans un de ces moments d'éveil, il remarqua que quelqu'un avait soulevé la grille de la cellule et posé deux objets à l'intérieur : un jharu et une pelle, pareils à ceux utilisés par les balayeurs pour nettoyer les excréments humains.

Neel le savait : s'il ne voulait pas perdre la raison, il lui faudrait prendre le jharu et la pelle ; il n'existait pas d'autre moyen. Se mettre debout et faire les trois ou quatre pas qui le séparaient du jharu lui demanda un effort surhumain et, quand il se trouva finalement à portée de l'objet, il ne réussit pas à convaincre sa main de le toucher : le risque encouru semblait incroyablement immense car, à partir de cet instant, Neel le savait aussi, il cesserait d'être l'homme qu'il était juste avant. Il ferma les yeux, lança sa main à l'aveuglette, et ce n'est que lorsqu'il eut saisi le manche du jharu qu'il s'autorisa à regarder ; il lui parut alors miraculeux que son environnement n'ait pas changé alors qu'à l'intérieur de lui-même il sentait les signes d'une altération irréversible. Dans un sens, il était encore l'homme qu'il avait toujours été, Neel Rattan Halder, mais il était différent aussi, car ses mains étaient posées sur un objet entouré d'une brillante pénombre de haine ; pourtant, maintenant qu'il le tenait, il paraissait n'être ni plus ni moins que ce qu'il était, un ustensile à utiliser selon la volonté de son utilisateur. Il s'accroupit sur ses talons, comme il avait souvent vu les balayeurs le faire, et il commença à ramasser la merde de son compagnon de cellule.

Une fois la tâche entreprise, Neel se découvrit possédé par une sorte de fureur. Il n'épargna qu'une seule partie de la cellule – un îlot près du seau à ordures, où il avait poussé le charpoy de son compagnon dans l'espoir de l'y confiner. Dans tout le reste de la pièce, il brossa les murs autant que le sol, expédiant l'eau sale dans la rigole de drainage. Très vite, beaucoup d'autres prisonniers s'arrêtèrent pour le regarder travailler ; certains se mirent même à l'aider, sans qu'il le leur demande, en allant chercher de l'eau au puits et en jetant des poignées de sable pour récurer le sol. Quand Neel sortit dans la cour pour se décrasser et laver ses vêtements, il fut invité à joindre plusieurs des feux de cuisine où se préparaient les repas.

Viens ici... mange avec nous.

Tandis qu'il mangeait, quelqu'un demanda :

C'est vrai que tu sais lire et écrire ?

Oui.

En bengali ?

En anglais aussi. Et en persan et en ourdou.

Un homme s'approcha, accroupi sur ses talons.

Tu peux écrire une lettre pour moi, alors ?

À qui ?

Au zemindar de mon village ; il veut prendre des terres à ma famille et je veux lui envoyer une pétition...

À une époque, les bureaux chargés de l'administration du domaine de Raskhali avaient reçu des douzaines de requêtes de ce genre ; bien que Neel se fût rarement donné la peine de les lire, il en connaissait assez bien la formule.

Je vais le faire, dit-il, mais il faut que tu m'apportes du papier, de l'encre et une plume.

De retour dans sa cellule, il fut consterné de trouver son travail en grande partie détruit, son compagnon, repris par un accès de délire, ayant roulé par terre en laissant une traînée d'excréments derrière lui. Neel réussit à le repousser dans son coin mais il était trop épuisé pour en faire davantage.

La nuit fut plus paisible que les précédentes, et Neel perçut un changement de rythme dans les crises de son compagnon : elles semblaient perdre en intensité, permettant au malheureux des périodes de repos plus longues ; son incontinence aussi paraissait se modérer, peut-être parce qu'il n'avait plus rien à expulser. Au matin, en ouvrant la grille, Bishu-ji dit à Neel :

C'est Aafat qu'il va te falloir nettoyer maintenant. Tu n'y couperas pas : une fois qu'il sentira la caresse de l'eau, il commencera à aller mieux. J'ai déjà vu ça se produire.

Neel regarda le corps émacié incrusté d'immondices et les cheveux emmêlés : même si, surmontant sa répugnance, il parvenait à le baigner, à quoi cela mènerait-il ? Il ne réussirait qu'à se salir de nouveau. Quant aux vêtements, le seul que possédait apparemment l'homme était un pyjama retenu par une ficelle et imbibé de ses déjections.

Tu veux que je t'envoie quelqu'un pour t'aider ? proposa Bishu-ji.

Non, répliqua Neel. Je vais me débrouiller seul.

Après quelques jours passés dans le même espace étroit, Neel se sentait déjà d'une certaine manière impliqué dans la situation de son compagnon : comme si leur destination commune faisait de leur honte et de leur honneur un fardeau commun. En tout cas, c'était à lui que revenait de faire ce qu'il y avait à faire.

Il lui fallut un certain temps pour procéder aux préparatifs nécessaires : en échange de ses activités d'écrivain public, il acquit quelques bouts de savon, une pierre ponce, un dhoti et un banyan. Persuader Bishu-ji de laisser la grille de la cellule ouverte se révéla étonnamment facile : en tant que futurs déportés, ni Neel ni son compagnon n'étaient censés participer à des équipes de travaux, ils eurent donc la cour pratiquement pour eux durant la première partie de la journée. Une fois les autres prisonniers partis, Neel tira plusieurs seaux d'eau du puits ; après quoi, le soulevant et le traînant à moitié, il parvint à faire traverser la cour à Aafat. Celui-ci offrit peu de résistance, et son corps dévasté par l'opium était léger à l'extrême. Dès le premier seau d'eau, il remua un peu bras et jambes comme pour repousser les mains de Neel, mais il était si faible que ses efforts ressemblaient aux frétillements d'un oiseau épuisé. Neel put le maintenir sans difficulté. Très vite, Aafat cessa de se tortiller et retomba dans une sorte de torpeur. Après avoir frotté sa poitrine avec la pierre ponce, Neel enveloppa les bouts de savon dans un chiffon et entreprit de laver les membres de l'homme : le drogué était squelettique, sa peau couverte de croûtes et de plaies provoquées par les parasites, mais la souplesse des tendons prouvait qu'il ne s'agissait pas d'un homme au seuil de la vieillesse, comme Neel l'avait tout d'abord cru. Il était beaucoup plus jeune qu'il ne le paraissait, et avait été à l'évidence en pleine force physique quand il était tombé sous l'empire de la drogue. En voulant défaire le cordon du pyjama, Neel s'aperçut qu'il était trop emmêlé et il le coupa tout net, en arrachant ce qui restait du vêtement. Au bord de la nausée à cause de la puanteur, Neel versa de l'eau entre les jambes de l'homme, s'arrêtant de temps en temps pour respirer.

Prendre soin d'un autre être humain, c'était là quelque chose que Neel n'avait jamais songé à faire, même pour son fils, encore moins pour un homme de son âge, un étranger. Il ne savait de l'attention portée à un être que la tendresse dont l'avaient abondamment entouré ceux qui s'étaient occupés de lui : qu'ils en soient venus à l'aimer était une chose qu'il avait considérée comme naturelle – pourtant conscient que ses propres sentiments à leur égard n'étaient en rien équivalents aux leurs, il s'était souvent demandé comment cet attachement était né. Et la question lui venait maintenant à l'esprit : était-ce ainsi que c'était arrivé ? Était-il possible que le simple fait d'utiliser ses mains et d'investir son attention dans quelqu'un d'autre que soi-même créait une fierté et une tendresse qui n'avaient rien à faire avec la réaction de l'objet des soins – juste comme l'amour d'un artisan pour son travail n'est aucunement diminué par l'absence de réciprocité ?

Après avoir emmailloté son compagnon dans un dhoti, Neel l'appuya contre le margousier et le força à avaler un peu de riz. Le remettre sur son charpoy infesté de vermine serait revenu à annuler tout le nettoyage accompli, aussi Neel l'installa-t-il sur un tas de couvertures dans un coin. Puis il tira le lit infesté jusqu'au puits, le récura complètement et le plaça à l'envers au grand air, comme il avait vu les autres prisonniers le faire, de façon que le soleil brûle sa cargaison pâle et grouillante d'insectes suceurs de sang. Ce n'est qu'après avoir terminé le travail que Neel s'aperçut qu'il avait soulevé le gros lit tout seul, sans aide – lui que la légende familiale disait maladif depuis l'enfance, sujet à toutes sortes d'indispositions. De même que l'on racontait qu'il ne pouvait avaler que les nourritures les plus délicates – pourtant, depuis plusieurs jours déjà, il n'avait mangé que le dal le plus ordinaire et le riz le plus grossier, petit de grain, veiné de rouge et mêlé à une grande quantité de sable et de cailloux propres à vous casser les dents – et il n'avait jamais eu meilleur appétit.

Le lendemain, grâce à des séries d'échanges compliqués, impliquant la rédaction de lettres à divers chokras et jemadars dans d'autres ailes de la prison, Neel obtint d'un barbier qu'il rase la tête et le visage d'Aafat.

Depuis que je coupe des cheveux, s'écria le barbier, je n'ai jamais rien vu de pareil !

Neel examina le crâne de son compagnon de cellule par-dessus l'épaule du barbier : alors même que le rasoir faisait son œuvre, une autre récolte semblait pousser sur la peau dénudée, un film qui remuait et brillait comme du mercure – une horde grouillante de poux. En même temps que les mèches emmêlées, les insectes pleuvaient par terre. Neel dut aller chercher des seaux d'eau pour les noyer avant qu'ils aillent trouver d'autres victimes.

Le visage qui émergea peu à peu de l'épaisseur des cheveux et de la barbe n'était guère plus qu'un crâne aux yeux enfoncés, un nez en bec fin et un front dont tous les os paraissaient transpercer la peau. La forme des yeux et le teint suggéraient que l'homme était en partie chinois, néanmoins le nez aquilin et la grande bouche aux lèvres pleines parlaient d'une origine différente. Dans ce visage dévasté, Neel eut l'impression de voir le fantôme d'un être vif et curieux : quoique temporairement exorcisé par l'opium, cet individu n'avait pas encore abandonné toute prétention sur ce corps. Qui pouvait dire les capacités et les talents qu'avait possédés cet autre ? En manière de test, Neel demanda en anglais :

— Quel est ton nom ?

Un éclair passa dans le regard éteint de l'afeemkhor, comme pour indiquer qu'il savait ce que signifiaient ces mots et, quand sa tête retomba, Neel choisit d'interpréter le geste non comme un refus mais comme le renvoi à plus tard d'une réponse. À partir de là, l'état de son compagnon de cellule ne cessant de s'améliorer, Neel se fit un rituel de poser la question une fois par jour, et même si ces tentatives de communication n'eurent aucun succès, il ne douta jamais de finir par obtenir une réponse.

*

L'après-midi où Zachary revint à bord de l'*Ibis*, Mr Crowle arpentait la plage arrière, d'un pas lent et contemplatif, comme s'il répétait pour le jour où il serait le capitaine. Il s'arrêta brusquement en apercevant Zachary avec ses baluchons jetés par-dessus son épaule.

— Tiens, tiens, voyez-moi ça ! s'écria-t-il, feignant la surprise. Que les yeux m'en tombent si ce n'est pas le petit Lord Damoiseau en personne, tout prêt à se perdre dans les vastes profondeurs des mers !

Zachary avait décidé de ne pas se laisser provoquer par le commandant en second. Il sourit gaiement, posa ses sacs et tendit la main.

— Bonjour, monsieur Crowle, dit-il. J'espère que vous vous portez bien.

— Ah, vraiment ? répliqua Mr Crowle dégageant sa main brusquement. À dire vrai, je n'étais pas sûr que nous aurions le plaisir de ta compagnie, après tout. Pour être honnête, j'avais pensé que tu larguerais les amarres et que tu prendrais la poudre d'escampette. Une jolie petite fleur comme toi, je m'suis dit qu'elle préférerait trouver un bon poste à terre.

— Ça ne m'est jamais passé par la tête, monsieur Crowle, se hâta de répondre Zachary. Rien ne me fera abandonner ma couchette sur l'*Ibis*.

— Trop tôt pour l'affirmer, Damoiseau, dit Mr Crowle avec un grand sourire. Encore bien trop tôt.

Zachary ne releva pas la pique et, durant les quelques jours suivants, entre l'emmagasinage des provisions et le décompte des équipements de secours, il n'eut guère de temps pour échanger avec le second autre chose que des propos parfaitement ordinaires. Puis, un après-midi, Pinto vint sur l'avant informer Zachary que le contingent de gardes et de gardiens destiné à la goélette était en train d'embarquer. Curieux de voir les nouveaux venus, Zachary se rendit sur la plage arrière. Quelques minutes plus tard, il était rejoint par Mr Crowle au bastingage.

Les gardes étaient pour la plupart des silahdars enturbannés, ex-serpoys arborant leurs cartouchières en croix sur leurs poitrines. Les gardiens, des hommes à l'air florissant, portaient des tuniques noires et des dhotis blancs. Ce qui frappait chez tous, c'était l'arrogance avec laquelle ils montaient à bord : telle une force conquérante venue prendre possession d'un navire capturé. Ils ne se seraient pas abaissés à transporter leurs propres bagages et n'avaient daigné se charger que de leurs armes blanches – lathis, fouets, lances et épées. Des porteurs en uniforme trimballaient les armes à feu – un impressionnant assortiment de mousquets, pistolets et poudre à canon –, qui furent déposées dans l'armurerie de la goélette. Quant au reste – possessions personnelles et provisions –, il revint aux lascars d'aller les chercher et de les ranger, à grand renfort de coups de pied au derrière, de claques et de jurons variés.

Le commandant du peloton, Subedar Bhyro Singh, fut le dernier à embarquer, et son arrivée fut des plus cérémonieuses : gardiens et soldats l'accueillirent comme un potentat, formant les rangs et se courbant très bas pour le saluer. Imposant, torse bombé et cou de taureau, il mit pied à bord vêtu d'un impeccable dhoti blanc, d'une longue kurta ceinturée de soie scintillante, et coiffé d'un majestueux turban. Il serrait sous le bras un solide lathi. Tout en frisant sa moustache blanche, il contempla le navire d'un air plutôt mécontent, jusqu'à ce qu'il aperçoive Mr Crowle. Il salua le commandant en second avec un large sourire, les mains jointes, et Mr Crowle parut également ravi de le voir car Zachary l'entendit marmonner dans sa barbe : «Tiens, tiens, si ce n'est pas ce vieux Face de beignet !» puis lancer à voix haute, sur son ton le plus cordial : «Bien le bonjour à toi, Subby-dar !»

Cet étalage inhabituel d'affabilité poussa Zachary à demander :

— Un ami à vous, monsieur Crowle ?

— On a navigué ensemble autrefois, et c'est toujours la même chose, n'est-ce pas, pour nous, vieilles amarres ? Les compagnons de bord avant les étrangers, les étrangers avant les chiens ! – Le second retroussa une lèvre dédaigneuse en toisant Zachary : – Non pas que tu comprennes ça, toi, le damoiseau, sûrement pas, vu avec qui tu vis.

Une phrase qui prit Zachary de court.

— Je ne saisis pas ce que vous voulez dire par là, Mr Crowle.

— Ah, vraiment ? Eh bien, peut-être que c'est mieux ainsi ! répliqua le premier officier avec un sourire grimaçant.

Là-dessus, avant que Zachary puisse insister, Crowle fut accaparé par Serang Ali qui l'emmena inspecter la mise en place du mât de trinquette, et Zachary en fut pour ses frais de demande d'explication. Le sort voulut que le capitaine aille à terre ce soir-là et que les deux officiers dînent en tête à tête, servis par Pinto. Peu de mots furent échangés jusqu'à ce que le steward apporte des chauffe-plats et les pose sur la table. À l'odeur, Zachary devina qu'on allait leur servir un mets pour lequel il avait exprimé son goût, un curry de crevettes au riz, et il gratifia Pinto d'un sourire et d'un signe de tête. Entre-temps, Mr Crowle avait déjà humé l'air avec suspicion et, quand le steward ôta les couvercles, il s'écria, révulsé :

— Qu'est-ce que c'est que ça ? – Puis, jetant un coup d'œil sur le curry, il repoussa le tout avec fracas. – Remballe-moi ça, mon garçon, et dis au cuistot de me frire des côtelettes. Et ne me mets jamais plus cet immonde truc gluant sous le nez !

Pinto se précipita, marmonnant des excuses, et s'apprêtait à remporter les plats quand Zachary l'arrêta.

— Une minute, steward, dit-il. Tu peux tout laisser
là. Merci d'apporter à Mr Crowle ce qu'il désire mais
ceci me conviendra parfaitement.

Mr Crowle ne pipa mot jusqu'à ce que Pinto ait
disparu dans la coursive. Puis, regardant Zachary les
yeux plissés, il lança :

— T'es horriblement copain avec ces lascars, hein ?

— Nous avons navigué ensemble depuis Le Cap,
répliqua Zachary avec un haussement d'épaules. Je
pense qu'ils me connaissent et que je les connais.
Voilà tout. – Puis, tendant le bras vers le riz : – Si
vous me permettez...

Le commandant en second fit un signe d'acquiescement, mais ses lèvres se pincèrent de dégoût tandis
qu'il regardait Zachary se servir.

— C'est les lascars qui t'ont appris à avaler cette
pâtée puante pour nègres ?

— Ce n'est que du karibat, monsieur Crowle. Tout
le monde en mange par ici.

— Ah oui ? dit le second qui marqua une pause
avant d'ajouter : Et c'est de ça que tu te nourris quand
t'es avec les gens de la haute, que tu te lèches les
babines avec tes nababs ?

Zachary comprit soudain l'allusion de l'après-midi ;
il leva la tête de son assiette et vit que Mr Crowle
l'observait avec un sourire qui lui découvrait la pointe
des dents.

— Je parie que tu pensais que je n'en saurais rien,
pas vrai, Damoiseau ?

— De quoi parlez-vous ?

— De ta fréquentation des Burhnam et compagnie.

Zachary respira profondément avant de répondre
avec calme :

— Ils m'ont invité, monsieur Crowle, et j'y suis
donc allé. J'ai cru qu'ils vous avaient invité aussi.

434

— Tu parles ! Et le blanc de mes yeux est noir !

— Croyez-moi. J'ai pensé qu'ils vous avaient invité.

— Jack Crowle ! Invité à Bethel ? – Les mots sortaient lentement, comme tirés des profondeurs d'un puits d'amertume. – Pas assez chic pour passer la porte de cette maison, ce Jack Crowle – ni sa tête, ni sa langue, ni ses mains non plus. Madame se ferait trop de souci pour son linge de table. Si t'es né avec une cuillère en bois, Damoiseau, on se fout bien que tu bouffes du vent sur la misaine. Y aura toujours des petits Lords Damoiseau, Freluquet et Mirliflore pour raconter des coups aux commandants et lécher le cul aux armateurs. Peu importe qu'ils ne sachent pas reconnaître un goujon d'un tourillon ni un cliquet d'une baleine, mais les voilà sur le bon bord du bateau, avec Jack Crowle pour les protéger.

— Écoutez, monsieur Crowle, dit lentement Zachary, si vous croyez que je suis né avec une cuillère en argent dans la bouche, laissez-moi vous dire que vous avez une pendule de retard.

— Oh, je sais qui tu es, Damoiseau, grommela le second. T'es un petit snobinard, capricieux et plein de prétention. J'en ai déjà vu des comme toi avec une jolie petite gueule et des sourires d'hypocrite. Je sais que tu ne vas créer que des mouscailles pour toi et pour moi. Vaut mieux que tu te tires de cette barque pendant que tu le peux : tu m'économiseras autant d'embrouilles qu'à toi.

— Je suis ici pour faire un travail, monsieur Crowle, rétorqua Zachary, imperturbable. Et rien ne m'en empêchera.

Le second secoua la tête.

— Trop tôt pour le dire, Damoiseau. Il reste encore deux jours avant qu'on lève l'ancre. Assez de temps pour que quelque chose t'aide à changer d'idée.

Décidé à préserver la paix, Zachary ravala la réplique qui lui montait aux lèvres et il termina son dîner en silence. Mais l'effort de se maîtriser lui laissa les mains tremblantes et la bouche sèche ; plus tard, pour se calmer, il fit deux fois le tour du pont. Des bribes de conversations animées émergeaient du gaillard d'avant et de la cambuse où les lascars prenaient leur repas du soir. Il monta sur le pont, appuya les coudes sur la bôme du foc et contempla le fleuve : quantité de lumières clignotaient sur l'eau, certaines suspendues à la poupe et aux habitacles des bateaux à l'ancre, d'autres éclairant le chemin de la flottille de barques et de canots qui se faufilaient entre les câbles des navires de haute mer. Un de ces canots d'où montaient des voix avinées s'avançait vers l'*Ibis*. Zachary reconnut celui de Jodu, et un frisson lui parcourut l'échine tandis qu'il se remémorait la soirée passée à bord à se disputer avec Paulette.

Il se tourna pour scruter l'obscurité loin en aval : il savait Paulette dans un village quelque part au nord de Calcutta – il avait été très inquiet d'apprendre par Jodu qu'elle avait été malade et qu'elle s'abritait chez des amis. Quand le canot accosta la goélette, il fut terriblement tenté de sauter dedans et de partir la chercher à la rame. L'impulsion était telle qu'il aurait pu y céder si une chose ne l'avait retenu : l'idée que Mr Crowle puisse imaginer qu'il avait réussi à le chasser de l'*Ibis*.

Quinze

Avec la fin des pluies, la lumière se fit vive et dorée. Le temps sec accéléra la convalescence de Paulette, qui décida de partir pour Calcutta afin de mettre en action le plan qu'elle avait conçu durant sa maladie.

La première étape nécessitait une rencontre secrète avec Nob Kissin Baboo, et Paulette y réfléchit longuement avant de s'aventurer. Les bureaux principaux de Burnham Bros. se situaient sur l'élégante Strand Road, mais les entrepôts du port se trouvaient dans un quartier miteux de Kidderpore, à une demi-heure de canot : une traversée que Baboo Nob Kissin Pander devait faire chaque jour pour accomplir son travail et, étant plutôt grippe-sou, il avait choisi de voyager à bord de ces kheyas surpeuplées qui faisaient la navette le long du fleuve.

Vaste, le domaine Burnham dans Kidderpore se composait de plusieurs magasins et hangars. La baraque qui servait de bureau personnel au gomusta se trouvait dans un coin de l'enceinte, sur une allée. Quand de possibles clients désiraient s'assurer les services particuliers de Baboo Nob Kissin en qualité de prêteur sur gages, c'était là, Paulette le savait, qu'ils allaient le rencontrer. C'était par exemple ce que son père avait fait, mais pour elle, dans sa présente situation, s'aventurer dans une propriété de son ancien bienfaiteur était courir un trop grand risque ; elle décida plutôt d'intercepter le gomusta à sa descente du ferry, sur le ghat voisin.

Le quai en question – le Bhutghat– se révéla idéal pour son entreprise : suffisamment étroit pour être surveillé sans problème et suffisamment animé pour qu'une femme seule puisse s'y attarder sans attirer l'attention. Mieux encore, il était surplombé par un vieil arbre poussant sur un talus, un banyan dont les racines pendantes très denses offraient une cachette idéale. Paulette se glissa à l'intérieur de l'épais fourré et avisa une racine tordue de telle sorte qu'elle formait une balançoire. Elle s'y installa et, se balançant doucement, surveilla le quai à travers une fente entre les plis de tissu qui couvraient avec soin son visage.

Sa veille faillit échouer car le gomusta avait tellement changé, avec ses longs cheveux, qu'il était déjà passé avant qu'elle le reconnaisse ; sa démarche même, faite de petits pas et de déhanchements, était différente, et Paulette le suivit d'abord prudemment une minute ou deux avant de l'accoster en susurrant :

— Gomusta-babu... *shunun*... écoutez.

L'agent se retourna, alarmé, son regard allant du bord du fleuve à l'allée voisine. Bien que Paulette se trouvât parfaitement à portée de sa vision, ses yeux, soulignés d'une fine couche de khôl, passèrent sans s'arrêter sur le visage voilé de la jeune fille.

Celle-ci chuchota de nouveau, mais en anglais cette fois :

— Baboo Nob Kissin... c'est moi...

Ce qui surprit le gomusta plus encore mais sans l'aider à mieux identifier Paulette ; bien au contraire, il se mit à marmonner des prières, comme pour chasser un fantôme :

Hé Radhé, hé shyam...

— Nob Kissin Baboo ! C'est moi, Paulette Lambert, répéta-t-elle. Par ici, regardez ! – Dès qu'il tourna ses gros yeux dans sa direction, elle écarta rapidement son sari de son visage. – Vous voyez ? C'est moi !

À sa vue, choqué, il sauta en arrière et atterrit ainsi sur les doigts de pieds de plusieurs passants, mais la pluie d'insultes qui s'abattit sur lui échappa complètement à son attention, fixée tout entière sur le visage voilé de Paulette.

— Miss Lambert ? Je ne peux pas y croire ! Vous avez surgi dans mes arrières ! Et vêtue d'une tenue indigène en plus ! Si gentiment vous avez caché votre face que je ne pouvais pas dire...

— Chut ! le supplia Paulette. Je vous en prie, Baboo Nob Kissin, s'il vous plaît, baissez le ton.

Le gomusta passa au chuchotement perçant :

— Miss, que faites-vous dans ce coin de recoin, pouvez-vous aimablement m'en informer ? Nous vous cherchons tous à droite et à gauche, en vain. Mais peu importe – le maître va se réjouir à l'infini. Retournons tout de suite vers lui.

— Non, Baboo Nob Kissin, dit Paulette. Je n'ai pas l'intention de retourner à Bethel. Je vous ai cherché car c'est avec vous que je dois m'entretenir de toute urgence. Puis-je vous prier de m'accorder un peu de temps et de vous asseoir près de moi ? Cela ne vous dérangera pas trop ?

— M'asseoir ? – Le gomusta parcourut d'un regard désapprobateur les marches du ghat couvertes de boue et d'immondices. – Mais cette localité manque désespérément de mobilier. Comment s'asseoir ? Nos saris – je veux dire nos habits – pourraient se salir.

— N'ayez crainte, Baboo Nob Kissin, répliqua Paulette en désignant le talus. Là-haut, nous pouvons nous mettre à l'abri sous l'arbre. Personne ne nous verra, je vous l'assure.

Le gomusta jeta un coup d'œil inquiet sur l'arbre : récemment, il avait conçu une aversion de ménagère à l'égard de toutes créature grimpantes et rampantes, et il se donnait un mal fou pour se tenir à l'écart de tout ce qui pouvait abriter ces formes de vie. Pourtant sa curiosité l'emporta sur sa méfiance de la verdure.

— Très bien, dit-il non sans hésitation. Je me conformerai à vos exigences. Mettons le pied dans ces lieux.

Paulette en tête, ils grimpèrent la pente et s'enfoncèrent dans l'épais fourré de racines ; bien que marchant lentement, Baboo Nob Kissin ne se plaignit pas jusqu'à ce que Paulette le conduise vers ce qui lui avait servi de siège. Après inspection de la branche tordue, le gomusta eut un geste de refus.

— Cet endroit n'est pas apte à s'asseoir, décréta-t-il. Des insectes s'y livrent à toutes sortes d'activités. De féroces chenilles pourraient même s'y cacher.

— Les chenilles n'habitent pas les racines de ces arbres, protesta Paulette. Vous pouvez vous asseoir en toute sécurité, je vous assure.

— Ayez la bonté de ne pas insister, dit Baboo Nob Kissin. Je préfère opter pour la position debout.

S'étant ainsi prononcé, il croisa les bras sur sa poitrine et se positionna de sorte qu'aucune partie de ses vêtements ou de sa personne ne soit en contact avec le moindre feuillage.

— Comme il vous plaira, Baboo Nob Kissin, acquiesça Paulette. Je ne veux pas vous imposer...

Elle fut interrompue par le gomusta, incapable de contenir plus longtemps sa curiosité.

— Alors dites-moi, non ? Où vous êtes-vous logée tout ce temps ? De quel côté êtes-vous allée ?

— Ce n'est pas important, Baboo Nob Kissin.

— Je vois, dit le gomusta, l'œil plissé. Ainsi donc tout ce qu'on raconte doit être vrai.

— Et que raconte-t-on ?

— Je n'aime pas laver du linge sale, Miss Lambert, mais en fait tout le monde répète que vous vous êtes livrée à une conduite inappropriée et que vous êtes maintenant en attente.

— En attente ? s'étonna Paulette. En attente de quoi ?

— D'une descendance illicite. N'avez-vous pas dit à Mrs Burnham que dans le four cuisait un petit pain indigène ?

Paulette rougit jusqu'aux cheveux et porta les mains à ses joues.

— Baboo Nob Kissin ! s'écria-t-elle. Je ne me suis livrée à rien et je n'attends rien. Vous devez me croire : j'ai quitté Bethel volontairement. J'ai décidé seule de m'en échapper.

Le gomusta se pencha plus près.

— Vous pouvez librement avouer – avec moi point besoin de formalités. Votre chasteté est très abîmée, non ? La virginité a été percée aussi, n'est-ce pas ?

— Pas du tout, Nob Kissin Baboo, protesta Paulette, indignée. Je ne comprends pas comment vous pouvez imaginer pareilles choses !

Le gomusta médita un instant le propos puis, se rapprochant d'un air furtif, comme pour exprimer une pensée difficile à articuler :

— Alors, dites-moi : est-ce à cause du maître que vous prenez la fuite ?

Paulette laissa glisser son voile pour dégager ses yeux et regarder le gomusta bien en face :

— Peut-être.

— Oh, oh ! s'exclama le gomusta en se léchant les babines. C'est donc qu'auraient pris place d'impudiques galipettes ?

À l'évidence, le désir de se renseigner sur les pulsions intimes de son employeur embrasait l'esprit du gomusta : quel usage il ferait de ces informations, Paulette n'aurait su le dire, mais elle comprit que cette curiosité pouvait tourner à son propre avantage.

— Je ne peux pas en révéler plus, Nob Kissin Baboo. À moins que...

— Oui. Ayez la bonté de continuer.

— À moins que vous ne puissiez me procurer un petit morceau d'aide.

Toujours prompt à saisir la moindre allusion à une bonne occasion, le baboo dressa l'oreille.

— Et quel morceau d'assistance serait requis ? Expliquez-vous, je vous prie.

Paulette le regarda longuement dans les yeux.

— Baboo Nob Kissin, dit-elle. Vous rappelez-vous pourquoi mon père était venu vous voir ? Et quand ?

— Juste avant son départ pour la demeure céleste, non ? Comment pourrais-je oublier, Miss Lambert ? Vous me prenez pour un faible d'esprit ? Ce qui est dit dans un dernier soupir ne peut pas être mis de côté à la légère.

— Vous vous souvenez qu'il voulait me procurer un passage pour l'île Maurice ?

— Naturellement. Ce fait, je vous l'ai appris moi-même, non ?

Paulette sortit lentement son poing de dessous son sari.

— Et vous lui avez dit, n'est-ce pas, que vous le feriez en échange de ceci ?

Elle ouvrit sa paume et tendit au gomusta le médaillon qu'il lui avait remis quelques semaines auparavant. Baboo Nob Kissin jeta un rapide regard sur la paume ouverte.

— Ce que vous intimez est correct. Mais quelle en est la pertinence, je ne vois pas.

Paulette prit une longue inspiration.

— Baboo Nob Kissin, je propose de vous faire tenir parole. En échange de ce médaillon, je souhaite obtenir un passage sur l'*Ibis*.

— L'*Ibis* ! s'écria Baboo Nob Kissin, bouche bée. Vous êtes folle ou quoi ? Comment irez-vous sur l'*Ibis* ? Seuls les coolies et les condamnés peuvent être accommodés à bord du navire susdit. Le trafic des passagers n'existe pas.

— Cela ne m'importe pas du tout, répliqua Paulette. Si je pouvais me joindre aux travailleurs, j'en serais très contente. C'est vous qui êtes en charge d'eux, n'est-ce pas ? Personne ne saura si vous ajoutez un autre nom.

— Miss Lambert, dit le gomusta, glacial, j'ose avancer que vous tentez de m'emmener sur un bateau. Comment pouvez-vous faire une telle proposition, je ne peux pas la réaliser. Vous devez immédiatement la supprimer.

— Mais Baboo Nob Kissin, le supplia Paulette, dites-moi : quelle différence cela fera pour vous si vous ajoutez un nom de plus à la liste ? Vous êtes le gomusta et il y a tant de travailleurs. On ne remarquera pas un nom de plus. Et comme vous pouvez le voir vous-même, vous ne m'auriez pas reconnue dans ce sari. Personne ne saura mon identité : vous n'avez rien à craindre, je vous assure, et en échange vous aurez ce médaillon.

— Non, par Jupiter ! – Baboo Nob Kissin secoua si violemment la tête que ses grandes oreilles battirent comme des fougères agitées par le vent. – Savez-vous ce que fera le maître si ce plan est révélé et je suis démontré comme le coupable ? Il me fracassera le crâne. Et Capitaine Chillingworth est très attentif à la couleur de peau. S'il découvre que j'ai consigné une memsahib comme coolie, il m'étranglera et me réduira en chair à requins. Baba-re... non, non, non...

Il tourna les talons et fonça tête première dans le rideau de racines. Sa voix revint en écho à Paulette tandis qu'il s'éloignait : « ... Non, non, ce plan mènera seulement à un grand, très grand désastre. Il faut immédiatement l'effacer... »

— Oh, je vous en supplie, Baboo Nob Kissin...

Paulette avait mis tous ses espoirs dans cette rencontre, et maintenant qu'elle contemplait l'échec de son plan, ses lèvres se mirent à trembler. Juste comme les larmes commençaient à couler sur ses joues, elle perçut le pas lourd du gomusta qui revenait vers elle. Baboo Nob Kissin fut de nouveau là, tordant timidement la frange de son dhoti.

— Mais écoutez, une seule chose, dit-il. Vous avez négligé de m'informer de votre escapade avec le maître...

À l'abri de son voile, Paulette essuya rapidement ses larmes et raffermit sa voix :

— Vous n'apprendrez rien de moi, Baboo Nob Kissin. Puisque vous ne m'avez offert ni assistance ni autre recours.

Elle l'entendit avaler sa salive et vit sa pomme d'Adam s'agiter pensivement.

— Peut-être, il y a une ressource, marmonna-t-il enfin. Mais c'est une route pleine de trous et d'embûches. Son exécution sera extrêmement difficile.

— Peu importe, Nob Kissin Baboo, s'enthousiasma Paulette. Dites-moi, quelle est votre idée? Comment peut-on faire?

*

Durant la saison des fêtes, la ville résonna de célébrations, ce qui rendit le silence à l'intérieur du camp d'autant plus difficile à supporter. Les migrants marquèrent Diwali en allumant quelques lampes, mais il y eut peu de joie dans le dépôt. Personne ne savait rien de la date du départ et chaque jour voyait une nouvelle tempête de rumeurs balayer le camp. Il semblait parfois que Deeti et Kalua fussent les seuls à croire qu'un bateau viendrait vraiment les chercher; beaucoup commencèrent à dire que non, c'était un pur mensonge, le dépôt était juste une sorte de prison où ils avaient été envoyés pour mourir; leurs corps seraient désossés, découpés et jetés aux chiens des sahibs, ou bien serviraient d'appât pour les poissons. Souvent, ces ragots étaient lancés par des badauds qui traînaient autour de l'enceinte – vendeurs ambulants, vagabonds, gamins et autres chez qui le spectacle des girmitiyas suscitait une inextinguible curiosité: ils restaient des heures à observer, pointer, scruter, comme s'ils contemplaient des animaux en cage. Parfois ils provoquaient les migrants: Pourquoi n'essayez-vous pas de vous échapper? Venez, on vous aidera à fuir; vous ne voyez pas qu'ils attendent que vous mouriez pour pouvoir vendre vos cadavres?

Mais quand un des internés s'évadait, c'était précisément ces gens qui le ramenaient. Le premier à tenter l'aventure fut un homme d'âge moyen, grisonnant, natif d'Ara, un peu faible d'esprit, et il n'avait pas franchi l'enceinte qu'il était rattrapé et traîné, mains liées, devant le duffadar par des spectateurs qui reçurent une petite récompense pour leur peine. Le candidat à l'évasion fut battu et privé de nourriture pendant deux jours.

Le climat – chaud, humide – n'arrangeait rien car beaucoup de coolies tombaient malades. Certains guérissaient mais d'autres paraissaient souhaiter se laisser mourir tant ils étaient découragés par l'attente, les rumeurs et le sentiment dérangeant d'être retenus prisonniers. Une nuit, un garçon se mit à délirer : quoique très jeune, il avait de longues boucles tachées de cendre comme un mendiant ; on disait qu'il avait été kidnappé et vendu par un sadhu. Son corps pris de fièvre devint brûlant tandis que d'horribles imprécations s'échappaient de ses lèvres. Kalua et d'autres hommes tentèrent d'aller chercher de l'aide, mais les sirdars et les gardiens en train de s'enivrer ne leur prêtèrent aucune attention. Avant l'aube, il y eut une explosion finale de cris et de jurons, puis le garçon se raidit et ne bougea plus. Sa mort parut soulever beaucoup plus d'intérêt parmi les gardiens que sa maladie : ils se montrèrent inhabituellement prompts à faire enlever le corps, pour être incinéré, dirent-ils, sur le ghat voisin – mais qui pouvait en être sûr ? Aucun des girmitiyas ne fut autorisé à quitter le camp pour aller voir ce qui se passait, et par conséquent personne ne put contredire un vendeur qui vint chuchoter à travers la palissade que le garçon n'avait pas été incinéré du tout : un trou avait été percé dans sa tête et son cadavre pendu par les pieds pour extraire l'huile – le *mimiáti-ka-tel* – de son cerveau.

Histoire de contrer les rumeurs et les mauvais signes, les migrants parlaient souvent des dévotions auxquelles ils se livreraient la veille de leur départ : pujas et namazes, récitations du Coran, des Ramcharitmanas et de l'Alha-Khand. Ils évoquaient ces rituels sur un ton enthousiaste, comme s'il s'agissait d'une occasion impatiemment attendue, mais c'était seulement parce que la peur que leur inspirait la perspective de partir était profonde au point d'être inexprimable, la sorte de sentiment qui vous fait souhaiter vous accroupir dans un coin, les bras serrés autour des genoux, et marmonner tout haut de façon à empêcher vos oreilles d'entendre les voix dans votre tête. Il était plus facile de parler des détails des rituels et de les planifier minutieusement sans cesser de les comparer avec les pujas, namazes et récitations du passé.

Quand le jour arriva enfin, il ne ressembla en rien à ce qu'ils avaient envisagé : le seul signe de leur départ consista en l'arrivée soudaine au camp du gomusta, Baboo Nob Kissin, qui se précipita dans la cabane des gardiens avec lesquels il s'enferma pendant un bon moment ; après quoi, sirdars et surveillants rassemblèrent tout le monde, et Ramsaran-ji, le duffadar, annonça que le temps était venu pour lui de prendre congé ; désormais, jusqu'à ce qu'ils atteignent Mareech et soient chacun assigné à une plantation, ils seraient sous la responsabilité d'une équipe différente de gardes et gardiens. Cette équipe, déjà à bord, s'était assurée que le navire était prêt à les recevoir : eux-mêmes embarqueraient le lendemain. Il termina en leur souhaitant *sukh-shánti*, paix et bonheur, dans leur nouveau foyer et ajouta qu'il prierait le Seigneur des traversées de les protéger : *Jai Hanumán gyán gun ságar...*

*

Dans la prison d'Alipore, la saison des festivals avait été célébrée en fanfare. Diwali, en particulier, fut l'occasion pour les jemadars et leurs bandes de rivaliser d'illuminations et de pétards improvisés. Le bruit, la nourriture et les festivités avaient eu un effet pervers sur Neel, provoquant un brusque effondrement du courage qui l'avait soutenu jusqu'alors. Le soir de Diwali, la cour brillante de lumières, il avait eu de la peine à quitter son charpoy et n'avait pu se résoudre à sortir de sa cellule : il ne songeait qu'à son fils, aux feux de joie des années passées et à l'obscurité, au silence et aux privations qui seraient le lot de l'enfant cette saison.

Les jours suivants, le moral de Neel sombra de plus en plus, de sorte que lorsque Bishu-ji vint lui annoncer que la date du départ avait été fixée, il répondit avec stupéfaction :

Mais où nous emmène-t-on ?

À Mareech. Tu as oublié ?

Neel se frotta les yeux du revers de la main.

Et c'est pour quand ?

Demain. Le bateau est prêt.

Demain ?

Oui. Ils viendront te chercher très tôt. Sois prêt. Et préviens Aafat aussi.

Ayant dit ce qu'il avait à dire, Bishu-ji tourna les talons et s'en fut. Neel allait se laisser retomber sur son lit quand il remarqua le regard de son compagnon de cellule braqué sur lui comme pour l'interroger. Bon nombre de jours étaient passés depuis que Neel avait procédé pour la dernière fois au rituel de la demande du nom de l'homme, mais aujourd'hui il se força à lancer dans un anglais bourru :

448

— On part demain. Le navire est prêt. On viendra nous chercher tôt le matin.

À part un léger élargissement du regard, il n'y eut pas de réaction. Neel haussa les épaules et se retourna sur son charpoy.

Avec le départ maintenant imminent, les images et les souvenirs que Neel avait tenté d'effacer de sa mémoire revenaient en masse : Elokeshi, sa maison, son épouse sans mari et son enfant sans père. Quand il s'assoupissait, c'était pour faire un cauchemar dans lequel il se voyait comme un naufragé sur la vastitude de l'océan, complètement seul, coupé de tout lien humain. Sentant qu'il se noyait, il se mit à agiter les bras pour essayer d'atteindre la lumière.

Il se réveilla, assis dans l'obscurité. Peu à peu il prit conscience d'un bras autour de son épaule qui l'enlaçait comme pour le consoler : il y avait dans cette étreinte plus d'intimité qu'il n'en avait jamais connu, même avec Elokeshi, et, quand une voix résonna dans son oreille, il eut l'impression qu'elle venait de lui-même.

— Mon nom Lei Leong Fatt, dit-elle. Les gens appellent Ah Fatt. Ah Fatt ton ami.

Ces mots hésitants, enfantins, offraient plus de réconfort que toute la poésie que Neel avait lue, et plus de nouveauté aussi parce qu'il ne les avait jamais entendu prononcer – de toute manière, s'il les avait entendus autrefois, ils auraient été gaspillés parce qu'il aurait été incapable alors d'en apprécier la valeur.

*

Ce n'est pas une décision humaine mais un caprice des marées qui fixa la date du départ de l'*Ibis*. Cette année-là, comme beaucoup d'autres, Diwali tomba près de l'équinoxe d'automne. Ce qui n'aurait pas eu beaucoup d'influence sur l'appareillage du navire si ce n'avait été pour une des plus dangereuses bizarreries des voies fluviales du Bengale, le *bán*, ou mascaret – un phénomène qui fait remonter à toute allure des murs d'eau de la côte jusque loin en amont. Ces mascarets ne sont jamais plus périlleux qu'au moment de Holi et de Diwali, quand les saisons coïncident avec la rotation équinoxiale : s'élevant alors à des hauteurs formidables et circulant à une vitesse prodigieuse, les vagues peuvent poser une menace sérieuse au trafic fluvial. C'est une de ces déferlantes qui détermina le moment auquel l'*Ibis* ferait voile : le mascaret ayant été annoncé très à l'avance, il fut décidé que la goélette resterait à l'ancre durant son passage. Les migrants embarqueraient le lendemain.

Sur le fleuve, la journée commença avec l'avertissement par le commandant du port que le mascaret était attendu au crépuscule. À partir de cet instant, les quais redoublèrent d'activité : les pêcheurs travaillèrent ensemble à mettre au sec, hors d'atteinte du flot, les canots, les pansaris et même les chaloupes légères. Patelis, budgerows, chalands et autres embarcations trop lourdes pour être tirées à terre furent amarrés à prudente distance les uns des autres, tandis que les bricks, brigantines, goélettes et tous navires hauturiers amenaient leurs vergues de cacatois et de perroquet et ferlaient leurs voiles.

Durant son séjour à Calcutta, Zachary s'était déjà mêlé à deux reprises aux foules qui se réunissaient sur les rives du fleuve pour observer le passage du mascaret : il avait appris à écouter le murmure lointain qui annonçait l'approche de la vague ; il avait vu l'eau s'élever soudain en une masse rugissante surmontée d'une crête d'écume blanche; il s'était retourné pour voir ensuite le mascaret s'éloigner, sur ses volutes fauves, fonçant en amont comme à la poursuite d'une proie élusive. Il avait lui aussi, à l'instar des gamins sur les quais, crié et applaudi sans savoir vraiment pourquoi, et ensuite, comme tout le monde, il s'était senti un peu embarrassé par toute cette excitation – car il n'avait fallu que quelques minutes à l'eau pour reprendre son allure habituelle et à la journée pour retrouver son cours ordinaire.

Quoique n'étant pas étranger à ces mascarets, Zachary n'en avait jamais connu à bord. Mr Crowle, de son côté, était très expérimenté en la matière, en ayant affronté un grand nombre sur l'Irrawaddy aussi bien que sur le Hooghly. Le capitaine le chargea des préparatifs et redescendit dans sa cabine, annonçant qu'il ne reviendrait sur le pont que plus tard dans la journée. Mais le sort voulut qu'une heure avant l'arrivée prévue de la déferlante, Mr Burnham envoie un message convoquant le capitaine en ville à propos d'une affaire urgente.

En règle générale, quand le capitaine allait à terre, c'était un quartier-maître ou un timonier qui l'emmenait dans la yole du bateau – une barque à rames petite mais pratique qui restait amarrée en permanence à l'arrière du navire tant que celui-ci était à l'ancre. Mais aujourd'hui, on était à court de bras à bord de l'*Ibis* car beaucoup de lascars étaient encore à terre, soit se remettant de leurs excès de veille de départ, soit procédant aux arrangements requis par la perspective d'une longue absence. Tout le monde étant occupé à préparer le navire, Zachary alla trouver Mr Crowle et lui proposa d'emmener lui-même le capitaine.

L'offre fut faite impulsivement, sans réfléchir, et Zachary la regretta à l'instant même où il la formulait – car Mr Crowle prit un moment pour la ruminer, et son visage s'assombrit tandis qu'il en goûtait la conclusion.

— Alors, monsieur Crowle, qu'en pensez-vous ?

— Ce que j'en pense ? Je vais te dire, Damoiseau : je ne pense pas que le capitaine ait besoin de faire la causette avec toi. Si quelqu'un doit l'emmener, il vaut mieux que ce soit moi.

Zachary, gêné, se balança d'un pied sur l'autre.

— Certainement. Comme vous voudrez, monsieur Crowle. J'essayais juste d'aider.

— D'aider ? Ça n'aide personne que de te voir lécher le cul du commandant. Tu vas rester où tu es et tu vas faire attention à ce que tu fais.

L'échange risquant d'attirer l'attention des lascars, Zachary préféra y mettre un terme :

— Oui, monsieur Crowle. Comme vous voudrez.

Le premier officier partit donc avec le capitaine dans la chaloupe tandis que Zachary demeurait à bord pour superviser les lascars qui dégageaient les voiles de cacatois et de perroquet. Au retour de Crowle, le ciel commençait à virer de ton et les spectateurs à s'entasser le long des rives pour attendre le mascaret.

— Va à l'arrière, Reid, grommela l'officier en mettant le pied à bord. J'ai pas besoin de toi dans mes pattes à l'avant.

Zachary haussa les épaules et partit sur l'arrière, vers la timonerie. Le soleil s'était maintenant couché et les pêcheurs à terre se hâtaient de sécuriser leurs barques retournées. Zachary surveillait en aval les premiers signes de la vague quand Pinto, le steward, accourut vers lui.

— Burra malum appelle chhota malum.

— Pourquoi ça ?

— Un problème avec la bouée de l'ancre.

Zachary se précipita à l'avant où le premier officier, penché à la proue, scrutait le fleuve.

— Quelque chose qui ne va pas, monsieur Crowle ?

— Dis-moi un peu, Reid, répliqua le premier officier. Que vois-tu là-bas ?

La main en visière, Zachary se rendit compte que Mr Crowle désignait un câble qui reliait la proue de la goélette à la partie inférieure d'une bouée, à une vingtaine de mètres. Zachary savait que les déferlantes du Hooghly exigeaient des procédures spéciales pour l'amarrage des navires hauturiers : ceux-ci étaient en général embossés au milieu du fleuve, où ils étaient amarrés à des bouées ancrées profondément dans le lit boueux du fleuve. Les crochets auxquels les câbles du navire étaient attachés se trouvaient sur les bouées, sous la surface de l'eau, et ne pouvaient être atteints que par des plongeurs habitués aux conditions de visibilité pratiquement nulles. C'est un de ces câbles d'amarrage qui avait attiré l'attention de Mr Crowle, mais Zachary n'arrivait pas à comprendre pourquoi car on ne voyait pas grand-chose de cette écoute qui disparaissait à mi-chemin sous la surface.

— Je ne vois rien de bizarre, monsieur Crowle.

— Ah, vraiment ?

Il y avait encore juste assez de lumière pour regarder une seconde fois.

— Absolument pas.

Mr Crowle porta son index à sa bouche et retira quelque chose d'entre ses dents.

— Ça en dit long sur ta science, Damoiseau. Et si je te racontais que l'amarre s'est emmêlée à la chaîne d'ancrage de la bouée ? – Il leva un sourcil tout en examinant l'ongle de son index. – T'as pas pensé à ça, hein ?

Zachary dut en convenir :

— Non, monsieur Crowle, en effet.

— Ça te dirait de prendre la chaloupe pour aller voir ?

Zachary réfléchit un instant, essayant de calculer s'il aurait le temps de faire l'aller-retour à la bouée avant l'arrivée du mascaret. Une estimation difficile à faire à cause du courant, si vif qu'il creusait de profondes fissures sur la surface de l'eau.

Comme pour prévenir toute hésitation, le premier officier lança :

— T'es pas une mauviette, hein, Reid ?

— Non, monsieur Crowle, répliqua promptement Zachary. Je vais y aller si vous pensez que c'est nécessaire.

— Prends tes outils, alors, et bouge-toi.

S'il devait agir, Zachary le savait, il fallait agir vite. Il courut à l'arrière, à la proue, où la chaloupe était encore amarrée – elle ne devait être hissée à bord qu'au dernier moment. En la voyant, Zachary décida qu'il serait trop long d'amener l'embarcation jusqu'à la coupée : il valait mieux, quoique ce fût plus risqué, sauter par-dessus la rambarde arrière. Il tirait sur le bout de la chaloupe quand Serang Ali sortit de la timonerie et vint lui chuchoter à l'oreille :

— Malum 'tention : chloupe cassée.

— Comment tu... ?

Zachary fut interrompu par le premier officier qui l'avait suivi à l'arrière :

— Que se passe-t-il maintenant ? On a peur de se mouiller les doigts de pieds, Damoiseau ?

Sans un mot, Zachary tendit l'amarre de la chaloupe à Serang Ali qui l'enroula autour d'un taquet et la raidit. Zachary se saisit du cordage, enjamba la rambarde, se laissa tomber dans la chaloupe puis fit signe à Serang Ali de larguer l'embarcation. Presque aussitôt, le courant s'empara du petit esquif et l'entraîna le long de la goélette tout en le propulsant vers le milieu du fleuve.

Les rames étaient au fond de la barque et en les prenant Zachary fut surpris de découvrir qu'elles trempaient déjà dans trois bons centimètres d'eau. Il n'y attacha pas d'importance car la barque était si basse que les vagues passaient souvent par-dessus bord, même quand elle était stationnaire. La chaloupe réagit bien aux premiers coups de rame mais, à quelques mètres de la proue de la goélette, Zachary remarqua que l'eau embarquée lui montait maintenant aux chevilles et venait caresser ses mollets. Il avait jusqu'alors concentré son attention sur la bouée et il fut donc déconcerté de constater qu'il n'y avait plus que deux centimètres entre le plat-bord et le fleuve tumultueux. À croire que des trous avaient été percés dans la coque de la chaloupe, avec grand soin, de façon à ce qu'ils ne s'ouvrent pas complètement avant que la barque soit en mouvement.

Zachary redoubla d'efforts sur les rames afin de faire virer son bateau, mais l'arrière plongeait tant dans l'eau que l'avant refusait de répondre. La bouée n'était plus qu'à quelques mètres, très visible dans l'obscurité grandissante, mais le courant entraînait la barque loin de son but, en plein centre du fleuve. Le câble d'amarrage de la goélette était tout proche et Zachary savait que s'il pouvait l'atteindre il réussirait à s'en sortir. Cependant la distance augmentait rapidement et, quoique excellent nageur, Zachary se doutait qu'il ne lui serait pas facile d'atteindre le câble avant l'arrivée de la déferlante, pas avec le courant contre lui. À l'évidence, son meilleur espoir était qu'un autre bateau le recueille, mais le Hooghly, d'habitude plein à craquer d'embarcations, était sinistrement désert. Il leva la tête vers l'*Ibis* et comprit que Serang Ali le savait en danger. Les lascars travaillaient à mettre à l'eau la chaloupe de tribord – pourtant il n'y avait rien à en espérer car la manœuvre prendrait au moins un bon quart d'heure. Un coup d'œil sur la rive lui montra qu'il était observé par un grand nombre de spectateurs – pêcheurs, mariniers et autres –, tous désespérément inquiets et impuissants. Le bruit du mascaret tout proche était à présent clairement audible, assez fort pour ôter tout doute que quiconque s'aventurerait dans l'eau le ferait au péril de sa vie.

Une chose était certaine : pas question de rester dans la barque en passe de sombrer. Zachary se débarrassa de ses chaussures trempées et de sa chemise de toile. Juste au moment de plonger, il aperçut un bateau en train de glisser le long de la rive boueuse : l'embarcation, mince et longue, frappa l'eau avec une telle force que, dans son élan, elle arriva à mi-chemin de Zachary qui, à sa vue, redoubla d'efforts et ne se relâcha pas une seconde jusqu'à ce qu'il entende une voix crier : «Zikri Malum !» Il leva la tête, vit une main tendue et, derrière elle, le visage de Jodu ; le garçon montrait du doigt le fleuve en aval où l'on entendait rugir la vague. Zachary ne s'arrêta pas pour écouter ; il saisit la main de Jodu et se jeta dans le canot. Jodu l'aida à se relever, lui passa une rame et lui désigna la bouée devant eux : la déferlante était maintenant trop proche pour songer à regagner la rive.

Tout en enfonçant sa rame dans l'eau, Zachary jeta un coup d'œil par-dessus son épaule : la vague fonçait vers eux, sa crête un brouillard neigeux. Il se retourna pour ramer avec fureur et ne regarda plus en arrière jusqu'à ce qu'ils soient à couple de la bouée. Derrière eux le mascaret se dressait sur l'eau à un angle impossible, comme pour leur bondir dessus.

« Zikri Malum ! » Jodu avait déjà sauté sur le flotteur et embossait l'embarcation sur l'anneau de la bouée. Il fit signe à Zachary de sauter aussi et lui tendit la main pour qu'il ne glisse pas sur la surface couverte d'algues.

Avec la vague pratiquement sur eux, Zachary s'aplatit à côté de Jodu. Ils eurent à peine le temps de passer un cordage autour d'eux et de l'attacher à l'anneau. Zachary passa un bras sous celui de Jodu, l'autre dans l'anneau de métal, puis il aspira une très longue goulée d'air.

Soudain tout devint calme et le bruit assourdissant de la déferlante se transforma en un immense poids écrasant, aplatissant les deux hommes contre la bouée et les y maintenant si fortement que Zachary sentit les arapèdes à la surface lui écorcher la poitrine. Le lourd flotteur tira sur son amarre, sans cesser de tourbillonner sur lui-même. Puis soudain, comme un cerf-volant emporté par le vent, il changea de direction et se projeta en l'air avec un élan qui le fit bondir de l'eau puis ricocher à la surface. Zachary ferma les yeux et laissa sa tête tomber contre le métal.

Quand il reprit son souffle, il tendit la main à Jodu.

— Merci, mon ami.

Jodu lui adressa un énorme sourire et lui tapa dans la main ; ses sourcils dansant sur son visage, il s'écria :

— Allégresse ! Tout marche bien !

— Certes, répliqua Zachary en riant. Tout marche bien qui finit bien !

Par miracle, le bateau de Jodu avait survécu sans dommages et le garçon put ramener Zachary à bord de l'*Ibis* avant d'aller rapporter le canot loué à son propriétaire.

Zachary se hissa à bord de la goélette pour trouver le premier officier qui l'attendait, les bras croisés sur sa poitrine.

— T'as pas assez bu la tasse comme ça, Reid? T'as pas changé d'idée? T'as encore le temps de faire demi-tour et de redescendre à terre.

Zachary jeta un œil sur son pantalon trempé.

— Regardez-moi bien, monsieur Crowle. Je suis ici. Et je n'irai nulle part où n'ira pas l'*Ibis*.

Troisième partie

Mer

Seize

Il se trouva que Deeti se rendit tôt au nullah le lendemain matin, et elle fut donc parmi les premières à découvrir les barques amarrées à la jetée du camp : le cri qui lui échappa des lèvres – *nayyá á gail bá* – était propre à vous glacer les sangs, et son écho résonnait encore qu'il n'y avait déjà plus dans le camp une seule âme en repos. Par groupes de deux ou trois, les migrants sortirent en rampant de leurs huttes pour s'assurer que les bateaux étaient bien vrais et que c'était bien ce jour-là qu'ils quitteraient le camp. Maintenant que l'incrédulité n'était plus de mise, une grande clameur s'éleva et tous commencèrent à s'agiter, à rassembler leurs possessions, à ramasser leur lessive et à chercher leurs pichets, leurs jarres et autres ustensiles indispensables. Les rituels du départ planifiés si longtemps à l'avance furent oubliés dans la confusion générale mais, étrangement, cette explosion d'activité devint en elle-même une sorte de prière, pas tant dans l'intention d'atteindre un but – leurs baluchons et leurs paniers étaient si petits et tant de fois faits et refaits qu'il n'y avait plus grand-chose à y ajouter –, que comme une expression de respect, accueillant une révélation divine : quand un moment si redouté et si longtemps attendu arrive, il déchire le voile de l'attente quotidienne pour révéler la prodigieuse obscurité de l'inconnu.

Peu après, brandissant leurs lathis, les gardes allèrent de hutte en hutte pour dénicher ceux qui s'étaient recroquevillés de peur dans les coins et disperser les groupes de chuchoteurs qui bloquaient les sentiers et les entrées du camp. Dans la hutte des femmes, la perspective du départ avait créé une telle déroute que Deeti dut mettre de côté ses propres anxiétés afin d'organiser l'évacuation. Ratna et Champa ne savaient que s'agripper l'une à l'autre ; prostrée, Heeru roulait sur elle-même ; Sarju, la sage-femme, avait enfoui son visage dans ses précieux baluchons ; Munia ne songeait qu'à se tresser des babioles dans les cheveux. Par chance, les affaires de Deeti étaient empaquetées de sorte qu'elle put s'appliquer entièrement à l'ordonnance des autres, poussant, giflant et criant si nécessaire. Elle se montra si efficace que quand Kalua apparut sur le seuil, la moindre possession, le plus petit pot et le plus fin morceau de tissu avaient été inventoriés et emballés.

Une pile de bagages s'amoncelait autour de l'entrée, Deeti ramassa les siens et sortit de la hutte en tête des femmes qui, leurs visages et leurs cheveux couverts avec soin de leurs saris, se tinrent très près de l'immense Kalua pour traverser la foule des migrants. Arrivée à la jetée, Deeti aperçut Baboo Nob Kissin : il était dans l'une des embarcations, sa chevelure tombant en boucles brillantes sur les épaules. Il accueillit les femmes en véritable sœur aînée, ordonnant aux gardiens de les laisser passer en priorité.

Dès que Deeti eut franchi la passerelle branlante, le gomusta lui montra, séparée à l'arrière, une section couverte d'un taud de chaume et réservée aux femmes : quelqu'un se trouvait déjà à l'intérieur, mais Deeti n'y prêta pas attention – elle n'avait d'yeux que pour le temple et son drapeau à la limite du camp, dont la vue la remplissait de remords pour ses dévotions manquées. Rien de bon ne pouvait sortir, tout de même, d'un voyage entamé sans une puja ? Elle joignit les mains, ferma les yeux et se perdit vite en prières.

Le bateau bouge ! piailla Munia, dont le cri fut aussitôt doublé d'une autre voix, inconnue celle-ci : *Hã, chal rahe hãi !* Oui, nous partons !

C'est alors que Deeti se rendit compte de la présence d'une étrangère. Elle ouvrit les yeux et vit, assise en face d'elle, une femme drapée d'un sari vert. Deeti sentit sa peau la picoter comme pour lui signaler que c'était là quelqu'un qu'elle avait déjà vu, peut-être dans un rêve. Prise de curiosité, elle releva son propre voile pour dégager son visage.

Nous sommes toutes des femmes, ici, dit-elle ; *ham sabhan merharu.* Pas besoin de nous cacher.

L'étrangère tira aussi son sari en arrière, révélant un visage aux longs traits fins, exprimant à la fois l'innocence et l'intelligence, la douceur et la décision. Elle avait le joli teint doré de la fille gâtée d'un pandit de village, une enfant qui n'avait jamais travaillé de sa vie aux champs et n'avait jamais eu à subir la dureté du soleil.

Où pars-tu en voyage ? s'enquit Deeti, avec une telle impression de la connaître qu'elle n'eut aucune hésitation à s'adresser à la jeune fille dans son bhojpuri natal.

Je vais où vous allez – *jahã áp játa...,* répondit la fille dans l'hindoustani abâtardi de la ville.

Mais tu n'es pas une des nôtres, dit Deeti.

Je le suis maintenant, répliqua en souriant la fille.

N'osant pas lui demander directement son nom, Deeti décida de circonvenir la difficulté en donnant le sien et celui des autres : Munia, Heeru, Sarju, Champa, Ratna et Dookhanee.

Je m'appelle Putleshwari, dit la jeune fille en retour et, juste comme chacune commençait à s'interroger sur la possibilité de jamais arriver à prononcer cet incroyable fatras bengali, elle vint à leur secours en ajoutant : Mon surnom est Pugli, c'est ainsi qu'on m'appelle.

Pugli ? Eh bien, s'écria Deeti avec un sourire, tu n'as pas du tout l'air folle.

C'est que vous ne me connaissez pas encore, répliqua gentiment Pugli.

Et comment se fait-il que tu sois ici avec nous ? demanda Deeti.

Baboo Nob Kissin, le gomusta, est mon oncle.

Ah ! Je le savais. Tu es une *bamni*, une fille de brahmin. Où te rends-tu ?

Dans l'île de Mareech. Comme vous toutes.

Mais tu n'es pas une girmitiya, protesta Deeti. Pourquoi irais-tu dans un pareil endroit ?

Mon oncle a arrangé un mariage pour moi. Avec un gardien qui travaille sur une plantation.

Un mariage !

Deeti fut étonnée d'entendre Pugli parler de traverser la mer pour un mariage, comme s'il s'agissait d'aller dans un village sur l'autre rive du fleuve.

Mais n'as-tu pas peur, dit-elle, de perdre ta caste ? De traverser l'Eau noire et de te retrouver sur un bateau avec toutes sortes de gens ?

Pas du tout, répliqua la jeune fille sur un ton de parfaite certitude. À bord d'un bateau de pèlerins, personne ne peut perdre sa caste et tout le monde est pareil : c'est comme prendre un bateau pour le temple de Jagannath, à Puri. À partir d'aujourd'hui et pour toujours nous serons tous des sœurs et frères de navigation – *jaházbhais* et *jaházbahens* – les uns pour les autres. Il n'y aura pas de différences entre nous.

La réponse était si audacieuse, si ingénieuse, qu'elle en coupa le souffle aux femmes. Jamais, dans toute une vie de réflexion, Deeti le savait, elle ne serait tombée sur une réponse si complète, si satisfaisante et si excitante de possibilités. Dans l'enthousiasme du moment, elle fit quelque chose qu'elle n'aurait jamais fait autrement : elle prit la main de l'étrangère pour la serrer dans la sienne. Aussitôt, à son exemple, chacune des autres femmes tendit la main pour participer à cette communion.

Oui, affirma Deeti, désormais il n'y a plus de différences entre nous ; nous sommes des jahaz-bhai et jahazbahen les uns pour les autres ; nous sommes tous des enfants du navire.

Quelque part dehors, une voix d'homme criait : Le voilà ! le navire – notre jahaz...

Et il surgit, à l'horizon, avec ses deux mâts et son grand bec de bout-dehors. Deeti comprit alors pourquoi l'image du vaisseau lui avait été révélée ce jour-là, quand elle se baignait dans le Gange : c'était parce que sa personnalité nouvelle, sa vie nouvelle avaient été depuis cet instant en gestation dans le ventre de cette créature, ce vaisseau qui était le père-mère de sa famille nouvelle, un grand *mái-báp*, l'ancêtre et parent adoptif de dynasties encore à venir ; il était là, l'*Ibis*.

De sa perche sur les traverses du mât de misaine, Jodu avait la plus jolie vue qu'il pouvait souhaiter : les quais, le fleuve et la goélette s'étalaient sous lui comme un trésor sur le comptoir d'un prêteur, attendant d'être pesé et évalué. Sur le pont, le subedar et ses hommes préparaient activement l'embarquement des condamnés et des migrants. Autour d'eux, les lascars s'agitaient aussi pour ramasser les amarres, rouler les tuyaux de caoutchouc, enfermer la volaille et ranger les caisses, tenter enfin de débarrasser le pont de tout un fatras de dernière minute.

Précédant les migrants d'un quart d'heure, les condamnés arrivèrent les premiers, dans un bateau-prison, un large vaisseau du type budgerow mais avec de gros barreaux sur chaque ouverture. L'embarcation donnait l'impression de pouvoir transporter une petite armée d'assassins, ce fut donc une surprise que d'en voir débarquer seulement deux hommes, dont aucun ne paraissait très menaçant malgré leurs chaînes aux chevilles et aux poignets. Vêtus de salopettes et de maillots de corps à manches courtes, ils portaient une écuelle en cuivre sous un bras et un petit baluchon sous l'autre. Ils furent livrés à Bhyro Singh sans grande cérémonie, et le bateau-prison repartit presque aussitôt après. Puis, peut-être pour leur donner un goût de ce qui les attendait, le subedar les prit par leurs chaînes et les mena comme des bœufs, les aiguillonnant aux fesses et leur frôlant de temps à autre le bout des oreilles avec son lathi.

En route pour le cachot, avant de descendre dans le fana, un des prisonniers tourna la tête comme pour jeter un dernier regard sur la ville. Le lathi de Bhyro Singh vint lui fouetter immédiatement l'épaule avec un craquement qui fit sursauter les préposés à la misaine, jusque là-haut sur leur perchoir.

Haramzadas ! Des vrais bâtards, ces gardes et ces gardiens ! s'écria Mamdoo Tindal. Ils vous tordent les couilles à la moindre occasion.

Y en a un qui a giflé Cassem-meah hier, dit Sunker. Juste parce qu'il avait touché sa nourriture.

J'lui aurais rendu ses coups pour lui apprendre ! s'exclama Jodu.

Tu serais pas là si t'avais fait ça, répliqua le tindal. T'as pas vu ? Y sont armés.

Entre-temps, Sunker, qui s'était mis debout sur la vergue, hurla soudain :

Les voilà !

Qui ?

Les coolies. Regardez. Ça doit être eux, dans ces barques.

Ils se penchèrent tous par-dessus la bôme pour regarder en dessous. Venant de Tolly's Nullah, une petite flottille d'une demi-douzaine de barques, chargées de groupes d'hommes uniformément vêtus de blanc – maillots de corps et dhotis –, s'avançait vers la goélette. Le canot de tête différait un peu du reste en ce qu'il disposait d'un petit abri à l'arrière : quand il accosta à l'échelle de coupée, une explosion de couleur parut se produire à son bord avec l'apparition de huit silhouettes drapées dans des saris.

Des femmes ! dit Jodu d'une voix étouffée.

Mandoo Tindal ne se laissa pas impressionner : en ce qui le concernait, peu de femmes pouvaient égaler la séduction de son alter ego.

Toutes des mégères, dit-il sombrement. Pas une seule capable de rivaliser avec Ghaseeti.

Comment tu sais, protesta Jodu, puisqu'elles ont le visage caché ?

J'en vois assez pour savoir qu'elles apportent des ennuis.

Comment ça ?

Considère simplement leur nombre. Huit femmes à bord – sans compter Ghaseeti – et plus de deux cents hommes si tu inclus les coolies, silahdars, maistries, lascars et malums. Qu'est-ce que tu crois qu'il va en sortir de bon ?

Jodu compta et constata que le tindal avait raison : huit silhouettes en sari s'apprêtaient à embarquer sur l'*Ibis*. C'est leur nombre qui le conduisit à soupçonner qu'il pouvait s'agir des mêmes femmes qu'il avait emmenées au camp. Mais avaient-elles été sept ou bien huit ce jour-là ? Il n'arrivait pas à se le rappeler car son attention était entièrement fixée sur la fille en sari rose.

Soudain, il bondit. Il arracha son bandana et l'agita comme un fou, un pied sur la barre traversière et un coude passé dans la saisine.

Qu'est-ce que tu fais, espèce de dingue ? aboya Mamdoo Tindal.

Je crois que je connais une des filles, répliqua Jodu.

Comment tu le sais ? Leurs visages sont couverts.

À cause du sari, expliqua Jodu. Tu vois la rose ? Je suis sûr que je la connais.

Ferme ta gueule et assieds-toi, ordonna le tindal en le tirant par son pantalon. Tu vas finir démâté si tu ne fais pas attention. Le burra malum est déjà sur ton dos après ton exploit avec Zikri Malum hier. S'il te voit faire les yeux doux à ces filles, t'es bon pour devenir un mousse sans mât.

*

Quand, de la barque, Paulette vit Jodu se mettre debout pour faire de grands signes, elle eut si peur qu'elle faillit tomber à l'eau. Bien que son ghungta fût certainement son plus sûr moyen de se cacher, il n'était pas le seul ; elle s'était déguisée de bien d'autres manières : elle avait peint ses pieds de vermillon vif, couvert ses mains et ses bras de dessins compliqués au henné qui laissaient très peu de sa peau visible, et, sous son voile, de gros pendants d'oreille altéraient les contours de son visage. Elle avait de plus accroché son baluchon à sa taille, ce qui lui donnait la démarche d'une femme âgée se traînant sous le poids d'un écrasant fardeau. Grâce à tous ces camouflages, elle avait raisonnablement confiance dans le fait que personne, même Jodu qui la connaissait mieux que quiconque au monde, n'aurait le moindre soupçon quant à son identité. Pourtant, à l'évidence, tous ses efforts avaient été vains puisque, dès qu'il avait jeté les yeux sur elle, Jodu avait commencé à lui faire signe, et de loin, par surcroît ! Comment réagir maintenant ?

Elle était convaincue que, soit par un sentiment de protection fraternelle mal placé, soit à cause de l'esprit de compétition qui avait toujours marqué leurs rapports, Jodu ne reculerait devant rien pour l'empêcher d'embarquer sur l'*Ibis* : s'il l'avait déjà reconnue, alors il ne lui restait plus qu'à faire immédiatement demi-tour. Elle y songeait précisément quand Munia lui prit la main. Étant à peu près du même âge, les deux jeunes filles s'étaient liées à bord de la barque ; maintenant qu'elles grimpaient l'échelle de coupée, Munia chuchota à l'oreille de Paulette :

Tu le vois, Pugli ? En train de me faire signe, depuis tout là-haut ?

Qui ? De qui parles-tu ?

Le lascar, là-bas. Il est fou de moi. Tu le vois ? Il a reconnu mon sari.

Tu le connais donc ? dit Paulette.

Oui, répliqua Munia. Il nous a transportées au camp dans son bateau après notre arrivée à Calcutta. Il s'appelle Azad Lascar.

Ah, vraiment ? Azad Lascar ?

Paulette sourit : elle se trouvait à mi-chemin sur la coupée à présent et, histoire de tester une fois de plus son déguisement, elle tourna son visage couvert de son ghungta droit en direction de Jodu. Celui-ci était pendu aux haubans dans une attitude qu'elle ne connaissait que trop bien : exactement à leur manière de jouer dans les grands arbres des Jardins botaniques sur la rive d'en face. Elle éprouva un pincement de jalousie : comme elle aurait aimé se trouver là-haut avec lui, suspendue aux cordages ! Au lieu de quoi, elle était là sur la passerelle, emmaillotée de la tête aux pieds alors qu'il était libre et en plein air – le pire, c'est que des deux elle avait toujours été la meilleure acrobate. En arrivant sur le pont, elle s'arrêta un instant pour lever de nouveau les yeux et le défier d'oser la dénoncer, mais il ne regardait que Munia, laquelle ne cessait de glousser en s'accrochant au bras de Paulette.

Tu vois ? Je ne te l'avais pas dit ? Il est fou de moi. Je pourrais le faire danser sur la tête si je voulais !

Pourquoi n'essayes-tu pas ? répliqua Paulette sèchement. Il m'a l'air d'avoir besoin d'une leçon ou deux.

Munia pouffa et jeta un autre coup d'œil vers Jodu.

Peut-être que je vais tenter.

Fais attention, Munia, siffla Paulette. Tout le monde regarde.

Ce qui était vrai. Pas seulement les lascars, les officiers et les surveillants, mais aussi le capitaine Chillingworth debout au vent de la dunette, les bras croisés sur la poitrine. Alors que Paulette et Munia approchaient, les lèvres du capitaine se retroussèrent en une moue de dégoût.

— Je vais vous dire, Doughty, déclara-t-il sur le ton assuré d'un homme qui sait que ses paroles ne seront comprises que par la personne à laquelle elles sont destinées, la vue de ces misérables créatures me donne la nostalgie de la belle époque, sur la côte de Guinée. Regardez-moi ces vieilles mégères, complètement ratatinées.

— Très juste, tonna le pilote appuyé à la timonerie. Le lot le plus désolant de pots de chambre qu'il m'ait été donné de voir !

— Cette vieille sorcière là-bas, par exemple, dit-il, l'œil fixé sur le visage voilé de Paulette. Une vierge rance si j'en ai jamais vu – on a dû souvent marcher dessus sans la prendre ! Je me demande à quoi bon, nom d'une pipe, la trimballer au-delà des mers ? Que fera-t-elle là-bas – ce sac d'os incapable de porter un fardeau ni de réchauffer un lit ?

— C'est vraiment une honte, approuva Mr Doughty. Elle est probablement bourrée de maladies aussi. Ça ne m'étonnerait pas qu'elle en arrose tout le troupeau.

— À mon avis, Doughty, la charité voudrait qu'on la laisse à terre ; au moins cela lui épargnerait les tourments du voyage – pourquoi remorquer une frégate en feu ?

— Et ça économiserait aussi les provisions. Je parie qu'elle bouffe comme un chancre ! C'est toujours le cas de ces bougresses faméliques !

*

Juste à cet instant, qui avait surgi devant Paulette si ce n'est Zachary soi-même ? Lui aussi la scrutait à travers son ghungta de sorte qu'elle vit ses yeux se

471

remplir de pitié tandis qu'il examinait les formes bossues de la malheureuse haquenée sans âge à trois pas de lui. « Un navire n'est pas la place d'une femme », se souvenait-elle encore l'entendre dire : comme il avait paru content de lui alors, pareil à aujourd'hui, à cette minute, distribuant sa compassion de très haut ; à croire qu'il avait oublié qu'il devait sa cabine d'officier à sa seule couleur de peau et à quelques muscles bien placés. Les doigts de Paulette tremblèrent d'indignation et relâchèrent leur prise sur le baluchon, le laissant soudain tomber lourdement sur le pont, si près des pieds de Zachary que, d'instinct, celui-ci se pencha pour aider la jeune fille à le ramasser.

Un geste qui suscita un hurlement de la part de Mr Doughty :

— Laissez-la se débrouiller, Reid ! Vous ne tirerez aucun remerciement pour votre galanterie !

Mais l'avertissement vint trop tard : la main de Zachary se posait à peine sur le baluchon que Paulette l'écartait d'une tape ; à l'intérieur du paquetage étaient cachés le manuscrit de son père et deux de ses romans préférés – pas question de risquer que Zachary en tâte les contours à travers le tissu. Une expression à la fois surprise et offensée se peignit sur le visage de Zachary qui laissa retomber son bras tandis que Paulette n'avait qu'une idée : s'échapper au plus vite dans l'entrepont. Elle ramassa son baluchon, se précipita vers l'écoutille et entreprit de descendre l'échelle. À mi-chemin, elle se rappela sa dernière visite de l'entrepont : comme elle avait vite dégringolé les marches alors – mais, à présent, avec son sari entortillé autour des mollets et son baluchon sur la tête, c'était une autre paire de manches. Et le dabusa n'était pas non plus identique à l'entrepont qu'elle connaissait : l'intérieur sombre et sans lumière était maintenant éclairé par plusieurs lampes et chandelles, des douzaines de nattes avaient été étalées en cercles concentriques et couvraient presque tout le sol. Chose étrange, il semblait que l'endroit eut un peu rétréci, et Paulette en découvrit la raison en regardant devant elle : le fond avait été récemment barré d'une cloison.

À l'intérieur, un gardien dirigeait les opérations.

La section des femmes est là-bas, dit-il à Munia et à Paulette en montrant la partition. Juste à côté de la cellule.

Vous voulez dire qu'il y a une prison derrière cette cloison ? s'écria Munia, terrifiée. Pourquoi donc nous avez-vous mises là ?

Pas de quoi vous inquiéter, répliqua le gardien. L'entrée est de l'autre côté. Aucun moyen pour les forçats de vous atteindre. Vous serez en sécurité là-bas et les hommes ne vous marcheront pas dessus pour aller aux latrines.

Inutile de discuter davantage. En chemin pour l'enclos des femmes, Paulette avisa un petit conduit d'aération dans la partition. En se haussant sur la pointe des pieds, elle pourrait y coller son œil, ce à quoi elle ne put résister au passage et, après un premier regard rapide, elle en jeta non moins promptement un second : deux hommes se trouvaient dans la cellule, un couple des plus curieux. L'un, peut-être un Népalais, avait le crâne rasé et une tête de squelette ; l'autre, marqué d'un tatouage sinistre sur le front, paraissait sortir tout droit des bas-fonds de Calcutta. Plus étrange encore, l'homme au teint très foncé pleurait tandis que son compagnon lui entourait l'épaule de son bras comme pour le consoler : malgré leurs fers et leurs chaînes, il y avait une sorte de tendresse dans leur attitude, difficilement concevable chez des criminels déportés. Un dernier coup d'œil volé permit à Paulette de voir que maintenant les deux hommes se parlaient, ce qui excita un peu plus sa curiosité : que pouvaient-ils bien se dire, comment pouvaient-ils être absorbés par leur conversation au point de ne même pas remarquer l'agitation dans le compartiment voisin du leur ? Quel langage pouvaient-ils bien avoir en commun, cet Oriental squelettique et ce criminel tatoué ? Paulette déplaça sa natte de façon à l'installer tout près de la cloison : elle colla l'oreille à une fissure dans le bois et découvrit, à sa stupéfaction, que non seulement elle pouvait entendre ce qui se disait mais le comprendre aussi car, ô surprise, les deux détenus conversaient en anglais.

*

Peu après la tape sur sa main, Zachary vit surgir Baboo Nob Kissin à ses côtés. Bien que le gomusta portât ses dhoti et kurta habituels, sa silhouette, nota Zachary, avait acquis une curieuse plénitude féminine et, quand il rejeta ses longs cheveux en arrière, ce fut avec le geste assuré d'une imposante douairière. Puis, affectant un ton d'indulgent reproche, il agita un doigt sous le nez de Zachary.

— Tch ! Tch ! En dépit des activités de ruche, vous ne pouvez toujours pas suspendre vos méfaits ?

— Voilà que vous recommencez, Pander, protesta Zachary. De quoi diable parlez-vous maintenant ?

Le gomusta baissa la voix.

— Tout est bien. Pas de formalités. Je sais tout.

— Qu'est-ce que ça signifie ?

— Ici, regardez, conseilla le gomusta obligeamment. Je vais vous montrer ce qui se cache dans la poitrine.

Il plongea une main dans le décolleté de sa kurta si profondément que Zachary n'aurait pas été surpris d'en voir émerger un gros sein tout nu. Au lieu de quoi la main ramena un médaillon cylindrique en cuivre.

— Voyez comme c'est joliment caché ? De cette manière, un maximum de sécurité peut être assuré. Cependant, je dois lancer un avertissement.

— Lequel ?

— Je dois vous informer que cet endroit n'est pas adapté.

— Adapté à quoi ?

Le gomusta s'approcha de Zachary et lui siffla à l'oreille :

— À des méfaits avec des vachères.

— Encore une fois, de quoi parlez-vous, Pander ? s'écria Zachary exaspéré. J'essayais seulement d'aider cette bonne femme à ramasser ses affaires.

— Mieux vaut laisser les dames en paix, dit le gomusta. Mieux vaut aussi ne pas leur montrer votre flûte. Elles pourraient beaucoup trop s'exciter.

— Montrer ma flûte ? – De nouveau, Zachary se demanda si le gomusta n'était pas simplement excentrique mais en réalité fou à lier. – Oh, de l'air, Pander ! Fichez-moi la paix !

*

Zachary tourna les talons et alla s'appuyer sur la rambarde. Le dos de sa main était encore tout rouge et il fronça les sourcils en l'examinant : pourquoi donc l'incident le troublait-il autant ? Il avait remarqué la femme au sari rouge bien avant qu'elle laisse tomber son baluchon : elle avait été la première à s'avancer sur la passerelle, et quelque chose dans son port de tête lui avait donné l'impression que sous son voile elle le surveillait de près. Son allure avait paru se faire plus lourde et plus lente à mesure qu'elle avançait sur le pont. Bien que son misérable petit paquetage lui créât tant de problèmes, elle n'utilisait qu'une de ses mains déformées veinées de henné pour le tenir tandis que de l'autre, tout aussi griffue, elle tendait fermement son sari sur son visage. Tant de zèle à se cacher semblait suggérer que le regard d'un homme était aussi redouté qu'une langue de feu ; la pensée le fit sourire et Zachary se rappela soudain le regard brûlant de mépris que lui avait jeté Paulette à la fin de leur dernière rencontre. Ce qui l'amena à scruter le rivage en se demandant si elle ne se trouvait pas quelque part dans les parages, à observer l'*Ibis*. Il avait su par Jodu qu'elle avait recouvré la santé : elle ne laisserait tout de même pas partir le bateau sans dire au revoir, sinon à lui, Zachary, du moins à Jodu ? Elle devait certainement avoir compris qu'ils avaient agi seulement dans son intérêt ?

Soudain, comme par un tour de magie divinatoire, Serang Ali se dressa à côté de lui.

— Pas entendu ? chuchota-t-il. Lambert-missy avait parti marier un autre morceau d'homme. Mieux pour Malum Zikri oublier elle. En tout cas, elle beaucoup trop-trop maigre. Côté Chine lui peut attraper joli morceau de femme. Devant, derrière toute pareille. Fera Malum Zikri trop-trop content dedans.

Zachary donna un coup de poing désespéré sur la rambarde.

— Oh, par tous les saints, Serang Ali ! Voulez-vous bien arrêter, toi avec ta fichue épouse et Pander avec ses vachères ! À vous écouter tous les deux, n'importe qui me prendrait pour une espèce de maniaque en chasse...

Serang Ali l'interrompit en le poussant brusquement de côté avec un hurlement :

— Ficier, 'tention ! 'tention !

Zachary se retourna juste à temps pour voir Crabbie, le chat du bateau, filer le long du bastingage, comme poursuivi par un prédateur invisible. Se lançant dans un saut acrobatique, le chat atterrit une première fois sur l'échelle de coupée puis rebondit pour aller terminer sa course dans un canot amarré à couple de la goélette. Sans un autre regard au navire qui lui avait fait parcourir la moitié du tour du monde, il disparut.

Sur le pont, les lascars et les migrants suivirent des yeux avec horreur la fugue du matou, et même Zachary ressentit un peu d'appréhension. Il avait entendu de vieux marins superstitieux parler de pressentiments « à vous remuer les tripes », mais n'avait jusqu'ici jamais expérimenté personnellement un tel chamboulement d'estomac.

Là-haut, à force de serrer la vergue, les jointures de Mamdoo Tindal avaient blanchi.

— T'as vu ça ? dit-il à Jodu. T'as pas vu ?

— Quoi donc ?

— Le chat qui a quitté le bateau : ça, c'est un signe si j'en connais un.

*

La dernière femme à monter à bord fut Deeti, et elle en grimpait l'échelle de coupée quand soudain le chat lui barra la route. Elle aurait préféré de loin tomber à l'eau plutôt que d'être la première à le croiser dans sa fuite, mais Kalua, juste derrière elle, la maintenait solidement. À sa suite il y avait tellement d'hommes agrippés à l'échelle qu'il était impossible de résister à la pression collective. Encouragés par les gardiens, les migrants poussèrent Deeti au-delà de la ligne invisible, et elle se retrouva sur le pont de la goélette.

À travers le voile de son sari, Deeti leva les yeux vers les mâts, mais leur vue lui donna le tournis et elle baissa de nouveau la tête. Un certain nombre de gardiens et de silahdars étaient postés le long du pont et, à coups de lathis, refoulaient les arrivants en direction de l'écoutille. *Chal! Chal!* Malgré leurs cris, le progrès était lent à cause de la quantité de cordages, bouteilles, tonneaux, tuyaux, sans compter les poules en fuite ou les chèvres en détresse, qui encombraient le pont.

Deeti se trouvait presque au pied du mât de misaine quand elle entendit une voix étrangement familière qui hurlait des obscénités en bhojpuri : *Toré mái ké bur chodo!*

Elle regarda plus loin devant elle à travers un enchevêtrement de cordages et de haubans, et aperçut un homme au cou de taureau, avec grosse bedaine et luxuriantes moustaches blanches. Ses membres se figèrent et une main glaciale lui enserra le cœur. Bien qu'elle sût qui il était, une voix lui murmurait dans son oreille qu'il ne s'agissait aucunement d'un mortel mais de Saturne en personne. C'est lui, Shani, il t'a pourchassée toute ta vie et maintenant il te tient. Les genoux lui manquèrent et elle s'écroula aux pieds de son mari.

À ce moment-là, une masse de gens s'était déversée sur le pont et se retrouvait poussée implacablement par les soldats et les gardiens. Suivie d'une personne de taille et de force moins grandes que Kalua, Deeti aurait pu être piétinée là où elle était. Mais, en la voyant tomber, Kalua s'accrocha à la rambarde et réussit à bloquer le flot.

Que se passe-t-il là-bas ?

L'incident avait attiré l'attention de Bhyro Singh qui s'avança vers Kalua, lathi à la main. Deeti resta étendue par terre et tira avec soin le sari sur son visage : mais à quoi bon se cacher alors que Kalua était là, debout au-dessus d'elle, en pleine vue et sûr d'être reconnu ? Elle ferma les yeux et entama en murmurant des prières :

Hé Rám, hé Rám...

La première chose qu'elle entendit fut la voix de Bhyro Singh qui demandait à Kalua :

Comment tu t'appelles ?

Était-il possible que le subedar n'ait pas reconnu Kalua ? Oui, bien sûr : il avait été absent du village pendant des années et il ne l'avait sans doute jamais vu, excepté enfant – et quel intérêt aurait-il eu pour le gamin d'un tanneur ? Cependant le nom, Kalua, il le connaissait certainement à cause du scandale causé par la fuite de Deeti. Oh, béni soit le destin qui l'avait poussée à se montrer prudente avec leurs vrais noms ; pourvu que Kalua ne mentionne pas le sien maintenant ! Pour l'avertir, elle lui enfonça un ongle dans l'orteil : Attention ! Attention !

Quel est ton nom ? demanda de nouveau le subedar.

La prière de Deeti fut exaucée. Après un moment d'hésitation, Kalua répondit :

Malik, je m'appelle Madhu.

Et c'est ta femme qui est étalée là par terre ?

Oui, malik.

Ramasse-la, ordonna Bhyro Singh et emmène-la dans l'entrepont. Et que je ne vous voie pas l'un ou l'autre recommencer à mettre la pagaille.

Oui, malik.

Kalua jeta Deeti par-dessus son épaule et, laissant leurs paquetages sur le pont, il l'emmena jusqu'à l'écoutille. Après l'avoir déposée sur une natte, il serait

revenu prendre leurs affaires mais Deeti l'en empêcha.

Non, écoute-moi d'abord : sais-tu qui est cet
homme ? C'est Bhyro Singh, l'oncle de mon mari ;
c'est lui qui a arrangé mon mariage, et c'est lui qui
nous fait rechercher. S'il apprend que nous sommes
ici...

*

« Vous êtes prêts, là-haut ? » L'appel du pilote reçut
une prompte réponse de Serang Ali : *Sab taiyár,
sáhib.*

Le soleil était à présent au zénith, et le panneau de
l'écoutille qui menait au dabusa avait été rabattu
depuis longtemps. Avec les lascars, Jodu avait été
assigné à désencombrer le pont, à ranger les barils
d'eau potable, affaler les chaînes, retirer les aussières
des écubiers. Une fois les poules et les chèvres par-
quées dans les canots de sauvetage, il ne restait plus
rien à dégager, et Jodu était pressé de remonter dans
la mâture, car c'est de là-haut qu'il envisageait de
jeter un dernier regard sur sa ville natale : il fut le premier à mettre les mains sur l'enfléchure quand vint
l'ordre : « Les gabiers dans le gréement ! » – *Trikatwalé
upar chal !*

De Calcutta à Diamond Harbour, à quelque vingt
milles nautiques au sud, l'*Ibis* serait remorqué par le
Forbes, un des remorqueurs à vapeur récemment mis
en service sur le Hooghly. Jodu avait déjà aperçu
de loin ces tout petits bateaux, fumant et teuf-teufant
le long du fleuve, tractant brigantines et goélettes
comme si elles ne pesaient pas plus que son propre
fragile canot ; son désir de lever l'ancre tenait pour une
grande part à la perspective d'un remorquage par une

480

de ces étonnantes embarcations. Déjà, le remorqueur pointait en amont du fleuve son nez arrondi, jouant de sa cloche pour se frayer un chemin dans le trafic.

Sur l'autre rive se trouvaient les Jardins botaniques, et Jodu était assez haut perché pour voir les arbres et les sentiers familiers. Un spectacle qui lui fit imaginer, dans un bref élan de mélancolie, Paulette se balançant sur la vergue de hune à côté de lui : ç'aurait été rudement drôle, impossible de prétendre le contraire, et elle aurait été partante pour l'aventure si ça avait été possible. Bien entendu, une chose pareille était inadmissible, quelles que soient les circonstances, mais, tout de même, il ne pouvait pas s'empêcher de souhaiter s'être séparé d'elle de manière moins froide, plus affectueuse. Quand, si jamais, la reverrait-il ?

Il était si distrait par ses pensées qu'il fut pris de court lorsque Sunker lui dit :

Regarde, regarde donc par là-bas...

Autour des bouées de l'ancre on voyait danser les têtes de deux plongeurs en train de libérer les câbles de la goélette. C'était presque l'heure : dans quelques minutes, on serait parti. Mamdoo Tindal rejeta ses cheveux en arrière et ferma ses yeux aux longs cils. Puis ses lèvres se mirent à murmurer une prière, les premiers mots de la Fatiha. Jodu et Sunker se joignirent à lui aussitôt : *Bism'illáh ar-rahmán ar-rahím, hamdu'l'illáh al-rabb al-'alamín...* Au nom de Dieu, le Compatissant, le Miséricordieux, gloire au Seigneur de toute la Création...

*

« Tout le monde à son poste, ohé ! » L'ordre du pilote fut suivi par un cri du scrang : *Sub ádmi apna jagah !*

À mesure que le remorqueur approchait, le martèlement de son moteur devenait de plus en plus fort et, dans l'obscurité confinée, étouffante du dabusa, il résonnait comme si un démon en furie tentait d'arracher les membrures de la coque afin de venir dévorer les passagers recroquevillés à l'intérieur. Il faisait très sombre car les gardiens en sortant avaient éteint chandelles et lampes dont, avaient-ils décrété, il n'y avait nul besoin maintenant que les migrants étaient bien installés – les laisser allumées aurait augmenté les risques d'incendie. Personne n'avait contesté l'argument, cependant tout le monde avait compris que les gardiens voulaient simplement faire une économie supplémentaire. Sans éclairage et l'écoutille fermée, la seule lumière provenait des fissures dans le bois et des ouvertures des urinoirs. La pénombre de plomb, combinée à la chaleur de midi et à la puanteur fétide des centaines de corps enfermés, donnait à l'air immobile une épaisseur d'eaux d'égout. Même respirer requérait un effort.

Les girmitiyas avaient déjà disposé leurs nattes comme ils l'entendaient : à l'évidence les gardiens se moquaient parfaitement de ce qui se passait dans la cale, leur préoccupation majeure étant d'échapper à la chaleur et à la puanteur de l'entrepont pour se réfugier au plus tôt sur leurs propres couchettes, dans leur cabine par le travers du navire. Ils n'étaient pas repartis, fermant l'écoutille derrière eux, que les migrants s'étaient mis à déranger le cercle bien ordonné de leurs nattes, à grands cris et avec force bagarres pour se faire leur place.

Avec le bruit croissant du moteur, Munia commença à vaciller, et Paulette, la devinant au bord d'une crise d'hystérie, l'attira contre elle. Malgré ses airs de parfaite assurance, elle-même sentit venir la panique en entendant une voix qu'elle reconnut pour celle de Zachary : il était juste au-dessus d'elle, sur le pont, si proche qu'elle pouvait presque percevoir le frottement de ses pieds.

« Larguez l'amarre ! » – *Hamár tirkao !*

« Tirez tous dessus ! » – *Lag sab barábar !*

Les aussières qui reliaient l'*Ibis* au remorqueur se raidirent et un tremblement traversa la goélette comme si elle reprenait soudain vie, tel un oiseau se réveillant d'une longue nuit de sommeil. De la ligne de flottaison, les spasmes remontèrent par le dabusa jusqu'au rouf, où Steward Pinto se signa et tomba à genoux. Ses lèvres commencèrent à se mouvoir et tous les mess-boys s'agenouillèrent à ses côtés, tête baissée : *Ave Maria, gratia plena, Dominus tecum...* Je vous salue Marie, pleine de grâce, le Seigneur est avec vous...

*

Sur le pont, les mains agrippées à la barre, Mr Doughty hurla : « Virez de bord, espèce de chiens, virez ! » – *Habés kutté, habés ! Habés !*

La goélette s'inclina à tribord et, en bas, dans l'obscurité du dabusa, les passagers perdirent pied, glissèrent, dégringolèrent les uns sur les autres comme des miettes sur un plateau incliné. Neel colla un œil sur le conduit d'aération et vit qu'une émeute avait éclaté dans le dabusa, avec des dizaines de migrants terrifiés se jetant sur l'échelle pour, dans une ultime tentative d'évasion, taper à coups redoublés sur l'écoutille fermée : *Chhoro, chhoro* – laissez-nous sortir, libérez-nous...

Il n'y eut pas de réponse de là-haut sinon une série d'ordres résonnant à travers le pont : « Raidissez, espèce

de bâtards ! Raidissez l'amarre ! » – *Sab barábar !*
Habés salé, habés !

Exaspéré par les futiles tambourinages des migrants,
Neel cria à travers le conduit d'aération :

Calmez-vous, imbéciles ! Vous n'y échapperez pas.
Impossible de retourner en arrière...

Lentement, tandis que le mouvement du bateau se
faisait sentir au fond de chaque estomac, le bruit laissa
place à une immobilité prégnante, terrifiante. Les
migrants commencèrent alors à absorber la finalité de
ce qui se passait : oui, ils bougeaient, ils naviguaient,
ils se dirigeaient vers le néant de l'Eau noire ; ni la
mort ni la naissance n'était un passage aussi redoutable que celui-ci, car aucun n'était vécu en pleine
conscience. Peu à peu les émeutiers s'écartèrent de
l'échelle et regagnèrent leurs nattes. Quelque part
dans les ténèbres, une voix tremblante de respect prononça les premières syllabes du Gayatri Mantra – et
Neel, qui l'avait appris presque dès qu'il avait pu
parler, se découvrit en train de les réciter comme pour
la première fois : *Om, bhur bhuvah swah, tat savitur*
varenyam... ô donneur de vie, toi qui effaces la douleur et le chagrin...

*

« Parez à virer ! » – *Taigár jagáh, jagáh !*

Perché sur le mât de misaine, alors que l'*Ibis* se
réveillait de bas en haut dans un grand soubresaut,
Jodu sentit un frémissement sur la vergue, et il comprit
que le moment auquel il se préparait depuis tant
d'années était arrivé ; maintenant, enfin, il laissait
derrière lui ces rivages boueux pour aller à la rencontre des eaux qui menaient à Basra et Chin-kalan,
Martaban et Zinjibar. Sa poitrine se gonfla d'orgueil

en voyant avec quelle élégance l'*Ibis* taillait sa route à travers les embarcations qui encombraient le fleuve – caramuzzali, barges et péniches. De la hauteur où il se trouvait, il lui semblait que la goélette lui avait donné des ailes pour s'élever au-dessus de son passé. En proie à l'euphorie, il s'agrippa d'un bras aux haubans et arracha son bandana.

Salaam à vous tous ! hurla-t-il en saluant la rive qui n'en pouvait mais : Jodu s'en va... Ô, vous, les putains de Watgunge... vous, les bons à rien de Bhutghat... Jodu est devenu un lascar et il est parti... Parti !

Dix-sept

Le crépuscule ramena l'*Ibis* dans le chenal de Hooghly Point et là, au creux du grand méandre du fleuve, le navire jeta l'ancre pour la nuit. Les migrants durent attendre que l'obscurité ait envahi les alentours pour être autorisés à monter sur le pont ; jusqu'alors l'écoutille demeura solidement close. Le subedar et les gardiens s'accordaient à penser que les premiers contacts des passagers avec les conditions du bord augmenteraient probablement la possibilité de tentatives d'évasion : vue en plein jour, la terre ferme pouvait présenter un attrait irrésistible. Même après la nuit tombée, quand les hurlements des hordes de chacals en chasse eurent fait perdre de leur séduction aux rives, les gardiens ne relâchèrent pas leur vigilance ; l'expérience leur avait appris que, dans tout groupe de migrants, il y en avait toujours quelques-uns assez désespérés – ou suicidaires – pour se jeter à l'eau. À l'heure du dîner chacun continua d'être étroitement surveillé. Même ceux désignés comme bhandaris, c'est-à-dire aides-cuisiniers, furent gardés à l'œil pendant qu'ils touillaient les ragoûts dans la cambuse du bord. Quant aux autres, ils ne furent admis sur le pont qu'en petits groupes et renvoyés dans le dabusa dès qu'ils eurent terminé de manger leur riz, dal et limes au vinaigre.

Tandis que bandharis et gardiens s'occupaient de nourrir les migrants, dans le carré des officiers Steward Pinto et les garçons de table servaient de l'agneau rôti, accompagné de sauce à la menthe et de pommes de terre vapeur. Les portions étaient généreuses car le steward, avant de quitter Calcutta, avait fait embarquer deux quartiers entiers d'agneau frais, et la viande ne durerait pas longtemps dans cette chaleur hors de saison. Toutefois, en dépit de l'abondance de nourriture et de boisson, il régnait moins de cordialité dans le carré que dans la cambuse où, de temps à autre, on pouvait même entendre les migrants chanter des bribes de vieux airs.

Májha dhára mé hai bera merá
Kripá kará ásrai hai tera
Mon radeau est à la dérive dans le courant
Ta miséricorde est mon seul refuge...

— Foutus coolies, marmonna le capitaine entre deux bouchées d'agneau. Même la foutue fin du monde ne les empêcherait pas de miauler.

*

Selon le temps et les vents, il fallait parfois à un navire jusqu'à trois jours pour, de Calcutta, atteindre la baie du Bengale. Entre l'estuaire du fleuve et la haute mer se trouvait l'île de Ganga Sagar, le dernier des nombreux lieux de pèlerinage de la voie d'eau sacrée. Un ancêtre de Neel avait fondé un temple sur l'île, et lui-même l'avait plusieurs fois visité.

L'ex-domaine Halder se situait à mi-chemin entre Calcutta et Ganga Sagar, et Neel savait que l'*Ibis* longerait sa propriété vers la fin du deuxième jour. Il avait fait si souvent le trajet qu'il sentait le zemindary approcher à travers les tours et détours du fleuve. Des bribes de souvenirs se bousculaient dans sa tête, certains aussi vifs et lumineux que des fragments de cristal brisé. Et vint le moment où, comme pour se moquer de lui, il entendit la vigie crier de là-haut : Raskhali ! On passe devant Raskhali.

Il le voyait maintenant : il n'aurait pas pu le distinguer plus nettement si la coque de l'*Ibis* avait été en verre. Tout défilait là : le palais et ses vérandas à colonnes ; la terrasse où il avait appris à Raj Rattan à faire voler ses cerfs-volants ; les avenues de palash plantées par son père ; la fenêtre de la chambre où il avait amené Elokeshi.

— Qu'est-ce qui t'arrive, hein ? dit Ah Fatt. Pourquoi tu te tapes la tête, hein ?

Faute d'obtenir une réponse Ah Fatt secoua Neel par les épaules jusqu'à le faire claquer des dents.

— L'endroit qu'on passe maintenant, tu le connais, tu ne le connais pas ?

— Je le connais.

— Ton village, hein ?

— Oui.

— Maison ? Famille ? Raconte-moi tout.

Neel secoua la tête.

— Non. Une autre fois peut-être.

— Achha. Une autre fois.

Raskhali était si près que Neel pouvait presque entendre les cloches du temple. Ce dont il avait besoin maintenant, c'était d'être ailleurs, dans un endroit où il serait libéré de ses souvenirs.

— Où est ta maison à toi, Ah Fatt ? Parle-m'en. Est-elle dans un village ?

— Pas un village. – Ah Fatt se gratta le menton. – Ma maison dans un endroit très grand : Guangzhou. Anglais disent Canton.

— Raconte-moi. Raconte-moi tout.

Et pendant que l'*Ibis* naviguait encore sur le Hooghly, Neel se trouva ainsi transporté à travers le continent, à Canton – et c'est cet autre voyage, bien plus vivant que celui qu'il faisait, qui le protégea de la folie durant cette première partie de la traversée ; personne, hormis Ah Fatt, personne de sa connaissance n'aurait pu lui fournir l'évasion dont il avait besoin, dans un lieu totalement inconnu, totalement différent du sien.

Ce n'est pas grâce à la facilité à s'exprimer d'Ah Fatt que Neel finit par avoir de Canton une image d'une vivacité propre à la rendre réelle : en fait, ce fut exactement le contraire, car le génie des descriptions d'Ah Fatt résidait dans leurs élisions, de sorte que l'écouter devenait une affaire de collaboration aventureuse dans laquelle ce qui était évoqué se transformait peu à peu en un produit d'une imagination commune. Ainsi, Neel finit par accepter que Canton était pour Calcutta ce que Calcutta était pour les villages environnants : une cité d'une effrayante splendeur et d'une insupportable saleté, aussi généreuse dans ses plaisirs qu'implacable dans ses sacrifices imposés. En écoutant et en suggérant, Neel commença à avoir le sentiment d'être capable de voir avec les yeux d'Ah Fatt : elle était là, la ville qui avait conçu et nourri cette nouvelle moitié de lui-même ; un port situé loin à l'intérieur des terres, dans les recoins d'une côte festonnée à l'extrême, séparée de l'océan par un enchevêtrement compliqué de marais, de marécages, de bancs de sable, de criques et d'anses. Il avait la forme d'un bateau, ce port fluvial, sa coque cernée d'un long bastingage de hauts murs gris. Entre l'eau et la ville se dressait un renflement de terre aussi tourmenté que le sillage d'un navire : bien qu'il se trouvât à l'extérieur des limites de la cité, cet îlot était si densément peuplé que personne n'aurait su dire où la terre finissait et où commençait l'eau. Sampans, jonques, voiliers chinois et bateaux de contrebande étaient amarrés là en telle quantité qu'ils formaient une large étagère flottante qui atteignait presque le milieu du fleuve : tout se confondait, l'eau et la boue, bateaux et entrepôts – cependant, c'était une confusion illusoire, car même dans cet espace grouillant, animé, de limon et d'eau, existaient communautés et quartiers bien distincts. Parmi eux, le plus étrange était, sans aucun doute, la petite enclave allouée aux étrangers venus commercer avec la Chine : les extra-Célestes que les Cantonais appelaient les fanquis, les étrangers.

C'était sur cette langue de terre, juste au-delà des portes sud-ouest de la cité fortifiée, que les étrangers avaient eu la permission de construire une rangée de prétendues factoreries qui n'étaient rien d'autre que des bâtisses étroites, aux toits de tuiles rouges, partie entrepôts, partie logements et partie bureaux comptables pour l'évaluation des monnaies. Durant les quelques mois de l'année pendant lesquels ils étaient autorisés à résider à Canton, les étrangers étaient contraints de confiner leurs diableries à cette mince enclave. La cité fortifiée leur était interdite, comme à tous les immigrants – du moins était-ce ce que les autorités déclaraient, affirmant que tel était le cas depuis presque cent ans. Pourtant quiconque avait visité l'intérieur de la cité pouvait vous dire qu'on n'y manquait pas de certaines catégories d'étrangers : il suffisait d'aller au-delà du temple de Hao-Lin, sur la route de Chang-shou, pour voir des moines venus d'obscurs pays occidentaux ; et si on entrait dans le temple, on pouvait même admirer une statue du prêcheur bouddhiste fondateur du temple : personne ne pouvait nier que ce prosélyte fût tout aussi étranger que le Sakyamuni lui-même. Ou encore, si on s'aventurait encore plus loin, en remontant la Guang-li Road jusqu'au temple Huai-shang, on comprenait aussitôt, à la forme du minaret, que malgré une ressemblance apparente il ne s'agissait nullement d'un temple mais d'une mosquée ; on voyait aussi que les gens qui vivaient à l'intérieur et autour de cet édifice n'étaient pas tous des Uighurs, appartenant aux confins ouest de l'empire, mais incluaient un riche éventail de diablerie : Javanais, Malais, Malayalis et Arabes à la calotte noire.

Pourquoi donc certains étrangers étaient-ils autorisés à entrer et d'autres pas ? Peut-être y avait-il une seule sorte d'étranger qui fût vraiment un extra-Céleste, à tenir prudemment à distance, dans l'enclave des factoreries. Il devait en aller ainsi, car les fanquis des factoreries étaient indéniablement d'un certain genre de visage et de caractère : il y avait des étrangers « Visages-Rouges » venus d'Angleterre, des étrangers au « Drapeau Fleuri » venus d'Amérique et un bon échantillonnage d'autres venus de France, de Hollande, du Danemark et ainsi de suite.

De toutes ces sortes de créatures, les plus facilement reconnaissables étaient sans conteste les membres de la petite mais florissante tribu des étrangers à la calotte blanche – des Parsis de Bombay. Comment se faisait-il que les Calottes blanches comptent comme des fanquis, au même titre que les Visages rouges et les

Drapeaux fleuris ? Personne ne le savait puisqu'il ne pouvait s'agir d'une affaire d'apparence – s'il était vrai que certaines des Calottes blanches avaient des visages pas moins colorés que ceux des Drapeaux fleuris, il était tout aussi vrai que beaucoup d'entre eux étaient aussi noirs que les lascars perchés comme des singes sur les mâts du fleuve Pearl. Quant à leurs vêtements, ils n'étaient en rien pareils à ceux des fanquis : ils portaient robes et turbans, un peu comme les Arabes à la calotte noire, et ne ressemblaient absolument pas au reste des habitants des factoreries, qui avaient l'habitude de se promener avec des caleçons longs et des pourpoints absurdement serrés, leurs poches gonflées de mouchoirs dans lesquels ils se plaisaient à emmagasiner leur morve. Il était non moins évident pour tout le monde que les autres fanquis regardaient plutôt de travers les Calottes blanches, qui étaient souvent exclus des réunions et des festivités générales, de même que leurs factoreries étaient les moins importantes et les plus exiguës. Cependant ils étaient aussi avant tout des marchands, avec pour métier de faire des profits, but pour lequel ils semblaient parfaitement contents de mener la vie des fanquis, émigrant tels des oiseaux entre leurs maisons de Bombay, leurs résidences d'été à Macao et leurs quartiers d'hiver à Canton, ville dont les panoramas de la cité fortifiée n'étaient pas les seuls plaisirs qui leur fussent refusés – durant tout leur séjour en Chine, ils devaient pratiquer, comme tous les autres fanquis, le plus strict célibat. Il n'existait pas de mesure sur laquelle les autorités insistaient plus fermement que l'édit proclamé chaque année interdisant aux habitants de Guangzhou de fournir aux étrangers «femmes ou jeunes gens». Toutefois, pouvait-on vraiment faire appliquer un tel décret ? Comme en bien des domaines, entre ce qui était dit et ce qui était fait s'étendait un océan. Comment les autorités pouvaient-elles ne rien savoir des femmes qui, dans des barques fleuries, sévissaient sur le fleuve Pearl, racolant lascars, marchands, interprètes, changeurs et quiconque en veine de distraction ; impossible aussi d'ignorer qu'au centre même de l'enclave fanquie se trouvait une ruelle crasseuse, Hog Lane, qui s'enorgueillissait d'un grand nombre de bouges dans lesquels on servait non seulement du shamshoo, du hocksaw et autres liqueurs de contrebande, mais toute espèce de drogues y compris, et pas la moindre – les étreintes de ces dames. Les autorités savaient aussi à coup sûr que les Dan qui manœuvraient un grand nombre des sampans, des jonques et des péniches sur le Pearl se chargeaient de surcroît de quantité de tâches pour les fanquis, y compris de leur linge sale – dont il y avait toujours une grande quantité, non seulement en vêtements mais aussi en fait de literie et de linge de table (surtout, car nourriture et boisson ne faisaient pas partie des luxes refusés aux pauvres diables). Les choses étant ce qu'elles étaient, les affaires de blanchisserie ne pouvaient se faire sans de fréquents appels et visites, et ce fut ainsi qu'un jeune Calotte blanche d'un charme diabolique, Bahramji Naurozji Moddie, vint à croiser le chemin d'une fraîche jeune fille dan, Lei Chi Mei.

Tout commença par une prosaïque remise de nappes incrustées du dhansak dominical et de serviettes tachées de kid-nu-gosht, toutes choses que le jeune Barry (ainsi surnommé par les fanquis) devait enregistrer dans un livre de compte, en sa qualité de benjamin de la tribu des Calottes blanches. Et c'est justement une de ces calottes qui amena le jeune couple à sa première étreinte – ou plutôt une de ces longues bandes de tissu qui tenaient la calotte en place ; un beau jour, en effet, l'un des grands propriétaires de la factorerie, Jamshedji Sohrabji Nusserwanji Batliwala, découvrit une déchirure dans son turban et gratifia le malheureux Barry d'une telle réprimande que lorsque vint le moment de présenter le corps du délit à Chi Mei, le jeune homme éclata en sanglots, et pleura si bien que le turban s'enroula autour et encore autour du charmant couple jusqu'à ce que celui-ci se trouve prisonnier d'un accueillant cocon.

Plusieurs années d'amour et de lessive devaient s'écouler avant que Chi Mei n'ait un bébé mais, quand enfin l'enfant parut, l'événement suscita une grande fièvre d'optimisme chez son père qui lui donna le nom impressionnant de Framjee Pestonjee Moddie dans l'espoir de faciliter ainsi son acceptation dans le monde des Calottes blanches. Cependant Chi Mei – qui, plus expérimentée, connaissait bien mieux le sort probable réservé aux enfants qui n'étaient ni dan ni fanquis – prit la précaution de nommer le petit garçon Leong Fatt.

*

Les gardiens firent très vite savoir que les femmes devraient accomplir certaines tâches pour les officiers, les soldats et les maîtres d'équipage. Entre autres, laver leur linge, recoudre leurs boutons, raccommoder les coutures déchirées et autres. Avide de n'importe quelle sorte d'exercice, Paulette choisit de partager le lavage avec Heeru et Ratna, tandis que Deeti, Champa et Sarju optaient pour la couture. Munia, de son côté, se débrouilla pour se faire attribuer le seul travail à bord qui pût être considéré comme vaguement prestigieux : celui de veiller sur la volaille logée dans les canots de sauvetage et réservée presque exclusivement à la consommation des officiers, des gardes et des gardiens.

L'*Ibis* était équipé de six barques : deux petits canots bordés à clin, deux cutters de taille moyenne et deux chaloupes, bordées à joints serrés, de vingt bons pieds de long. Les canots, chacun emboîté dans un cutter, étaient rangés sur le rouf, l'ensemble maintenu par des cales. Les chaloupes, elles, se trouvaient par le travers du navire, accrochées à des bossoirs que les lascars avaient rebaptisés « devis », non sans raison car les cordages et les palans se croisaient avec les haubans pour finir par créer de petites niches, presque des cachettes, comme on pourrait en trouver sur les genoux accueillants d'une déesse ; dans ces recoins, il n'était pas impossible à une ou deux personnes d'éviter pendant quelques minutes l'incessante activité du pont. Les dalots où se faisait la lessive se situaient sous les bossoirs, et Paulette apprit vite à prendre son temps à sa tâche afin de pouvoir s'attarder au grand air. Avec l'*Ibis* maintenant en plein dans le labyrinthe des Sundarbans, elle était ravie de saisir chaque occasion de contempler les berges envahies de mangroves. Ici, les chenaux étaient semés de bancs de sable et autres obstacles, de sorte que la route navigable suivait un tracé sinueux, se rapprochant parfois suffisamment des rives pour fournir une vue détaillée de la jungle. Quelques-uns des plus heureux souvenirs de Paulette remontaient à l'époque où elle aidait son père à établir le catalogue de la flore de cette forêt durant des semaines de voyage dans le bateau de Jodu ; à présent, tout en observant les berges au travers de son voile, elle passait instinctivement en revue la végétation : là-bas, sous les poussées de racines d'une mangrove, elle distinguait un petit buisson de basilic sauvage, *Ocimum adscendens ;* c'était Mr Voigt, le conservateur danois des Jardins de Serampore – et le meilleur ami de son père –, qui avait confirmé la présence de cette plante dans ces forêts. Ici, poussait en quantité le *Ceriops roxburgiana*, identifié par l'horrible Mr Rosburgh qui avait été si méchant avec son père que la seule mention de son nom le faisait pâlir ; là-bas encore, sur le remblai herbeux, juste visible au-dessus de la mangrove, elle voyait un arbuste aux feuilles piquantes qu'elle ne connaissait que trop bien : *Acanthus lambertii.* C'était à sa propre insistance que son père lui avait donné son nom, car elle était littéralement tombée dessus, piquée à la jambe par une des feuilles acérées. En regardant défiler ces plantes familières, les yeux de Paulette se remplirent de larmes : plus que des plantes pour elle, elles étaient les compagnes de son enfance, et leurs pousses, plongeant profond dans ce sol, lui semblaient presque les siennes ; où qu'elle aille désormais, et pour aussi longtemps que ce fût, elle savait que rien ne l'attacherait davantage à un endroit que ces racines de son enfance.

Pour Munia, en revanche, la forêt était un lieu terrifiant. Un après-midi, tandis que Paulette contemplait la mangrove sous le prétexte de laver le linge, Munia surgit à côté d'elle et poussa un hurlement horrifié. Accrochée au bras de Paulette, elle désigna une forme sinueuse suspendue aux branches d'un palétuvier.

Est-ce que c'est un serpent ? chuchota-t-elle.

Paulette éclata de rire.

Non, idiote, c'est une plante rampante qui pousse sur l'écorce. Ses fleurs sont très belles...

Il s'agissait en fait d'une orchidée épiphyte dont Jodu, trois ans auparavant, avait rapporté un exemplaire chez eux. Son père l'avait d'abord prise pour un *Dendrobium pierardii,* mais, après examen, il était revenu sur son opinion. Comment aimerais-tu la nommer ? avait-il demandé à Jodu en souriant, et Jodu avait jeté un coup d'œil à Paulette avant de répondre, avec une mine rusée : Appelez-la Putli-fleur. Elle savait qu'il la taquinait, que c'était sa manière de se moquer de sa minceur extrême, de sa poitrine plate et de sa silhouette efflanquée. Toutefois son père, très séduit par l'idée, avait aussitôt baptisé l'épiphyte *Dendrobium pauletii.*

Munia frissonna.

Je suis contente de ne pas être ici. Là où je travaille, sur le rouf, c'est bien plus agréable. Les lascars passent juste devant quand ils grimpent dans les voiles.

Est-ce qu'ils te parlent ?

Seulement lui. Munia regarda par-dessus son épaule, du côté du mât de misaine où Jodu se tenait debout sur le marchepied, très occupé à prendre un ris sur le petit hunier. Regarde-le ! Toujours à faire l'important. Mais c'est un gentil garçon, on ne peut pas dire le contraire, et très mignon aussi !

Les termes de leur fraternité étant ce qu'ils étaient, Paulette n'avait jamais beaucoup pensé aux attraits physiques de Jodu : à présent, en levant les yeux vers l'expressif visage enfantin, les lèvres retroussées et le reflet cuivré des cheveux noir foncé, elle voyait ce qui pouvait attirer Munia. Vaguement embarrassée par sa découverte, elle s'enquit :

De quoi avez-vous parlé ?

Munia pouffa.

Il ressemble à un renard, celui-là : il m'a inventé une histoire selon laquelle un mage de Basra lui aurait appris à dire la bonne aventure. Comment ça ? lui ai-je demandé, et sais-tu ce qu'il m'a répondu ?

Quoi donc ?

Il a dit : Laisse-moi poser mon oreille sur ton cœur et je te dirai ton avenir. Encore mieux si je peux poser mes lèvres.

Que Jodu puisse avoir des dons de séducteur, Paulette n'y avait jamais pensé : elle fut, en l'occurrence, choquée par son audace.

Mais enfin, Munia ! N'y avait-il pas des gens autour ?

Non, il faisait nuit, personne ne pouvait nous voir.

Et tu l'as laissé faire ? Tu l'as laissé écouter ton cœur ?

Qu'est-ce que tu crois ?

Paulette glissa sa tête sous le voile de Munia afin de pouvoir la regarder dans les yeux.

Non ! Munia, tu n'as pas fait ça !

Oh, Pugli ! Munia éclata d'un rire moqueur et tira sur son voile. Tu es peut-être une déesse, mais moi je suis une diablesse...

Soudain, par-dessus l'épaule de Munia, Paulette vit Zachary sortir du gaillard d'arrière. Il paraissait s'avancer droit vers le bossoir. Paulette sentit ses muscles instinctivement se tendre et elle s'écarta de Munia pour s'aplatir contre le bastingage. Le sort voulut qu'elle eût dans les mains une des chemises de Zachary, qu'elle se hâta de cacher.

Que se passe-t-il ? dit Munia, surprise par l'agitation de Paulette.

Bien que celle-ci eût le visage enfoui dans ses genoux et son voile pratiquement tiré jusqu'aux chevilles, Munia n'eut pas de difficulté à suivre la direction de son regard. Et elle hoqueta de rire au passage de Zachary.

Munia, tais-toi, siffla Paulette. Ce n'est pas une manière de se conduire.

Pour qui? gloussa Munia, ravie. Regarde-toi, à jouer les déesses. Tu n'es pas différente de moi. J'ai vu sur qui tu avais l'œil. Il a deux bras et une flûte, comme n'importe quel autre homme.

*

Dès le début, on fit comprendre aux condamnés qu'ils passeraient la majeure partie de leurs journées à démêler de l'istup, l'étoupe que Neel s'obstinait à appeler de son nom anglais, *oakum*. Chaque matin, on leur en apportait un grand panier qu'ils devaient transformer en un matériau utilisable avant la nuit tombée. On les prévint aussi que, au contraire des migrants, ils ne seraient pas autorisés à prendre leurs repas sur le pont : on leur enverrait leur nourriture en bas dans des taporis. Une fois par jour on ouvrirait leur cellule pour leur donner le temps d'aller vider leur seau de toilette commun et de se laver avec quelques gobelets d'eau. Après quoi, ils auraient droit à un semblant d'exercice consistant d'habitude en un tour ou deux du pont.

Cette partie de la routine des condamnés, Bhyro Singh se l'appropria très vite : prétendre que les malheureux étaient une paire de bœufs et lui un fermier labourant son champ semblait lui procurer une jouissance infinie ; il leur passait leur chaîne autour du cou de manière à les forcer à marcher courbés ; puis, secouant ces chaînes comme des rênes, il claquait la langue pour faire avancer ses souffre-douleur, en leur donnant de temps à autre un coup de lathi dans les jambes. Infliger des souffrances n'était pas le seul plaisir (encore qu'il ne fût point négligeable) qu'il tirait de cet exercice ; coups et insultes étaient surtout destinés à montrer que lui, Bhyro Singh, n'était pas contaminé par ces créatures ignobles placées en son pouvoir. Il suffisait à Neel de le regarder dans les yeux pour savoir que le dégoût que Ah Fatt et lui inspiraient au subedar surpassait de très loin tout ce qu'il avait pu ressentir à l'égard de criminels plus ordinaires. Voyous et bandits, il les aurait probablement considérés comme des âmes sœurs et traités avec un certain respect, mais Neel et Ah Fatt n'entraient pas dans cette catégorie d'individus : pour lui, c'étaient des créatures bâtardes, souillées – l'un parce qu'il était un étranger crasseux et l'autre un proscrit déchu. Pire encore, si possible, le fait que les deux condamnés semblent être amis et qu'aucun des deux ne paraisse vouloir commander l'autre : un signe pour Bhyro Singh qu'il ne s'agissait pas d'humains mais de créatures châtrées, impuissantes, en d'autres termes de bœufs... Tout en les menant autour du pont, il hurlait, au grand amusement des gardiens et silahdars : *Ahó*, avancez... pleurez pas sur vos couilles maintenant... les larmes ne vous les ramèneront pas !

Ou alors il les frappait sur les parties génitales et éclatait de rire en voyant les deux hommes se plier en deux. Que se passe-t-il ? N'êtes-vous pas des eunuques, vous deux ? Entre vos jambes, ni plaisir ni douleur !

Pour semer la haine entre ses victimes, le subedar donnait parfois un peu plus de nourriture à l'une des deux ou obligeait l'autre à nettoyer les seaux de toilette plus souvent qu'à son tour : Allons, voyons si t'aimes tant que ça la merde de ton chéri.

Dans l'échec de ses stratagèmes il percevait à l'évidence un sabotage subtil de sa propre position, car dès qu'il voyait Neel et Ah Fatt se venir réciproquement en aide sur le pont, il laissait éclater sa colère à grand renfort de lathis. Entre le roulis de la goélette, l'instabilité de leurs jambes et le poids de leurs chaînes, il était très difficile à Ah Fatt et Neel de faire plus de quelques pas à la fois sans tomber ou trébucher. Toute tentative de l'un de se porter au secours de l'autre résultait en une raclée.

C'est au beau milieu d'un de ces déluges de coups que Neel entendit le subedar ordonner :

Debout, ordure. Le chhota malum vient par ici : relève-toi tout de suite, ne lui salis pas ses chaussures.

Neel s'efforçait de se redresser quand il se trouva face à un visage dont il se souvenait fort bien. Incapable de se retenir, il lança :

— Bonjour, monsieur Reid !

Qu'un condamné ait l'audace de s'adresser à un officier était si incroyable pour Bhyro Singh qu'il abattit aussitôt son lathi sur les épaules de Neel, qui tomba à genoux.

B'henchod ! Tu as le culot de regarder un sahib en face ?

— Attendez ! – Zachary s'avança pour arrêter la main du subedar. – Une minute ! Arrêtez.

L'intervention enflamma tant le subedar qu'un moment il parut sur le point de frapper Zachary lui-même. Puis, à la réflexion, il recula.

Entre-temps, Neel s'était relevé et s'époussetait les mains.

— Merci, monsieur Reid, dit-il. – Puis, faute de trouver autre chose, il ajouta : – J'espère que vous allez bien.

Zachary, sourcils froncés, scruta son visage.

— Qui êtes-vous ? s'enquit-il. Je connais votre voix mais je dois avouer que je ne place pas...

— Je m'appelle Neel Rattan Halder. Vous vous souviendrez peut-être, monsieur Reid, avoir dîné avec moi voici quelque six mois, à bord de ce qui était à l'époque mon budgerow.

C'était la première fois que Neel parlait à quelqu'un de l'extérieur, et l'expérience était si étrangement exaltante qu'il s'imaginait presque de retour dans son propre sheeshmahal.

— Vous aviez au menu, si ma mémoire est bonne, de la soupe de canard et des poulets rôtis. Pardonnez-moi de mentionner ces détails. Je pense beaucoup à la nourriture ces derniers temps.

— Parbleu ! s'écria soudain Zachary, le reconnaissant avec stupéfaction. Vous êtes le raja, n'est-ce pas ? Le raja de... ?

— Votre mémoire ne vous trahit pas, monsieur, répliqua Neel, inclinant la tête. Oui, je fus en effet autrefois le raja de Raskhali. Mes circonstances sont très différentes aujourd'hui, comme vous pouvez le constater.

— J'ignorais totalement que vous fussiez sur ce navire.

— Et moi je n'avais pas la moindre idée de votre présence à bord, dit Neel avec un sourire ironique. Sinon je vous aurais fait tenir ma carte. J'avais plus ou moins pensé que vous aviez regagné vos domaines.

— Mes domaines ?

— Oui. Ne disiez-vous pas être parent de Lord Baltimore ? Ou bien l'ai-je imaginé ?

Neel était stupéfait de constater combien il était facile – et étrangement agréable – de retomber dans le snobisme et la légèreté des conversations de sa vie passée. Ces plaisirs avaient semblé insignifiants quand ils se pratiquaient à volonté, mais à présent ils lui apparaissaient comme l'essence même de la vie.

Zachary sourit.

— Je crains que vous ne vous mépreniez. Je ne suis ni un lord ni un propriétaire de domaines.

— Sur ce point, au moins, nous partageons le même sort. Mon zemindary actuel se résume à un seau de toilette et quelques chaînes rouillées.

Zahary eut un geste d'étonnement tout en examinant Neel de son front tatoué à ses pieds nus.

— Mais que vous est-il arrivé ?

— C'est une histoire qui ne peut être résumée en deux mots, monsieur Reid, répliqua Neel. Il suffira de dire que mes propriétés sont passées en la possession de votre maître, Mr Burnham : elles lui ont été attribuées par une décision de la Cour suprême de justice.

Zachary émit un sifflement surpris.

— Je suis désolé...

— Je ne suis qu'une autre des dupes du destin, monsieur Reid. – Puis, dans un élan de culpabilité, se rappelant soudain Ah Fatt debout, muet, à côté de lui, il ajouta : – Pardonnez-moi, monsieur Reid. Je ne vous ai pas présenté mon collègue et ami, Mr Framjee Pestonjee Moddie.

— Comment allez-vous ? – Zachary allait tendre sa main quand le subedar, provoqué au-delà du supportable, flanqua son lathi dans les reins d'Ah Fatt.

Chal! Hatt! Avancez, vous deux !

— Ce fut un plaisir que de vous revoir, monsieur Reid, dit Neel, grimaçant de douleur sous les coups du subedar.

— Pour moi de même...

En fait, la rencontre n'eut aucun résultat heureux, que ce soit pour Zachary ou les condamnés. Elle valut à Neel une gifle du subedar.

Tu crois pouvoir m'impressionner avec deux mots d'angrezi ? Je vais te montrer, moi, comment ça se parle, cet ingilis...

Quant à Zachary, il fut convoqué par Mr Crowle.

— Qu'est-ce que c'est que cette histoire de taillage de bavette avec les forçats ?

— J'avais rencontré l'un d'eux autrefois, répondit Zachary. Qu'étais-je censé faire ? Prétendre qu'il n'existait pas ?

— Exactement, dit Mr Crowle. Prétendre qu'il n'existe pas. C'est pas ta place de discuter avec des bagnards ou des coolies. Subidar aime pas ça. Y t'aime déjà pas de trop, pour être honnête. Y aura du grabuge si tu recommences. J'te préviens, Damoiseau !

*

La conversation entre Zachary et les condamnés avait eu un autre témoin, un témoin sur qui elle eut plus d'effet que sur quiconque : Baboo Nob Kissin Pander, qui s'était réveillé ce matin-là avec un puissant et prémonitoire gargouillement de ses entrailles. Selon son habitude, il avait prêté beaucoup d'attention à ces symptômes et avait été amené à en conclure que les spasmes étaient trop violents pour être totalement attribués aux mouvements de la goélette ; ils faisaient davantage songer aux tremblements qui annoncent la venue d'un énorme bouleversement sismique.

À mesure que la journée avançait, ces méchantes appréhensions n'avaient cessé de grandir, poussant finalement le gomusta à l'avant du poste d'équipage où, installé entre les parois de l'étrave, il avait laissé le vent gonfler son ample robe. Alors qu'il scrutait les eaux argentées du fleuve toujours plus large, son angoisse croissante avait tellement fait crépiter son estomac qu'il avait été obligé de croiser les jambes pour retenir l'éruption menaçante. C'est alors qu'il

504

se tordait et se contorsionnait qu'il avisa les deux condamnés avançant autour du pont sous le joug du subedar Bhyro Singh.

Baboo Nob Kissin connaissait de vue l'ex-raja : il l'avait aperçu à plusieurs reprises à Calcutta à travers les vitres du phaéton Raskhali. Un jour, alors que le fiacre passait en trombe, le gomusta, perdant l'équilibre, était tombé à la renverse de frayeur : il se rappelait fort bien le sourire d'amusement dédaigneux dont Neel l'avait gratifié alors qu'il pataugeait désespérément dans une mare boueuse. Mais le visage pâle, distingué, de sa mémoire, avec sa bouche en cœur et son regard blasé, n'avait rien de commun avec cette face basanée aux traits tirés qu'il avait maintenant devant lui. S'il n'avait pas su que le raja déchu était un des deux détenus à bord de l'*Ibis*, il n'aurait pas imaginé qu'il s'agissait du même homme, tant le changement était frappant, non seulement dans l'apparence mais dans l'attitude, à présent aussi vigilante et méfiante qu'elle avait été languide et désabusée à l'époque. Baboo Nob Kissin Pander était enchanté de penser qu'il avait joué un certain rôle dans l'humiliation de cet aristocrate fier et arrogant, dans la condamnation de cet être décadent, sensuel, égoïste à des privations qu'il n'aurait pu imaginer dans ses pires cauchemars. C'était, en un sens, comme être l'accoucheuse d'une existence nouvelle – et, cette idée lui venant à peine à l'esprit, le gomusta éprouva une sensation si intense et si inhabituelle qu'il ne put que l'attribuer à Taramony. De quelle autre source aurait pu surgir ce mouvement de pitié et de compassion qui s'emparait de lui maintenant à la vue du visage noir de crasse et des membres enchaînés de Neel ? De qui, sinon de Taramony, aurait pu provenir cette montée en son sein d'une vague de tendresse maternelle alors qu'il observait le détenu mené autour du pont comme un animal de trait. Le gomusta avait toujours soupçonné que le grand regret de la vie de Taramony avait été de ne pas avoir d'enfant. Un soupçon à présent confirmé par le tumulte d'émotions émanant de la présence en lui de Taramony, de l'instinct qui le faisait désirer prendre dans ses bras le détenu afin de le protéger de la souffrance : comme si Taramony avait reconnu en Neel le fils désormais adulte qu'elle n'avait pas pu donner à son mari, l'oncle de Baboo Nob Kissin.

Cette poussée de sentiments maternels atteignit un point tel que, n'eût été la crainte d'un incident embarrassant, le gomusta aurait fort bien pu décroiser ses jambes et se précipiter sur le pont pour s'interposer entre Neel et le lathi voltigeant du subedar. N'était-ce qu'une coïncidence si Zachary avait surgi exactement à ce moment-là pour arrêter la main du subedar et reconnaître le détenu ? C'était comme si deux aspects de la capacité d'amour de Taramony avaient été conjugués : celui de la mère désireuse de nourrir un fils égaré et celui de la chercheuse de vérité, anxieuse de transcender les choses de ce monde.

La vue de la rencontre entre ces deux êtres, chacun cachant des vérités intimes que lui seul connaissait, secoua le gomusta au point de déclencher le menaçant tremblement de terre ; ses entrailles gargouillèrent comme de la lave en fusion et rien n'aurait pu empêcher alors Baboo Nob Kissin de se précipiter à l'arrière vers les latrines.

*

Le jour, quand tangage et roulis se faisaient sentir au creux de tous les estomacs, la chaleur et la puanteur qui régnaient dans l'entrepont n'étaient tolérables que dans la mesure où l'on savait que chaque mouvement rapprochait l'*Ibis* de la fin du voyage. Mais la nuit n'apportait pas ce genre de consolation, quand la goélette jetait l'ancre dans les méandres de la jungle : avec les rugissements des tigres et les toussotements des léopards au voisinage, le moins excitable des migrants devenait la proie de craintes folles. Et, dans le dabusa, les individus prêts à nourrir les rumeurs et à dresser les uns contre les autres ne manquaient pas. Le pire de tous était Jhugroo, qui avait été chassé de son village à cause de son penchant à semer la zizanie ; il avait un visage aussi vilain que son caractère, une mâchoire en avant, des petits yeux injectés de sang, mais sa langue et son esprit étaient assez vifs pour lui assurer une sorte d'autorité parmi les girmitiyas les plus jeunes et les plus crédules.

Le premier soir, alors que personne n'arrivait à dormir, Jhugroo commença à raconter une histoire sur les jungles de Mareech, en affirmant que les très jeunes migrants ainsi que les plus faibles étaient destinés à servir d'appât pour les animaux sauvages qui vivaient dans ces forêts. Sa voix s'entendait dans tout le dabusa, répandant la terreur chez les femmes, et singulièrement chez Munia, qui éclata en sanglots.

Dans la chaleur suffocante, sa peur se propagea chez ses compagnes avec la virulence d'une fièvre : alors qu'elles tombaient en pâmoison les unes après les autres, Paulette comprit qu'il lui fallait agir promptement si elle voulait enrayer l'affolement général.

Khamosh! Du calme ! cria-t-elle. Écoutez-moi, écoutez : ce que cet homme vous raconte, c'est tout du *bakwás* et des sornettes. Ne croyez pas un mot de ces histoires – elles ne sont pas vraies. Il n'y a pas d'animaux sauvages à Mareech, excepté des oiseaux, des grenouilles et quelques chèvres, des cochons et des daims, la plupart amenés là-bas par des êtres humains. Quant aux serpents, il n'en existe pas un seul sur toute l'île.

Pas de serpents ! Une déclaration si remarquable que les pleurs cessèrent et que beaucoup de têtes, y compris celle de Jhugroo, se tournèrent vers Paulette. Il revint à Deeti de poser la question que chacun avait à l'esprit :

Pas de serpents ? Pouvait-il exister une telle jungle ?

Oui, répondit Paulette. Cela existe. Surtout dans les îles.

Jhugroo n'allait pas accepter pareil propos sans contre-attaquer :

Comment le saurais-tu ? demanda-t-il. Tu n'es qu'une femme. Comment te croire sur parole ?

Paulette garda son calme.

Je le sais parce que je l'ai lu dans un livre. Un livre écrit par un homme qui savait ce genre de choses et avait vécu longtemps à Mareech.

Un livre ? Jhugroo éclata d'un rire moqueur. La salope ment. Comment une femme saurait-elle ce qui est écrit dans un livre ?

Cela piqua au vif Deeti qui rétorqua :

Pourquoi ne serait-elle pas capable de lire un livre ? Elle est la fille d'un pandit – c'est son père qui lui a appris à lire.

Sacrées menteuses ! cria Jhugroo. Vous devriez vous nettoyer la bouche avec de la bouse de vache !

Comment ? Kalua se mit lentement debout tout en restant suffisamment courbé pour ne pas se cogner la tête au plafond. Qu'est-ce que tu as dit à ma femme ?

Confronté à la stature massive de Kalua, Jhugroo battit en retraite dans un silence vengeur tandis que ses partisans s'écartaient pour aller rejoindre les migrants rassemblés autour de Paulette.

C'est vrai ? Il n'y a pas de serpents là-bas ? Quels arbres ont-ils ? Y a-t-il du riz ? Vraiment ?

*

De l'autre côté de la cloison, Neel aussi écoutait attentivement Paulette. Bien qu'il eût passé pas mal de temps à scruter les migrants à travers le conduit d'aération, il ne lui avait pas beaucoup prêté attention jusqu'alors : comme toutes les autres femmes elle était constamment voilée et il n'avait jamais vu son visage, pas plus d'ailleurs que quoi que ce soit de son corps hormis ses mains noircies de henné et ses pieds rougis à l'alta. Des intonations de sa voix, il avait conclu qu'elle différait de ses compagnes en ce qu'elle parlait le bengali plutôt que le bhojpuri, et il avait remarqué un jour que sa tête était inclinée comme pour écouter ses conversations avec Ah Fatt, mais l'idée paraissait absurde. Il n'était tout de même pas possible qu'une coolie comprenne l'anglais ?

Les paroles de Deeti amenèrent Neel à s'interroger de nouveau sur Paulette. Si cette fille était vraiment éduquée, alors il connaissait certainement ses parents proches ou éloignés : rares étaient les familles bengalies qui encourageaient leurs filles à lire, et presque toutes étaient liées à la sienne. La poignée de femmes de son milieu qui pouvaient se targuer d'un peu d'instruction étaient parfaitement connues, et pas une, autant qu'il sache, n'aurait publiquement avoué parler l'anglais – c'était là encore un seuil qui restait à franchir, même pour les familles les plus libérales. Subsistait un autre mystère : ces femmes éduquées appartenaient dans l'ensemble à des familles fortunées ; il était inconcevable qu'une de ces familles eût autorisé sa fille à s'embarquer avec un tas de migrants et de condamnés. Pourtant, apparemment, il y en avait une à bord de l'*Ibis*.

Dès que l'intérêt général pour la femme se fut dissipé, Neel colla ses lèvres au conduit d'aération et s'adressa en bengali à la tête voilée :

Une personne qui s'est montrée si courtoise avec ses interlocuteurs n'aura pas d'objection, j'espère, à répondre à une autre requête ?

Le phrasé suave et l'accent raffiné mirent instantanément Paulette sur ses gardes. Bien qu'elle eût le dos tourné à la cloison, elle sut exactement qui parlait et comprit aussitôt qu'elle était plus ou moins mise à l'épreuve. Consciente du côté un peu vulgaire de son bengali appris surtout grâce à Jodu, elle choisit avec soin ses mots. Adaptant son ton à celui du détenu, elle répliqua :

Il n'y a pas de mal à poser une question ; si la réponse est connue, elle sera certainement fournie.

L'accent était assez neutre pour priver Neel d'indices supplémentaires quant aux origines de celle qui parlait.

Serait-il alors possible, reprit-il, de s'enquérir du titre du livre auquel on s'était référé plus tôt, ce livre réputé contenir de si précieux renseignements sur l'île de Mareech ?

Essayant de gagner du temps, Paulette répondit :

Le nom m'échappe, il n'est d'ailleurs d'aucune importance.

Bien au contraire, protesta aimablement Neel. J'ai beau chercher dans ma mémoire un ouvrage rédigé dans notre langue qui contienne ces faits, je ne peux en trouver aucun.

Il y a beaucoup de livres au monde, remarqua Paulette, et sûrement personne ne peut en connaître tous les titres ?

Certainement pas de tous les livres au monde, concéda Neel. Néanmoins le nombre d'ouvrages imprimés en bengali n'excède toujours pas quelques centaines, et je m'enorgueillissais autrefois de les posséder tous. D'où mon souci : se pourrait-il que l'un d'eux m'ait échappé ?

Paulette réfléchit très vite et se hâta de dire :

Le livre dont je parle n'est toujours pas imprimé. C'est une traduction du français.

Du français ? Vraiment ? Et serait-ce trop que de demander le nom du traducteur ?

Poussée dans ses derniers retranchements, Paulette lança le premier nom qui lui passait par la tête, celui du munshi qui lui avait appris le sanscrit et avait aidé son père à établir le catalogue de sa collection :

Il s'appelait Collynaut Baboo.

Neel reconnut aussitôt le nom.

Vraiment ? Voulez-vous dire Munshi Collynaut Burrell ?

Oui, c'est cela.

Je le connais fort bien, dit Neel. Il fut le munshi de mon oncle des années durant. Je peux vous assurer qu'il n'entend pas un mot de français.

Bien sûr que non, répliqua précipitamment Paulette, parant le coup. Il collaborait avec un Français – Lambert Sahib, des Jardins botaniques. Comme j'étais son élève, il me donnait parfois des pages à transcrire. C'est ainsi que je les ai lues.

Nullement convaincu par ces arguments, Neel ne put cependant rien trouver pour démolir l'histoire.

Puis-je me permettre de demander, dit-il enfin, ce que serait le nom de la famille de l'excellente dame ?

Paulette avait sa riposte toute prête :

Ne serait-il pas intolérablement audacieux, répondit-elle poliment, d'aborder un sujet aussi intime après une si brève connaissance ?

Comme il vous plaira, dit Neel. Je n'ajouterai rien de plus, sinon que vous perdez votre temps à tenter d'éduquer ces rustres malotrus. Autant les laisser moisir dans leur ignorance puisque de toute manière ils moisiront sûrement.

Pendant tout cet échange, Paulette était restée assise de façon à ne pas avoir à regarder en direction du détenu. Mais maintenant, piquée par l'arrogance du ton, elle tourna son visage voilé et leva lentement la tête vers le conduit d'aération. Tout ce qu'elle vit, dans l'obscurité de l'entrepont, fut une paire d'yeux brillant follement dans les profondeurs d'un visage hirsute. Sa colère se changea en compassion, et elle dit doucement :

Si vous êtes si intelligent, que faites-vous ici avec nous ? Si soudain se déclarait ici un incident grave ou une émeute, croyez-vous que votre savoir vous sauverait ? N'avez-vous jamais entendu parler du dicton : On est tous dans le même bateau ? – *amra shob-i ek naukoye bháshchhi ?*

Neel éclata de rire.

Oui, s'écria-t-il, triomphant : je l'ai entendu citer – mais jamais en bengali. C'est un dicton anglais que vous venez juste de traduire, très joliment, si je peux me permettre, et il m'interroge sur la manière et l'endroit où vous avez appris l'anglais.

Paulette se retourna sans répondre, mais Neel insista :

Qui êtes-vous, gentille dame ? Vous pouvez aussi bien me le dire, car je le découvrirai quoi qu'il arrive.

Je ne suis pas de votre sorte, répliqua Paulette. C'est ce qu'il vous suffit de savoir.

Il est vrai, convint Neel d'un ton moqueur, car en lançant sa dernière réplique Paulette avait laissé percer juste assez de l'accent sifflant des quais pour se trahir. Neel avait souvent entendu Elokeshi parler d'une nouvelle catégorie de prostituées qui avaient appris l'anglais grâce à leurs clients de race blanche – sans aucun doute, cette femme en était une, en chemin vers un quelconque bordel de Mareech.

*

L'espace que Deeti et Kalua s'étaient réservé se trouvait sous une des poutres massives incurvées de l'entrepont. Deeti avait poussé sa natte tout contre la paroi, et la coque du bateau lui servait ainsi de dossier lorsqu'elle s'asseyait. Mais quand elle s'allongeait, l'arête de bois se trouvait à moins d'un mètre de sa tête de sorte qu'un moment d'inattention pouvait signifier un mauvais coup sur le crâne. Après s'être cogné le front plusieurs fois, elle apprit à se glisser prudemment, après quoi elle fut très vite reconnaissante à la poutre de l'abri qu'elle lui offrait : une sorte d'embrasse parentale, la maintenant en place tandis que tout le reste devenait de plus en plus instable.

Jamais Deeti ne fut plus contente de la proximité de la poutre que durant les premiers jours du voyage, alors qu'elle n'était pas encore habituée au mouvement du bateau : elle pouvait s'y accrocher, puis elle découvrit qu'elle pouvait aussi diminuer la sensation de vertige en concentrant son regard dessus. Malgré le mauvais éclairage de l'entrepont, elle acquit une grande intimité avec ce morceau de bois, apprenant à en reconnaître le grain, les spirales et même les petites égratignures tracées à sa surface par les ongles de ceux qui l'avaient précédée. Quand Kalua lui affirma que le meilleur remède pour la nausée était de contempler le ciel, elle lui répliqua sèchement de regarder où il voudrait mais, en ce qui la concernait, elle avait tout le ciel qu'il lui fallait dans ce bois au-dessus de sa tête.

Pour Deeti, étoiles et constellations dans le ciel nocturne avaient toujours évoqué les visages de ceux dont elle se souvenait avec amour ou terreur. Était-ce cela ou l'abri fourni par la poutre qui lui rappela le sanctuaire qu'elle avait laissé derrière elle ? En tout cas, au matin du troisième jour, elle passa son index sur la raie remplie de vermillon de ses cheveux et le leva vers le bois pour tracer un minuscule visage avec deux nattes.

Kalua comprit tout de suite.

C'est Kabutri, n'est-ce pas ? chuchota-t-il, et Deeti dut lui donner un coup dans les côtes pour lui rappeler que l'existence de sa fille était un secret.

Plus tard ce jour-là, à midi, alors que les migrants sortaient du dabusa, une étrange affliction s'empara de tous : dès qu'ils mettaient le pied sur le dernier barreau de l'échelle, ils s'immobilisaient et devaient être poussés par ceux qui suivaient. Aussi fortes ou impatientes qu'étaient les voix venant de dessous, chacun était frappé à son tour dès son arrivée sur le pont, y compris ceux qui, juste un instant auparavant, avaient injurié les bouseux maladroits qui bloquaient la file. Quand ce fut à elle d'émerger de l'écoutille, Deeti se sentit, elle aussi, sur le point de mourir : enfin elle était là, juste devant l'étrave de la goélette, l'Eau noire.

Le vent était tombé de sorte qu'il n'y avait pas une miette d'écume blanche à la surface et, avec le soleil éblouissant, l'eau était aussi noire et immobile que le manteau d'ombre qui couvre l'ouverture d'un abîme. Comme tous ceux autour d'elle, Deeti, stupéfaite, contemplait ce spectacle : impossible de penser à cela comme à de l'eau – car l'eau, enfin, n'avait-elle pas besoin d'une limite, d'un bord, d'un rivage pour lui donner forme et la maintenir en place ? Cela ressemblait à un firmament, pareil au ciel la nuit, tenant le navire suspendu comme une planète ou une étoile. De retour sur sa natte, Deeti sentit sa main se soulever d'elle-même pour aller tracer la silhouette qu'elle avait dessinée pour Kabutri plusieurs mois auparavant, celle d'un vaisseau ailé volant au-dessus de l'eau. C'est ainsi que l'*Ibis* devint le deuxième personnage à entrer dans le sanctuaire marin de Deeti.

Dix-huit

Au coucher du soleil, l'*Ibis* jeta l'ancre au dernier endroit d'où les migrants pourraient encore contempler leur terre natale : à Saugor Roads, un ancrage très populaire sous le vent de Ganga Sagar, l'île située entre la mer et le fleuve sacré. Hormis des bancs de boue et les fanions de quelques temples, l'île offrait peu à voir depuis l'*Ibis,* et rien en tout cas de visible depuis le dabusa : pourtant, le seul nom de Ganga Sagar, joignant comme il le faisait le fleuve et la mer, la lumière et les ténèbres, le connu et l'inconnu, suffisait à rappeler aux migrants l'énorme abîme qui s'ouvrait devant eux, leur donnant l'impression d'être assis dans un équilibre précaire au bord d'un précipice, avec l'île, tel le bras tendu de leur pays, le Jambudvipa sacré, les empêchant de dégringoler dans le vide.

Conscients de la proximité de cet ultime bout de terre, les gardiens eux aussi étaient nerveux, et, ce soir-là, quand les migrants montèrent sur le pont pour leur repas, ils se montrèrent plus vigilants encore que d'habitude ; lathi en main, ils se postèrent autour des bastingages, et quiconque scrutait de trop près les

lumières lointaines était vite repoussé dans l'entrepont : Tu regardes quoi, abruti ? Retourne en bas chez
toi...

Cependant, même interdite aux regards, l'île demeurait dans les esprits : quoique physiquement inconnue
à tous, elle était intimement familière à la plupart
des migrants – n'était-ce pas là que le Gange reposait
ses pieds ? Comme beaucoup d'autres endroits de
Jambudvipa, c'était un lieu qu'ils avaient visité et
revisité bien des fois grâce aux poèmes épiques, aux
puranas, mythes, chansons et légendes. Savoir que
c'était le dernier fragment qu'ils verraient de leur pays
créait une atmosphère d'agressivité et d'incertitude
dans laquelle la plus minime des provocations dégéné-
rait en querelle. Dès que les bagarres éclataient, elles
prenaient des proportions à une vitesse surprenante
pour tous, y compris les protagonistes : dans leurs
villages, ils auraient eu des parents, des amis et des
voisins pour s'interposer, mais ici il n'y avait aucun
ancien pour régler les disputes et aucune tribu d'alliés
capable d'empêcher un homme de se jeter à la gorge
d'un autre. Au contraire, il y avait légion de fauteurs
de troubles comme Jhugroo, toujours prêt à monter
les uns contre les autres, ami contre ami, caste contre
caste.

Parmi les femmes, on parlait du passé et des
petites choses qu'on ne reverrait, n'entendrait, ne
respirerait plus jamais : la couleur des pavots débordant sur les champs comme l'*ábír* durant une fête de
Holi baignée par la pluie ; l'odeur persistante des
feux de cuisine se propageant au-dessus du fleuve
pour annoncer un mariage dans un village lointain ;
le son vespéral des cloches du temple et l'azan du
soir ; les veillées prolongées dans la cour, passées à
écouter les histoires des anciens. Aussi dure qu'avait

pu être la vie alors, dans les cendres de chaque passé restaient encore quelques braises de souvenirs pour luire avec ferveur – maintenant ces braises prenaient une vie nouvelle, à la lumière de laquelle leur présence à tous ici, dans le ventre d'un navire sur le point d'être précipité dans un abîme, semblait incompréhensible, quelque chose qui ne pouvait s'expliquer que par une folie soudaine.

Deeti se tut pendant que ses compagnes continuaient à parler, car les évocations des autres ne faisaient que lui rappeler Kabutri et les événements d'une existence dont elle serait exclue à jamais : les années d'adolescence qu'elle ne verrait pas passer, les secrets qu'elle ne partagerait pas, le fiancé qu'elle n'accueillerait pas. Comment serait-il possible qu'elle ne soit pas présente au mariage de son enfant pour chanter les complaintes que les mères chantaient quand les palanquins s'avançaient pour emmener leurs filles ?...

Talwa jharáilé
       Kāwal kumhláile
Hansé royé
       Birahá biyog
La mare est sèche
       Le lotus fané
Le cygne pleure
       Son amour absent

Dans le tintamarre croissant, la chanson de Deeti fut d'abord presque inaudible, puis, une à une, les autres femmes finirent par se joindre toutes à elle, sauf Paulette qui demeura à l'écart timidement jusqu'à ce que Deeti lui chuchote :

Peu importe que tu ne saches pas les paroles. Chante tout de même – ou bien la nuit sera insupportable.

Lentement, tandis que les voix des femmes montaient en volume et en assurance, les hommes oublièrent leurs querelles : dans leurs villages aussi, pour les mariages, c'étaient toujours les femmes qui chantaient quand la mariée était arrachée aux bras de ses parents – par leur silence, ils admettaient, eux, les hommes, qu'ils n'avaient pas de mots pour décrire la douleur de l'enfant exilée de chez elle.

> *Kaisé katé ab*
> > *Birahá ki ratiyã ?*
> Comment finira-t-elle
> > Cette nuit de séparation ?

Par le conduit d'aération, Neel écoutait aussi les chansons des femmes, et ni alors ni plus tard il ne fut capable d'expliquer comment le langage qui l'entourait depuis deux jours se déversa tout à coup dans sa tête à la manière de l'eau tombant en cascade après avoir brisé une digue. Est-ce la voix de Deeti ou un fragment de ses chansons qui lui rappela que ce langage, le bhojpuri, était celui que Parimal lui avait toujours parlé dans son enfance, jusqu'au jour où son père y avait mis le holà ? Leur fortune, affirma le vieux raja, avait été construite sur la capacité des Halder à communiquer avec ceux qui tenaient les rênes du pouvoir ; le parler rustique de Parimal appartenait à ceux qui subissaient le joug, et Neel ne devait plus jamais l'utiliser car il ruinerait son accent quand le temps viendrait pour lui d'apprendre l'hindoustani et le persan, comme il était nécessaire pour l'héritier d'un zemindary.

Neel, en fils toujours obéissant, avait laissé s'effacer dans sa tête ce langage qui pourtant, sans qu'il le sache, était resté vivant – et à présent, en entendant Deeti chanter, il reconnut que sa musique l'avait secrètement nourri : il avait toujours adoré les dadras, chaitis, barahmasas, horis, kajris – des chansons pareilles à celles que Deeti chantait. En l'écoutant, il comprenait pourquoi le bhojpuri était la langue de cette musique : de tous les parlers entre le Gange et l'Indus, aucun ne l'égalait dans sa capacité à exprimer les nuances de l'amour, du désir et de la séparation, la souffrance de ceux qui partent et de ceux qui restent.

Comment se faisait-il que, en choisissant les hommes et les femmes destinés à être arrachés à cette plaine asservie, la main du destin se fût posée si loin à l'intérieur, très à l'écart des côtes peuplées, sur des gens parmi les plus obstinément enracinés dans le limon du Gange, un sol qui devait être semé de douleur pour produire sa récolte d'histoires et de chants ? Comme si le sort avait enfoncé son poing dans la chair vive du pays pour en arracher un morceau de son cœur souffrant.

*

Le besoin d'utiliser ses mots remémorés était si fort que Neel ne réussit pas à dormir cette nuit-là. Bien plus tard, quand les femmes eurent chanté à s'enrouer et qu'un calme incertain fut revenu dans le dabusa, il entendit quelques migrants tenter de se souvenir de la légende de l'île de Ganga Sagar. Il ne put s'empêcher de leur raconter l'histoire lui-même : parlant à travers le conduit, il rappela à ses auditeurs que, sans cette île, ni le Gange ni la mer n'auraient existé ; car, selon la légende, c'est là que Lord Vishnu, dans son avatar du sage Kapila, méditait, assis, quand il fut dérangé par les soixante mille fils du roi Sagar qui traversaient le pays en en revendiquant la possession pour la dynastie Ikshvaku. C'est là aussi, exactement où ils se trouvaient à présent, que ces soixante mille princes avaient été punis de leur impudence en étant réduits en cendres par le seul regard des yeux brûlants du sage ; c'est là encore que leurs cendres impies étaient restées jusqu'à ce qu'un autre héritier de la dynastie, le bon roi Bhagiratha, ait été capable de persuader le Gange de pleuvoir du ciel et de remplir les mers : et c'est ainsi que les cendres des soixante mille princes Ikshvaku avaient été ramenées de l'enfer.

Les auditeurs furent abasourdis, moins par le récit que par Neel lui-même. Qui aurait cru que ce prisonnier si sale se révélerait le possesseur de tant d'histoires et de tant de langages ? Penser qu'il pouvait même parler un semblant de bhojpuri ! Eh bien, ils n'auraient pas été plus stupéfaits si un corbeau s'était mis à chanter un kajri.

Deeti, encore éveillée, écoutait aussi, mais elle ne puisa que peu d'assurance dans la légende.

Je serai contente quand nous aurons quitté cet endroit, chuchota-t-elle à Kalua. Il n'y a rien de pire que de rester ici à sentir que notre terre ne cesse de nous rappeler à elle.

*

À l'aube, avec beaucoup plus de regret qu'il ne l'avait anticipé, Zachary dit au revoir à Mr Doughty qui retournait à présent à terre avec son équipe. Une fois le pilote parti, il ne restait plus qu'à refaire quelques provisions avant de lever l'ancre et de prendre le large. Le ravitaillement fut rapide car la goélette fut bientôt assiégée par une flottille de canots : des coracles débordant de choux, des dhonies surchargés de fruits et des machhwas remplis de chèvres, de poules et de canards. Ce bazar flottant offrait tout ce dont un navire ou un lascar pouvait avoir besoin : de la toile au mètre, des tolets de rechange, des rouleaux d'étoupe et de rafia, des piles de nattes en seetulpatty, des feuilles de tabac, des branchettes de neem pour les dents, des martabans d'isabgol pour la constipation et des jarres de racines de colombo contre la dysenterie ; un vilain gordower faisait même office de pâtisscric avec un cuisinier préparant des jalebis sur place. Avec tant de vendeurs en compétition, il fallut très peu de temps à Steward Pinto et à ses assistants pour acheter toutes les provisions nécessaires.

À midi, les ancres de la goélette étaient dérapées et les gabiers prêts à hisser les drisses, quand le vent, qui n'avait cessé de vaciller au cours de la matinée, choisit juste ce moment, selon les tindals, pour piéger le navire dans un calme plat. Avec son gréement tendu et son équipage prêt à faire voile, l'*Ibis* resta encalminé dans une mer semblable à un miroir. À chaque changement de quart, un homme était envoyé en tête de mât avec ordre de donner l'alerte si le moindre souffle d'air se faisait sentir. Mais les heures s'égrenaient et la question hurlée à chaque instant par le serang : *Hawá ?* ne rencontrait qu'une réponse négative : *Kucchho nahi.*

Immobilisée en plein soleil, sans la moindre brise pour la rafraîchir, la coque de la goélette emmagasinait la chaleur de sorte qu'en dessous, dans le dabusa, les migrants avaient l'impression que la peau leur collait aux os. Pour aérer un peu, les gardiens ôtèrent le panneau en bois de l'écoutille, ne laissant que la grille métallique en place. Mais l'air immobile ne put réussir à s'infiltrer ; au contraire, à travers les barreaux la puanteur de la cale monta lentement dans le ciel, attirant milans, vautours et mouettes. Certains tournaient paresseusement au-dessus, comme attendant de la charogne, tandis que les autres s'installaient sur les vergues et les haubans, criaillant comme des sorcières et parsemant les ponts de leurs déjections.

Les girmitiyas n'avaient pas l'habitude du rationnement de l'eau potable ni de ses règles : jamais encore mis à l'épreuve, le système commença vite à s'effondrer et, avec lui, la sorte d'ordre qui régnait jusqu'alors dans le dabusa. Dès le début de l'après-midi, il restait si peu de la quantité d'eau allouée journalièrement que les hommes se battaient pour les jarres contenant encore quelques gouttes. Poussés par Jhugroo, une demi-douzaine de migrants grimpèrent l'échelle et se mirent à taper sur la grille de l'écoutille. De l'eau ! Écoutez, là-haut ! Faut remplir nos jarres !

Quand les gardiens vinrent ôter la grille, il y eut presque une émeute : dans un effort désespéré de se forcer une sortie sur le pont, des douzaines d'hommes se précipitèrent sur l'échelle. Mais l'écoutille ne pouvait laisser passer qu'une seule personne à la fois, et chaque tête qui pointait offrait une cible parfaite aux gardiens. Leurs lathis s'abattirent sur les crânes et les épaules des migrants, ainsi rejetés à l'intérieur l'un après l'autre. En quelques minutes, grille et panneau de bois étaient violemment refermés.

Haramzadas ! Espèces de canailles ! – la voix était celle de Bhyro Singh – je vais vous dresser, moi, je vous le jure : vous êtes la plus indisciplinée des bandes de coolies que j'aie jamais vues...

Le tumulte n'était pas toutefois complètement inattendu car il était rare qu'un contingent de migrants s'adapte au régime du bord sans une certaine résistance. Les gardiens avaient déjà connu ce genre de situation et ils savaient exactement comment procéder : ils crièrent aux migrants par la descente que le capitaine leur commandait de se rassembler sur le pont principal ; ils devaient monter l'échelle en bon ordre, un à un.

Les femmes eurent ordre de sortir les premières, mais certaines d'entre elles étaient dans un tel état qu'elles durent être portées. Paulette fut la dernière à quitter la cale et elle ne se rendit pas compte à quel point elle vacillait jusqu'à ce qu'elle se retrouve sur le pont. Ses genoux tremblants paraissaient sur le point de la lâcher et il lui fallut s'accrocher au bastingage pour garder son équilibre.

Un tonneau d'eau avait été placé à l'ombre de la timonerie et un aide-cuisinier y puisait deux louches dont il remplissait l'écuelle de chaque femme. La chaloupe de tribord était suspendue à quelques pas de là, et Paulette vit que plusieurs de ses compagnes s'étaient abritées dessous, certaines assises sur leurs talons, d'autres prostrées. Elle se glissa le long de la rambarde et s'accroupit à côté d'elles, dans le peu d'ombre restant. Comme les autres, Paulette but goulûment son eau avant d'en verser la dernière goutte sur sa tête et de laisser s'insinuer lentement cette ultime trace de fraîcheur le long du ghungta trempé de sueur qui lui couvrait le visage. Avec l'eau pénétrant dans ses entrailles desséchées, elle sentit renaître non seulement son corps mais son esprit, qui parut reprendre conscience après un long sommeil dû à la soif.

Jusqu'alors, détermination et assurance avaient rendu Paulette totalement aveugle aux possibles duretés du voyage ; elle était, se disait-elle, plus jeune et plus forte que la plupart des autres, elle n'avait rien à craindre. Cependant il était clair à présent que les semaines à venir seraient plus rudes que tout ce qu'elle avait pu imaginer ; possible même qu'elle n'y survive pas. En y songeant, elle se tourna pour contempler Ganga Sagar et se surprit, presque inconsciemment, à tenter de mesurer la distance.

Puis la voix de Bhyro Singh retentit, signalant le succès du rassemblement :

Sab házir hai ! Tous présents !

À tribord, Paulette avisa sur le rouf le capitaine Chillingworth debout, droit telle une statue, derrière la balustrade. Sur le pont principal, un cercle de lascars, gardes et gardiens avait été posté autour du bastingage afin d'avoir l'œil sur les girmitiyas réunis.

Face à l'assemblée, lathi à la main, Bhyro Singh hurla :

Khamosh ! Silence ! Le kaptan va vous parler et vous allez écouter ; le premier qui bouge aura droit à mon lathi sur la tête.

Immobile, les mains derrière le dos, le capitaine observait calmement la foule sur le pont. Bien qu'une brise ait maintenant commencé à souffler, elle n'avait que peu ou pas d'effet rafraîchissant, et l'air semblait en réalité devenir plus chaud sous le regard du capitaine : quand enfin celui-ci parla, sa voix porta jusqu'à l'avant avec les crépitements d'une flamme jaillissante.

— Écoutez bien ce que j'ai à vous dire car je ne vous en répéterai pas un seul mot.

Le capitaine marqua une pause pour permettre à Baboo Nob Kissin de traduire puis, pour la première fois depuis son apparition sur le rouf, il montra sa main droite qui tenait un fouet enroulé très serré. Sans bouger la tête, il pointa le bout de son arme en direction de l'île de Ganga Sagar.

— Par là se trouve la côte dont vous venez. Devant nous s'étend la mer que vous appelez l'Eau noire. Vous pouvez penser que la différence entre l'une et l'autre peut se voir à l'œil nu. Mais il n'en est pas ainsi. La différence la plus grande et la plus importante entre la terre et la mer n'est pas visible à l'œil. Et, notez-le bien...

À cet instant, tandis que Baboo Nob Kissin traduisait, le capitaine se pencha en avant et posa sur la balustrade son fouet et ses mains aux jointures blanchies par la tension.

— ... la différence c'est que les lois de la terre n'ont plus cours sur l'eau. En mer il y a une autre loi, et il faut que vous sachiez que, sur ce navire, c'est moi qui la fais. Tant que vous êtes sur l'*Ibis* et tant qu'il est en mer, je suis votre destin, votre providence, votre législateur. Ce fouet que vous voyez entre mes mains n'est qu'un des gardiens de ma loi. Car il n'est pas le seul – il en existe un autre...

Ici, le capitaine leva son fouet et entoura la lanière autour du manche de façon à former un nœud coulant.

— Ceci est l'autre gardien de la loi, et ne doutez pas un instant que je l'utiliserai sans hésitation si nécessaire. Pourtant rappelez-vous toujours qu'il n'y a pas de meilleurs gardiens de la loi que la soumission et l'obéissance. Sous cet angle, ce navire n'est pas différent de vos maisons et villages. Pendant votre séjour à bord, vous devez obéir au Subedar Bhyro Singh comme vous obéiriez à vos zemindars, et comme il m'obéit à moi. C'est lui qui connaît vos habitudes et traditions, et en mer il sera votre *mái-báp* comme je suis le sien. Il faut que vous sachiez que c'est grâce à son intercession que personne ne sera puni aujourd'hui ; il a plaidé en votre faveur et demandé mon indulgence parce que vous êtes nouveaux à ce bateau et à ses règles. Mais il faut que vous sachiez aussi qu'au moindre prochain désordre, les conséquences seront sévères et seront subies par tous ceux y ayant joué un rôle ; quiconque songerait à semer le trouble doit savoir que c'est ceci qui l'attend...

La lanière du fouet se déroula avec un craquement qui déchira l'air surchauffé comme un coup de tonnerre.

Malgré la chaleur, Paulette se sentit glacée jusqu'aux os par le discours du capitaine. Autour d'elle, beaucoup des migrants étaient, eux aussi, transis de peur : comme s'ils venaient de comprendre que non seulement ils quittaient le pays et allaient braver l'Eau noire, mais qu'ils abordaient une vie dans laquelle leurs heures de veille seraient gouvernées par le fouet et la potence. Paulette voyait leurs regards s'égarer sur l'île toute proche ; si proche en fait qu'elle devenait irrésistible. Un homme d'âge mûr, grisonnant, se mit à bafouiller, et Paulette sut d'instinct qu'il était en train de perdre son combat contre la terre. Quoique prévenue, elle fut tout de même la première à hurler lorsque l'homme tourna soudain les talons, écarta brutalement un lascar et sauta par-dessus le bastingage.

Les silhadars donnèrent l'alerte en criant – *Admi girah !* Un homme à la mer ! – et les migrants, dont la plupart n'avaient aucune idée de ce qui se passait, furent pris de panique. Profitant de l'agitation, deux autres girmitiyas s'échappèrent à leur tour et sautèrent par-dessus la rambarde. Fous de rage, les gardes se mirent à refouler à coups de lathi les hommes dans le dabusa. Ajoutant à la confusion, les lascars se précipitèrent pour ôter les bâches de la chaloupe, qu'ils firent basculer de côté; une armée de poules et de coqs caquetants se déversa sur le pont. Les malums eux aussi s'étaient jetés sur l'embarcation, hurlant des ordres et tirant sur la chaloupe, en soulevant des nuages de plumes, de fiente et de grains.

Momentanément oubliées, les femmes se blottirent autour des bossoirs de la chaloupe. Paulette tendit le cou par-dessus le bastingage et vit qu'un des trois fugitifs avait déjà disparu sous l'eau; les deux autres luttaient désespérément contre un courant qui les entraînait vers le large. Puis une grande volée d'oiseaux surgit au-dessus des nageurs, fonçant sur eux de temps à autre comme pour vérifier s'ils étaient encore vivants. En quelques minutes, la tête des hommes disparut, mais les oiseaux continuèrent à tourner patiemment dans le ciel, attendant que les cadavres remontent à la surface. Cependant les corps ne réapparurent pas, et il était évident, à en juger par le comportement des oiseaux, qu'ils avaient été pris par la mer et emportés vers l'horizon.

C'est pourquoi, quand enfin le vent si longtemps désiré se leva, l'équipage se montra exceptionnellement lent à faire voile : après tout ce qui s'était déjà passé, la perspective de croiser le sillage de trois cadavres mutilés remplissait les lascars d'une terreur indicible.

Dix-neuf

Le lendemain matin, sous un ciel cotonneux, l'*Ibis* rencontra une houle et des rafales qui le firent danser follement. Beaucoup des migrants s'étaient déjà sentis malmenés alors que le navire était encore sur le Hooghly car, même par grand calme, la goélette était bien plus remuante que les paisibles embarcations fluviales auxquelles ils étaient habitués. À présent, avec l'*Ibis* déchaîné comme un possédé dans la bourrasque, la plupart de ses passagers étaient réduits à un état d'impuissance infantile.

Une demi-douzaine de bassines et de seaux en bois avaient été distribués dans le dabusa en prévision du mal de mer. Durant un temps, ils furent d'une grande utilité, les migrants les plus résistants aidant les autres à atteindre les récipients avant qu'ils vomissent. Mais, très vite, bassines et seaux débordèrent et leur contenu dégoulina de tous côtés. À mesure qu'augmentaient roulis et tangage, les migrants, incapables de tenir sur leurs jambes, se vidèrent l'estomac sur place. L'odeur de vomi ajoutée aux effluves écœurants de l'enclos multipliait les effets des mouvements du navire. Bientôt l'entrepont fut balayé par une marée montante de nausée. Une nuit, un homme se noya dans une mare de ses propres souillures, et les conditions étaient telles que sa mort passa inaperçue durant la plus grande partie de la journée. Au moment où elle fut notée, si peu de migrants tenaient encore sur leurs jambes qu'aucun d'eux n'assista à l'immersion du cadavre.

Comme beaucoup d'autres, Deeti ne sut rien de cette agonie ; en eût-elle été informée qu'elle n'aurait pas eu la force de regarder dans la direction du défunt. Pendant plusieurs jours, elle fut incapable de se mettre debout, encore moins de quitter le dabusa ; se retourner sur sa natte quand Kalua voulait la nettoyer représentait un effort intolérable. La seule pensée de nourriture ou d'eau suffisait à lui donner des haut-le-cœur.

Ham nahin tál sakelan – Je ne peux pas le supporter, je ne peux pas...

Si tu peux ; tu vas pouvoir.

À mesure que Deeti récupérait, l'état de Sarju empira. Un soir, ses gémissements devinrent si pitoyables que Deeti, qui ne se sentait pas très bien elle-même, lui prit la tête sur ses genoux et couvrit son front d'un bout d'étoffe mouillée. Soudain, elle sentit le corps de Sarju se raidir.

Sarju ? s'écria-t-elle. Tu vas bien ?

Oui, chuchota Sarju. Ne bouge pas s'il te plaît...

Alertées par le cri de Deeti, plusieurs des femmes se tournèrent pour demander :

Qu'est-ce qu'il lui arrive ? Que se passe-t-il ?

D'un doigt levé, Sarju exigea le silence puis posa son oreille sur le ventre de Deeti. Les femmes retinrent leur souffle jusqu'à ce que Sarju ouvre les yeux.

Quoi ? dit Deeti. Que se passe-t-il ?

Dieu a rempli tes entrailles, murmura Sarju. Tu attends un enfant !

*

Le seul moment où le capitaine Chillingworth se montrait invariablement sur le pont se situait à midi lorsque, accompagné des deux officiers, il faisait le point en mesurant la hauteur du soleil. Zachary attendait toujours avec impatience ce rituel, et pas même la présence de Mr Crowle n'arrivait à lui gâcher son plaisir. Non seulement il aimait beaucoup utiliser son sextant, mais la cérémonie compensait l'ennui de ces incessants tours de quart et l'irritation constante de vivre en permanence dans l'intimité du commandant en second : vérifier sur la carte le changement de position de la goélette confirmait que le voyage aurait une fin. Chaque jour, quand le capitaine Chillingworth sortait le chronomètre du navire, Zachary prenait grand soin de synchroniser sa montre avec lui : le mouvement de l'aiguille des minutes témoignait aussi que, malgré l'horizon immuable, la goélette ne cessait de modifier sa place dans l'espace et le temps.

Mr Crowle ne possédait pas de montre et il était fort agacé que Zachary en eût une. Chaque jour à midi celui-ci avait droit à une nouvelle pique : « Tiens, le voilà encore, celui-là, comme un singe avec sa noix de coco... » Le capitaine Chillingworth, au contraire, était impressionné par l'exactitude de Zachary : « Toujours bon de savoir où vous en êtes dans le monde : ça ne fait jamais mal à un homme de connaître sa place. »

Un jour, alors que Zachary tripotait sa montre, le capitaine dit :

— Jolie petite breloque que vous avez là, Reid. Ça vous dérangerait que j'y jette un œil ?

— Non, monsieur, pas du tout.

Zachary rabattit le couvercle et tendit sa montre.

Le capitaine leva un sourcil tout en examinant les motifs en filigrane.

— Belle petite pièce, Reid. Artisanat chinois, à mon sens. Probablement fabriquée à Macao.

— Font-ils des montres là-bas ?

— Oh oui. Et d'excellentes de surcroît. – Le capitaine ouvrit le couvercle d'un coup sec et son regard se porta aussitôt sur l'inscription à l'intérieur. – Voyons, mais qu'est-ce que c'est que ça ? – Il lut le nom à voix haute, Adam T. Danby, et le répéta, comme ne pouvant y croire : – Adam Danby ? – Le front plissé, il se tourna vers Zachary. – Puis-je vous demander comment ceci est venu en votre possession, Reid ?

— Eh bien, monsieur...

Eussent-ils été seuls, Zachary n'aurait pas hésité à raconter au capitaine que Serang Ali lui avait donné la montre ; mais avec Mr Crowle à portée de voix, il ne put se résoudre à ajouter une nouvelle provision de munitions aux réserves de flèches du commandant en second.

— Eh bien, monsieur, dit-il avec un haussement d'épaules, je l'ai achetée dans une boutique de prêteur sur gages, au Cap.

— Vraiment, s'étonna le capitaine. Voilà qui est très intéressant. Vraiment très intéressant.

— Pourquoi donc, monsieur ?

Le capitaine leva la tête vers le soleil et s'épongea le visage.

— L'histoire est un peu longuette et compliquée. Allons en bas où nous pourrons nous asseoir.

Abandonnant le commandant en second sur le pont, Zachary et le capitaine descendirent dans le carré et s'assirent à la table.

— Connaissiez-vous cet Adam Danby, monsieur ? s'enquit Zachary.

— Non, répliqua le capitaine. Je ne l'ai jamais rencontré en personne. Mais il fut un temps où il était très célèbre dans ces parages. Bien avant votre époque, naturellement.

— Qui était-il, monsieur, si je puis me permettre ?

— Danby ? – Le capitaine gratifia Zachary d'un demi-sourire. – Eh bien, il n'était autre que le « ladrone blanc ».

— Ce qui veut dire, monsieur... ?

— Les ladrones sont les pirates de la Chine du Sud, Reid. Nommés d'après un groupe d'îles au large de Bocca Tigris. En reste plus beaucoup maintenant, mais il fut un temps où ils formaient la plus redoutable bande de coupe-jarrets sur les mers. Dans ma jeunesse, ils étaient menés par un homme appelé Cheng-I, une brute sanguinaire celui-là aussi. Il écumait la côte du nord au sud, aussi loin que la Cochin-Chine, pillant les villages, faisant des prisonniers, passant les gens au fil de l'épée. Il avait une femme aussi, un joli petit morceau ramassé dans un lupanar de Canton, Mme Cheng, nous l'appelions. Pourtant la dame ne suffisait pas à Cheng-I. Il a capturé un jeune pêcheur au cours d'un de ses raids et il en a fait son amante aussi ! Une chose assez difficile à avaler pour Mme Cheng, penseriez-vous ? Pas du tout. Quand le vieux Cheng-I est mort, elle a épousé son rival ! Et les deux se sont proclamés roi et reine des ladrones !

Le capitaine secoua lentement la tête comme au souvenir d'un étonnement ancien mais toujours présent.

— On aurait pu croire que ces deux-là seraient pendus par leur propre équipage, pas vrai ? Non : en Chine, rien n'est jamais comme on s'y attend. Juste quand vous pensez avoir tout compris, vous vous retrouvez Gros-Jean comme devant.

— Comment ça, monsieur ?

— Eh bien, voyez donc un peu : non seulement Mme Cheng et son ex-rival devenu son époux furent acceptés comme les chefs des coupe-jarrets, mais ils réussirent à se bâtir un véritable empire de la piraterie. Dix mille jonques et cent mille hommes sous leur seul commandement à un moment donné ! Ils ont causé tant de dégâts que l'empereur a été obligé d'envoyer une armée contre eux. La flotte a été détruite et Mme Cheng et son mari se sont rendus.

— Et quel a été leur sort ? demanda Zachary.

Le capitaine renifla de rire.

— Vous penseriez qu'on les aurait pendus haut et court, n'est-ce pas ? Eh bien non, ç'aurait été une solution trop simple pour les Célestes. Ils ont coiffé le garçon d'un chapeau de mandarin et Mme Cheng s'en est sortie avec un pincement d'oreilles et une amende. Ils sont toujours en liberté dans Canton. Aux dernières nouvelles, elle dirigerait un gentil petit bordel.

— Et Danby, monsieur ? A-t-il été mêlé aux affaires de Mme Cheng et de son équipage ?

— Non. La dame était déjà sur le sable au moment où il est arrivé dans ces eaux. Les disciples de Mme Cheng, ou ce qu'il en restait, s'étaient disséminés en plusieurs petits groupes. Vous n'auriez pas fait la différence entre leurs jonques et n'importe quelle autre embarcation locale, de vrais petits villages flottants, avec cochons, poules, arbres fruitiers et jardins potagers. Plus femmes et enfants. Certaines de leurs jonques ne payaient pas plus de mine que les habituels bateauxfleurs cantonais, moitié salle de jeu, moitié bordel. Ils se cachaient dans les criques et les anses, attaquant les embarcations côtières et pillant les épaves. C'est ainsi que Danby leur est tombé entre les mains.

— Il avait fait naufrage, monsieur ?

— Oui, exactement, répliqua le capitaine en se grattant le menton. Attendez voir : quand le *Lady Duncannon* s'est-il échoué ? En 12 ou 13, il y a vingt-cinq ans, je dirais. Au large de l'île de Hainan. Le plus gros de l'équipage a réussi à gagner Macao. Mais un des canots de sauvetage s'est perdu, avec dix ou quinze marins à bord, dont Dandy. Ce qui est advenu des autres, je l'ignore, mais ce qu'il y a de sûr, c'est que Dandy a fini par se joindre à une bande de ladrones.

— Il l'avait capturé ?

— Capturé ou bien trouvé échoué sur le rivage. Probablement le second cas, si vous considérez la suite des événements.

— Qui fut... ?

— Qu'il est devenu un appât pour les ladrones.

— Un appât, monsieur ?

— Oui, confirma le capitaine. Il a tourné à l'indigène, Danby. Il a épousé une de leurs femmes. S'est drapé dans des draps et des serpillières. A appris le parler. Mangeait des serpents avec des baguettes. La conversion totale. Peux pas le blâmer, dans un sens. Il n'était qu'un misérable garçon de cabine venu de Shoreditch ou d'un autre bas-fond londonien. Expédié en mer dès qu'il avait su marcher. Pas facile d'être le dernier des petits mousses, vous savez. Toute la journée à trimer et toute la nuit à se bagarrer pour écarter les sales cochons. Pas grand-chose à manger en dehors de soupe lavasse et de carne de canasson, et pour seule femme la figure de proue. Entre la nourriture et les fesses, la vie à bord d'une jonque ladrone devait avoir un goût de paradis. Je ne pense pas qu'il ait fallu longtemps aux pirates pour le ranger de leur côté – l'ont probablement mis au travail dès qu'il a été remis. Mais c'était pas un abruti, Danby, il avait une bonne cervelle sur les épaules. Il a inventé une mascarade d'une diablerie fumante. Il s'enrobait de ses plus beaux habits et se précipitait vers un port comme Manille ou Anjer. Les ladrones le suivaient et repéraient un navire à court d'équipage. Dandy signait en qualité d'officier et les ladrones comme lascars. Personne ne soupçonnait quoi que ce soit, bien entendu. Un Blanc tenant la chandelle pour un équipage de Chinetoques ? C'était la dernière chose à laquelle un commandant de bateau aurait pensé. En outre, Danby était aussi un sacré beau parleur. S'était payé les plus beaux vêtements et breloques qu'on trouve en Orient. Montrait pas ses cartes jusqu'à ce que le navire soit en haute mer – et alors les gars surgissaient soudain, déployaient leurs bannières et prenaient d'assaut le vaisseau. Danby désarmait les officiers et les ladrones s'occupaient du reste. Ils embarquaient leurs prisonniers dans les canots de sauvetage puis, vogue la galère, ils les lâchaient à la dérive. Après quoi, ravis, ils faisaient voile, eux, le vent en poupe. La plus abominablement intelligente des ruses. Mais la chance les a abandonnés quelque part au large de Java Head, si je me souviens bien. Interceptés par un navire de guerre anglais alors qu'ils s'enfuyaient à bord d'une de leurs prises. Danby a été tué avec une grande partie de la bande. Quelques ladrones ont réussi à s'échapper. J'imagine que c'est l'un d'eux qui a mis en gage votre montre.

— Vous le pensez vraiment, monsieur ?

— Certainement. Pouvez-vous vous rappeler où vous l'avez trouvée ?

Zachary se mit à bégayer.

— Je crois... je crois que oui, monsieur.

— Bien, dit le capitaine, à notre arrivée à Port Louis, il faudra absolument que vous alliez raconter votre histoire aux autorités.

— Oui, mais pourquoi, monsieur ?

— Oh, je pense qu'elles seront très intéressées de retrouver les traces du précédent propriétaire.

Zachary regarda de nouveau sa montre en se mordant les lèvres, et se souvint du moment où le serang la lui avait donnée.

— Et si elles mettaient la main sur lui, que feraient-elles ?

— Oh, elles auraient plein de questions à lui poser, sans aucun doute. Et s'il avait le moindre lien avec Danby, je suis persuadé qu'elles le feraient pendre. Je peux vous l'affirmer : il existe un mandat d'arrêt pour n'importe quel membre de la bande à Adam Danby encore dans la nature.

*

La plupart des migrants finirent par se remettre de leur mal de mer au bout de quelques jours, mais certains ne montraient aucun signe d'amélioration, au point de s'affaiblir de plus en plus et de dépérir à vue d'œil. Bien qu'ils ne fussent pas nombreux, ils eurent un effet disproportionné sur les autres : ajouté aux multiples misères du voyage, leur état déplorable créa un climat de démoralisation qui replongea dans les malaises ceux qui s'en étaient déjà sortis.

Tous les deux ou trois jours, les gardiens aspergeaient de vinaigre ou de chaux les parois de la cale, et quelques-uns des patients avaient droit à une potion visqueuse et puante. Beaucoup recrachaient le liquide dès que les gardiens avaient le dos tourné car on racontait que le prétendu remède avait été fabriqué à partir de sabots et de cornes de cochons, vaches et chevaux. En tout cas, la potion ne semblait avoir aucun effet sur les malades les plus touchés, une douzaine environ.

Le deuxième à mourir fut un chaudronnier de trente ans originaire de Ballia, un homme dont le corps, jadis robuste, avait été pratiquement réduit à l'état de squelette. Il n'avait pas de parents à bord, juste un unique ami, lui-même trop malade pour monter sur le pont quand le cadavre fut largué à la mer.

Deeti était encore trop faible pour se rendre compte de ce qui se passait, mais, au moment du décès suivant, elle allait déjà beaucoup mieux : cette fois il s'agissait d'un jeune tisserand musulman de Pirpainti qui voyageait avec deux de ses cousins encore plus jeunes que lui, et pas en état de protester quand une escouade de silahdars, déboulant dans le dabusa, leur ordonna de transporter le cadavre sur le pont afin de le jeter par-dessus bord.

Deeti n'était pas spécialement encline à intervenir, pourtant lorsqu'il apparut clairement que personne n'allait ouvrir la bouche, elle décida d'agir :

Attendez ! dit-elle aux deux garçons. Ce qu'on vous demande de faire n'est pas juste.

Les trois gardes l'entourèrent, furieux.

Ne te mêle pas de ça ; ça ne te regarde pas !

Bien sûr que ça me regarde, rétorqua-t-elle. Il est peut-être mort, mais c'est toujours un des nôtres. Vous ne pouvez pas vous en débarrasser comme d'une pelure d'oignon.

Non mais qu'est-ce que tu veux? crièrent les silahdars. Qu'on fasse un grand tamasha chaque fois qu'un coolie meurt?

Juste un petit *izzat*; montrer un peu de respect... ce n'est pas convenable de nous traiter ainsi.

Et qui va nous en empêcher? lui répondit-on en ricanant. Toi?

Pas moi, hélas, dit Deeti. Mais il y en a d'autres ici...

À ce moment-là, plusieurs migrants s'étaient levés, non dans l'intention d'affronter les silahdars mais par curiosité. Les gardes cependant avaient noté le mouvement avec une certaine appréhension. Ils se rapprochèrent nerveusement de l'échelle, au bas de laquelle l'un d'eux s'arrêta pour demander d'un ton soudain conciliant :

Qu'est-ce qu'on en fait, alors?

Donnez à ses parents un peu de temps pour en parler, suggéra Deeti. Ils décideront ce qui est nécessaire.

On va voir ce qu'en dit le subedar.

Sur quoi, les gardes remontèrent sur le pont et, au bout d'une demi-heure environ, l'un d'eux annonça en criant par l'écoutille que le subedar avait accepté de laisser les proches du mort décider des choses eux-mêmes. Concession qui fut accueillie avec jubilation dans le dabusa, où une douzaine d'hommes offrit d'aider à monter le corps sur le pont.

Plus tard les cousins du défunt se présentèrent à Deeti pour l'informer que le corps avait été lavé comme prescrit avant d'être jeté à la mer. Chacun reconnut que c'était là une victoire d'importance, et même les plus querelleurs ou les plus envieux ne purent nier que le mérite en revenait à Deeti.

Seul Kalua ne se montra pas totalement heureux du dénouement. Bhyro Singh avait cédé cette fois, chuchota-t-il à l'oreille de Deeti, mais il était fort mécontent. Il avait demandé qui était à l'origine des troubles et s'il s'agissait de la même femme.

Emportée par son succès, Deeti haussa les épaules.

Que peut-il faire maintenant ? dit-elle. Nous sommes en mer. Il ne peut pas nous renvoyer d'où on vient, non ?

*

« Carguez le clinfoc ! » – *Tán fulána-jíb !*

Presque toute la matinée, la goélette avait navigué au près, toutes voiles dehors, dans un vent se renforçant. Mais à présent, avec le soleil au zénith, la houle dans la mer agitée avait atteint une hauteur telle que le navire était continuellement attaqué par des déferlantes. Zachary, exalté par la puissance de la goélette, aurait volontiers gardé toute la toile, néanmoins le capitaine lui ordonna de la réduire.

« Paré à la manœuvre ! » – *Sab taiyár !*

Pour rentrer le clinfoc, il suffisait d'un seul homme, d'habitude le plus léger et le plus rapide des gabiers. Montant pratiquement à la pomme du mât de misaine, le lascar défaisait le manille assurant la têtière tandis que les autres attendaient en bas pour brasser la voile et l'arrimer sur sa bôme. Normalement, il revenait de droit à Jodu de monter seul, mais Mamdoo Tindal détestait travailler sur la bôme du foc, surtout quand l'espar de dix mètres labourait la mer et trempait complètement tous ceux qui s'y accrochaient. Sous le prétexte de s'assurer de la bonne fin du travail, le tindal suivit Jodu sur le mât et s'assit sur la vergue, du côté sous le vent, tandis que Jodu continuait à grimper pour se battre avec la manille.

« Larguez l'écoute ! » – *Dáman tán chikár !*

Arrêtez ! l'avertissement de Mamdoo Tindal vint juste au moment où la manille cédait brusquement.

Soudain, paraissant prise de panique, la voile se souleva et vint se plaquer contre Jodu : comme si un cygne fuyant le chasseur tentait de châtier son poursuivant avec de violents battements d'ailes. Jodu entoura solidement le mât de ses deux bras et s'y accrocha tandis que les hommes en dessous tiraient sur les drisses pour ramener la toile. Mais, sous la force des courants d'air ascensionnels, la voile résistait et ne cessait de se cabrer comme pour s'attaquer aux talons de Jodu.

Tu vois, fit remarquer Mamdoo Tindal, très satisfait. C'est pas aussi facile que vous, les petits morveux, vous pensez.

Facile ? Qui a dit ça ?

Se laissant glisser le long du mât, Jodu s'assit sur la vergue, du côté au vent, de sorte qu'il tournait le dos au tindal, séparé de lui par le mât. De chaque côté de la goélette, la mer était striée de larges bandes noires qui marquaient les creux entre les vagues tumultueuses. De là où ils étaient assis, les mouvements du navire démultipliés par la hauteur du mât, Jodu et le tindal avaient l'impression de se trouver au faîte d'un palmier oscillant d'un côté sur l'autre. Jodu consolida sa position en passant les bras dans les sawais, sachant parfaitement qu'étant donné l'état de la mer une chute signifierait la mort à coup sûr. Avec les rafales, il faudrait au moins une heure au navire pour virer de bord, et les chances de survie étaient si minces que les officiers ne prendraient sans doute pas la décision de changer de cap ; pourtant, on ne pouvait pas le nier, le danger ajoutait un peu de piment au ragoût marin.

Mamdoo Tindal était du même avis. Il désigna l'extrémité de la bôme du foc baptisée par les lascars « shaitán-jíb », la langue du diable, parce que bien des marins y avaient perdu la vie.

On a de la chance d'être ici, dit-il. Regarde-moi ces pauvres types là en bas – les malheureux prennent un bain comme ils n'en ont jamais connu ! *Chhi !* Ghaseeti en perdrait tout son khôl !

Jodu jeta un coup d'œil sur la proue du navire : la langue du diable continuait à labourer la houle, plongeant dans la mer les lascars à cheval sur l'espar et envoyant sur le pont des jets d'écume qui trempaient les migrants émergeant de l'écoutille pour leur repas de midi. À travers une ouverture ovale entre la trinquette gonflée et la grand-voile, Jodu aperçut, sur la partie médiane du navire, deux silhouettes en sari blotties sous les bossoirs de tribord. Il reconnut aussitôt Munia à la couleur de son sari et il sut également, à sa manière d'incliner la tête, qu'elle le regardait.

Cet échange de regards n'échappa pas à Mamdoo Tindal, qui passa son coude autour du mât pour donner à Jodu un coup dans les côtes.

Tu zyeutes encore cette fille, espèce de moussaillon débile ?

Qu'est-ce qu'il y a de mal à regarder, Mamdoo-ji ? répliqua Jodu, surpris par la sévérité du ton.

Écoute-moi bien, garçon. Tu ne vois pas ? T'es un lascar et elle une coolie, t'es musulman et elle pas. Y a rien de bon pour toi dans cette affaire, rien à part une bonne raclée. Tu comprends ?

Jodu éclata de rire.

Arre, Mamdoo-ji, s'écria-t-il, tu prends les choses trop sérieusement parfois ! Qu'est-ce qu'il y a de mal à plaisanter et à rigoler un peu ? Ça aide à passer le temps, non ? Et ne dis-tu pas toi-même que quand

Ghaseeti avait mon âge, elle obtenait toujours ce qu'elle voulait – amaca ou cuccetta, hamac ou couchette ?

T'chhi ! Tournant le dos au vent, le tindal éjecta un crachat qui s'envola le long de la vergue avant d'aller finir dans les vagues. Écoute, garçon, marmonna-t-il sombrement dans sa barbe. Si tu ne comprends pas la différence, t'as peut-être vraiment besoin d'un démâtage.

*

Même avec des fers aux poignets, Ah Fatt possédait une dextérité qui ne cessait d'étonner Neel. Son adresse à attraper les mouches en vol, non pas à les frapper mais à les cueillir, en les coinçant entre les bouts du pouce et de l'index, était déjà assez remarquable en soi, mais qu'il arrivât à le faire dans l'obscurité paraissait à peine croyable. Souvent, la nuit, alors que Neel agitait comme un fou les bras pour tenter en vain de chasser une mouche ou un moustique, Ah Fatt lui saisissait la main en lui enjoignant de ne plus bouger : « Shh ! Laisse-moi écouter. »

Demander le silence dans la prison était trop exiger : entre les craquements des bordées, le clapot de l'eau sous la coque, le va-et-vient des marins au-dessus et les voix des migrants de l'autre côté de la cloison, l'endroit n'était jamais calme. Mais Ah Fatt semblait capable d'utiliser ses sens de façon à éliminer certains bruits tout en se concentrant sur d'autres : quand les insectes se faisaient de nouveau entendre, sa main surgissait de l'obscurité pour mettre fin au bourdonnement. Peu importait que la mouche ou le moustique se soit posé sur le corps de Neel : Ah Fatt le cueillait dans le noir de manière telle que Neel ne sentait rien hormis un petit pincement sur sa peau.

Mais ce soir-là, ce ne furent ni le sifflement d'un insecte ni les gesticulations de Neel qui amenèrent Ah Fatt à lancer.

— Chut, écoute !

— Que se passe-t-il ?

— Écoute !

Soudain, les fers d'Ah Fatt s'agitèrent et le bruit fut suivi d'un piaillement aigu, affolé, que conclut un craquement d'os brisés.

— Qu'est-ce que c'était ? demanda Neel.

— Un rat.

Une odeur d'excréments remplit la cellule tandis qu'Ah Fatt soulevait le couvercle du seau de toilette pour y jeter le rat mort.

— Je ne comprends pas comment tu peux attraper ça à mains nues.

— J'ai appris.

— À attraper des mouches et des souris ?

Ah Fatt éclata de rire.

— Non. Appris à écouter.

— Par qui ?

— Professeur.

Malgré son expertise en professeurs et tuteurs, Neel ne put songer à aucun capable d'enseigner ce talent particulier.

— Quel genre de maître t'a-t-il appris ça ?

— Un maître qui enseignait la boxe.

— Un professeur de boxe ? s'étonna Neel, de plus en plus intrigué.

— Étrange, non ? répliqua Ah Fatt en riant de nouveau. Père m'a obligé à apprendre.

— Pour quoi ?

— Il voulait que je devienne un Anglais, dit Ah Fatt. Il voulait que j'apprenne les choses que l'homme anglais doit savoir : ramer, chasser, le cricket. Mais à

Guangzhou, il n'y a pas de chasse et pas de jardin pour le cricket. Et ramer, c'est pour les domestiques. Alors il m'a fait apprendre la boxe.

— Ton père ? Tu vivais donc avec ton père ?

— Non. Je vivais avec ma grand-mère. Sur une jonque.

L'embarcation était en réalité un restaurant flottant avec un large avant plat où l'on pouvait faire la vaisselle et tuer les cochons. Un peu en arrière, sous un taud de bambou, se trouvait la cambuse avec un fourneau à quatre feux ; la section centrale était enfoncée et abritée, avec une table basse et des bancs pour les clients, l'arrière était carré et haut sur l'eau avec un rouf à deux étages : c'est là que vivait la famille – Ah Fatt, sa mère, sa grand-mère et tout cousin ou parent qui se trouvait passer par là.

La jonque était un cadeau du père d'Ah Fatt, et elle représentait pour ses habitants une avancée dans le monde : avant la naissance d'Ah Fatt, la famille avait vécu dans un snailboat deux fois plus petit. Barry aurait bien aimé faire beaucoup plus pour son fils, dont l'illégitimité pesait fort sur sa conscience : il aurait bien volontiers acheté une maison à Chi Mei et les siens, en ville ou dans un des villages voisins – Chuen-pi, par exemple, ou Whampoa. Mais il s'agissait d'une famille dan, née sur le fleuve et malvenue à terre. Barry le savait et il n'éleva pas d'objection, tout en établissant clairement son souhait de les voir acheter un bateau qui lui ferait honneur : peut-être une grande péniche multicolore dont il pourrait se vanter auprès de Chunqua, son comprador, son homme de confiance. Mais Chi Mei et sa mère étaient d'une nature économe, et une habitation qui ne rapporterait rien équivalait pour elles à une truie stérile. Non seulement insistèrent-elles pour acheter une taverne flottante, mais elles l'ancrèrent près de la cité des étrangers, de sorte que quand Ah Fatt fut mis au travail, à servir les clients – ce qui se fit dès qu'il eut appris à garder son équilibre sur le pont –, on pouvait très bien le voir depuis les fenêtres de la factorerie des Calottes blanches.

Kyá-ré ? disaient les autres Parsis en se tordant de rire, tu es un drôle de type, Barry, pour laisser grandir ton fils sur une barque. Tu construis des palais à tes filles dans Queensway, et pour ton malheureux bâtard rien du tout ? Vrai, il n'est pas des nôtres, mais il a quand même quelque chose, non ? Tu peux pas lui tourner le dos comme ça...

Propos parfaitement injustes car il était évident pour tout le monde, Parsis compris, que Barry était un père indulgent et ambitieux qui avait bien l'intention de fournir à son unique fils les moyens de devenir un gentleman et de se faire une position ; le garçon serait instruit, actif et poli, aussi à l'aise avec une canne à pêche et un fusil qu'avec un livre et une plume ; un homme qui suinterait la virilité comme la baleine exhale un jet d'eau. Si les écoles refusaient d'accepter le fils illégitime d'une batelière, eh bien, Barry engagerait des professeurs particuliers qui lui enseigneraient à lire et à bien écrire, en anglais et en chinois – de sorte qu'il pourrait même faire carrière en qualité de traducteur entre les fanquis et leurs hôtes. Il y en avait beaucoup à Canton, mais la plupart étaient d'une incompétence totale ; le petit apprendrait facilement à les dépasser tous et réussirait peut-être même à se faire un nom.

Trouver des professeurs prêts à enseigner sur une taverne flottante dan ne fut pas chose aisée, cependant, grâce aux bons offices de Chunqua, ce fut fait. Ah Fatt se mit volontiers à ses leçons et chaque année, au retour de son père à Canton pour la saison, la liste de ses progrès s'allongeait tandis que sa calligraphie ne cessait de s'enrichir. Chaque année, Barry rapportait de Bombay d'extravagants cadeaux pour remercier son comprador de garder l'œil sur l'éducation de son fils et ses progrès ; chaque année, Chunqua offrait à son tour un présent, en général un livre destiné au jeune garçon.

Pour les treize ans d'Ah Fatt, ce fut une belle édition de cette fameuse histoire si populaire : *Voyage à l'Ouest*. Barry se montra très enthousiaste quand le titre lui fut traduit. « Ça va lui faire du bien de lire sur l'Europe et l'Amérique. Un de ces jours, je l'enverrai là-bas. »

Plutôt embarrassé, Chunqua expliqua que l'Ouest en question se trouvait beaucoup plus près ; en fait, il ne s'agissait de rien d'autre que du pays natal de Mr Moddie lui-même : l'Hindoustan ou le Jambudvipa, comme on l'appelait dans les livres anciens.

« Ah ? » Quoique beaucoup moins enthousiaste, Barry donna tout de même le livre à son fils, sans se douter qu'il regretterait bientôt la légèreté de sa décision. Plus tard, il finit par se persuader que ce livre était responsable des idées fantasques dont Ah Fatt se bourrait la tête : « Je veux aller à l'Ouest... »

Chaque fois qu'il le voyait, le garçon demandait à son père d'aller visiter son pays natal. Ce qui était bien la seule et unique faveur que Barry ne pouvait accorder à son fils : comment laisser l'adolescent embarquer pour Bombay à bord d'un des bateaux de son beau-père, l'imaginer descendre la passerelle à la rencontre d'une foule de parents et alliés ? Présenter à sa belle-mère, à son épouse, à ses filles la preuve en chair et en os de sa deuxième vie à Canton, Canton qu'elles ne connaissaient que comme la source de soies rebrodées, de jolis éventails et de torrents de pièces d'argent –, rien de tout cela n'était un seul instant concevable, enfin quoi, ça reviendrait à lâcher une armée de termites sur le beau parquet de son manoir de Churchgate. Les autres Parsis de Canton connaissaient peut-être l'existence du garçon, mais Barry savait qu'il pouvait leur faire confiance pour se montrer discrets côté Bombay; après tout, il n'était pas le seul, lui, Barry, à renoncer à son célibat durant ces longs mois d'exil. Et même si un chuchotement ou deux devaient atteindre sa ville natale, il savait aussi que les gens n'y prêteraient pas attention dans la mesure où la preuve des faits demeurerait soigneusement cachée. Si, par ailleurs, il ramenait le garçon au vu et au su de tous, alors les flammes d'un grand scandale embraseraient les portes du temple du feu, provoquant une explosion qui détruirait son commerce lucratif.

« Non, Freddie, écoute-moi, dit-il à Ah Fatt. Cet Ouest que tu as dans la tête, c'est juste quelque chose qui a été inventé dans un vieux livre absurde. Plus tard, quand tu seras grand, je t'enverrai dans l'Ouest véritable – la France, l'Amérique ou l'Angleterre, des endroits où les gens sont civilisés. Une fois là-bas, tu pourras t'établir comme un prince ou un chasseur à courre. Ne pense pas à l'Hindoustan, oublie-moi ça. C'est le seul endroit qui ne soit pas bon pour toi. »

— Et il avait raison, ajouta Ah Fatt. C'était pas bon pour moi.

— Pourquoi ? Qu'est-ce que tu as fait ?

— Cambriolage. J'ai fait cambriolage.

— Où ? Quand ?

Ah Fatt se retourna sur sa natte pour cacher son visage.

— Une autre fois, dit-il d'une voix étouffée. Pas maintenant.

Les turbulences de la haute mer eurent un effet désastreux sur les processus digestifs de Baboo Nob Kissin, à qui il fallut un certain temps avant d'être capable de passer de sa cabine au pont principal. Quand enfin il sortit au grand air et sentit l'humidité de la mer sur son visage, il comprit que ces longues journées de vertige, de diarrhée et de vomissures représentaient l'obligatoire période de souffrance qui précède un moment d'illumination : car il lui suffisait de regarder les embruns émanant de l'étrave de la goélette pour savoir que l'*Ibis* n'était pas un navire comme un autre ; dans sa réalité profonde, c'était un véhicule de transformation, voyageant à travers les brumes de l'illusion pour gagner l'accostage insaisissable, toujours plus éloigné, de la Vérité.

Nulle part cette transformation n'était plus évidente qu'en lui-même, où la présence de Taramony était si palpable à présent que son enveloppe corporelle extérieure lui donnait de plus en plus l'impression d'être celle, usée, d'un cocon destiné à se détacher bientôt de l'être nouveau en train de naître à l'intérieur. Chaque jour apportait un signe d'une féminité toujours plus pleine en lui – par exemple, sa révulsion croissante devant la grossièreté des gardiens et des silahdars avec lesquels il était forcé de cohabiter : quand il les entendait parler de seins ou de fesses, il avait l'impression qu'ils offensaient son propre corps ; parfois, son besoin de se voiler se faisait si intense qu'il se mettait un drap sur la tête. Son instinct maternel était devenu lui aussi si exigeant qu'il ne pouvait plus traverser le pont sans s'attarder un peu au-dessus de la cellule des condamnés.

Cette tendance lui valut des torrents d'obscénités de la part des lascars, et plusieurs sévères remontrances de Serang Ali :

— Qu'est-ce que tu fais ici comme un cafard ? Ces deux-là sont trop bêtes – jamais bons à rien, laisse tomber.

Mr Crowle fut même plus explicite :

— Pander, espèce de suceur de bites à la manque ! Avec tout l'espace autour de nous, pourquoi fais-tu toujours le pied de grue ici ? Je te le dis, Pander, que je te voie encore une fois ici et je te transforme les couilles en con !

À ces assauts contre sa dignité, le gomusta essayait toujours de répondre avec une maîtrise digne d'une reine :

— Sir, je me dois de déplorer vos remarques outrées. Il n'est point nécessaire de faire des commentaires très très dégoûtants. Pourquoi ne cessez-vous pas de lancer des regards perçants et de critiquer ? Je suis seulement monté prendre l'air et me rafraîchir. Si vous êtes occupé, nul besoin de me gratifier de votre attention indue.

Cette demi-proximité avec les deux détenus irritait aussi Taramony, dont la voix se faisait désormais souvent entendre dans la tête de Baboo Nob Kissin, le pressant de pénétrer dans la cellule même pour l'amener plus près de son fils adoptif. Cette insistance créait un furieux conflit entre la mère en gestation, cherchant à réconforter son enfant, et ce qui en Baboo Nob Kissin demeurait le gomusta matérialiste, prisonnier de toutes sortes d'obligations quotidiennes. Mais je ne peux pas descendre là-dedans ! protestait-il. Que penseraient les gens ? Quelle importance ? répliquait-elle. Tu peux faire ce que tu veux : n'es-tu pas le subrécargue ?

Baboo Nob Kissin était en effet l'une des rares personnes à avoir libre accès à tous les recoins du bateau. En qualité de commissaire de bord, il avait souvent à régler des affaires avec le capitaine et on le voyait se rendre régulièrement dans la partie du navire réservée aux officiers, où il rôdait souvent devant la cabine de Zachary en espérant entendre de nouveau le son de sa flûte. Dans sa capacité officielle, il avait été chargé par Mr Burnham d'inspecter tout le navire, et il avait même en sa possession un double des clés de la prison. Rien de cela n'était un secret pour Taramony, et à mesure que les jours passaient il apparut clairement à Baboo Nob Kissin que, s'il souhaitait qu'elle se manifeste de nouveau en lui, il devait faire siens tous les aspects de la déesse, y compris son aptitude à l'amour maternel. Pas moyen de s'en sortir autrement : tôt ou tard, il lui faudrait entrer dans la cellule.

*

Comme un animal retournant à son élément naturel, l'*Ibis* semblait devenir plus exubérant dans sa manière de filer grand largue sur la haute mer. La goélette naviguait depuis exactement une semaine dans la baie du Bengale quand Paulette, un après-midi, en levant le nez de sa lessive, découvrit que le ciel était d'un bleu lumineux, radieux, une couleur rehaussée par des flocons de nuages qui paraissaient refléter l'écume des vagues en dessous. Le vent soufflait fort et régulier, déferlantes et nuages paraissaient faire la course à travers un seul et immense firmament, avec, à leurs trousses, la goélette, ses bordées gémissant sous l'effort, comme si l'alchimie de la haute mer l'avait dotée d'une volonté propre, d'une vie bien à elle. Penchée sur le bastingage, Paulette baissa maladroitement sa seille pour tirer un peu d'eau. Au moment où elle la remontait, un poisson volant en surgit avant d'aller rebondir puis de replonger dans les vagues. Ses battements d'ailes suscitèrent un hurlement de rire chez Paulette qui, surprise, en laissa tomber son seau, dont le contenu se répandit en partie sur le pont et en partie sur elle. Affolée, elle se mit à genoux et tentait de repousser l'eau vers les dalots quand elle entendit un hurlement péremptoire :

— Hé, toi là ! Oui, toi !

C'était Mr Crowle : au grand soulagement de Paulette, il ne criait pas contre elle mais contre quelqu'un d'autre et, comme son ton était celui qu'il employait en général avec les plus humbles des lascars, Paulette en conclut qu'il s'adressait à un malheureux mousse quelconque. Mais non ; en se tournant vers la poupe, elle vit que c'était Zachary qui se faisait interpeller de la sorte. Zachary en train de regagner sa cabine à la fin de son quart et qui, le visage rouge tomate, vint se pencher sur la balustrade de la plage arrière.

— C'est à moi que vous parliez, monsieur Crowle ?

— Exactement.

— De quoi s'agit-il ?

— Qu'est-ce que c'est que ce bordel là-bas ? Tu roupillais ou quoi pendant ton quart ?

— Où ça, monsieur Crowle ?

— Viens zieuter toi-même, joli cœur.

L'heure du repas ayant sonné, le pont était plus bruyant que jamais, avec des douzaines de migrants, gardiens, lascars et autres bavardant, se bousculant et se disputant autour de la nourriture. L'échange entre les officiers fit immédiatement cesser le brouhaha : que les deux malums se détestassent n'était un secret pour personne et tous les regards se tournèrent vers Zachary avançant vers la proue.

— Qu'est-ce qui ne va pas, monsieur Crowle? demanda-t-il en rejoignant le premier officier.

— Dis-le-moi toi-même. – Mr Crowle pointa le doigt sur quelque chose, et Zachary se pencha sur l'étrave pour regarder. – T'as les yeux pour voir, Damoiseau, ou bien t'as besoin qu'on t'explique?

— Je vois le problème, monsieur Crowle, dit Zachary en se redressant. Le rocambeau s'est détaché, et le foc et la sous-barbe de beaupré sont pris dans le bout-dehors. Comment cela a pu se produire, je n'en sais rien, mais je vais m'en occuper.

Il commençait à se retrousser les manches quand Mr Crowle l'arrêta d'un geste.

— Pas ton travail, Reid. Et c'est pas à toi non plus de me dire comment on va réparer ça. Ni qui va le faire.

L'officier se retourna et, une main en visière, inspecta le pont, les yeux fortement plissés, comme s'il cherchait quelqu'un en particulier. Son regard se fixa sur Jodu, installé confortablement dans la kursi du mât de trinquette.

— Hé, toi, Sammy! cria-t-il, appelant Jodu d'un mouvement de l'index.

— Sir?

Surpris, Jodu pointa un doigt sur lui-même comme pour demander confirmation.

— Oui, toi! Et bouge-toi un peu, Sammy!

— Oui, Sir!

Pendant que Jodu descendait de son perchoir, Zachary protestait auprès du commandant en second.

— Il va se blesser, monsieur Crowle. Il est nouveau, inexpérimenté...

— Pas si inexpérimenté pour ne pas pouvoir te tirer de la flotte, répliqua Crowle. Voyons comment il s'en sort avec le bout-dehors !

Inquiète, Paulette joua des coudes pour aller vers l'avant, où plusieurs migrants s'étaient agglutinés. Elle dénicha une place d'où elle pouvait observer Jodu grimpant sur le bout-dehors de la goélette ballottée par la houle. Jusqu'alors, Paulette n'avait guère prêté attention à l'architecture du bateau, considérant ses mâts, voiles et gréement comme un impossible écheveau de toiles et de cordages, de poulies et de chevilles. Elle voyait maintenant que le beaupré, tout en paraissant être une simple extension de la figure de proue de la goélette, était en fait un troisième mât, qui s'allongeait à l'horizontale au-dessus de l'eau. Comme les deux autres, il était équipé d'une extension, le bout-dehors, de sorte que l'ensemble installé dépassait de dix bons mètres l'étrave du navire. Trois voiles latines triangulaires s'alignaient le long de la bôme ; c'était la plus extérieure des trois qui avait créé le problème en s'enroulant sur elle-même, et c'est vers elle que Jodu se dirigeait à présent – à l'extrémité de la langue du diable.

L'*Ibis* se portait au sommet d'une vague tandis que Jodu entamait son avance, et la première partie de son trajet fut une sorte d'ascension consistant à se hisser sur un poteau pointant vers le ciel. Mais une fois franchie la crête de la déferlante, l'ascension se transforma en descente, avec la langue du diable pointant sur les profondeurs. Jodu l'atteignit juste au moment où l'*Ibis* piquait du nez dans le creux entre deux vagues. Accroché au bout-dehors tel un arapède collé au museau d'une baleine, Jodu plongea dans l'eau, de plus en plus, son banyan blanc devenant d'abord une vague tache puis disparaissant complètement alors que la mer submergeait le beaupré et venait même passer par-dessus le bastingage. Paulette retint son souffle pendant le plongeon, mais Jodu resta si long-temps sous l'eau qu'elle fut obligée de reprendre plusieurs fois sa respiration avant que l'*Ibis* ne se redresse pour aller chevaucher une nouvelle vague. Et, tandis que le bout-dehors ressortait de l'eau, on vit Jodu étalé à plat, les bras et les jambes étroitement serrés autour de la langue du diable. En atteignant la fin de sa trajectoire, celle-ci parut sauter en l'air comme pour catapulter son cavalier dans les nuages de toile au-dessus. Un ruisseau se déversa le long du bout-dehors et vint arroser les spectateurs regroupés autour de la proue. Paulette le remarqua à peine : elle voulait seulement savoir si Jodu était vivant et encore capable de s'accrocher – après un pareil plongeon, il aurait sûrement besoin de tout ce qui lui restait de force pour remonter sur le pont ?

Entre-temps Zachary se débarrassait de sa chemise.

— Allez au diable, monsieur Crowle. Je ne vais pas rester immobile à regarder un homme se noyer !

La goélette abordait de nouveau une vague quand Zachary sauta sur le beaupré. À l'instant où il dépassa le bout-dehors, la langue du diable était encore hors de l'eau. Durant les secondes qui suivirent, avec la proue du navire encore au-dessus de la vague, Jodu et Zachary travaillèrent très vite, coupant drisses et câbles, remettant rapidement en place palans et pou-lies. Puis la goélette commença son plongeon et les deux hommes s'aplatirent sur le beaupré – mais leurs mains étaient encombrées à présent de tant de bouts de cordages et de toile qu'il semblait impossible qu'elles puissent réussir à trouver une prise conve-nable.

Hé Rám! Un cri collectif s'éleva parmi les migrants tandis que la langue du diable replongeait dans l'eau, précipitant les marins sous la surface. Soudain, avec le choc d'une épiphanie, Paulette comprit que la mer tenait maintenant dans ses griffes les deux êtres qui lui importaient le plus au monde. Incapable de continuer à regarder, elle tourna les yeux vers Mr Crowle qui, lui, avait les siens fixés sur le beaupré, et elle vit, à sa stupéfaction, que le visage du commandant en second, d'habitude si dur et si méchant, s'était fait aussi liquide que la mer, soudain traversé d'un tourbillon d'émotions diverses. Puis un cri d'enthousiasme – *Jai Siyá-Rám!* – ramena son attention sur le bout-dehors, qui avait émergé avec les deux hommes encore accrochés dessus.

Des larmes lui montèrent aux yeux tandis que Zachary et Jodu glissaient le long du beaupré pour se laisser retomber sains et saufs sur le pont. Par un incroyable tour du sort, les pieds de Jodu vinrent atterrir sur ceux de Paulette. Même si elle l'avait voulu, elle n'aurait pas pu empêcher ses lèvres de prononcer son nom : Jodu !

Il se retourna, les yeux écarquillés, vers la tête voilée, et Paulette, d'un mouvement imperceptible, le prévint de se taire ; comme dans leur enfance, cela suffisait. Jodu n'était pas du genre à trahir un secret. Paulette courba la tête et retourna discrètement à sa lessive.

Ce n'est que plus tard, alors qu'elle s'éloignait des dalots pour aller étendre le linge, qu'elle revit Jodu. Un aiguillot à la main, il sifflotait nonchalamment. En passant devant Paulette, il laissa tomber la ferrure et se mit à genoux en faisant semblant de la chercher sur le pont à la gîte.

Putli, susurra-t-il en passant devant elle. C'est vraiment toi ?

Qu'est-ce que tu crois ? Ne t'avais-je pas dit que je serais à bord ?

Il étouffa un rire.

J'aurais dû savoir !

Pas un mot à quiconque, Jodu.

D'accord. Mais seulement si tu dis un mot en ma faveur.

À qui donc ?

Munia, chuchota-t-il en se remettant debout.

Munia ! Ne t'approche pas d'elle, Jodu, si tu ne veux pas connaître des ennuis...

Mais son avertissement fut emporté par le vent : Jodu était déjà loin.

Vingt

Est-ce à cause de la splendeur de la grossesse de Deeti ? Ou bien du succès de la jeune femme à traiter avec les gardiens ? Quoi qu'il en soit, de plus en plus de gens prirent l'habitude de l'appeler « bhauji » : comme si elle avait été nommée la patronne du dabusa par consentement général. Deeti n'avait même pas réfléchi à la chose ; que faire d'ailleurs si chacun entendait la traiter en épouse de son frère aîné ? Elle aurait pu en être moins contente si elle avait considéré les responsabilités qu'impliquait être une bhauji pour tout le monde mais, ne l'ayant pas fait, elle fut prise de court quand Kalua lui raconta avoir été approché par quelqu'un qui désirait son avis sur une affaire de grande importance.

Pourquoi moi ? dit-elle, inquiète.

Qui d'autre sinon bhauji, répliqua Kalua en souriant.

Très bien. Alors : *Ká ? Káwan ? Kethié ?* Quoi ? Qui ? Pourquoi ?

L'homme en question, lui expliqua Kalua, était Ecka Nack, le chef du groupe de montagnards qui avait rejoint les migrants à Sahibganj. Deeti le connaissait de vue : musclé, les jambes arquées, il avait le comportement vieillot et pensif d'un sage de village bien qu'il n'eût probablement pas plus de trente-cinq ans.

Que veut-il ? s'enquit Deeti.

Il veut savoir si Heeru consentirait à se mettre en ménage avec lui quand on arrivera à Mareech.

Heeru ? Deeti fut si étonnée qu'elle en resta muette pendant plusieurs minutes. Elle avait certes remarqué – et qui ne l'avait pas fait ? – les regards affamés dont chaque femme était l'objet à bord. Pourtant, elle n'aurait jamais pensé que Heeru – cette pauvre simplette de Heeru, devenue migrante presque par accident, après avoir été abandonnée par son mari au beau milieu d'une foire – serait la première à recevoir une offre sérieuse.

Il y avait un autre mystère : s'il s'agissait là d'une proposition vraiment sérieuse, sur quoi portait-elle exactement ? Il ne pouvait tout de même pas être question de mariage ? Heeru, elle le disait elle-même, était une femme mariée dont l'époux était toujours vivant ; et sans aucun doute Ecka Nack devait aussi avoir une femme ou deux dans les montagnes de Chhota Nagpur. Deeti tenta d'imaginer à quoi pouvait bien ressembler ce village mais, femme des plaines, elle avait une telle horreur des hauteurs qu'elle ne put que frissonner. Au pays, ce mariage aurait été inconcevable, mais là-bas, sur cette île, quelle importance cela aurait-il d'être de la plaine ou de la montagne ? Pour Heeru, se mettre en ménage avec un montagnard ne serait pas différent de ce qu'elle, Deeti, avait fait. Après tout, les vieux liens n'étaient-ils pas immatériels maintenant que la mer avait emporté leur passé ?

Si seulement il en était ainsi !

Si l'Eau noire pouvait vraiment noyer le passé, alors pourquoi elle, Deeti, continuait-elle à entendre des voix dans sa tête la condamnant pour sa fuite avec Kalua ? Pourquoi comprenait-elle que, quoi qu'elle fasse, elle ne serait jamais capable de réduire au silence les chuchotements qui lui disaient qu'elle souffrirait pour ce qu'elle avait fait, pas seulement aujourd'hui ou demain, mais vie après vie, pour l'éternité ? Elle les entendait, ces murmures, juste à cet instant, qui demandaient : Veux-tu que Heeru connaisse le même sort ?

Cette pensée la fit gronder de colère : de quel droit venait-on la jeter dans un tel embarras ? Qu'était Heeru pour elle, après tout ? Ni tante, ni cousine, ni nièce. Pourquoi vouloir lui faire porter le poids de son sort ?

Pourtant, en dépit du ressentiment que lui inspirait cette imposition, Deeti ne pouvait refuser de reconnaître qu'Ecka Nack essayait de faire ce qui était juste et honorable. Maintenant qu'ils étaient tous coupés de leur pays, rien n'empêcherait hommes et femmes de s'accoupler en secret ainsi que, disait-on, le faisaient les monstres, démons et autres pishaches : rien ne les obligeait à rechercher la bénédiction de quiconque sinon de leurs propres désirs. Faute de parents ou de vieux sages pour décider de ces choses, qui savait la manière de procéder à un mariage ? N'était-ce pas elle qui, dès le début, les avait proclamés désormais tous parents ? Et affirmé que leur renaissance, dans le ventre du navire, avait fait d'eux une seule famille ? Toutefois, aussi vrai que cela fût, il n'en était pas moins vrai qu'ils ne formaient pas encore assez une authentique famille pour décider du sort de ses membres : Heeru devrait décider elle-même de son destin.

Au cours de ces derniers jours, Zachary avait souvent repensé à ce que lui avait raconté le capitaine Chillingworth à propos du ladrone blanc. En essayant de reconstituer l'histoire, Zachary avait fait bénéficier Serang Ali de tout le doute possible, mais aussi charitablement qu'il examinât l'affaire, il ne pouvait s'empêcher de soupçonner le serang d'avoir voulu le préparer lui, Zachary, à endosser les habits d'Adam Danby. L'idée ne cessait de le tourmenter et il brûlait de l'envie d'en discuter avec quelqu'un. Mais qui ? Ses rapports avec le commandant en second étant ce qu'ils étaient, il n'était pas question de lui en parler. Zachary décida en fin de compte de se confier au capitaine.

C'était le onzième jour de l'*Ibis* en haute mer et, tandis que le soleil commençait à descendre, les cieux se remplirent de nuages, cirrus et autres cumulus : bientôt la goélette louvoyait au plus près sous ce qui était indéniablement un ciel pommelé. Au crépuscule le vent changea aussi et le navire fut assailli par des rafales et des tourbillons qui ne cessaient de prendre les voiles à contre, provoquant ainsi de bruyantes explosions de toile.

Mr Crowle avait pris le premier quart de nuit et Zachary savait que le temps capricieux le garderait sur le pont. Mais pour être sûr de ne pas l'avoir dans les pieds, il attendit la seconde cloche du quart avant de traverser le carré pour se rendre dans la cabine du capitaine. Il lui fallut frapper deux fois à la porte avant d'obtenir une réponse :

— Jack ?

— Non, monsieur. C'est moi, Reid. Je me demandais si je pourrais vous toucher un mot. En privé.

— Ça ne peut pas attendre ?

— Eh bien...

Il y eut un silence, suivi d'un reniflement impatient.

— Oh, bon, d'accord. Mais restez à la rame encore une minute ou deux.

Deux puis plusieurs minutes s'écoulèrent : au travers de la porte fermée, Zachary entendait le capitaine se déplacer à pas feutrés et verser de l'eau dans une bassine. Il s'assit à la table du carré et attendit un bon quart d'heure avant que la porte s'ouvre et que le capitaine Chillingworth apparaisse dans l'entrebâillement. Le rayon d'une lanterne le montra arborant un vêtement d'une somptuosité inattendue, un élégant banyan à l'ancienne, non pas la chemise rayée des marins que le terme désignait désormais mais l'ample robe tombant à la cheville et finement rebrodée que les nababs anglais avaient rendue populaire dans la génération précédente.

— Entrez, Reid ! – Malgré le soin que le capitaine prenait de protéger son visage de la lumière, Zachary devina qu'il s'était hâté de se laver la figure car des gouttes d'eau brillaient dans les replis de ses bajoues et sur ses sourcils gris broussailleux. – Et fermez derrière vous, je vous prie.

Zachary n'était jamais encore entré dans la cabine du capitaine : en en franchissant le seuil, il nota les signes d'une rapide remise en ordre, avec un jeté de lit étalé n'importe comment sur la couchette et un pichet posé à l'envers dans une cuvette de porcelaine. La cabine avait deux hublots, tous deux ouverts, mais, en dépit d'une brise vivifiante, une odeur de fumée persistait dans l'air.

Debout à côté d'un des hublots, le capitaine respirait fortement, comme pour s'éclaircir les poumons.

— Vous êtes venu me tirer l'oreille au sujet de Crowle, n'est-ce pas, Reid ?

— Eh bien, en fait, monsieur...

Le capitaine parut ne pas l'entendre car il poursuivit sans s'interrompre :

— J'ai entendu parler de l'affaire du beaupré, Reid. Je n'en ferais pas un fromage si j'étais vous. Crowle est un sale diable crochu, sans aucun doute, mais ne vous laissez pas prendre à ses griffes. Croyez-moi, il vous craint plus que vous ne le craignez. Et pas sans raison, d'ailleurs : nous pouvons bien partager la même table pendant que nous sommes en mer, mais Crowle sait parfaitement qu'à terre un homme tel que vous ne voudrait pas même de lui comme garçon d'écurie. Ce genre de chose peut ronger un type jusqu'à l'os, vous comprenez. Avoir peur et faire peur, c'est tout ce qu'il a jamais connu, alors comment pensez-vous qu'il supporte de voir la facilité avec laquelle vous gagnez la loyauté des gens, y compris celle des lascars ? À sa place, vous ne trouveriez pas ça injuste aussi ? Et ne seriez-vous pas tenté de reporter votre rancœur sur quelqu'un ?

À cet instant, un coup de roulis obligea le capitaine à aller s'appuyer contre la cloison pour reprendre l'équilibre. Profitant de l'interruption, Zachary se hâta de dire :

— En fait, monsieur, je ne suis pas venu vous parler de Mr Crowle. Il s'agit d'autre chose.

— Ah ! – Le souffle apparemment coupé, le capitaine se mit à gratter son crâne chauve. – Vous êtes sûr que ça ne peut pas attendre ? reprit-il enfin.

— Puisque je suis ici, monsieur, peut-être autant en terminer ?

— Très bien, dit le capitaine. Autant s'asseoir, je suppose. Ça remue trop pour qu'on reste debout.

La seule source de lumière dans la cabine était une lampe au verre noirci. Aussi faible qu'elle fût, la flamme semblait trop forte pour le capitaine, qui leva une main pour protéger ses yeux tandis qu'il allait s'asseoir à son bureau.

— Allez-y, Reid, dit-il avec un signe de tête vers le fauteuil de l'autre côté du bureau. Prenez place.

— Oui, monsieur.

Zachary s'apprêtait à s'asseoir quand il avisa un objet long, laqué, gisant sur le siège. Il le ramassa et sentit qu'il était chaud : c'était une pipe au fourneau de la taille de l'ongle d'un pouce au bout d'une tige aussi fine qu'un doigt et longue comme un bras. Un objet d'une facture raffinée avec des jointures sculptées ressemblant aux nœuds d'une tige de bambou.

Le capitaine avait lui aussi vu la pipe ; se soulevant à moitié de son fauteuil, il se frappa la cuisse de son poing comme pour se reprocher son étourderie. Mais quand Zachary la lui tendit, il l'accepta d'un geste inhabituellement gracieux, avec une courbette et les deux mains tendues, d'une manière apparemment plus chinoise qu'européenne. Puis il la replaça sur le bureau et, ses bajoues entre les paumes, il la contempla en silence comme s'il cherchait une manière de justifier sa présence dans sa cabine.

Enfin, il se secoua et s'éclaircit la voix.

— Vous n'êtes pas un idiot aux ordres, Reid. Je suis certain que vous savez ce qu'est cet objet et à quoi il sert. Au diable si je m'en excuserai, et donc ne vous y attendez pas.

— Sûrement pas, monsieur.

— Vous deviez de toute façon le découvrir tôt ou tard, alors peut-être est-ce pour le mieux. Ce n'est guère un secret.

— Ce n'est pas mon affaire, monsieur.

— Bien au contraire, répliqua le capitaine avec un sourire désabusé, dans ces eaux, l'opium, c'est l'affaire de tous, et ce sera la vôtre aussi si vous avez l'intention de poursuivre votre carrière maritime : vous serez amené à l'emmagasiner, l'emballer, le vendre... je ne connais pas de marin qui ne goûte pas de temps à autre à sa marchandise, surtout quand elle est de la sorte à lui faire oublier les ouragans et les bourrasques qui sont ses méchants maîtres.

Le menton sombrant dans les bajoues mais la voix plus ferme et plus forte, le capitaine poursuivit :

— Un homme n'est pas un marin, Reid, s'il ne sait pas ce que c'est que se retrouver encalminé dans un pot au noir, et on peut dire en faveur de l'opium qu'il opère une étrange magie sur le temps. Passer d'un jour à l'autre, voire d'une semaine à l'autre, devient aussi facile que changer de pont. Vous pouvez ne pas le croire, je n'y ai moi-même pas cru jusqu'à ce que j'aie la malchance d'avoir mon bateau retenu durant plusieurs mois dans un abominable petit port. Un endroit quelque part sur la mer de Sula, la ville la plus laide que j'aie jamais vue, la sorte d'endroit où toutes les catins sont des travestis, et où vous ne pouvez pas mettre pied à terre par peur d'être estropé par la balancine. Jamais je ne m'étais senti plus à plat que durant ces mois-là, et quand le steward, un homme de Manille, m'a offert une pipe, je dois avouer que je m'en suis emparé avec enthousiasme. Nul doute que vous vous attendiez à ce que je m'en veuille de ma faiblesse, mais non, monsieur, je ne regrette rien. Et comme tous les cadeaux que nous fait Dame Nature

– l'eau, le feu et le reste –, celui-ci exige d'être utilisé avec une prudence et un soin extrêmes.

Le capitaine leva la tête pour poser brièvement son regard brillant sur Zachary.

— Des années durant, croyez-moi, je n'ai pas fumé plus d'une pipe par mois et, au cas où vous penseriez qu'une telle modération est impossible, je tiens à vous faire savoir qu'elle est non seulement possible mais qu'elle est la règle. Il est des idiots, monsieur, qui imaginent que quiconque touche une pipe est instantanément condamné à se dessécher dans un antre enfumé. La grande majorité de ceux qui chassent le dragon le font, je parierais, une fois ou deux seulement par mois – non pour des économies de bouts de chandelle mais parce que c'est cette modération qui produit le plus exquis, le plus raffiné des plaisirs. Il en est aussi, bien entendu, qui savent, dès qu'ils y goûtent, qu'ils ne quitteront jamais ce paradis, ceux-là sont de véritables drogués, ils sont nés ainsi, ils ne le sont pas devenus. Mais pour les hommes ordinaires, et je m'inclus parmi eux, se délester sur la boue noire requiert autre chose, un revers de fortune, un coup du sort... ou peut-être, comme dans mon cas, des malheurs d'une nature personnelle qui se trouvent coïncider avec une maladie débilitante. Certainement, au moment où cela est arrivé, je n'aurais pas pu trouver meilleur remède à mes maux...

Le capitaine s'interrompit pour jeter de nouveau un coup d'œil à Zachary.

— Dites-moi, Reid, savez-vous ce qu'est la plus miraculeuse propriété de cette substance ?

— Non, monsieur.

— Alors, je vais vous la révéler : elle tue les désirs d'un homme. C'est ce qui en fait une manne pour un marin, un baume pour la pire de ses afflictions. Elle calme l'incessant tourment de la chair qui nous poursuit au travers des mers et nous amène à commettre des péchés contre nature...

Le capitaine contempla ses mains qui avaient commencé à trembler.

— Allons, Reid, dit-il soudain. Assez bavardé. Vu le bord sur lequel nous sommes, laissez-moi vous demander : n'aimeriez-vous pas essayer une petite bouffée ? Vous ne pourrez pas éviter cette expérience pour toujours, je vous l'assure, ne serait-ce que par curiosité. Vous seriez étonné... – Il éclata de rire. – Ah, vous seriez étonné du nombre de passagers que j'ai connus désireux de hisser les voiles enfumées de l'opium : brandisseurs de Bible, pourfendeurs de Satan, bâtisseurs d'empires, matrones corsetées, forteresses imprenables. Si vous devez naviguer sur la route de l'opium, viendra un jour où il vous faudra, vous aussi, téter la guenon. Alors pourquoi pas maintenant ? Une occasion en vaut une autre, non ?

Comme hypnotisé, Zachary contemplait la pipe et son tuyau délicat.

— Eh bien, oui, monsieur, dit-il. Cela me plairait fort.

— Parfait.

Le capitaine sortit d'un tiroir une boîte dont la laque brillante égalait en beauté celle de la pipe. Il souleva le couvercle, découvrant ainsi à l'intérieur, arrangés de manière ingénieuse sur une doublure de soie rouge, plusieurs objets que, tel un apothicaire, il sortit un à un pour les placer sur la table devant lui ; une aiguille à la pointe de métal d'acier montée sur une tige de bambou ; une cuillère au long manche d'un style semblable ; un minuscule couteau d'argent ; un petit récipient rond, en ivoire, travaillé au point que Zachary n'aurait pas été surpris d'y voir niché un rubis ou un diamant. En lieu et place, il y avait une boule d'opium, opaque d'apparence, boueuse de couleur et de texture. Avec le couteau, le capitaine en coupa un tout petit bout qu'il plaça dans le creux de la cuillère au long manche. Puis, ôtant le verre de la lampe, il tint la cuillère directement sur la flamme jusqu'à ce que la gomme change de consistance et se liquéfie. Après quoi, avec l'air solennel d'un prêtre donnant la communion, il tendit la pipe à Zachary.

— Assurez-vous de faire travailler vos poumons quand je mettrai la goutte dedans ; une bouffée ou deux, c'est tout ce que vous obtiendrez avant que ça disparaisse.

Ensuite, procédant avec la plus grande attention, le capitaine plongea le bout de l'aiguille dans l'opium et la plaça sur la flamme. Dès que la gouttelette se mit à grésiller, il la jeta dans le fourneau de la pipe.

— Voilà ! Allons-y ! Ne laissons pas s'en échapper un soupçon !

Zachary porta le tuyau à sa bouche et en tira une bouffée de fumée riche, grasse.

— Écopez-moi ça ! Inspirez !

Au bout de deux bouffées, la pipe était épuisée.

— Asseyez-vous confortablement dans votre fauteuil, dit le capitaine. Vous le sentez ? La terre a-t-elle déjà relâché son emprise sur votre corps ?

Zachary fit signe que oui : d'une certaine manière, la force de gravité semblait avoir diminué ; son corps était devenu aussi léger qu'un nuage ; toute trace de tension avait disparu de ses muscles désormais si décontractés, si souples, qu'il n'était pas sûr que ses membres existassent encore. S'asseoir dans un fauteuil était la dernière chose qu'il souhaitait faire ; il aurait voulu se mettre à plat ventre, s'allonger par terre. Il tendit une main pour retrouver son équilibre et regarda ses doigts se mouvoir comme des vers de terre jusqu'au bord de la table. Puis il se redressa, s'attendant à moitié à ne pas pouvoir se servir de ses pieds – cependant ils étaient parfaitement fermes et tout à fait capables de supporter le poids de son corps.

Il entendit le capitaine dire, comme de très loin :

— Êtes-vous trop grisé pour marcher ? Vous pouvez disposer de ma couchette.

— Ma cabine est juste à côté, monsieur.

— À votre gré, à votre gré. L'effet passera d'ici une heure ou deux et vous vous réveillerez frais comme un gardon.

— Merci, monsieur.

Zachary eut l'impression de gagner la porte en flottant.

Il y était presque quand le capitaine lui lança :

— Attendez une minute, Reid... De quoi étiez-vous venu me parler ?

Zachary s'arrêta, la main sur la poignée ; à sa surprise, il découvrit que le relâchement de ses muscles et l'altération de ses sens n'avaient provoqué aucune perte de mémoire. Son esprit était, au contraire, d'une extraordinaire lucidité : non seulement il se rappelait être venu parler au capitaine de Serang Ali, mais il avait compris que l'opium venait de l'empêcher de choisir la voie d'un lâche. Car il voyait clairement à présent que quoi qu'il se soit passé entre le serang et lui devait être résolu par eux, et eux seuls. Était-ce parce que les fumées lui avaient donné une vision plus nette du monde ? Ou qu'elles lui avaient permis d'explorer une partie de lui-même où il ne s'était jamais aventuré jusqu'alors ? En tout cas, il comprenait maintenant que c'était une chose rare, difficile et improbable pour deux individus venus de deux univers différents de se trouver liés par un lien d'amitié pure, un sentiment qui ne devait rien aux règles et attentes des autres. Et quand un tel lien se nouait, ses vérités et ses mensonges, ses obligations et ses privilèges existaient seulement pour ceux qu'il unissait, d'une façon telle qu'eux seuls pouvaient juger de l'honneur ou du déshonneur de leur conduite l'un envers l'autre. Il lui revenait à lui, Zachary, à lui seul, de trouver une solution honorable à ses rapports avec Serang Ali; c'était par là que se ferait son entrée dans l'âge adulte et que serait mise à l'épreuve sa fermeté à tenir le cap dc sa vic.

— Oui, Reid ? De quoi vouliez-vous parler ?

— De notre position, monsieur, dit Zachary. En regardant les cartes aujourd'hui, j'ai eu le sentiment que nous avions beaucoup trop dérivé à l'est.

Le capitaine secoua la tête.

— Non, Reid – nous sommes exactement où nous devrions être. En cette saison, il existe un courant sud au large des Andaman et j'ai pensé en profiter; nous resterons sur ce bord pendant encore un bout de temps.

— Je vois, monsieur, je suis désolé. Si vous voulez bien m'excuser...

— Oui, allez, allez.

En traversant le carré, Zachary ne sentit rien de ce déséquilibre qui accompagne l'ébriété; ses mouvements étaient lents mais aucunement désordonnés. Une fois à l'intérieur de sa cabine, il ôta son banyan, son pantalon et, en sous-vêtements, s'allongea sur sa couchette. Il ferma les yeux et sombra aussitôt dans un repos beaucoup plus profond que le sommeil, pourtant plus éveillé car son esprit était empli de formes et de couleurs : bien que ces visions fussent extraordinairement vives, elles étaient tout à fait paisibles, dénuées de sensualité ou de désir. Combien de temps cet état dura-t-il, il ne le sut pas, mais il prit conscience de sa fin quand visages et silhouettes pénétrèrent de nouveau dans ses visions. Il tomba dans une sorte de rêve dans lequel une femme ne cessait de s'approcher puis de s'éloigner, le visage toujours caché, l'évitant bien qu'il la sentît terriblement proche. Juste au moment où il entendait une sonnerie lointaine, le voile tomba du visage de le femme et il vit que c'était Paulette ; elle venait vers lui, se jetait dans ses bras, lui offrait ses lèvres. Il se réveilla trempé de sueur, vaguement conscient que le dernier coup de la huitième cloche venait de sonner et que c'était maintenant son tour de quart.

*

Une proposition de mariage étant une affaire sensible, Deeti devait choisir avec soin un moment et un lieu où en discuter avec Heeru sans risquer d'être entendue. Aucune occasion ne se présenta jusque tôt le lendemain matin, quand les deux femmes se retrouvèrent par hasard seules sur le pont. Sans perdre de temps, Deeti prit Heeru par le coude et l'emmena sous le bossoir de tribord.

Que se passe-t-il, bhauji ?

Ce n'était pas souvent qu'on s'occupait de Heeru et elle se mit du coup à bégayer d'appréhension, pensant qu'elle avait fait quelque chose de mal et allait se faire tancer.

Ká horahelba ? Quelque chose ne va pas ?

Sous son ghungta, Deeti sourit.

Tout va bien, Heeru, à vrai dire, je suis heureuse aujourd'hui – *áj bara khusbáni.* J'ai une nouvelle pour toi.

Une nouvelle? Quelle nouvelle? *Ká khabarbá?* Heeru enfonça ses jointures dans ses joues et gémit : Bonne ou mauvaise?

C'est à toi de décider. Écoute...

Deeti n'avait pas plus tôt commencé ses explications qu'elle regretta de ne pas avoir choisi un autre endroit pour leur conversation, un endroit où elles auraient pu laisser tomber leur voile : avec leurs visages couverts, impossible de savoir ce que Heeru pensait. Mais il était trop tard maintenant, il fallait poursuivre et en finir.

Ká ré, Heeru? Qu'en penses-tu? Raconte-moi, dit-elle quand elle eut transmis la proposition en son entier.

Ká kahatbá bhauji? Que puis-je dire?

Au son de sa voix, Deeti comprit qu'elle pleurait. Elle lui passa donc un bras autour des épaules et l'attira vers elle.

Heeru, n'aie pas peur; tu réponds ce que tu veux.

Plusieurs minutes s'écoulèrent avant que Heeru puisse parler, et même alors ce fut avec une précipitation sanglotante, désordonnée.

Bhauji... je n'avais jamais pensé, je ne m'attendais pas... Es-tu certaine? Bhauji, on dit qu'à Mareech une femme seule sera mise en pièces... dévorée... tant d'hommes et si peu de femmes... imagines-tu ce que ce sera, bhauji, d'être seule là-bas... Oh, bhauji... je n'ai jamais pensé...

Deeti ne voyait pas très bien où tout cela menait.

Ágé ke bát kal hoilé, dit-elle sèchement. Tu parleras demain de l'avenir. Quelle est ta réponse pour aujourd'hui?

Quoi d'autre, bhauji? Oui, je suis prête...

Deeti éclata de rire.

Arre Heeru! Tu ne manques pas d'audace!

Pourquoi dis-tu cela, Bhauji ? fit Heeru, inquiète. Tu penses que c'est une faute ?

Non, répliqua fermement Deeti. Maintenant que tu as décidé, je peux te le dire : je ne crois pas que ce soit une erreur. Je pense que c'est un brave homme. Et puis il a tous ces parents et amis, ils veilleront sur toi. Tu seras l'envie de tout le monde, Heeru – une vraie reine !

*

Il n'était pas inhabituel pour Paulette, pendant qu'elle faisait la lessive, de tomber sur une chemise, un banyan ou un pantalon qu'elle reconnaissait appartenir à Zachary. Presque inconsciemment, elle glissait ces vêtements au fond du tas, les gardant pour la fin. Quand elle y venait, et selon son humeur, elle les soumettait parfois à un vigoureux décrassage, les battant même sur les lattes du pont avec toute la hargne d'une laveuse sur un dhobi-ghat. Parfois aussi, elle s'attardait sur les cols, manchettes et coutures, se donnant beaucoup de peine pour les laver parfaitement. C'est alors qu'elle s'attaquait de la sorte à une chemise de Zachary, un beau jour, que Baboo Nob Kissin Pander surgit à ses côtés. L'œil vissé sur le vêtement qu'elle tenait à la main, le gomusta s'enquit dans un chuchotement furtif :

— Je ne voudrais pas marcher sur vos conserves, Miss, mais puis-je aimablement vous demander si cette chemise appartient à Mr Reid ?

Paulette répondit d'un signe de tête affirmatif, sur quoi le gomusta poursuivit encore plus furtivement :

— Puis-je la toucher, juste une minute ?

— La chemise ? s'écria Paulette, étonnée, tandis que sans un autre mot le gomusta lui arrachait le tortillon d'étoffe mouillée et l'étirait de-ci de-là avant de le rendre.

— Il semble qu'il l'ait portée depuis des temps immémoriaux, dit-il, le sourcil froncé, l'air intrigué. Le tissu parait extrêmement âgé. Étrange, non ?

Bien que Paulette fût désormais accoutumée aux bizarreries du gomusta, elle fut surprise par cette mystérieuse déclaration.

— En quoi est-il étrange que Mr Reid porte de vieux vêtements ?

— Tch ! – Comme un peu irrité par tant d'ignorance, le gomusta fit claquer sa langue. – Si l'avatar est nouveau, comment les vêtements peuvent-ils être vieux ? Hauteur, poids, parties intimes, tout doit être changé, non, quand il y a altération des externalités ? J'ai dû moi-même acheter beaucoup de nouveaux habits. Un lourd déboursement financier a été requis.

— Je ne comprends pas, Nob Kissin Baboo, dit Paulette. Pourquoi était-ce nécessaire ?

— Vous ne voyez pas ? – Les yeux du gomusta se firent encore plus ronds et plus protubérants. – Vous êtes aveugle ou quoi ? Les poitrines bourgeonnent, les cheveux s'allongent. De nouvelles modalités se font jour. Comment de vieux habits s'en accommode-raient-ils ?

Paulette sourit intérieurement et baissa la tête.

— Mais, Baboo Nob Kissin, dit-elle, Mr Reid n'a pas connu un tel changement ; ses vieux vêtements lui suffiront certainement encore un moment.

Au grand étonnement de Paulette, le gomusta réa-git avec une ahurissante véhémence : son visage parut se gonfler d'indignation et, quand il reprit la parole, ce fut comme s'il défendait une vieille et profonde croyance.

— Comment pouvez-vous faire des déclarations d'une telle certitude ? Je vais de ce pas éclaircir ce point. – Il passa une main dans le décolleté de sa tunique, en sortit une amulette et déroula un bout de papier jauni. – Venez donc voir ici.

Paulette se leva, s'empara de la liste et l'examina dans la pénombre lumineuse de son voile.

— C'est le rôle de l'équipage de l'*Ibis* d'il y a deux ans. Regardez le nom de Mr Reid et vous verrez. Un changement de cent pour cent.

Comme hypnotisée, Paulette promena ses yeux d'un bout à l'autre de la ligne jusqu'à ce qu'ils tombent sur le mot « Nègre » griffonné près du nom de Zachary. Soudain, beaucoup de ce qui lui avait paru étrange ou inexplicable devenait parfaitement logique – la sympathie spontanée de Zachary pour sa situation à elle, son acceptation immédiate de ses rapports fraternels avec Jodu...

— C'est un miracle, non ? Personne ne peut le nier.

— Certes, Baboo Nob Kissin. Vous avez raison.

Elle comprenait maintenant combien certains de ses jugements à l'égard de Zachary avaient été miraculeusement faux : si quelqu'un à bord de l'*Ibis* l'égalait, elle, dans la multiplicité de ses moi, ce ne pouvait être que Zachary. À croire qu'une autorité divine lui avait envoyé un message pour l'informer que leurs deux âmes étaient liées l'une à l'autre.

Rien désormais ne l'empêchait de se révéler à lui – pourtant la simple pensée la faisait trembler de peur. Et s'il en concluait qu'elle l'avait poursuivi jusque sur l'*Ibis* ? Que pouvait-il d'ailleurs penser d'autre ? Que ferait-elle s'il se moquait d'elle ? Elle ne pouvait pas supporter de l'imaginer.

Elle leva la tête pour regarder la mer et les vagues pressées de défiler, et une bribe de souvenir lui traversa l'esprit : elle se rappela un jour, plusieurs années auparavant, quand Jodu l'avait trouvée en train de pleurer sur un roman. Il lui avait pris le livre des mains, l'avait feuilleté, perplexe, le secouant même par le dos comme s'il s'attendait à en voir sortir une épine ou une aiguille, un objet pointu quelconque qui aurait expliqué les larmes qu'elle versait. Faute de quoi, il avait dit enfin : c'est l'histoire, non, qui a déclenché le déluge ? – et le fait étant confirmé, il avait exigé un récit complet de l'affaire. Elle lui avait donc raconté l'histoire de Paul et Virginie grandissant en exil sur une île où une innocente tendresse enfantine s'était transformée en une violente passion, soudain brisée par le retour de Virginie en France. La dernière partie du livre était la préférée de Paulette qui décrivit en détail la fin tragique du roman dans laquelle Virginie est tuée au cours d'un naufrage juste au moment où elle allait être réunie avec son bien-aimé. À son grand scandale, Jodu avait accueilli le récit avec des hurlements de rire, affirmant que seule une idiote pouvait pleurer sur un tel écheveau d'absurdités larmoyantes. Elle lui avait crié que c'était lui l'idiot et le pauvre lâche parce qu'il n'aurait jamais le courage de suivre les ordres de son cœur.

Comment se faisait-il que personne ne lui ait jamais dit que ce n'était pas l'amour lui-même mais ses méchants gardiens qui exigeaient le plus de votre courage : la panique de le reconnaître, la terreur de l'avouer, la peur d'être repoussée ? Pourquoi ne lui avait-on jamais dit que la sœur jumelle de l'amour n'était pas la haine mais la lâcheté ? Si elle avait su cela plus tôt, elle aurait su aussi pourquoi, en vérité, elle s'était donné tant de mal pour se cacher de

Zachary. Pourtant, même en le sachant, elle n'arrivait pas à trouver le courage de faire ce qu'elle devait – en tout cas, pas encore.

*

C'est tard dans la nuit, peu après la cinquième cloche du quart de minuit, que Zachary avisa Serang Ali sur le gaillard d'avant : il était seul et paraissait profondément plongé dans ses pensées, le regard fixé à l'est sur l'horizon baigné de lune. Toute la journée, Zachary avait eu le sentiment que le serang l'évitait, aussi ne perdit-il pas de temps pour le rejoindre près de la rambarde.

Serang Ali fut visiblement étonné de le voir.

— Malum Zikri ?

— Peux-tu m'accorder un moment, Serang Ali ?

— Oui, oui. Malum, quoi vous voulez ?

Zachary prit la montre que Serang Ali lui avait donnée et la mit dans sa paume.

— Écoute, Serang Ali, il est temps que tu me dises la vérité au sujet de cette toc-toc.

Serang tira d'un air étonné sur ses longues moustaches.

— Que veut dire Malum Zikri ? Moi pas sabons.

Zachary souleva le couvercle de la montre.

— Il est temps de cesser de jouer à l'idiot, Serang Ali. Je sais que tu m'as raconté des histoires à propos d'Adam Danby. Je sais qui il était.

Les yeux de Serang Ali allèrent de la montre au visage de Zachary, et il haussa les épaules comme pour indiquer qu'il était fatigué de prétendre et de dissimuler.

— Comment ? Qui a dit ?

— Aucune importance. Ce qui compte, c'est que je sais. Ce que je ne sais pas, c'est ce que tu avais en tête pour moi. Avais-tu l'intention de m'enseigner les méthodes de Danby ?

Serang Ali secoua la tête et cracha un jet de bétel par-dessus la rambarde.

— Pas vrai, Malum Zikri, dit-il d'une voix basse, insistante. Pas vous croire tout les salauds dire. Malum Aadam, lui comme fils pour Serang Ali – lui mari de ma fille. Maintenant lui mort. Aussi fille et tous enfants. Serang Ali seul maintenant. Quand je vois Malum Zikri, mes yeux ont vu Malum Aadam. Les deux très mêmes pour moi. Zikri Malum comme fils aussi.

— Fils ? s'indigna Zachary. C'est ça que tu ferais pour ton fils ? Le pousser au crime ? À la piraterie ?

— Crime, Malum Zikri ? – Les yeux de Serang Ali lancèrent des éclairs. – Contrebande opium c'est pas crime ? Commander bateaux d'esclaves mieux que piraterie ?

— Alors tu l'avoues ? dit Zachary. C'est ce que tu avais en tête pour moi – que je devienne un Danby pour toi ?

— Non ! protesta Serang Ali en frappant la rambarde. Vouloir seulement Zikri Malum faire bien pour lui. Devenir officier. Peut-être capt'ine. Tout quoi Malum Aadam pas pouvoir devenir.

Le serang paraissait se recroqueviller tout en parlant, de sorte qu'il eut soudain l'air plus vieux et bizarrement abandonné. Zachary ne put s'empêcher d'adoucir sa voix.

— Écoute, Serang Ali, dit-il, tu m'as été d'une grande aide, je ne peux pas le nier. La dernière chose que je veux faire, c'est te dénoncer. Alors réglons cette affaire entre nous. Disons que, à notre arrivée à

Port Louis, tu files. Et nous oublierons tout ce qui s'est passé.

Serang Ali courba le dos.

— Pouvoir faire – Serang Ali pouvoir faire.

Zachary regarda une dernière fois la montre avant de la rendre.

— Tiens, c'est pour ta poche, pas la mienne. Vaut mieux que tu la gardes.

Serang Ali esquissa un salaam tout en attachant la montre à la taille de son longhi.

Zachary s'éloigna mais revint bientôt sur ses pas.

— Écoute, Serang Ali, dit-il. Crois-moi, je suis très triste que nos rapports se terminent ainsi. Parfois, je souhaite que tu m'aies laissé tranquille et que tu ne sois jamais venu à bord. Peut-être les choses auraient-elles été différentes. Mais c'est toi qui m'as montré que ce que je fais compte bien plus que l'endroit où je suis né. Et si je dois bien faire mon travail, je dois en respecter les règles. Autrement, ça ne vaudrait pas la peine. Tu comprends le sens de tout cela ?

— Comprendre. – Serang Ali hocha la tête. – Possible comprendre.

Zachary allait repartir quand Serang Ali l'arrêta.

— Malum Zikri, une chose !

— Quoi ? – Zachary se retourna pour voir Serang Ali pointer le doigt en direction du sud-est. – Regarde voir. Là-bas.

Dans l'obscurité, Zachary ne put rien distinguer.

— Qu'est-ce que tu veux que je regarde ?

— Là-bas trouver canal de Sumatra. Peut-être quarante-cinquante milles d'ici. Après Sing'pore très proche de là. Six, sept jours navigation.

— À quoi veux-tu en venir, Serang Ali ?

— Malum Zikri lui vouloir Serang Ali partir, non ? Possible faire. Possible partir très tôt, cette façon.

— Comment ça ? demanda Zachary, déconcerté.

Serang Ali se tourna pour montrer une des chaloupes.

— Dans ce bateau, possible partir. Petit peu d'eau, petit peu nourriture. Possible aller Sing'pore sept jours. Puis Chine.

Zachary comprenait à présent.

— Tu parles d'abandonner le bateau ? dit-il, incrédule.

— Pourquoi non ? rétorqua le serang. Malum Zikri vouloir moi partir, non ? Mieux partir maintenant, bien mieux. Seulement à cause de Malum Zikri, Serang Ali venir sur *Ibis*. Autrement lui pas venir. – Serang Ali s'interrompit pour cracher une bouchée de paan dans la mer. – Burra malum lui salaud pas bon. Regarde quel bordel lui faire avec langue du diable ? Lui dire beaucoup méchantes menaces.

— Et l'*Ibis* ? – Zachary frappa un grand coup sur la rambarde. – Qu'en fais-tu ? Et les passagers ? Tu crois que tu ne leur dois rien ? Qui va les mener là où ils doivent aller ?

— Y a plein de lascars. Possible atteindre Por'Lui. Pas problème.

Zachary secoua la tête avant même que le serang ait terminé.

— Non, je ne peux pas le permettre.

— Malum Zikri lui rien à faire. Seulement dormir pendant le quart une nuit. Juste vingt minutes.

— Je ne peux pas le permettre, Serang Ali. – À présent, Zachary était absolument sûr de lui, persuadé que c'était ici et maintenant qu'il devait établir les frontières de son autorité. – Je ne peux pas te laisser partir avec une des chaloupes. Et si un malheur arrivait et que nous ayons à quitter en hâte le navire ? On ne peut pas courir le risque de manquer de canots, avec tant de gens à bord.

— T'as plein d'autres bateaux. Ça sera assez.

— Je suis désolé, Serang Ali, répliqua Zachary. Je ne peux pas laisser passer ça, pas pendant mon quart. Je t'ai offert un marché raisonnable – que tu attendes d'être à Port Louis avant de disparaître. Je n'irai pas plus loin.

Le serang s'apprêtait à dire quelque chose, mais Zachary l'arrêta :

— N'insiste pas, parce que, autrement, je n'aurais pas d'autre choix que d'aller voir le capitaine. Tu comprends ?

Serang Ali hocha la tête en laissant échapper un profond soupir.

— Oui, Zikri Malum.

— Bien.

Zachary descendit du gaillard d'avant puis se retourna pour lancer un dernier mot :

— Et ne songe pas à me jouer un de tes bons tours, Serang Ali. Parce que moi, je m'en vais te surveiller de près.

Serang Ali sourit et se caressa la moustache.

— Malum Zikri lui trop bâtard malin, non ? Comment Serang Ali pouvoir faire ?

*

La nouvelle du mariage de Heerut explosa dans le dabusa comme une vague, créant des remous et des tourbillons d'excitation ; après une longue série d'incidents désagréables, enfin il se produisait quelque chose capable de distraire chacun de son chagrin – *dukhwá me sabke hasáweli,* ainsi que le déclara Deeti.

En qualité de bhauji de tous, c'est à Deeti que revenait de droit la mise au point de tous les préparatifs. Fallait-il prévoir la cérémonie du tilak ? Deeti laissa sa voix prendre le ton querelleur convenant à quelqu'un chargé, une fois de plus, de la tâche assommante de procéder à l'organisation minutieuse d'un événement familial. Que décider aussi quant au rite consistant à oindre de curcuma les époux ?

Ce furent précisément les questions qui furent soulevées par les autres femmes en entendant la nouvelle : devait-il y avoir un kohbar ? Un mariage pouvait-il vraiment exister sans chambre nuptiale ? Sûrement, il ne serait pas très difficile d'en aménager une avec quelques draps et nattes ? Et le feu pour les sept tours sacramentels ? Suffirait-il d'une bougie ou vaudrait-il mieux une lampe ?

Nous parlons trop, gronda Deeti. Nous ne pouvons décider de tout cela seules ! Nous ne savons même pas ce que sont les coutumes du côté du garçon.

Garçon ? *Larika ?* Cela souleva des hurlements de rire. Il n'a rien d'un jeune promis, cet homme !

À son mariage, chacun est un garçon : qu'est-ce qui l'empêche d'en redevenir un ?

Et la dot ? Les cadeaux ?

Dis-lui qu'on lui donnera une chèvre quand on sera à Mareech.

Soyons sérieuses... *Hasé ka ká bátba ré ?* Qu'est-ce que ça a de risible ?

L'unique point d'accord fut qu'il ne servait à rien de laisser traîner les choses : mieux valait procéder avec la plus grande célérité. Il fut convenu entre les deux côtés que le lendemain serait entièrement consacré au mariage.

Parmi les femmes, la seule qui se montra peu enthousiaste fut Munia.

Peux-tu imaginer passer ta vie avec un de ces hommes? dit-elle à Paulette. Je m'y refuserai toujours.

Alors, qui vises-tu?

J'ai besoin de quelqu'un qui me montrera un peu le monde.

Ah! s'écria Paulette, taquine. Un lascar, par exemple?

Munia gloussa.

Pourquoi pas?

*

De toutes les passagères, Sarju, la sage-femme, était la seule à ne manifester aucun signe de guérison de son mal de mer; incapable d'ingurgiter le moindre solide ou liquide, elle s'était affaiblie au point que ses derniers reflets de vie semblaient s'être réfugiés dans ses yeux noirs fiévreux. Comme elle ne pouvait pas monter sur le pont prendre ses repas, les femmes se relayaient pour lui apporter un peu de nourriture et d'eau dans le dabusa avec l'espoir de la forcer à manger quelque chose.

Ce soir-là, c'était au tour de Deeti de se charger du repas de Sarju. Elle descendit tandis que la plupart des migrants étaient encore sur le pont en train de dîner : le dabusa n'était éclairé que par deux lampes et, dans cet espace obscur presque vide, la silhouette épuisée, recroquevillée, de Sarju paraissait encore plus navrante que d'habitude.

Deeti s'efforça de prendre un ton gai tout en s'asseyant près d'elle.

Comment vas-tu, Sarju-didi? Un peu mieux, aujourd'hui?

Sarju ne répondit pas mais elle souleva la tête et regarda rapidement autour d'elle. Assurée qu'il n'y avait personne à portée de voix, elle saisit le poignet de Deeti et l'attira vers elle.

Écoute, dit-elle, écoute-moi bien ; j'ai quelque chose à te dire.

Oui, didi ?

Hamra sé chalal nã jálé, chuchota Sarju. Je ne peux plus supporter ça. Je ne peux pas continuer...

Pourquoi parles-tu ainsi ? protesta Deeti. Tu iras bien dès que tu recommenceras à manger correctement.

Sarju écarta le propos d'un geste impatient.

Écoute-moi, dit-elle, il n'y a pas de temps à perdre. Je te dis la vérité. Je ne vivrai pas jusqu'à la fin de ce voyage.

Comment le sais-tu ? répliqua Deeti. Tu vas peut-être aller mieux.

C'est trop tard. Sarju fixa son regard brillant de fièvre sur Deeti et chuchota : Je me suis occupée de ce genre de choses toute ma vie. Je sais, et avant de partir je veux te montrer quelque chose.

Sarju ôta sa tête du baluchon qui lui servait d'oreiller et le poussa vers Deeti.

Tiens. Prends ça, ouvre-le.

L'ouvrir ? Deeti demeura stupéfaite car jamais encore on n'avait vu Sarju exposer son bohja à la vue de quiconque : en réalité, ses cachotteries au sujet de son bagage étaient si exagérées que les autres femmes s'étaient souvent interrogées en plaisantant au sujet de son contenu. Deeti ne s'était jamais jointe à ces taquineries car l'attitude de Sarju ne lui paraissait être que la fixation d'une personne d'âge mûr ayant peu de possessions dont s'enorgueillir. Mais elle savait aussi que ce genre de manie était difficilement surmontable, et c'est donc avec une certaine prudence qu'elle demanda à Sarju :

Tu es sûre que tu veux que je l'ouvre ?

Oui, rétorqua Sarju. Et vite. Avant que les autres arrivent.

Deeti avait pensé que le baluchon ne contenait que quelques habits usagés, peut-être quelques masalas et deux ou trois ustensiles de cuisine en cuivre ; et sous les premières couches d'étoffe, elle trouva en effet ce qu'elle attendait : de vieux vêtements et des cuillères en bois.

Ici. Passe-le-moi.

Sarju enfonça une main frêle comme une brindille dans le sac et en tira une petite bourse, guère plus grande que son poing. Elle la porta à son nez, la respira très fort et la tendit à Deeti.

Tu sais ce que c'est ?

Au toucher, Deeti sentit que la pochette contenait des graines minuscules. En la reniflant, elle reconnut aussitôt l'odeur.

Ganja, dit-elle. Ce sont des graines de ganja.

Sarju hocha la tête et tendit à Deeti une autre pochette.

Et ça ?

Cette fois, Deeti dut s'y prendre à plusieurs reprises avant d'identifier le contenu.

Du datura.

Sais-tu ce que peut faire le datura ? chuchota Sarju.

Oui, dit Deeti.

Sarju lui adressa un faible sourire.

Je savais que toi, et toi seule, saurais la valeur de ces choses. De ça surtout...

Elle fourra une troisième pochette dans les mains de Deeti.

Là-dedans, chuchota-t-elle, se trouve une richesse inimaginable; veille dessus comme sur ta vie, elle contient des graines du meilleur pavot de Bénarès.

Deeti enfonça le bout des doigts dans la pochette et frotta les petites semences granuleuses. Ce qui la transporta des mois en arrière dans les environs de Ghazipur; elle eut soudain l'impression de se retrouver dans sa propre cour, Kabutri à côté d'elle, préparant du posth avec une poignée de graines de pavot. Comment, après avoir passé tant d'années avec ces graines, avait-elle pu ne pas avoir la prévoyance ou la sagesse d'en emporter avec elle, au moins en guise de souvenir?

Elle fit mine de redonner la pochette à Sarju, mais la sage-femme la repoussa vers elle.

C'est à toi; prends-la, garde-la. Ça, la ganja, le datura: fais-en le meilleur usage possible. Ne dis rien aux autres. Ne leur montre pas ces graines. Elles se conserveront pendant des années. Cache-les jusqu'à ce que tu puisses t'en servir; elles valent plus que n'importe quel trésor. Dans mon bojha, il y a aussi des épices, des épices ordinaires. Après ma mort, tu pourras les distribuer aux autres. Mais ces graines-ci, elles sont pour toi seule.

Pourquoi? Pourquoi moi?

Sarju souleva une main tremblante pour désigner les images sur la poutre au-dessus de la tête de Deeti.

Parce que je veux être là moi aussi, dit-elle. Je veux être remémorée dans ton sanctuaire.

Tu le seras, Sarju-didi, lui affirma Deeti en lui pressant la main. Tu le seras.

Maintenant range vite ces graines avant que les autres arrivent.

Oui, didi, oui...

Peu après, en remportant sur le pont le repas intact de Sarju, Deeti trouva Kalua accroupi sous le bossoir et elle s'assit à côté de lui. Tout en écoutant le bruissement des voiles, elle s'aperçut qu'une graine était restée logée sous l'ongle de son pouce. Une graine de pavot. Elle l'extirpa, la roula entre ses doigts et leva les yeux au-dessus des voiles bien étarquées, vers la voûte remplie d'étoiles. Tout autre soir elle aurait cherché dans le ciel la planète qu'elle avait toujours pensé être l'arbitre de sa destinée, mais aujourd'hui c'est sur la minuscule sphère qu'elle tenait entre le pouce et l'index que son regard retomba. Elle scruta la graine comme si elle n'en avait jamais vu auparavant et, soudain, elle comprit que ce n'était pas la planète là-haut qui gouvernait sa vie : c'était cette minuscule petite boule, à la fois généreuse et dévorante, miséricordieuse et destructrice, nourrissante et vengeresse. C'était là son Shani, son Saturne.

Quand Kalua lui demanda ce qu'elle regardait, elle porta les doigts à ses lèvres et lui glissa la graine dans la bouche.

Tiens, dit-elle. Goûte-la. C'est l'étoile qui nous a arrachés à nos foyers pour nous mettre sur ce navire. C'est la planète qui commande notre destin.

*

Mr Crowle était un de ces hommes qui aiment à se flatter d'inventer des sobriquets pour les autres. Comme tous les gens qui se livrent à ce petit jeu, il avait soin de n'affubler de ses épithètes que ceux qui ne pouvaient pas les refuser. Ainsi le surnom de capitaine Chillingworth – «seigneur Skipper» – n'était utilisé que dans son dos, tandis que celui de Zachary – «Damoiseau» – lui était lancé directement à la figure, mais en général loin des oreilles étrangères (cela étant une concession au prestige collectif des sahibs et donc des malums). Seuls quelques autres méritaient un surnom. Par exemple Serang Ali, dit « Crachepoux » ; les migrants étaient indifféremment des « va-nu-pieds » ou des « esclaves » ; les silahdars et les gardes étaient des « béni-oui-oui » ou des « boit-sans-soif » ; les lascars des « bub-dool », des « Rammer-sammy » ou simplement des « Sammy ».

Le seul à bord dont le surnom indiquait une certaine camaraderie de la part du premier officier était Subedar Bhyro Singh, qu'il appelait « Face de beignet ». Sans que Mr Crowle le sache, le subedar lui avait aussi trouvé un surnom qu'il n'utilisait qu'en son absence : malum na-malum, « officier-j'y-connais-rien ». Cette symétrie n'avait rien d'accidentel car entre les deux hommes il existait une affinité naturelle qui allait même jusqu'à leur apparence : bien que le subedar fût plus vieux et plus noir de teint – un ventre plus gros et des cheveux plus blancs –, tous deux étaient hauts de taille et larges de carrure. Leurs tempéraments réciproques étaient également tels qu'ils transcendaient la barrière de la langue et des circonstances, leur permettant de communiquer pratiquement sans le bénéfice des mots, de sorte qu'on pouvait dire qu'il existait entre eux sinon exactement une amitié, du moins une réelle communauté d'intérêts et une aisance mutuelle rendant possibles des familiarités autrement impensables chez des hommes dans leurs positions respectives – par exemple le fait de partager de temps à autre un grog.

Une des multiples affaires sur lesquelles le subedar et le commandant en second s'entendaient comme larrons en foire était leur attitude à l'égard de Neel et d'Ah Fatt – ou les « Deux Jack », ainsi que Mr Crowle aimait à les appeler (Neel étant Jack-muselière et Ah

Fatt, Jack-singe). Souvent, l'après-midi, quand Bhyro Singh menait les deux condamnés autour du pont pour leur «marche des canailles» journalière, le commandant en second se joignait aux réjouissances, encourageant Bhyro Singh à caresser les deux hommes de son lathi : «Vas-y, Face de beignet! Au galop! Secoue-leur les plumes!»

Parfois même l'officier s'avançait pour prendre la place du subedar. Utilisant un bout de corde en guise de lanière, il fouettait les condamnés aux chevilles, les obligeant à glisser et sauter sur l'air de :

Monsieur Jack le petit malin dégourdi
Adorait le plum cake et le sucre candi
Il alla en acheter beaucoup à l'épicerie
Et repartit en sautant comme un cabri !

Ce genre d'exercice se déroulait invariablement en plein jour, quand les condamnés étaient sur le pont : Neel et Ah Fatt furent donc très surpris quand, une nuit fort tard, deux gardes vinrent dans la cellule leur annoncer que le burra malum avait ordonné qu'ils montent.

Pour quoi faire ? demanda Neel.

Qui sait ? répliqua un des silahdars en grognant. Ils sont là-haut, tous les deux, en train de boire du grog.

La procédure de transport des condamnés sur le pont exigeait qu'ils aient les poignets et les chevilles liés, ce qui prenait un certain temps, et il apparut très vite que les gardes n'étaient pas très contents d'être appelés à accomplir cette corvée à une heure si tardive.

Que veulent-ils donc de nous ? dit Neel.

Ils doivent avoir trop bu, répliqua un garde. Ils ont envie de s'amuser un peu.

S'amuser ? s'étonna Neel. Quelle sorte d'amusement pouvons-nous leur fournir ?

Qu'est-ce que j'en sais, moi ? Tiens tes mains tranquilles, abruti !

C'était un moment de la nuit où le fana était peuplé de lascars dormant dans leurs jhulis, et le traverser revenait à se frayer un chemin dans une masse de ruches. Déjà pas très solides sur leurs jambes à cause de leur long emprisonnement, Neel et Ah Fatt voyaient maintenant leur maladresse aggravée par les mouvements du navire et leurs chaînes. Chaque coup de roulis les envoyait valser dans les hamacs, tapant dans les fesses et dans les têtes, provoquant des horions, des contre-attaques et des explosions de mauvaise humeur :

... Abruti de gibier de potence...

... Hé ! Tes couilles sont pas faites pour marcher...

... Essaye d'utiliser tes pieds...

Dans un bruit de cliquetis et de ferraille, les deux hommes furent menés hors du fana sur le gaillard d'avant, où ils trouvèrent Mr Crowle trônant sur le cabestan. Le subedar, debout entre les bossoirs, attendait les ordres.

— Où étiez-vous, les forçats ? C'est l'aube, pour des gens comme vous.

Neel s'aperçut alors que le commandant en second, tout comme le subedar, tenait en main une chope d'étain, et il était clair, à en juger par son parler inarticulé, que ce n'était pas là son premier verre de la soirée ; même sobres, ces deux hommes causaient assez de problèmes pour ne pas s'inquiéter de ce qu'ils pourraient faire à présent. Pourtant, en dépit d'une tension de ses intestins, Neel ne put s'empêcher de remarquer l'extraordinaire spectacle de la mer baignée de lune.

La goélette était sur l'amure de tribord et le pont, de biais, plongeait et se relevait au rythme du vent dans les voiles. De temps à autre, quand la gîte diminuait, des vagues venaient se briser sur bâbord puis déferler sur le pont avant de s'égoutter par les dalots de tribord au moment où la goélette gîtait de nouveau. Les reflets phosphorescents de ces tourbillons aquatiques semblaient ajouter des lumières au pied des mâts, illuminant les envolées des voiles au-dessus.

— Qu'est-ce que tu regardes, Jack-muselière ?

L'extrémité brûlante d'un bout de corde mordant ses mollets ramena Neel aux réalités du moment.

— Excusez-moi, monsieur Crowle.

— Excellence, pour toi, couille molle.

— Oui, Excellence.

Neel prononça les mots lentement, s'enjoignant de se mettre un bœuf sur la langue.

L'officier vida sa chope puis la tendit au subedar, qui la remplit de nouveau. L'officier but encore une gorgée, tout en observant les condamnés.

— Jack-muselière, toi qui te mets facilement en rogne, voyons un peu : sais-tu pourquoi on vous a fait monter ici ?

— Non, Excellence, dit Neel.

— Ben, voilà la réponse. Moi et mon bon ami Subby-dar Face de beignet, on se gobelottait un peu avec une tite goutte de gnôle quand il m'a dit : Jacky-singe et Jack-muselière sont des copains cul et chemise comme j'en ai jamais vu. Alors j'y dis... j'lui dis : J'ai jamais vu une paire de forçats qui ne finissent pas par se taper l'un sur l'autre. Et il me dit : Pas ces deux-là. Alors j'y dis : Face de beignet, qu'est-ce que tu paries que je peux en convaincre un de faire écoper l'autre ? Et que le diable m'emporte s'il ne me tire pas de sa poche une demi-couronne ! Alors voilà le cœur de l'affaire, Jack : t'es ici pour régler notre pari.

— Quel est l'enjeu, Excellence ? dit Neel.

— Que l'un de vous déverse le Jourdain sur l'autre.

— Le Jourdain, Excellence ?

— Le Jourdain, c'est le grec pour la pisse, Jack, répliqua l'officier avec impatience. Je parie qu'un de vous va se vider la patate sur la gueule de l'autre. Voilà tout. Et attention : pas de coups ni de bagarre, la persuasion seulement. Vous le faites de bon gré ou pas du tout.

— Je vois, Excellence.

— Alors, que dis-tu de mes chances, Jack-muselière ?

Neel essaya de s'imaginer en train d'uriner sur Ah Fatt pour l'amusement de ces deux hommes, et son estomac se retourna. Mais il comprit qu'il lui faudrait choisir ses mots avec soin s'il ne voulait pas provoquer l'officier. Il produisit un marmonnement inoffensif :

— Je dirais que les chances ne sont pas très bonnes.

— Impertinent, hein ? – L'officier se retourna pour gratifier le subedar d'un sourire. – Alors, tu refuses, Jack ?

— Je m'y refuse, Excellence.

— T'es bien sûr de toi, hein, canaille ?

— Oui, Excellence.

— Et si tu y allais le premier ? suggéra le second. Tu l'arroses avec ton mollusque et tu t'en tires tout sec. Qu'est-ce que tu dis de ce marché ? Tu mouilles un peu ton copain et c'est fini. Qu'est-ce que t'en dis, Jack-muselière ?

Sauf à avoir un couteau sous la gorge, Neel savait qu'il ne serait pas capable de s'exécuter.

— Pas moi, Excellence, non.

— Tu ne le feras pas ?

— Pas de mon plein gré, Excellence.

— Et ton copain ici ? dit Mr Crowle.

Soudain, le pont s'inclina et Ah Fatt, toujours le plus solide des deux, attrapa Neel par le coude pour l'empêcher de tomber. En d'autres occasions, cela aurait pu lui valoir des coups de lathi de la part de Bhyro Singh mais aujourd'hui, comme par déférence à l'égard d'un dessein plus important, le subedar laissa courir.

— T'es sûr que ton copain ne le fera pas non plus ? insista l'officier.

Neel jeta un coup d'œil sur Ah Fatt qui, stoïque, contemplait ses pieds : étrange, la pensée que tout en ne se connaissant que depuis quelques semaines, tous deux – pitoyable couple de condamnés et de forçats qu'ils étaient – possédaient déjà quelque chose capable d'exciter l'envie d'hommes dont le pouvoir sur eux était absolu. Était-il possible qu'il existât, dans un lien tel que le leur, un élément vraiment rare susceptible de provoquer les autres à inventer n'importe quoi afin d'en éprouver les limites ? S'il en était ainsi, alors lui, Neel, n'était pas moins curieux du résultat qu'eux.

— Si tu ne veux pas jouer, Jack-muselière, je vais être obligé de tenter ma chance avec ton copain.

— Oui, Excellence. Allez-y.

Mr Crowle éclata de rire et, juste à cet instant, un tourbillon d'écume se déversa sur le gaillard d'avant, de sorte que les dents de l'officier étincelèrent dans le reflet phosphorescent.

— Dis-le-nous un peu, Jack-muselière, sais-tu pourquoi ton copain a été harponné ?

— Vol, Excellence, autant que je sache.

— C'est tout ce qu'il t'a dit ?

— Oui, Excellence.

— Il ne t'a pas raconté que c'était un étrangleur de mouettes, hein ?

— Je ne vous suis pas, Excellence.

— Il a volé un nid de combattants du diable, mais oui. – L'officier jeta un coup d'œil en biais sur Ah Fatt. – C'est-y pas vrai, Jacky-singe ? T'as pillé la mission qui t'avait recueilli et nourri ?

— Excellence, marmonna Ah Fatt. C'est vrai que je joins la mission à Canton. Mais pas pour le riz. C'est parce que je veux voyager à l'Ouest.

— À l'Ouest ?

— En Inde, Excellence, dit Ah Fatt se dandinant d'un pied sur l'autre. Je veux voyager et j'entends que la mission envoie des hommes d'Église chinois au collège, au Bengale. Alors je rejoins et on m'envoie à la mission de Serampore. Mais ça ne m'a pas plu. Pouvais rien voir, pouvais pas quitter. Seulement étudier et prier. Comme la prison.

L'officier ricana.

— C'est donc vrai, alors ? T'as volé les livres sur les machines ? T'as battu presqu'à mort une bonne douzaine de chanteurs d'amen ? Pendant qu'ils imprimaient des bibles, en plus ? Et tout ça pour un petit penny d'extase ?

Ah Fatt baissa la tête et ne répondit pas, de sorte que Mr Crowle le pressa davantage :

— Allez, vas-y, raconte. C'est vrai ou pas que t'as fait ça à cause de ta passion pour la boue noire ?

— Pour de l'opium, Excellence, dit Ah Fatt, la voix rauque, un homme peut faire n'importe quoi.

— N'importe quoi ? – L'officier fouilla dans sa chemise et en sortit sur un bout de papier une boule de gomme noire pas plus grosse que l'ongle d'un pouce. – Alors que ferais-tu pour ça, Jack-singe ?

Ah Fatt était si près de lui que Neel sentit le corps de son ami se raidir soudain. Il se tourna : les muscles de sa mâchoire s'étaient tétanisés et ses yeux avaient pris un éclat fiévreux.

— Allons, raconte-nous un peu, Jacky-singie, dit l'officier en roulant la boule entre ses doigts. Qu'est-ce que tu donnerais pour ça ?

Les chaînes d'Ah Fatt se mirent à cliqueter doucement, comme en réponse au tremblement de son corps.

— Que voulez-vous, Excellence ? Je n'ai rien.

— Oh que si, tu as quelque chose, dit Mr Crowle avec entrain. T'as un ventre plein de bière. Juste affaire de décider où tu veux la mettre.

Neel poussa Ah Fatt du coude.

— N'écoute pas – ce n'est qu'un piège...

— Ferme ton clapet, Jack-muselière !

D'un coup de bottes, l'officier fit tomber lourdement sur le pont à la gîte Neel, qui glissa tête première contre le bastingage. Pieds et mains liés, il ne put que se laisser ballotter comme un scarabée sur le dos. Au prix d'un immense effort, il réussit à se retourner vers Ah Fatt juste à temps pour voir son compagnon se débattre avec le cordon qui retenait son pyjama.

— Ah Fatt, non !

— Fais pas attention à lui, Jacky-chimpanzy, dit l'officier. Tu fais ce que tu fais et te presse foutrement pas. C'est ton copain, hein ? Y peut attendre pour goûter un peu de ta bière !

Ah Fatt déglutissait comme un fou à présent et ses mains tremblaient si fort qu'il n'arrivait pas à dégager le nœud du cordon. Pris d'une impatience rageuse, il rentra l'estomac et descendit son pyjama sur ses genoux. Puis, plus tremblant que jamais, il saisit son pénis et le pointa sur Neel recroquevillé à ses pieds.

— Eh bien, vas-y ! l'encouragea l'officier. Fais-le, Jacko-chimpanzo. Comme disent les suceurs de bites, ne laisse jamais ta queue ni ta bourse te trahir.

Ah Fatt ferma les yeux, tourna son visage vers le ciel et pissa un mince filet d'urine sur Neel.

— Bravo, Jacko-chimpozo ! s'écria l'officier, en se tapant triomphalement la cuisse. Tu m'as gagné mon pari !

Il tendit la main vers le subedar, qui y déposa dûment une pièce tout en marmonnant des félicitations :

Mubarrak, malum sahib !

Entre-temps, son pyjama toujours défait, Ah Fatt était tombé à genoux et s'avançait peu à peu vers l'officier, les mains en forme de bol.

— Excellence ? Pour moi ?

L'officier fit un signe d'assentiment.

— T'as gagné ta récompense, Jacko-chimpanzo, pas de doute là-dessus, et sûr que tu vas l'avoir. Cette boue que voici, c'est du bon abkari : faut l'avaler tout rond. Ouvre ta gueule que je te le mette dedans.

Tremblant d'anticipation, Ah Fatt se pencha en avant, ouvrit la bouche et, d'une pichenette, l'officier expédia la boule de gomme droit sur la langue du condamné, qui la mâcha aussitôt. Pour, une seconde après, se mettre à tousser et cracher, secouant la tête comme pour se débarrasser de quelque chose d'indiciblement atroce.

Ce qui souleva des hurlements de rire chez Mr Crowle et le subedar.

— Te voilà servi, Jackoo-chimpanzoo ! Voilà une belle leçon dans la manière d'utiliser un anchois pour pêcher un maquereau. T'as fait boire ta pisse à ton copain et tu y as gagné une bouchée de merde de chèvre par-dessus le marché.

Vingt et un

Le mariage commença au matin, après le premier repas de la journée. La cale fut divisée en deux, une part étant allouée au marié, l'autre à la mariée. Chacun choisit un côté et Kalua fut désigné comme le chef de la famille de l'épouse : c'est lui qui mena le groupe sur le territoire du marié pour la cérémonie du tilak où la promesse fut solennellement scellée par un marquage des fronts en rouge.

Les femmes avaient pensé qu'il leur serait facile de surpasser les hommes en matière de musique, mais une rude surprise les attendait : l'équipe du marié comportait un groupe de chanteurs ahirs et lorsque ceux-ci entamèrent leur session, il devint très vite évident que les femmes auraient beaucoup de mal à les égaler.

> ... *utlé há chháti ke jobanwá*
> *piyá ké khélawna ré hoi...*
> ... ils sont prêts, ses seins naissants
> à devenir les jouets de son amant...

Pire encore, il se trouva qu'un des ahirs était aussi un danseur qui savait tenir des rôles de femme car, là-bas au village, il les avait appris en qualité d'apprenti danseur. Malgré l'absence de costumes convenables, de maquillage et d'accompagnement, on le persuada de s'exécuter. Un petit espace lui fut aménagé au centre du dabusa et, quoique dans l'impossibilité de se mettre debout sans se cogner la tête, il dansa si bien que les femmes comprirent leur obligation de produire quelque chose de spécial si elles ne voulaient pas se couvrir de honte.

Deeti, dans son rôle de bhauji organisatrice du mariage, ne pouvait se permettre de s'avouer vaincue. À l'heure du repas de midi, elle rassembla les femmes et les retint dans le dabusa.

Voyons, dit-elle, qu'allons-nous faire ? Il nous faut penser à quelque chose ou bien Heeru ne pourra pas garder la tête haute.

*

C'est un vieux morceau de curcuma, venu du baluchon de Sarju, qui procura à la mariée un moyen de sauver la face : cette racine si commune sur la terre ferme semblait aussi précieuse que de l'ambre gris maintenant qu'on était en mer. Par chance, il y en avait juste assez pour produire la quantité de pâte nécessaire à l'onction du couple. Mais comment le broyer sans pierre ni mortier ? On trouva un moyen en utilisant le fond de deux chopes en métal. L'effort et l'ingéniosité requis pour réduire en poudre le curcuma ajoutèrent une touche supplémentaire d'allégresse à la cérémonie, tirant même un sourire aux plus tristes des girmitiyas.

Entre les rires et les chants, le temps passa si vite que chacun s'étonna quand l'écoutille fut de nouveau ouverte pour le repas du soir : difficile de croire qu'il faisait déjà nuit. Le spectacle de la pleine lune, suspendue sur l'horizon et entourée d'un grand halo rouge, suscita un silence respectueux chez les migrants. Personne n'avait jamais vu une lune aussi énorme ni aussi étrangement colorée : comme s'il ne s'agissait pas du même astre que celui qui éclairait les plaines du Bihar. Même le vent, qui avait soufflé fort durant la journée, parut revigoré par cet éclat lumineux car il forcit d'un nœud ou deux, creusant la houle venue de l'est. Entre la lumière et les vagues provenant de la même direction, la mer prenait un aspect labouré qui rappelait à Deeti les champs autour de Ghazipur à l'époque de l'année où fleurissait la récolte d'hiver ; à ce moment-là aussi, la nuit, on voyait de profonds sillons noirs divisant les rangées infinies de fleurs baignées de lune, juste comme les crêtes d'écume piquées de rouge brillaient au dessus des sombres gorges des lames.

Toutes voiles dehors, la goélette se cabrait sous les brusques saccades de la toile, gîtant sous le vent lorsqu'elle escaladait les vagues puis se laissant aller dans les creux : elle paraissait danser sur la musique du vent qui se faisait aiguë quand le navire s'inclinait pour s'apaiser à l'instant où il se redressait sur sa quille.

Bien que Deeti se fût accoutumée à ces mouvements, aujourd'hui elle ne pouvait pas tenir debout. Par peur de passer par-dessus bord, elle obligea Kalua à s'accroupir sur le pont et se coinça entre lui et la solide rambarde du bastingage. Est-ce à cause de l'excitation du mariage, du clair de lune ou du roulis, elle ne le sut jamais, mais c'est juste à cet instant que, pour la première fois, elle sentit un mouvement indéniable dans ses entrailles. Ici ! À l'abri de la rambarde, elle prit la main de Kalua et la posa sur son ventre.

Tu le sens ?

Elle vit l'éclat de ses dents dans l'obscurité et comprit qu'il souriait.

Oui, oui, c'est le petit qui donne des coups de pied.

Non, dit-elle, il ne donne pas de coups. Il se balance, comme le bateau.

Combien il était étrange de sentir la présence d'un corps en elle, bougeant au rythme de ses propres mouvements, faisant de son ventre la mer et de l'enfant un vaisseau naviguant vers son propre destin.

Elle se tourna vers Kalua et chuchota :

Ce soir, c'est comme si nous aussi nous mariions de nouveau.

Pourquoi ? demanda Kalua. La première fois n'était-elle pas assez bien ? Lorsque tu as trouvé des fleurs pour les tresser dans tes cheveux.

Oui, mais nous n'avons pas fait les sept cercles, répondit-elle. Il n'y avait ni bois ni feu.

Pas de feu ? N'avons-nous pas créé le nôtre bien à nous ?

Deeti rougit et l'obligea à se relever.

Chall, na. Il est temps de retourner au mariage de Heeru.

*

Assis dans la pénombre de la cellule, les deux condamnés filaient en silence de l'étoupe quand la porte s'ouvrit sur le gros visage de Baboo Nob Kissin éclairé par une lampe.

La visite, longuement imaginée, n'avait pas été facile à organiser : ce n'est qu'avec la plus grande réticence que Subedar Bhyro Singh avait autorisé le «tour d'inspection» proposé ; en donnant son assentiment, il avait imposé la condition que deux de ses silahdars accompagneraient le gomusta et monteraient la garde à l'entrée durant toute la visite. Ayant accepté le marché, Baboo Nob Kissin s'était donné beaucoup de mal en vue de la rencontre. Il avait choisi, en fait de costume, un alkhalla couleur safran, une robe assez ample pour convenir à des fidèles masculins ou féminins. Il avait caché sous les plis volumineux de son vêtement, dans un morceau d'étoffe noué autour de sa poitrine, une petite réserve de provisions qu'il avait réunies depuis quelques jours – deux grenades, quatre œufs durs, quelques parathas bien croustillantes et un morceau de cassonade.

Le stratagème fonctionna tout d'abord assez bien, et Baboo Nob Kissin put traverser le pont d'un pas ferme et digne, quoiqu'un peu déséquilibré. Mais, à l'entrée de la cellule, l'affaire prit un autre tour : il n'était pas facile pour un homme de sa corpulence de franchir un passage étroit, bas de plafond, et alors qu'il se courbait et se contorsionnait, quelques-uns des cadeaux semblèrent acquérir une vie propre et le gomusta fut obligé d'utiliser ses deux mains pour contenir sa remuante poitrine en place. Avec les deux silahdars postés à la porte, il ne put dégager son fardeau même après être entré : assis en tailleur dans la minuscule prison, il fut contraint à la posture d'une nourrice soutenant une paire de seins douloureusement gonflés de lait.

Neel et Ah Fatt contemplèrent, interloqués, cette pesante apparition. Les condamnés avaient encore à se remettre de leur confrontation avec Mr Crowle : même s'il n'avait duré que quelques minutes, l'incident sur le gaillard d'avant les avait frappés avec la force d'une soudaine tornade, balayant le fragile échafaudage de leur amitié et n'en laissant qu'un résidu de honte, d'humiliation et d'un profond avilissement. Une fois de plus, comme durant leur séjour à la prison d'Alipore, ils étaient retombés dans un silence de mort. L'habitude leur en était revenue si vite que Neel ne put même pas songer à un seul mot à dire tandis qu'il contemplait Baboo Nob Kissin par-dessus le tas d'étoupe grise.

— Pour inspecter les lieux, je suis venu.

Baboo Nob Kissin fit son annonce à voix très haute, et en anglais, de façon à donner à sa visite une allure résolument officielle.

— En qualité de quoi, toutes les irrégularités seront notées.

Les condamnés demeurèrent muets, et le gomusta en profita pour examiner la cellule à la lueur tremblante de sa lampe. Son attention fut aussitôt attirée par le seau de toilette et, un instant, sa quête spirituelle fut interrompue par un problème moins éthéré.

— Dans cet ustensile vous passez urine et faites latrines ? s'enquit-il.

Pour la première fois depuis plusieurs jours, Neel et Ah Fatt échangèrent un coup d'œil.

— Oui, dit Neel. C'est exact.

Les yeux protubérants du gomusta s'écarquillèrent encore plus tandis qu'il réfléchissait aux implications de cette réponse.

— Alors tous deux êtes présents durant la purgation ?

— Hélas, répliqua Neel. Nous n'avons pas le choix.

Le gomusta frissonna en songeant à ce que pareille situation provoquerait sur des intestins aussi sensibles que les siens.

— Ainsi, les constipations doivent être extrêmement sévères et fréquentes ?

Neel haussa les épaules.

— Nous supportons notre sort de notre mieux.

Le gomusta fronça les sourcils et regarda de nouveau autour de lui.

— Par Jupiter ! s'écria-t-il. L'espace est si rare ici, je ne sais pas comment vous pouvez vous abstenir de vous joindre les deux bouts.

Ce qui ne suscita pas plus de réponse que le gomusta n'en attendait. Il se rendait compte maintenant, en reniflant l'air de la cellule, que Ma Taramony luttait pour réimposer sa présence car, enfin, seul le nez d'une mère pouvait transformer l'odeur du caca de son fils en une fragrance presque plaisante. Comme pour confirmer l'appel à l'attention de son être intime, une grenade s'échappa de sa cachette et vint se poser sur la pile d'étoupe. Le gomusta jeta un rapide coup d'œil inquiet vers l'entrée et fut soulagé de constater que les deux gardes bavardaient entre eux et n'avaient pas remarqué le saut soudain de la grenade.

— Allons, vite, prenez, dit le gomusta déposant à toute allure son butin de fruits, d'œufs, de parathas et de cassonade entre les mains de Neel. Tout ceci est pour vous – extrêmement goûteux et bon pour la santé. Les mouvements pourraient être aussi encouragés.

Pris de court, Neel passa au bengali :

Vous êtes trop généreux...

Le gomusta l'interrompit vivement. Avec un geste de conspirateur en direction des gardes, il chuchota :

— Ayez l'amabilité d'éviter le vernaculaire natif. Les gardes sont de grands créateurs de troubles – toujours prêts à semer le désordre. Préférable qu'ils n'écoutent pas. Un anglais chaste suffira.

— Comme vous voudrez.

— Est également conseillée une occultation rapide des comestibles.

— Oui, bien entendu.

Neel glissa promptement la nourriture derrière lui, et juste à temps car, l'instant d'après, un des silahdars passait la tête par la porte pour presser le gomusta d'en finir avec ce qu'il avait à faire.

Voyant qu'il leur restait peu de temps, Neel dit très vite :

— Je vous suis très reconnaissant de ces cadeaux. Puis-je m'enquérir de la raison de votre générosité ?

— Vous ne pouvez toujours pas faire la liaison ? s'écria le gomusta, à l'évidence très déçu.

— La liaison avec quoi ?

— Avec Ma Taramony qui m'a envoyé. Vous ne reconnaissez pas les signes ?

— Ma Taramony ! – Neel connaissait fort bien le nom pour l'avoir très souvent entendu des lèvres d'Elokeshi, mais sa mention en cet instant l'étonna. – N'est-elle pas morte ?

Là, après avoir vigoureusement secoué la tête en signe de dénégation, Baboo Nob Kissin ouvrit la bouche pour entamer une explication. Toutefois, face à la tâche de trouver des mots convenant à l'immense complexité de l'affaire, il changea d'idée et choisit à la place de faire un mouvement des mains, un geste ample voletant qui se termina par son index pressé sur sa poitrine, pour indiquer la présence qui fleurissait en lui.

Que ce soit dû à l'éloquence de ce signal ou simplement à la gratitude pour la nourriture apportée par le gomusta, la chose ne fut jamais très claire – mais le geste réussit en tout cas à révéler un fait important à Neel. Celui-ci eut l'impression d'avoir compris un peu de ce que Baboo Nob Kissin essayait de communiquer ; il comprit aussi qu'il y avait chez cet homme étrange quelque chose sortant de l'ordinaire. Quoi, il n'aurait su le dire, et d'ailleurs il n'eut pas le temps d'y réfléchir car les gardes, désireux de hâter le départ du gomusta, martelaient la porte.

— Les discussions ultérieures devront attendre un jour de pluie, dit ce dernier. J'essaierai de proposer l'occasion la plus proche. Jusqu'alors, notez je vous prie que Ma Taramony a requis de transmettre un message de bénédiction.

Sur quoi, il tapota légèrement le front des deux condamnés et plongea tête première hors de la cellule.

Après son départ, la minuscule prison parut encore plus sombre que d'habitude. Sans vraiment savoir ce qu'il faisait, Neel divisa le tas de nourriture en deux portions et en tendit une à son compagnon.

— Tiens.

La main d'Ah Fatt sortit de l'obscurité pour s'emparer de sa part. Puis, pour la première fois depuis l'affrontement avec le premier officier, il parla :

— Neel...

— Quoi ?

— C'était mal, ce qui est arrivé...

— Ne me le dis pas à moi. Tu devrais te le dire à toi-même.

Suivit un bref silence, puis Ah Fatt reprit :

— Je vais tuer ce bâtard.

— Qui ?

— Crowle.

— Avec quoi ? – Neel faillit rire. – Tes mains ?

— Attends. Tu verras.

*

Le problème de la flamme sacramentelle tourmentait Deeti. Un vrai feu, même modeste, était impensable vu les dangers qu'il présentait. Il fallait trouver à la place quelque chose de sûr. Mais quoi ? Le mariage étant une occasion spéciale, les migrants avaient réuni leurs ressources et rassemblé quelques lampes et bougies pour éclairer le dabusa lors de la dernière partie des rites nuptiaux. Mais une lampe ou une lanterne à volets comme celles habituellement utilisées à bord priverait la cérémonie de toute signification : qui pourrait prendre au sérieux un mariage dans lequel l'époux et l'épouse accompliraient leurs « sept cercles » autour d'une seule petite flamme noire de suie ? Des bougies feraient l'affaire, décida Deeti, autant qu'on pourrait en mettre sur un plateau. Mais une fois les bougies trouvées et dûment allumées, le plateau ardent placé au centre du dabusa sembla développer une vie propre : avec le roulis et le tangage, il entreprit de se promener d'un coin à l'autre, menaçant de mettre le feu à toute la cale. À l'évidence, il fallait poster quelqu'un à côté pour le maintenir en place, mais qui ? Il y eut tant de volontaires qu'afin de ne vexer personne on assigna une demi-douzaine d'hommes à la tâche. Mais, quand le couple tenta de se lever, il apparut une fois de plus que ce rituel n'avait pas été conçu pour l'Eau noire : à peine les mariés étaient-ils debout qu'un coup de roulis les fit s'étaler sur le plancher, les envoyant glisser sur le ventre vers la paroi tribord du navire. Juste au moment où une collision frontale paraissait inévitable, un autre coup de roulis les expédia pieds en avant dans l'autre direction. L'hilarité déclenchée par ce spectacle ne cessa que lorsque les plus agiles des jeunes gens présents s'avancèrent pour entourer les époux d'un entrelacs de bras et d'épaules, les maintenant ainsi à la verticale. Cependant, très vite les jeunes gens se mirent à glisser à leur tour, de sorte que beaucoup d'autres durent se précipiter en renfort : dans son impatience d'encercler les flammes, Deeti s'assura que Kalua et elle étaient les premiers à se jeter dans la mêlée. Bientôt tout le dabusa donna l'impression d'être uni par le cercle sacramentel du mariage : l'enthousiasme était tel que quand vint le moment pour les nouveaux mariés de pénétrer dans la chambre nuptiale improvisée, on eut quelques difficultés à empêcher certains joyeux noceurs de les y accompagner.

Le couple enfin enfermé dans le kohbar, grivoiserie et chansons se donnèrent libre cours. Le tintamarre devint si fort que personne dans le dabusa ne se douta que des événements d'un ordre tout à fait différent se déroulaient ailleurs. La première indication leur en vint quand un énorme choc sur le pont au-dessus de leurs têtes fit trembler le navire. Le bruit suscita un instant de silence stupéfait puis on entendit un cri, une voix de femme, se répercutant de là-haut jusqu'à eux :

Bacháo ! Ils sont en train de le tuer ! Ils l'ont jeté par terre...

Qui est-ce ? dit Deeti.

Paulette fut la première à penser à Munia.

Où est-elle partie ? Est-elle ici ? Munia, où es-tu ?

Il n'y eut pas de réponse et Deeti s'écria :

Où donc peut-elle être ?

Bhauji, je pense que, profitant de l'agitation du mariage, elle a dû filer là-haut pour rencontrer...

Un lascar ?

Oui. Je pense qu'elle s'est cachée sur le pont et y restée après que nous soyons redescendues. Ils ont dû se faire prendre.

607

Entre le rouf du gaillard d'avant et le pont principal il y avait moins de deux mètres de hauteur que Jodu avait souvent sautés sans jamais se faire mal. Mais les dégringoler sous les coups d'un silahdar était une autre paire de manches : il était tombé tête première et avait eu la chance d'atterrir sur le pont de côté plutôt que sur le crâne. En essayant de se relever, il avait pris conscience d'une vive douleur dans son bras ct de l'impossibilité de s'appuyer sur son épaule. Alors qu'il tentait de reprendre pied sur les lattes glissantes, une main le saisit par sa chemise et le mit debout.

Sala ! Kutta ! Chien de lascar...

Jodu s'efforça de tourner la tête pour faire face au subedar.

Je n'ai rien fait, réussit-il à dire. On parlait seulement, juste quelques mots – c'est tout.

Tu oses me regarder droit dans les yeux, espèce d'enfant de cochon !

Le gros subedar leva le bras et, arrachant du pont un Jodu gigotant désespérément, il lui asséna de sa main libre un coup de poing sur la joue. Jodu sentit jaillir sur sa langue du sang venu d'une nouvelle fissure entre ses dents. Sa vision se troubla soudain de sorte que Munia, accroupie sous une chaloupe, eut brusquement l'air d'un gros sac de toile.

Il insista : Je n'ai rien fait, mais les bourdonnements dans sa tête étaient si forts qu'il entendait à peine sa propre voix ; puis un revers de main du subedar sur l'autre côté de son visage lui gonfla les joues comme une rafale de vent sur une bonnette et lui coupa la respiration. La violence du coup l'envoya s'étaler sur le pont.

Petit châtré de lascar, où as-tu trouvé des couilles pour aller renifler nos filles, hein ?

Les yeux à moitié clos, le bourdonnement dans sa tête le rendant insensible à la douleur dans son épaule, Jodu réussit à se relever, oscillant comme un ivrogne tandis qu'il tentait de retrouver son équilibre. À la lueur de la lampe d'habitacle, il vit que les gabiers s'étaient regroupés autour de lui : ils étaient tous là, Mamdoo Tindal, Sunker, Rajoo, regardant par-dessus l'épaule des silahdars, attendant de voir ce que lui, Jodu, allait faire. La présence de ses compagnons lui fit prendre doublement conscience de son statut durement acquis auprès d'eux et, dans un élan d'arrogance, il cracha le sang de sa bouche en direction du subedar.

B'henchod, abruti, aboya-t-il, pour qui tu te prends ? Crois-tu qu'on soit tes esclaves ?

Kyá ?

La stupéfaction devant une pareille impudence ralentit un instant la réaction du subedar. Au même moment, Mr Crowle s'avança sur Jodu.

— Tiens, tiens, mais n'est-ce pas encore le petit lécheur de cul de Reid ?

Le premier officier tenait un bout de cordage noué à l'extrémité. Il lança son bras en arrière et le ramena avec force sur les épaules de Jodu, qui tomba à quatre pattes.

— Couché, espèce de petite tapette !

Le cordage s'abattit de nouveau sur Jodu, le frappant si dur qu'il fut propulsé en avant, toujours à quatre pattes.

— C'est ça ! Rampe, espèce de chien – je vais te faire ramper à mort comme une bête avant d'en finir avec toi !

Au coup suivant, les bras de Jodu cédèrent et le garçon tomba à plat sur les lattes du pont. L'officier le prit par son banyan et le remit à quatre pattes tandis que le vêtement se déchirait en deux.

— J't'ai pas dit de ramper ? Ne reste pas là à te triturer le petit oiseau sur le pont – rampe comme le chien que tu es !

Un autre coup dans le derrière remit Jodu sur ses mains et ses genoux, mais son épaule ne pouvait plus supporter son poids et, après quelques pas, il s'écroula de nouveau à plat ventre. Son banyan, coupé en deux, pendait en lambeaux sous ses aisselles. Dans l'impossibilité de trouver une prise quelconque sur ces loques, le premier officier se rabattit sur le pantalon. Il en attrapa la ceinture avec une telle force que la toile usée céda aux coutures. Et cette fois c'est sur les fesses nues de Jodu que le cordage tomba, cinglant, arrachant au malheureux un cri de douleur.

Allah ! Bacháo !

— Gaspille pas ton souffle ! dit l'officier, sévère. Jack Crowle est le seul ici qu'il faut prier : y a que lui qui puisse te sauver la peau !

La douleur était si intense, si annihilante, que Jodu n'eut même plus la force de se laisser tomber. Il avança encore de quelques centimètres à quatre pattes puis, la tête baissée, il aperçut, encadrés dans le triangle de ses cuisses nues, les visages de l'équipe des gabiers, le contemplant avec honte et pitié.

— Rampe, saleté de chien !

Il tituba sur deux pas, puis deux encore, tandis que dans sa tête une voix lui criait – oui, tu es un animal maintenant, un chien, ils ont fait une bête de toi : rampe, rampe...

Il avait assez rampé pour satisfaire le premier officier. Mr Crowle laissa tomber son bout de cordage et fit signe aux gardes.

— Emmenez-moi ce tas de merde aux fers et enfermez-le bien.

Ils en avaient terminé avec lui maintenant – il n'était plus qu'une carcasse à jeter n'importe où. Alors que les gardes l'emportaient vers le fana, Jodu entendit la voix du subedar quelque part derrière lui.

Et maintenant, espèce de putain de coolie, c'est ton tour ; il est temps qu'on te donne une leçon à toi aussi.

*

Le dabusa était à présent dans un état de confusion complète ; chacun s'agitait en essayant de comprendre ce qui se passait au-dessus. On aurait cru des fourmis coincées à l'intérieur d'un tambour et s'efforçant de saisir le sens des événements à l'extérieur : ce bruit lourd se déplaçant sur l'avant indiquait-il que Jodu était traîné vers le faná ? Et ce tambourinement vers la poupe, le bruit des talons de Munia se débattant alors qu'on l'emmenait ?

Puis on entendit la voix de Munia :

Bacháo ! Sauvez-moi, ô vous les gens, ils m'emportent dans leur cabine...

Munia s'interrompit soudain comme si quelqu'un lui avait mis la main sur la bouche. Paulette tira le coude de Deeti.

Bhauji ! il faut intervenir ! Bhauji ! Ils sont capables de tout !

Que pouvons-nous faire, Pugli ?

Deeti songea un instant à dire non, ce n'était pas son affaire, elle n'était pas vraiment la bhauji de tout le monde et on ne pouvait pas lui demander d'entreprendre toutes les batailles. Mais elle imagina Munia, seule, dans une pièce remplie de soldats et de gardiens, et son corps se souleva d'instinct.

Viens : allons à l'échelle.

Avec Kalua lui frayant un chemin, elle monta l'échelle et se mit à frapper sur le panneau de l'écoutille.

Hé ho ! Y a quelqu'un ? Où êtes-vous, ô vous, grands bataillons de gardes et de gardiens ?

Faute d'une réponse, elle se tourna face au dabusa.

Et vous ? dit-elle à ses compagnons d'infortune. Pourquoi demeurez-vous si silencieux à présent ? Vous faisiez assez de tintamarre, il y a quelques minutes. Allons ! Voyons si nous sommes capables de faire trembler les mâts de ce navire ; voyons combien de temps ils auront l'audace de nous ignorer.

Il débuta lentement, ce vacarme, et d'abord avec les montagnards se levant pour piétiner le plancher. Puis quelqu'un commença à tambouriner un plateau avec ses bracelets et d'autres firent de même, tapant sur des jarres et des pots ou simplement criant et chantant, et en quelques minutes ce fut comme si une force impossible à contenir avait balayé le dabusa, une énergie ravageuse capable d'arracher l'étoupe des joints des bordages de la goélette.

Soudain le panneau de l'écoutille s'ouvrit et la voix d'un garde invisible résonna dans la descente. La grille était toujours en place et Deeti ne pouvait pas voir qui parlait ni comprendre ce qu'il disait. Elle assigna à Kalua et à Paulette la tâche de faire taire tout le monde et leva son visage voilé vers l'écoutille.

Qui êtes-vous ? Que se passe-t-il avec vous, coolies ? lui répondit-on. Qu'est-ce que c'est que tout ce bruit ?

Vous savez très bien ce qui se passe, répliqua Deeti. Vous avez emmené une de nos filles. Nous sommes inquiets pour elle.

Inquiets, vraiment? – le ricanement était audible. – Pourquoi ne vous êtes-vous pas inquiétés quand elle faisait la putain avec un lascar? Et un musulman, en plus?

Malik, dit Deeti. Rendez-la-nous et nous réglerons cette affaire entre nous. Il vaut mieux que nous nous occupions nous-mêmes des nôtres.

Trop tard : le subedar-ji a décidé qu'elle devrait être mise en lieu sûr dès maintenant.

Un lieu sûr? s'écria Deeti. Parmi vous tous? Ne me racontez pas d'histoires : je sais trop ce qu'il en est – *sab dekhchukalbáni*. Va dire à ton subedar que nous voulons voir notre fille et que nous ne céderons pas tant que nous n'aurons pas obtenu satisfaction. Vas-y. Tout de suite.

Il y eut un bref silence durant lequel on entendit les soldats et les gardiens se consulter. Puis l'un d'eux dit :

Restez tranquilles pour l'instant et on va voir ce que décide le subedar.

Très bien.

Un murmure excité parcourut l'entrepont tandis que le panneau de l'écoutille était bruyamment refermé :

... T'as encore réussi, bhauji...

... Ils ont peur de toi...

... Ce que tu as dit, ils sont forcés de le faire...

Ces commentaires optimistes prématurés effrayèrent Deeti.

Rien n'est encore réglé, répliqua-t-elle sèchement. Attendons de voir...

Un bon quart d'heure s'écoula avant que le panneau s'ouvre de nouveau. Puis un doigt passa à travers la grille et se pointa sur Deeti.

Toi là, dit la voix. Le subedar dit que tu peux aller voir la fille. Toi et personne d'autre.

Seule ? s'étonna Deeti. Pourquoi toute seule ?

Parce qu'on ne veut pas d'une autre émeute. Tu te rappelles ce qui s'est passé à Ganga Sagar ?

Deeti sentit la main de Kalua se glisser dans la sienne et elle haussa le ton :

Je n'irai pas sans mon *jora*, mon mari.

Cela amena une autre consultation chuchotée et une autre concession :

D'accord – qu'il monte lui aussi.

La grille s'ouvrit en grinçant et Deeti émergea lentement du dabusa, suivie par Kalua. Sur le pont attendaient trois silahdars armés de lances, leurs visages assombris par leurs turbans. Deeti et Kalua à peine sortis, grille et panneau d'écoutille furent rabattus fermement et de manière si décisive que Deeti se demanda si les gardes n'avaient pas manigancé depuis le début de les séparer tous deux des autres migrants. Pouvaient-ils être tombés dans un piège ?

Son inquiétude s'accrut quand les gardes produisirent un bout de filin et ordonnèrent à Kalua de tendre les mains.

Pourquoi lui liez-vous les poignets ? s'écria Deeti.

Juste pour le tenir tranquille pendant ton absence.

Je n'irai pas sans lui, dit Deeti.

Tu veux qu'on te traîne là-bas ? Comme l'autre ?

Kalua lui secoua le coude.

Vas-y, chuchota-t-il. S'il y a des problèmes, élève seulement la voix. Je suis ici : je tendrai l'oreille et je trouverai un moyen – *ham sahára khojat...*

*

Deeti ajusta bien son voile tout en suivant le garde au bas de l'échelle menant à la cabine par le travers du navire. Comparée au dabusa, cette partie de l'*Ibis* était brillamment éclairée par plusieurs lampes suspendues au plafond. Les lampes se balançaient avec le roulis, et leur mouvement de pendule multipliait les ombres des hommes à l'intérieur de sorte que la cabine semblait remplie d'une foule de silhouettes et de formes qui se heurtaient violemment. Sur le dernier barreau, Deeti détourna les yeux et s'accrocha à l'échelle. À l'odeur de fumée mélangée de sueur elle comprit qu'il y avait beaucoup d'hommes, dont, même la tête baissée, elle sentait les regards percer la protection de son voile.

... Tiens, la voilà...

... *Jobhan sabhanké hamré khiláf bhatkáwat rahlé...*

... Celle qui excite toujours les autres contre nous...

Le courage de Deeti faillit l'abandonner, et ses pieds auraient cessé d'avancer si le garde n'avait pas marmonné :

Pourquoi t'arrêtes-tu ? Continue.

Où m'emmenez-vous ? demanda-t-elle.

Voir la fille, répliqua le silahdar. C'est pas ce que tu voulais ?

Une chandelle à la main, le garde lui fit descendre une autre échelle jusqu'à un dédale d'entrepôts, puis s'arrêta devant une porte fermée par un loquet.

C'est là qu'elle est, annonça-t-il. Tu la trouveras à l'intérieur.

Deeti jeta un coup d'œil effrayé à la porte.

Là-dedans ? Qu'est-ce que c'est que cet endroit ?

Un bhandar, répliqua le garde en ouvrant la porte.

L'odeur de l'entrepôt rappelait fortement celle d'un bazar avec la puanteur grasse de la férule surpassant même le remugle des eaux de cale. Il faisait très sombre et Deeti ne voyait rien, mais elle entendit un sanglot et cria :

Munia ?

Bhauji ? répliqua en écho Munia, dont le soulagement était audible. Est-ce vraiment toi ?

Oui, Munia. Où es-tu ? Je n'y vois rien.

La jeune fille se précipita dans ses bras.

Bhauji ! Bhauji ! Je savais que tu viendrais.

Deeti, les bras tendus, la tint à distance.

Munia, espèce d'idiote, tu es vraiment stupide ! Que faisais-tu là-haut ?

Rien, bhauji. Rien, crois-moi – il m'aidait seulement avec les poules. Ils nous sont tombés dessus et ils ont commencé à le battre. Puis ils l'ont jeté à bas.

Et toi ? s'inquiéta Deeti. Est-ce qu'ils t'ont fait quelque chose ?

Juste quelques gifles et quelques coups, bhauji, pas grand-chose. Mais c'est toi qu'ils attendaient...

Soudain, Deeti prit conscience d'une autre présence à côté d'elle, un homme avec une bougie à la main. Puis elle entendit une voix profonde, grave qui ordonnait au garde :

Emmène la fille – c'est l'autre que je veux. Je vais lui parler seul à seule.

*

À la lueur tremblante de la bougie, Deeti entrevit des sacs de blé et de dal empilés sur le plancher de l'entrepôt. Les étagères, le long des parois, étaient encombrées de pots d'épices, de tresses d'ail et d'oignons et d'énormes jarres de limes, chiles et mangues en conserve. L'air était empreint d'une sorte de poussière blanche, celle qu'émettent les sacs de grains ; quand la porte se referma en claquant, un flocon de chili rouge pénétra dans l'œil de Deeti.

Alors ?

Sans se presser, Bhyro Singh bloqua le loquet de la porte et planta sa bougie dans un sac de riz. Deeti ne l'avait toujours pas regardé, mais maintenant elle se tourna vers lui, retenant son voile d'une main et se frottant l'œil de l'autre.

Que signifie tout cela ? dit-elle avec défi. Pourquoi voulez-vous me voir seule ?

Bhyro Singh était vêtu d'un pagne et d'un banyan, et son ventre volumineux débordait de ses deux vêtements légers. Mais quand Deeti se tourna pour lui faire face, il ne fit rien pour se couvrir : bien au contraire, il entoura son ventre de ses mains et le caressa tendrement comme s'il le soupesait. Puis il cueillit un grain de poussière dans son énorme nombril et l'examina de près.

Alors ? répéta-t-il. Combien de temps encore pensais-tu pouvoir te cacher de moi, Kabutri-ki-ma ?

Deeti se sentit défaillir et elle enfonça son ghungta dans sa bouche pour s'empêcher de hurler.

Pourquoi ce silence ? Tu n'as rien à me dire ? Bhyro Singh tendit la main vers le voile. Plus besoin de te couvrir. Il n'y a que toi et moi ici. Juste nous deux.

Il écarta son voile, d'un doigt lui rejeta la tête en arrière et déclara avec satisfaction :

Ces yeux gris, je les reconnais ; je me les rappelle, remplis de sorcellerie. Les yeux d'une chudaliya, une magicienne disaient certains – mais moi j'ai toujours affirmé : non, ces yeux sont ceux d'une putain.

Deeti tenta de repousser la main autour de son cou, en vain.

Si vous saviez qui j'étais, répliqua-t-elle toujours avec autant de défi, pourquoi n'avez-vous pas parlé avant ?

Il fit une grimace de dérision.

Et attirer la honte sur moi en reconnaissant un lien avec une femme comme toi ? Une traînée qui s'est enfuie avec une ordure de balayeur ? Une chienne en chaleur qui a déshonoré sa famille, son village, ses beaux-parents ? Tu me prends pour un idiot ? Ne sais-tu pas que j'ai des filles à marier, moi ?

Faites attention, lança en retour Deeti, les yeux plissés. Mon *jora* attends, là-haut !

Ton *jora* ? Tu peux oublier ce mangeur de charogne. Il sera mort avant la fin de l'année !

I ká káhat ho ? dit-elle, haletante. Qu'est-ce que tu racontes ?

Il lui passa le doigt sur le cou et lui tira l'oreille.

Ne sais-tu pas que c'est moi qui suis en charge de votre destination ? Ne sais-tu pas que c'est moi qui décide qui sera votre maître à Mareech ? J'ai déjà inscrit le nom de ton *jora* pour une plantation dans le nord de l'île. Il n'en sortira jamais vivant. Tu peux me croire sur parole : ce nettoyeur de merde que tu appelles ton mari est un homme mort.

Et moi ? s'enquit faiblement Deeti.

Toi ? Il sourit et lui caressa de nouveau le cou. Pour toi, j'ai d'autres projets.

Quoi ?

Le subedar passa le bout de sa langue sur ses lèvres et dit d'une voix rauque :

Que veut-on d'une putain ?

Il glissa la main dans son décolleté.

Quelle honte ! s'écria Deeti en repoussant la main du subedar. Quelle honte !...

Il n'y a rien là qui soit nouveau pour moi, dit-il souriant. J'ai vu le sac de grains et je sais qu'il est bien plein – *dekhlé tobra, janlé bharalba.*

Áp pe thuki ! cria Deeti. Je crache sur toi et tes abominations.

Il se pencha de sorte à frotter son ventre contre les seins de Deeti. Et, toujours souriant :

Qui donc, crois-tu, tenait tes jambes écartées le soir de tes noces ? Penses-tu que ton bon à rien de beau-frère ait été capable de le faire tout seul ?

Que dites-vous ? N'avez-vous pas honte ? s'exclama Deeti en s'étranglant. Savez-vous que j'attends un enfant ?

Un enfant ? Bhyro Singh éclata de rire. Un enfant de ce charognard ? Quand j'en aurai fini avec toi, sa semence dégoulincra de toi comme un jaune d'œuf.

Il resserra sa prise autour du cou de la jeune femme, tendit l'autre main vers une étagère et s'empara d'un rouleau à roti de trente centimètres de long qu'il brandit sous le nez de Deeti.

Alors, qu'en penses-tu, Kabutri-ki-ma ? susurra-t-il. T'es assez putain pour ça ?

*

Ce n'est pas l'appel au secours de Deeti mais l'écho que Munia lui fit qu'on entendit sur le pont où Kalua, accroupi entre deux gardes, les mains liées, était resté silencieusement en place depuis le départ de Deeti, réfléchissant avec soin à ce qu'il aurait à faire si le pire arrivait. Les silahdars étaient armés légèrement, de poignards et de lathis, et il ne serait pas très difficile, Kalua le savait, de leur échapper. Mais après ? S'il devait forcer l'entrée de la cabine des gardes, il aurait à faire face à bien d'autres hommes et plus d'armes : il serait tué avant de pouvoir intervenir pour Deeti. Il valait bien mieux déclencher une alarme qui résonnerait aux quatre coins du navire – et le meilleur instrument en l'occurrence se trouvait à quelques pas de lui, la cloche du rouf. S'il pouvait la faire sonner, les migrants seraient alertés, et officiers et lascars se précipiteraient sur le pont.

Là-bas, au pays, dans son char à bœufs, Kalua avait eu pour habitude de compter les grincements des roues afin de calculer avec précision le temps et la distance. Il découvrait maintenant qu'il arrivait au même résultat en comptant les lames qui arrivaient sur le navire, dont l'avant se soulevait puis s'abaissait après leur passage. Il en avait compté dix quand il comprit que quelque chose n'allait pas, et c'est alors qu'il entendit la voix de Munia crier :

Bhauji ? Que te font-ils ?...

La goélette roulait fortement, de sorte que Kalua sentait la bastingage se cabrer sous ses pieds. Devant lui, le pont ressemblait à une montée de côte. Se servant de la rambarde comme d'un tremplin, il bondit brusquement en avant, à la manière d'une grenouille, couvrant d'un seul coup la moitié de la distance jusqu'à la cloche. Ce fut si soudain qu'il avait atteint le cordon du battant sans que les silahdars aient bougé. Mais il fallait l'arracher à son tire-fond avant de pouvoir l'agiter, et cette pause donna aux gardes le temps de lui tomber dessus ; l'un d'eux lui asséna un coup de lathi sur les mains tandis que l'autre lui sautait sur le dos pour essayer de le plaquer.

Kalua forma de ses mains liées un double poing qu'il expédia sur le garde au lathi, qui s'écroula. Dans son élan, le géant se saisit du bras de l'autre homme pour le dégager de son dos et l'envoyer tête la première à la rencontre du pont. Puis il attrapa le cordon de la cloche, le libéra et mit le battant en branle.

Tandis que retentissaient les premiers furieux coups de cloche, une autre lame prit par le travers le navire, qui se coucha violemment sur un côté. Un des gardes fut projeté au sol alors qu'il tentait de se relever, et l'autre qui s'avançait vers Kalua dérapa de biais et prit le bastingage en plein ventre. Il demeura un moment sur la rambarde avec la moitié de son corps par-dessus bord, s'agrippant désespérément aux chandeliers glissants. Puis, comme pour s'en débarrasser, l'*Ibis* plongea son flanc encore plus profond dans la mer et la crête d'une lame dévorante balaya l'homme et l'emporta par le fond.

*

Une fois de plus, les coups de cloche transformèrent le dabusa en un tambour. Les migrants se rassemblèrent en petits groupes stupéfaits tandis que le bruit des piétinements ne cessait de croître au-dessus de leur tête. Au milieu de ce tintamarre on entendit un son encore plus déconcertant, un chœur de cris et d'ordres : *Admi giráh!* – «Un homme à la mer!» «Attention à l'avant!» – *Peechil dekho! Dekho peechil!* Mais, en dépit des hurlements et du bruit, la goélette ne changea pas d'allure : elle continua à labourer la mer comme avant.

Soudain le panneau du dabusa s'ouvrit violemment et Deeti et Munia en dégringolèrent littéralement. Paulette se précipita en jouant des coudes pour fendre la foule déjà rassemblée autour d'elles.

Qu'est-il arrivé ? Que s'est-il passé ? Vous allez bien ?

Deeti tremblait tant qu'elle put à peine parler.

Oui, nous allons bien, Munia et moi. C'est la cloche qui nous a sauvées.

Qui l'a sonnée ?

Mon mari... Il y a eu une bagarre et l'un des gardes est tombé... C'était un accident, mais ils disent que c'est un meurtre... Ils l'ont attaché au mât, mon *jora*...

Que vont-ils lui faire, bhauji ?

Je ne sais pas, sanglota Deeti en se tordant les mains. Je ne sais pas, Pugli : le subedar est allé parler aux officiers. C'est dans les mains du kaptan maintenant. Peut-être aura-t-il pitié... on ne peut qu'espérer...

Dans la pénombre, Munia se glissa à côté de Paulette et lui prit le bras.

Pugli, dis-moi : Azad ? Comment va-t-il ?

Paulette la fusilla du regard.

Munia, après la tourmente que tu as provoquée, comment oses-tu même demander ?

Munia se mit à pleurer.

On ne faisait rien, Pugli, crois-moi – on parlait, c'est tout. Est-ce que c'est si mal ?

Mal ou pas, Munia, c'est lui qui est en train de payer le prix. Il est tellement blessé qu'il est à peine conscient. Le mieux pour toi maintenant, Munia, c'est de te tenir le plus loin possible de lui.

*

Pour Zachary, l'aspect le plus déconcertant de la vie à bord était le cycle particulier de sommeil résultant du rythme invariable des prises de quart. Avec des tours de quatre heures – hormis les petits quarts de l'aube et du crépuscule – il avait souvent constaté qu'il lui fallait se réveiller au moment précis où il dormait le plus profondément. Avec pour résultat qu'il dormait à la manière dont un glouton mange, se goinfrant avidement à la moindre occasion et ressentant chaque minute soustraite au festin. Quand il dormait, son sens auditif se fermait à tout bruit qui aurait pu le déranger ou le distraire – cris, ordres, la mer, le vent. Pourtant ses oreilles continuaient à tenir le compte des tintements de la cloche du bord, de sorte que, même au plus profond de son sommeil, il avait toujours conscience du temps qui lui restait avant de prendre son tour de veille sur le pont.

Ce soir-là, n'étant pas de quart avant minuit, Zachary avait regagné sa couchette peu après dîner et s'était endormi presque aussitôt, demeurant ainsi jusqu'à ce que la cloche du rouf retentisse. Instantanément réveillé, il enfila un pantalon et se précipita sur l'arrière pour aider à trouver trace de l'homme tombé à la mer. Une recherche de courte durée, chacun sachant que les chances de survie du silahdar dans cette mer agitée étaient trop minces pour valoir d'amener les voiles ou de virer de bord : le temps de compléter l'une ou l'autre manœuvre, le malheureux aurait disparu depuis longtemps. Mais tourner le dos à un noyé n'était pas chose aisée, et Zachary s'attarda à la poupe bien après que sa présence puisse offrir une utilité quelconque.

Le temps qu'il redescende dans sa cabine, le coupable avait été attaché au mât et le commandant était dans ses quartiers, enfermé avec Bhyro Singh et Baboo Nob Kissin, son traducteur. Une heure après, alors que Zachary s'apprêtait à aller prendre son quart, Pinto frappa à sa porte pour lui annoncer que le capitaine le demandait. Zachary sortit de sa cabine pour trouver le commandant et Mr Crowle déjà assis dans le carré autour de la table, Pinto et une bouteille de whisky en arrière-plan. Une fois tout le monde servi, le capitaine renvoya le steward d'un signe de tête.

— Va-t'en maintenant. Et que je ne te trouve pas en train de rôder sur le gaillard d'avant.

— Sahib, à vos ordres.

Le capitaine attendit que Pinto ait disparu pour reprendre la parole :

— C'est une mauvaise affaire, messieurs, proféra-t-il d'un ton sinistre en faisant tourner son verre. Une mauvaise affaire, pire que ce que je pensais.

— C'est un cogneur, ce salaud de nègre, dit Mr Crowle. Je dormirai mieux quand je l'aurai entendu chanter au bout d'une corde.

— Oh, il sera pendu à coup sûr, affirma le capitaine, mais quoi qu'il en soit ce n'est pas à moi de le condamner. Le cas doit d'abord être entendu par un juge de Port Louis. Entre-temps, le subedar devra se contenter de le fouetter.

— Fouetté et pendu ! s'écria Zachary, incrédule. Pour le même délit ?

— Aux yeux du subedar, expliqua le capitaine, le meurtre est le moindre des crimes de cet individu. Il prétend que, dans leur village, il aurait été découpé en morceaux et jeté aux chiens à cause de ce qu'il a fait.

— Et qu'a-t-il fait, monsieur ? demanda Zachary.

— Cet homme – le capitaine consulta un bout de papier pour se remémorer le nom –, ce Maddow Colver, est un paria qui s'est enfui avec une femme de haute caste, une parente du subedar, de surcroît. C'est pourquoi ce Colver s'est engagé – de façon à emmener la femme dans un endroit où on ne la retrouverait jamais.

— Mais, monsieur, intervint Zachary, son choix d'épouse n'est pas notre affaire. On ne peut tout de même pas le laisser être fouetté pour cela tant qu'il est sous notre garde.

— Vraiment ? dit le capitaine en levant les sourcils. Je suis surpris, Reid, que vous entre tous, vous un Américain, puissiez poser la question. Enfin, qu'arriverait-il au Maryland, croyez-vous, si une femme blanche avait été violée par un nègre ? Que ferions-nous, vous, moi ou n'importe lequel d'entre nous, d'un noiraud qui aurait touché à nos épouses ou à nos sœurs ? Pourquoi devrions-nous attendre du subedar et de ses hommes qu'ils ne réagissent pas aussi fortement que nous ? Quel droit avons-nous de leur refuser la vengeance que nous-mêmes réclamerions certainement comme notre dû ? Non, monsieur...

– Le capitaine se leva et se mit à faire les cent pas dans le carré tout en continuant : – Non, monsieur, je ne refuserai pas la justice qu'ils demandent à ces hommes qui nous ont servis fidèlement. Car il faut que vous le sachiez, messieurs, il existe, entre l'homme blanc et les indigènes qui le soutiennent dans l'Hindoustan, un accord tacite selon lequel en matière de mariage et de procréation, c'est chacun pour son compte, chaque communauté est son maître. Le jour où les indigènes perdront foi en nous en tant que garants de l'ordre des castes, ce jour-là, messieurs, marquera la fin de notre règne. C'est sur ce principe inviolable qu'est fondée notre autorité, c'est ce qui rend notre règne différent de celui de peuples aussi dégénérés et décadents que les Espagnols et les Portugais. Car, messieurs, si vous voulez voir le résultat du croisement des races et du métissage, il vous suffira de visiter leurs possessions...

Ici le capitaine s'interrompit brusquement et se posta derrière une chaise.

— Et tant que j'y suis, laissez-moi vous parler franchement à tous deux : messieurs, ce que vous faites au port est votre affaire, je n'ai aucune juridiction sur vous à terre ; que vous passiez votre temps dans des lieux malfamés ou des bordels crasseux ne me regarde pas. Choisiriez-vous d'aller courir la gueuse dans le plus noir des bouges du rivage que cela ne me concernerait aucunement. Mais tant que vous êtes à bord et sous mon commandement, vous devez savoir que si la preuve d'un rapport sexuel quelconque d'un de mes officiers avec une indigène de tout plumage devait m'être apportée... eh bien, messieurs, laissez-moi vous dire simplement que cet homme ne pourrait espérer aucune clémence de ma part.

Faute de trouver une réponse adéquate, les deux officiers détournèrent les yeux.

— Quant à ce Maddow Colver, poursuivit le capitaine, il sera fouetté demain. Soixante coups lui seront administrés par le subedar à midi.

— Vous avez dit soixante, monsieur? s'écria Zachary, stupéfait.

— C'est ce qu'a réclamé le subedar, répliqua le capitaine, et je le lui ai accordé.

— Mais ne va-t-il pas saigner à mort, ce coolie, monsieur?

— C'est ce que nous verrons, Reid, conclut le capitaine Chillingworth. Le subedar ne sera certainement pas désolé si cela se termine ainsi.

*

Peu après l'aube, Paulette entendit son nom chuchoté à travers le conduit d'aération :

Putli ? Putli ?

Jodu ? Paulette se leva pour aller coller son œil au trou. Recule, Jodu, que je puisse bien te voir. Recule.

Il obtempéra et Paulette laissa échapper malgré elle un cri étouffé. Sous la pauvre lumière filtrant entre les fissures dans la partition, elle découvrit que le bras gauche de Jodu pendait à son cou par un bandage improvisé ; le blanc de ses yeux, gonflés et cernés de noir, était à peine visible ; ses blessures saignaient encore et des taches rouges rayaient l'étoffe de son banyan.

Oh, Jodu, Jodu ! chuchota-t-elle. Que t'ont-ils fait ?

Y a que mon épaule qui me fasse mal maintenant, répliqua-t-il avec un semblant de sourire. Le reste a l'air moche mais ça ne fait pas aussi mal.

Soudain furieuse, Paulette s'écria :

C'est cette Munia ! C'est une telle...

Non ! Jodu l'interrompit. Tu ne peux pas la blâmer : c'est ma propre faute.

Paulette ne pouvait pas le nier.

Oh, Jodu, reprit-elle, quel idiot tu es ! Pourquoi as-tu fait une chose aussi stupide ?

C'était rien du tout, Putli, lança-t-il d'un ton dégagé. Juste un petit passe-temps inoffensif. Pas plus.

Je t'avais bien prévenu, Jodu, pas vrai ?

Oui, tu m'avais prévenu, Putli. Et d'autres aussi. Mais regarde : est-ce que je ne t'avais pas prévenue de ne pas t'embarquer sur ce bateau ? Et m'as-tu écouté ? Non, bien sûr que non. Toi et moi, on a toujours été comme ça, tous les deux. On a toujours été capables de nous en sortir. Mais vient un jour où ça s'arrête, je suppose ? Et il faut tout recommencer à zéro.

Paulette se sentit très inquiète : l'introspection n'avait jamais été le fort de Jodu et jamais elle ne l'avait entendu parler de la sorte.

Et maintenant ? dit-elle. Que va-t-il t'arriver à présent ?

Je ne sais pas. Certains de mes amis affirment que toute l'histoire sera oubliée d'ici un jour ou deux, mais d'autres pensent que je resterai la cible des silahdars jusqu'à ce qu'on arrive au port.

Et toi ? Qu'est-ce que tu crois ?

Il prit son temps pour répondre et quand il le fit, ce fut avec peine.

Pour moi, Putli, dit-il, j'en ai fini avec l'*Ibis*. Après avoir été battu comme un chien devant tout le monde, je préférerais me noyer plutôt que de rester au sec sur ce bateau maudit.

Sa voix avait un ton implacable inhabituel, et Paulette jeta de nouveau un coup d'œil par le conduit, comme pour s'assurer que c'était bien Jodu qui avait parlé. Ce qu'elle vit ne la rassura pas : avec ses bleus et son visage enflé, ses vêtements ensanglantés, il ressemblait à la chrysalide d'un être nouveau et inconnu. Il rappelait à Paulette une graine de tamarinier qu'elle avait autrefois enveloppée dans de multiples couches de tissu mouillé : au bout de deux semaines d'arrosage, alors qu'une minuscule pousse avait montré sa tête, elle avait défait les couches de tissu pour retrouver la graine, en vain, car rien n'en était resté si ce n'était de tout petits fragments, comme d'une coquille brisée.

Alors que vas-tu faire, Jodu ? dit-elle.

Il s'approcha et posa les lèvres sur le conduit d'aération.

Écoute, Putli, je ne devrais pas te le dire, mais il est possible que quelques-uns d'entre nous quittent ce bateau ce soir.

Qui ? Et comment ?

Sur une des chaloupes – moi, les condamnés, et d'autres aussi. Rien n'est encore certain, mais si ça se passe, ce sera ce soir. Il y a quelque chose que tu devras peut-être faire pour nous, je ne sais pas exactement encore mais je te le dirai dès que je le saurai. D'ici là, pas un mot à quiconque.

*

Habés-pál!

L'ordre de mettre en panne fut donné au milieu de la matinée. En bas, dans le dabusa, tous savaient que le navire amènerait ses voiles quand viendrait l'heure pour Kalua d'être fouetté, et c'est le changement des bruits de la toile tout autant que le ralentissement de la goélette qui leur indiquèrent que le moment était arrivé : avec les mâts pratiquement à nu, le vent s'était mis à siffler, comme décidé à ravager le gréement. Un vent qui avait soufflé fort toute la nuit tandis que l'*Ibis* continuait à être ballotté par de grosses lames tachetées d'écume. Des cascades de nuages gris assombrissaient le ciel.

Quand le navire eut ralenti, les gardes et les silahdars s'appliquèrent à rassembler les migrants avec un plaisir sinistre frôlant la perversité : ils ordonnèrent aux femmes de rester dans la cale mais firent monter sur le pont tous les hommes, excepté le petit nombre de ceux incapables de tenir sur leurs jambes. Les migrants qui s'attendaient à trouver Kalua enchaîné au mât découvrirent qu'il avait disparu : il avait été emmené dans le fana et ne serait ramené que plus tard, pour une entrée la plus spectaculaire possible.

La goélette tanguait si fort que les migrants ne pouvaient pas rester debout comme lors de leur dernier rassemblement à Saugor Roads. Les gardes les firent s'asseoir en rangs, face à la plage arrière, dos à la poupe. Comme pour souligner la nature exemplaire de ce dont ils allaient être témoins, soldats et gardiens prirent grand soin d'assurer chaque homme d'une vue claire et sans obstacle du dispositif préparé pour la flagellation de Kalua – une grille rectangulaire en forme de cadre appuyée au balcon central, avec des cordages attachés à chaque coin pour lier les poings et les chevilles du supplicié.

Vêtu du vieil uniforme de son régiment – un dhoti lavé de frais et une tunique marron avec les galons de subedar sur les manches –, Bhyro Singh s'était placé en tête du rassemblement. Tandis que les gardes organisaient les migrants, il s'était installé jambes croisées sur un tas de cordages et lissait la lanière d'un chabuk de cuir que, de temps à autre, il faisait craquer en l'air. Il ne prêtait aucune attention aux migrants qui, eux, au contraire, ne pouvaient détourner les yeux des reflets cinglants du fouet.

Puis, après une dernière vérification du chabuk, le subedar se leva et fit signe à Steward Pinto d'inviter les officiers à monter sur la plage arrière. Les sahibs se firent attendre quelques minutes avant d'apparaître, le kaptan précédant les deux malums. Les trois hommes étaient armés, et souhaitaient le montrer, car ils avaient laissé leurs vestes ouvertes de manière à ce que, à la taille, les crosses de leurs revolvers fussent bien visibles.

Selon la coutume, le kaptan prit sa place non pas au centre du rouf, mais un peu plus sous le vent, en l'occurrence à bâbord de la goélette. Les deux officiers se postèrent au centre, de chaque côté du dispositif.

Tout cela s'était accompli sur un rythme lent, cérémonieux, de façon que les migrants en absorbent bien chaque mouvement : comme si on les apprêtait non seulement à assister au supplice mais à partager de fait l'expérience de la douleur. Le rythme et l'accumulation progressive des préparatifs distillaient en eux une espèce de stupeur, moins de frayeur que d'anticipation collective, de sorte que, quand Kalua apparut, ils eurent le sentiment qu'ils allaient tous, individuellement, être attachés au cadre pour être fouettés.

Néanmoins il y avait un aspect sous lequel aucun d'eux ne pouvait s'imaginer être Kalua, c'était sa taille gigantesque. Il fut amené sur le pont, portant seulement un langot étroitement tiré entre ses jambes afin d'offrir au fouet la plus grande surface de chair et de peau. Le bandeau blanc du langot semblait amplifier sa stature, si bien que, même avant qu'il ait atteint le dispositif choisi, il fut évident que celui-ci ne pourrait pas le contenir en entier : sa tête dépassait de beaucoup et atteignait le haut de la balustrade, se trouvant ainsi à hauteur des genoux des officiers. Les liens préparés durent donc être réajustés : tandis que ses chevilles restaient attachées aux deux coins inférieurs du cadre, ses poignets furent fixés à la balustrade, de manière à se trouver alignés avec son visage. Une fois les cordages noués et vérifiés, le subedar salua le kaptan et annonça que tout était prêt :

Sab taiyár sah'b!

Le kaptan répondit d'un signe de tête et donna le signal du départ :

— Chullo !

Le silence sur le pont était si profond que la voix du kaptan fut clairement entendue dans le dabusa, de même que les pas du subedar mesurant la distance de son élan.

Hé Rám, hamré bacháo! s'écria Deeti, haletante.

Paulette et les autres femmes l'entourèrent, les mains sur les oreilles afin d'atténuer les bruits du fouet. En vain, car elles ne réussirent à en éviter aucun, ni le sifflement du cuir s'enroulant dans l'air ni le cruel craquement de la lanière mordant dans la chair de Kalua.

Là-haut sur le rouf, Zachary, très proche de Kalua, sentit l'impact du fouet à travers la plante de ses pieds. Peu après, quelque chose le frappa au visage ;

en passant le dos de sa main sur sa joue, il y découvrit du sang. Il eut un haut-le-cœur et recula d'un pas.

À côté de lui, Mr Crowle, qui l'observait en souriant, gloussa :

— Y a pas de rôti sans sauce, hein, Damoiseau ?

*

Le violent mouvement de son bras avait amené Bhyro Singh assez près pour observer la zébrure qui s'ouvrait sur la peau dc Kalua. Avec une satisfaction sauvage, il lui susurra à l'oreille :

Kutta ! Chien de charognard, regarde ce que tu t'es gagné ! Tu seras mort avant que j'en aie fini avec toi !

Kalua l'entendit clairement à travers les bourdonnements de son crâne.

Malik, que vous ai-je donc fait ? dit-il dans un murmure.

La question, tout autant que le ton stupéfait sur lequel elle était posée, enragea encore plus Bhyro Singh.

Ce que tu m'as fait ? siffla-t-il. Ce n'est pas assez que, toi, tu sois ce que tu es ?

Les mots retentirent dans la tête de Kalua tandis que le subedar s'écartait pour reprendre son élan : Oui, ce que je suis suffit... durant cette vie et la prochaine, ce sera suffisant... c'est ce que je vivrai, encore et encore et encore...

Mais, tout en écoutant l'écho de la voix de Bhyro, dans une autre partie de son esprit il comptait les pas du subedar, énumérant les secondes jusqu'au coup suivant. Quand la lanière s'enfonça de nouveau, la douleur fut si énorme, si aveuglante, que sa tête s'effondra de côté, en direction de son poignet, de sorte qu'il sentit la rugosité du chanvre de ses liens sur ses lèvres. Pour s'empêcher de se mordre la langue, il planta ses dents dans le chanvre et, au coup de fouet suivant, sous l'effet de la douleur, il referma ses mâchoires avec tant de force qu'il coupa un des quatre tours de corde qui lui emprisonnaient les poignets.

Une fois de plus la voix du subedar résonna dans son oreille dans un chuchotement moqueur :

Kāpti ke marlá kuchhwó dokh nahin... Tuer qui vous trompe n'est pas un péché...

Ces mots aussi résonnèrent dans la tête de Kalua – *Kāpti... ke... marlá... kuchhwó.. dokh... nahin* –, chacune des syllabes marquant un des pas du subedar, s'éloignant puis pivotant sur lui-même pour revenir à la vitesse de l'éclair jusqu'à ce que la lanière de feu vienne lacérer son dos et que de nouveau il morde dans un autre bout de cordage : puis une fois encore, l'énumération des syllabes, le craquement du cuir, le serrement des dents – encore et encore, jusqu'à ce que les liens enserrant son poignet aient disparu hormis quelques derniers fils.

À ce moment-là, les battements de tambour dans sa tête s'étaient ajustés si précisément aux pas du subedar qu'il savait très exactement quand le fouet se déroulait dans l'air et il savait exactement quand libérer sa main. Alors que le subedar fonçait sur lui, il opéra une brusque torsion du buste et saisit la lanière à l'instant où elle s'abaissait vers lui. D'un vif mouvement du poignet, il la renvoya de sorte qu'elle alla s'enrouler autour du cou de bœuf de Bhyro Singh. Puis, d'un seul mouvement souple du bras, il tira dessus avec une force telle qu'avant que quiconque puisse faire un pas ou émettre un son, le subedar gisait mort sur le pont, le cou brisé.

Vingt-deux

En bas, dans le dabusa, les femmes retenaient leur souffle : jusqu'ici, le bruit de la charge de Bhyro Singh prenant son élan avait toujours été suivi par le craquement du fouet déchirant la chair du dos de Kalua. Cette fois, le rythme fut interrompu avant d'atteindre son paroxysme, comme si une main invisible avait étouffé la cascade de coups de tonnerre qui suit un éclair. Et quand le silence fut brisé, ce le fut par un grondement inattendu donnant l'impression d'une vague énorme s'abattant sur le navire et la plongeant dans le chaos : cris, hurlements et piétinements se mêlèrent et augmentèrent jusqu'à ce qu'on ne puisse les distinguer. Le dabusa redevint un tambour géant, activé par des cavalcades affolées au-dessus et des vagues furieuses au-dessous. Les femmes crurent que le navire coulait et que les hommes se battaient pour s'enfuir à bord des canots de sauvetage, les abandonnant, elles, à la noyade. Elles se précipitèrent à l'échelle et grimpèrent vers le panneau fermé mais, juste comme la première d'entre elles l'atteignait, il s'ouvrit brusquement. S'attendant à être balayées par une déferlante, les femmes sautèrent en arrière

– pourtant, au lieu d'un torrent d'eau apparut d'abord un migrant, puis un autre et un troisième, chacun dégringolant sur le précédent pour échapper aux lathis des silahdars. Les femmes leur tombèrent dessus, les secouèrent, exigeant de savoir ce qui était arrivé et ce qui se passait à présent.

... Kalua a tué Bhyro Singh...

... avec son propre fouet...

... s'est brisé le cou...

... et maintenant, les silahdars vont prendre leur revanche...

Difficile dans cette profusion de témoignages de distinguer le vrai du faux : un homme affirma que les soldats avaient déjà exécuté Kalua, un autre le démentit, prétendant qu'il était vivant encore qu'en méchant état. Tandis que les migrants se déversaient en plus grand nombre encore par l'écoutille, chacun avait un nouveau détail à ajouter, un autre fait à rapporter, de sorte que Deeti avait l'impression d'être sur le pont elle-même, assistant aux événements qui s'y déroulaient : Kalua, détaché du dispositif auquel il avait été attaché, avait été traîné à travers le pont par les gardes en rage. Le kaptan était sur la plage arrière, les deux malums à ses côtés, et tentait de raisonner les silahdars, leur expliquant qu'ils avaient parfaitement le droit de réclamer justice et qu'elle serait faite, mais seulement au travers d'une exécution légale, selon les règles, pas d'un lynchage.

Ce qui ne fut pas suffisant pour satisfaire la foule des gardes enragés qui se mirent à hurler : Maintenant ! Maintenant ! Pendons-le tout de suite !

Ces cris provoquèrent un brusque retournement dans les entrailles de Deeti : comme si le bébé à naître avait pris peur et tentait de faire taire les voix réclamant la mise à mort de son père. Les mains sur les oreilles, Deeti tituba dans les bras des autres femmes, qui l'emportèrent en la traînant à moitié dans leur coin du dabusa pour l'y étendre sur les planches.

*

— Reculez, bande de bâtards !

À peine ce rugissement explosait-il des lèvres de Mr Crowle qu'un coup de son pistolet déchira l'air. Sur les instructions du capitaine, le commandant en second avait visé juste à gauche des bossoirs de tribord, là où les silahdars avaient traîné le corps pratiquement sans connaissance de Kalua dans l'intention de le pendre à une potence improvisée. Cloués sur place par la détonation, ils se retournèrent pour faire face non pas à une mais à trois paires de pistolets. Côte à côte, sur la plage arrière, le capitaine et les deux officiers les mettaient en joue.

— Reculez ! Reculez, vous dis-je !

Aucun mousquet n'avait été distribué ce matin-là aux gardes qui n'étaient armés que de lances et d'épées. Une minute ou deux, on entendit clairement le claquement du métal contre le métal tandis que les hommes, ne sachant que faire, tournaient en rond sur le pont, en tripotant nerveusement le manche de leurs poignards.

Plus tard, Zachary se rappellerait avoir pensé que si les silahdars avaient décidé juste à cet instant de se précipiter en groupe sur la plage arrière, les trois officiers n'auraient pas pu faire grand-chose pour les repousser : ils se seraient retrouvés sans défense dès leur première volée de balles tirée. Le capitaine Chillingworth et Mr Crowle le savaient tout autant que lui, mais ils savaient aussi qu'il n'était pas question de reculer à présent – qu'ils laissent les soldats procéder à un lynchage, et tout deviendrait possible. Que Kalua dût être pendu pour le meurtre de Bhyro Singh était évident, néanmoins il était tout aussi clair que son exécution ne devait pas être l'œuvre d'une foule d'enragés. Les trois officiers en étaient tacitement d'accord : si les silahdars étaient d'humeur à se mutiner, alors c'était maintenant qu'il fallait leur tenir tête.

C'est Mr Crowle qui sauva la situation. Redressant les épaules, il se pencha sur la balustrade du rouf et agita son pistolet en manière d'invitation.

— Venez un peu par ici, canailles ; ne restez pas plantés là à me montrer vos dents. Voyons voir si y a encore une paire de couilles entre vous tous !

Zachary, pas plus que quiconque, ne pouvait nier que Mr Crowle, debout sur la plage arrière, un pistolet dans chaque main et déversant un torrent d'obscénités – «... bande de tocards, mouille-bites, voyons voir qui va être le premier à se prendre une balle dans le cul... » –, offrait une silhouette imposante. Dans son regard se lisait une telle soif de sang que personne ne pouvait douter qu'il tirerait sans hésitation. Les silahdars parurent le comprendre car, une minute ou deux plus tard, ils baissèrent les yeux tandis que l'envie de combattre semblait les abandonner.

Mr Crowle ne perdit pas de temps :

— En arrière, en arrière, je répète, écartez-vous du coolie.

Non sans murmures, les soldats s'écartèrent du corps de Kalua pour se rassembler au milieu du pont. Ils étaient vaincus à présent et ils le savaient, aussi, quand Mr Crowle leur ordonna de déposer leurs armes, ils le firent de manière très militaire, comme à la manœuvre, plaçant leurs lances et leurs épées en un tas soigné sous le balcon.

Le capitaine reprit alors la main et marmonna un ordre à Zachary :

— Reid, emportez-moi ces armes à l'arrière et veillez à ce qu'elles soient bien rangées. Prenez deux ou trois lascars pour vous donner un coup de main.

— Oui, monsieur.

Aidé de trois marins, Zachary rassembla les armes, les emporta dans la cale et les mit en sûreté dans l'armurerie. À son retour, vingt minutes plus tard, un calme tendu régnait sur la plage arrière. Les silahdars écoutaient en un silence soumis le capitaine lancé dans un de ses sermons.

— Je sais que la mort du subedar vous a profondément choqués... – Ici, tandis que le gomusta traduisait ses paroles, le capitaine essuya son visage ruisselant de sueur. – Croyez-moi, je partage votre chagrin. Le subedar était un brave homme et je suis aussi déterminé que vous à m'assurer que justice soit faite.

Maintenant qu'une mutinerie avait été évitée, il était évident que le capitaine était disposé à se montrer aussi généreux que possible.

— Je vous donne ma parole que le meurtrier sera pendu, mais il vous faudra attendre jusqu'à demain, car il ne serait pas convenable qu'une pendaison suive de trop près les funérailles. Jusqu'alors, vous devez être patients. Aujourd'hui, vous devez vous consacrer à votre subedar – et quand vous aurez terminé, vous vous retirerez dans vos quartiers.

Les officiers assistèrent en silence aux rites funéraires en l'honneur du subedar. À la fin de la cérémonie, ils escortèrent les soldats et les gardiens jusqu'à leur cabine. Quand le dernier eut disparu, le capitaine poussa un soupir de soulagement.

— Le mieux, c'est de les garder en bas jusqu'à demain. Donnez-leur le temps de se rafraîchir les

idées. – À l'évidence, l'énergie du capitaine s'était émoussée au cours de la journée, et c'est avec un effort notable qu'il s'épongeait à présent le visage.
– Je dois confesser que je ne me sens pas très ingambe, dit-il. Le pont est à vous, monsieur Crowle.

— Allez-y et reposez-vous tant que vous voudrez, répliqua le premier officier. Tout est à poste et sous contrôle, monsieur.

*

Deeti fut parmi les dernières à être informée du report de l'exécution de Kalua, et de se rendre compte ainsi qu'elle avait perdu un temps précieux à exprimer ses sentiments la mit très en colère, surtout contre elle-même. Elle savait parfaitement que, pour être d'un secours quelconque à son mari, elle devait s'imposer de raisonner comme lui. Dans les moments de crise, la plus grande ressource de Kalua était non pas sa force physique mais plutôt sa capacité à garder la tête froide. Instinctivement, elle se tourna vers la seule personne sur qui elle savait pouvoir s'appuyer :
Pugli – viens ici, assieds-toi à côté de moi.
Bhauji ?
Deeti passa un bras autour des épaules de Paulette et se pencha vers son oreille.
Pugli, que faut-il faire, dis-moi ? À moins d'un miracle, demain je serai veuve.
Paulette lui serra les doigts.
Bhauji, ne perds pas espoir. Ce n'est pas encore demain. Beaucoup de choses peuvent arriver d'ici là.
Oh ? Deeti, qui avait remarqué que Paulette avait été pendue au conduit d'aération toute la matinée, sentit que la jeune fille en savait plus qu'elle n'en

639

voulait dire. Qu'est-ce que c'est, Pugli ? Se passe-t-il quelque chose ?

Paulette hésita avant d'acquiescer d'un rapide signe de tête.

Oui, bhauji, mais ne me questionne pas à ce sujet. Je ne peux pas parler.

Deeti lui lança un coup d'œil appréciateur.

Très bien, Pugli : je ne vais pas t'en demander davantage. Mais dis-moi ceci : penses-tu qu'il soit possible que mon *jora* puisse s'en sortir vivant ? Avant demain ?

Qui peut savoir, bhauji. Tout ce que je peux dire, c'est qu'il y a une chance.

Hé Rám ! Deeti saisit les joues de Paulette et les secoua en signe de gratitude. Oh, Pugli, je savais que je pouvais te faire confiance.

Ne dis pas ça, bhauji ! s'écria Paulette. Ne dis rien encore. Tant de choses pourraient mal tourner. Ne leur portons pas malheur dès le début.

Il y avait là plus que de la superstition, devina Deeti qui sentait la nervosité de la jeune fille dans la tension de ses joues. Elle approcha sa tête de son oreille.

Dis-moi, Pugli, vas-tu jouer un rôle aussi... dans ce qui va se passer ?

De nouveau, Paulette hésita avant de lâcher dans un murmure :

Un très petit rôle, bhauji. Mais essentiel, d'après ce qu'on me dit en tout cas. Et je m'inquiète à l'idée que quelque chose aille de travers.

Deeti lui frotta les joues pour les réchauffer.

Je prierai pour toi, Pugli...

Un peu après quatre heures, et le début du premier quart de l'après-midi, le capitaine Chillingworth réap-

640

parut sur le pont, l'air pâle et fiévreux, serrant sur sa poitrine un vieux caban. À peine sorti de l'écoutille, il porta son regard sur le corps prostré attaché au grand mât. Il jeta un coup d'œil interrogateur au premier officier, qui y répondit par un rire sinistre.

— Le nègre est bien vivant, ne vous en faites pas ; vous pourriez tuer dix fois cette face de suie qu'il serait pas mort !

Le capitaine acquiesça d'un signe puis, tête baissée et épaules serrées, il gagna d'un pas traînant le côté sous le vent de la plage arrière. Un vent d'est qui soufflait fort et régulier, expédiant de grosses vagues couronnées de blanc contre les flancs du navire. Vu le temps, le capitaine ne se dirigea pas vers sa place habituelle, à la jonction du balcon et du bastingage, mais se mit à l'abri des haubans d'artimon. Il se retourna pour examiner l'horizon à l'est, où des volées sombres de nuages s'étaient regroupées pour former une masse dense gris acier.

— Des générateurs de tempête si j'en ai jamais vu, marmonna le capitaine. Qu'en dites-vous, monsieur Crowle, ça pourrait être méchant ?

— Pas de quoi s'affoler, monsieur, répliqua le premier officier. Juste quelques risées et quelques gouttiches. Ça sera terminé avant l'aube.

Le capitaine se pencha en arrière pour regarder les mâts sur lesquels il ne restait à présent que les trinquettes et les voiles de misaine.

— Néanmoins, messieurs, dit-il, nous allons nous mettre en panne et attendre avec une voile de cape que le temps s'améliore. Inutile de prendre le moindre risque.

Aucun des deux officiers ne voulut être le premier à consentir à un tel excès de précaution.

— Je ne vois pas que ce soit nécessaire, monsieur, finit par lâcher Mr Crowle, réticent.

— Vous le ferez quand même, rétorqua le capitaine. Ou bien dois-je rester sur le pont pour m'assurer que mes ordres sont suivis ?

— Ne vous en faites pas, monsieur, s'empressa de répondre Mr Crowle. Je vais m'en occuper.

— Bien, dit le capitaine. Alors je vous laisse faire. Quant à moi, je ne me sens pas du tout dans mon assiette, je dois l'avouer. Je vous serais très reconnaissant si l'on pouvait m'éviter toute interruption cette nuit.

*

Ce jour-là, les migrants ne furent pas autorisés à monter sur le pont pour leur repas du soir. Le temps étant très mauvais, on leur passa par l'écoutille des sacs de provisions – des rotis rassises, dures comme pierre, et des vieux pois chiches. Peu se soucièrent de ce qu'on leur servait car ils n'étaient guère qu'une poignée à avoir envie de manger. Pour la plupart d'entre eux, les événements du matin s'étaient déjà à moitié effacés de leur mémoire : à mesure que le temps empirait, ils consacraient surtout leur attention aux éléments déchaînés. Toute flamme ou éclairage étant interdits, ils devaient demeurer assis dans l'obscurité à écouter les vagues se brisant contre la coque et le vent hurlant à travers les mâts dénudés. Le vacarme était suffisant pour confirmer tout ce que chacun avait déjà pensé à propos de l'Eau noire : on avait l'impression que tous les diables de l'enfer se battaient pour entrer dans le dabusa.

— Mademoiselle Lambert, mademoiselle Lambert...

Le chuchotement à peine audible par-dessus le tin-tamarre était si faible que les oreilles de Paulette ne l'auraient pas cueilli au passage si le nom prononcé n'avait pas été le sien. Elle se leva, s'appuya à une poutre et se tourna vers le conduit d'aération : tout ce qu'on voyait était un œil brillant derrière la fente, mais elle comprit aussitôt à qui il appartenait.

— Monsieur Halder ?

— Oui, mademoiselle Lambert.

Paulette se rapprocha encore.

— Voulez-vous me dire quelque chose ?

— Simplement que je vous souhaite le succès pour ce soir : pour le salut de votre frère et le mien, et, bien sûr, pour celui de nous tous.

— Je ferai ce que je pourrai, monsieur Halder.

— Je n'en doute pas un seul instant, mademoiselle Lambert. Si quelqu'un peut réussir dans cette délicate mission, ce ne peut être que vous. Votre frère nous a un peu raconté votre histoire et, je dois l'avouer, je suis émerveillé. Vous êtes une femme d'un extraordinaire talent, mademoiselle Lambert – une sorte de génie. Votre interprétation a jusqu'ici été si remar-quable, si vraie, qu'on en oublierait qu'elle en est une. Je n'aurais jamais cru mes yeux et mes oreilles capables d'être ainsi trompés – et de plus par une *Firangin*, une Française.

— Je ne suis rien de tout cela, monsieur Halder ! protesta Paulette. Il n'y a rien de faux dans la per-sonne qui se trouve devant vous. Est-il interdit à un être humain de se manifester sous quantité d'aspects différents ?

— Évidemment pas. J'espère infiniment, made-moiselle Lambert, que nous nous rencontrerons de nouveau quelque part et dans des circonstances plus heureuses.

— Je l'espère aussi, monsieur Halder. Et lorsque cela arrivera, j'entends que vous m'appeliez Paulette, ou bien Putli comme le fait Jodu. Mais souhaiteriez-vous m'appeler Pugli que je ne désavouerais pas non plus cette identité.

— Et moi, mademoiselle Lambert, je vous demanderai de m'appeler Neel – sauf que si nous nous rencontrons de nouveau, je soupçonne que j'aurai eu à changer de nom. Jusqu'alors, je vous fais tous mes vœux. Et *bon courage*.

— À vous aussi. *Bhalo thakhen*.

Paulette ne s'était pas rassise qu'elle était rappelée au conduit par Jodu.

Putli, le moment est venu, il faut que tu te changes et que tu te tiennes prête. Mamdoo Tindal va venir te faire sortir dans quelques minutes.

*

À minuit, son quart terminé, Zachary enfila des vêtements secs et tomba tout habillé sur sa couchette – dans une tempête pareille, impossible de prévoir quand on aurait besoin de lui sur le pont. À part l'unique voile de cape, il n'y avait pas un seul fil de toile sur les mâts de la goélette, mais le vent soufflait si fort que le son de ce carré de tissu ressemblait à celui de toutes les voiles réunies. À la violence avec laquelle sa couchette tanguait, Zachary savait aussi que l'*Ibis* était battu par des vagues de vingt pieds et plus. Les lames ne passaient plus simplement au-dessus du bastingage, elles s'écrasaient de très haut, comme des déferlantes venant percuter une plage, et quand l'eau fuyait du pont, c'était avec un angoissant bruit de succion.

À deux reprises, étendu sur sa couchette, Zachary avait entendu un craquement sinistre, pareil à celui d'un hauban ou d'un mât prêt à casser et, malgré son intention de prendre un bon repos, ses sens étaient tous en alerte maximale, attentifs à tout autre signe de danger. C'est pourquoi, dès le premier léger coup frappé à sa porte, il se redressa. La cabine était sombre car Zachary avait éteint sa lampe avant de s'allonger; tandis qu'il dégringolait de sa couchette, un grand coup de roulis l'expédia sur bâbord et il se serait écrasé contre sa porte s'il ne s'était pas tourné à temps pour atténuer le choc avec son épaule.

Alors que le bateau se redressait, il appela :

— Qui est là ?

Faute d'une réponse, il ouvrit.

Pinto avait laissé une seule lampe brûler dans le carré et, à la lueur de la flamme vacillante, Zachary se trouva face à un lascar portant sur le bras son ciré trempé. Un jeune garçon sec et musclé avec un bandana autour de la tête. Zachary ne le reconnut pas car son visage était dans l'ombre.

— Qui es-tu ? dit-il. Que fais-tu ici ?

Avant que Zachary ait pu terminer sa phrase, la goélette gîta sur tribord, les envoyant tous deux valser dans la cabine. Tandis qu'ils luttaient pour retrouver leur équilibre, la porte se referma violemment sur un autre coup de roulis. Tout à coup, Zachary se retrouva sur sa couchette avec le lascar à son côté. Puis, dans l'obscurité, il entendit un chuchotement qui lui glaça littéralement le sang.

— Monsieur Reid... monsieur Reid... s'il vous plaît...

La voix était vaguement familière, mais d'une manière terriblement déconcertante, tellement éloignée des circonstances, qu'elle en était dénaturée. Zachary sentit sa propre voix mourir dans sa gorge et sa peau se hérisser tandis que le chuchotement continuait :

— Monsieur Reid, c'est moi, Paulette Lambert...

— De quoi s'agit-il ?

Zachary n'aurait pas été surpris si la chose présente à ses côtés avait disparu ou s'était dématérialisée – enfin, que pouvait-ce être, sinon le fruit de sa propre imagination ? –, pourtant cette hypothèse fut très vite écartée car la voix insistait :

— S'il vous plaît, monsieur Reid... croyez-moi, c'est moi, Paulette Lambert.

— Impossible !

— Croyez-moi, poursuivit la voix dans la nuit. C'est vrai. Je vous en supplie, ne vous mettez pas en colère, mais il faut que vous sachiez que je suis à bord depuis le début du voyage, dans l'entrepont, avec les femmes.

— Non ! – Zachary se poussa de côté, s'écartant de Paulette autant que la largeur de la couchette le permettait. – J'étais là quand les coolies embarquaient. Je l'aurais su.

— C'est pourtant la vérité, monsieur Reid. Je suis montée avec les migrants. C'est grâce à mon sari que vous ne m'avez pas reconnue.

Ayant compris, au son de sa voix, qu'il s'agissait bien de Paulette, Zachary pensa qu'il aurait tout de même dû être content de l'avoir là, près de lui. Mais pas plus qu'un autre marin il n'aimait faire figure d'imbécile ; il n'avait jamais apprécié d'être pris de court, et il fut saisi d'un embarras croissant en songeant à quel point il avait dû paraître ridicule une minute ou deux auparavant.

— Eh bien, mademoiselle Lambert, dit-il avec raideur, si c'est bien vous, vous avez certainement réussi à vous jouer totalement de moi.

— Telle n'était pas mon intention, monsieur Reid. Je vous l'assure.

— Puis-je vous demander, dit-il en essayant de retrouver sa maîtrise, laquelle vous étiez, laquelle des femmes, je veux dire ?

— Mais certainement, monsieur Reid, répliqua-t-elle avec empressement. Vous m'avez vue souvent, peut-être sans me remarquer : j'étais souvent sur le pont, à faire la lessive. – Elle n'avait pas terminé sa phrase qu'elle sentit en avoir déjà trop dit, mais une nervosité croissante l'empêcha de s'interrompre. – La chemise même que vous portez maintenant, monsieur Reid, je l'ai lavée, elle et tout votre...

— ... linge sale ? Est-ce ce que vous alliez dire ? – Mortifié, Zachary sentit ses joues commencer à brûler. – Dites-moi, je vous prie, mademoiselle Lambert, à quoi bon tous ces mensonges et artifices ? Juste à me faire passer pour un idiot ?

— Vous vous trompez beaucoup, monsieur Reid, répliqua Paulette, piquée par la dureté du ton, si vous imaginez être la cause de ma présence à bord. Croyez-moi, ce n'est que pour moi que j'ai fait ce que j'ai fait. Il était impératif que je quitte Calcutta – vous en connaissez parfaitement la raison. Ce navire était mon seul moyen d'évasion et ce que j'ai fait n'est pas différent de ce qu'aurait fait ma grand-tante, Mme Commerson.

— Votre grand-tante, mademoiselle Lambert ? lança Zachary, acide. Eh bien vous l'avez surpassée, et de loin ! Vous vous êtes certainement montrée l'égale d'un caméléon. Vous avez tellement perfectionné l'art de l'imposture que je ne doute pas qu'il soit au cœur même de votre âme.

Paulette n'arrivait pas à comprendre comment cette rencontre, dans laquelle elle avait investi tant d'espoir et d'émotion, avait tourné en un si vilain duel. Mais elle n'était pas non plus femme à ne pas relever un défi. Sa réponse lui échappa des lèvres avant qu'elle puisse la ravaler.

— Oh, monsieur Reid ! Vous m'accordez plus de crédit qu'il ne m'en est dû. Si j'ai un égal en imposture, ce ne peut être sûrement que vous ?

Malgré les hurlements du vent et le fracas des vagues dehors, il régna soudain dans la cabine un calme étrange. Zachary ravala sa salive puis se racla la gorge.

— Ainsi donc, vous savez ?

Si son imposture avait été annoncée du haut du grand mât, il ne se serait pas senti plus exposé, plus un charlatan qu'à présent.

— Oh, pardonnez-moi ! – il l'entendait s'étrangler avec ses mots – oh, pardonnez-moi, je ne voulais pas...

— Moi non plus, mademoiselle Lambert, je ne voulais pas vous tromper quant à ma race. Lors des quelques occasions où nous avons pu nous parler, j'ai tenté de vous indiquer – non, j'ai tenté de vous informer, croyez-moi.

— Quelle importance, monsieur Reid ? – Essayant un peu tard de se rattraper, Paulette adoucit son ton. – Toutes les apparences ne sont-elles pas trompeuses, en fin de compte ? Quoi qu'il ait en nous, bon, mauvais, ou ni l'un ni l'autre, cela continuer d'exister sans interruption, n'est-ce pas, quelle que soit la forme de nos habits ou la couleur de notre peau ? Et si c'était le monde, monsieur Reid, qui soit une imposture, et que nous soyons l'exception à ses mensonges ?

Zachary secoua la tête avec mépris devant ce qui lui parut une faible tentative d'excuse.

648

— Je crains, mademoiselle Lambert, d'être un homme trop simple pour comprendre ces subtilités. Je dois vous demander d'être plus directe. Dites-moi, je vous prie, la raison pour laquelle vous avez choisi de vous dévoiler maintenant? Pourquoi juste à ce moment? Ce n'était tout de même pas pour m'annoncer notre compagnonnage en mensonge que vous êtes venue me voir?

— Non, monsieur Reid. C'est pour tout autre chose. Il faut que vous sachiez que je suis ici au nom de beaucoup d'autres de nos amis communs...

— Qui donc, puis-je vous demander?

— Serang Ali, par exemple.

Zachary se couvrit les yeux de ses mains : si quelque chose à cet instant pouvait encore l'humilier davantage, c'était bien d'entendre mentionner l'homme qu'il avait cru à un moment être son mentor.

— Tout est clair pour moi à présent, mademoiselle Lambert, dit-il. Je vois comment vous avez pu connaître mes origines. Mais dites-moi, mademoiselle Lambert, est-ce l'idée de Serang Ali ou bien la vôtre que d'user de cette information pour me faire chanter?

— Vous faire chanter? Oh, quelle honte, monsieur Reid! Quelle honte!

*

Le vent soufflait si fort que Baboo Nob Kissin n'osait pas se tenir debout sur le pont battu par la pluie : par bonheur il logeait désormais dans la timonerie – sinon arriver jusqu'au fana l'aurait obligé à un plus pénible trajet. Même cette courte distance paraissait horriblement longue, bien trop pour la négocier

649

debout : il avançait donc lentement, à quatre pattes et à l'abri du bastingage.

Le panneau de l'écoutille menant au fana était hermétiquement fermé mais il l'ouvrit du premier coup. Une lampe se balançait à l'intérieur, éclairant les visages de Serang Ali et des lascars qui, étendus dans leurs jhulis, roulant en même temps que le navire, regardaient Baboo Nob Kissin se diriger vers la cellule.

Le gomusta n'avait d'yeux que pour l'homme qu'il cherchait, pas d'autre pensée que l'accomplissement de sa mission. Il s'accroupit devant les barreaux et tendit les clés à Neel.

— Les voici, prenez-les, prenez-les : puissent-elles vous aider à trouver votre liberté, votre *mukti*...

Mais une fois qu'il eut placé les clés dans la paume de Neel, il refusa de lui lâcher la main.

— La voyez-vous à présent ? Dans mes yeux ? Ma Taramony ? Est-elle là ? En moi ?

Devant le signe d'assentiment de Neel, Baboo Nob Kissin ne put contenir sa joie.

— Vous êtes sûr ? Sûr qu'elle est là maintenant ? L'heure est-elle venue ?

— Oui, confirma Neel, le regardant dans les yeux. Oui, elle est là. Je la vois – une mère incarnée : son heure est venue...

Le gomusta abandonna la main de Neel et s'entoura de ses bras : maintenant que les derniers lambeaux de son moi antérieur allaient être rejetés, il prenait conscience d'une étrange affection, d'une sorte de tendresse pour le corps qui avait été si longtemps le sien. Il n'avait plus aucune raison de rester dans le fana : il retourna sur le pont principal et s'avança vers le rouf. Son regard se posa sur Kalua et, une fois de plus, il se remit à quatre pattes et rampa le long du bastingage. Se hissant à la hauteur de la silhouette affaissée, il lui passa un bras autour de la taille et se maintint ainsi tandis qu'une vague surgissait sur le pont et le balayait presque.

Attends, chuchota-t-il à Kalua. Attends juste un peu plus encore et toi aussi tu retrouveras ta liberté ; ta *moksha* est à portée de ta main...

Maintenant que la présence de Taramony était totalement manifeste en lui, il avait l'impression d'être devenu la clé capable d'ouvrir toutes les cages, ces cages où étaient emprisonnés tous les êtres piégés par les différences illusoires de ce monde. C'est la plénitude de cette perception qui le porta, épuisé et trempé, mais en extase, devant ce nouveau moi, vers les cabines à l'arrière. À la porte de Zachary, il s'arrêta comme il l'avait fait si souvent, pour écouter une flûte, mais en lieu et place il entendit un chuchotement de voix.

C'était là, se rappela-t-il, à cet endroit précis, que s'était signalé le commencement de sa transformation, par le son d'une flûte . le cercle était désormais clos, tout s'était accompli comme prévu. Il porta la main à son amulette et il en tira un bout de papier. Le serrant contre sa poitrine, il se mit à tourner et à tourner encore ; le bateau dansait aussi en même temps que lui, le pont se soulevait et s'abaissait au rythme de ses voltiges. Saisi par la joie bénie, transcendante, de l'ananda, il ferma les yeux.

C'est ainsi que Mr Crowle le découvrit : tournant sur lui-même, les bras en l'air.

— Pander, vieux fouteur de cons !...

Il arrêta la danse du gomusta avec une gifle, puis son regard se porta sur le bout de papier que l'homme affolé serrait dans sa main.

— Qu'est-ce que c'est que ça ? Voyons un peu.

D'un revers de main sur ses yeux, Paulette essuya un flot de larmes. Elle n'aurait jamais imaginé que sa rencontre avec Zachary prendrait un tour si inamical, mais puisqu'il en était ainsi, autant ne pas aggraver la situation.

— C'est inutile, monsieur Reid, dit-elle en se levant. Notre entretien a été une grande erreur. J'étais venue vous dire que vos amis avaient terriblement besoin de vous ; j'étais venue vous parler de ma propre... mais c'est inutile. Tout ce que je dis ne semble qu'approfondir nos malentendus. Il vaut mieux que je m'en aille.

— Attendez ! Mademoiselle Lambert !

L'idée de la perdre affola Zachary. Bondissant, il se jeta dans la direction de sa voix, en oubliant dans l'obscurité combien sa cabine était petite. À peine avait-il levé la main que ses doigts effleurèrent le bras de Paulette ; il voulut s'en écarter mais sa paume refusa de bouger ; au contraire son pouce repoussa le tissu de sa blouse. Elle était si proche qu'il l'entendait respirer ; il sentait même la tiédeur de son haleine sur son visage. Sa main passa de son épaule à sa nuque, s'arrêtant entre son col et son bandana pour explorer le bout de peau dénudée sous les cheveux relevés. Étrange combien il avait été autrefois atterré à l'idée de Paulette en lascar, étrange cette volonté qu'il avait eue de la garder pour toujours habillée de velours. Car, bien qu'il ne pût la voir pour le moment, le fait de la savoir déguisée en marin la rendait plus désirable que jamais, une créature changeante et élusive au point d'en être irrésistible : sa bouche se plaqua soudain sur celle de Paulette, dont les lèvres se pressèrent contre les siennes.

652

Quoique déjà plongés dans l'obscurité, ils fermèrent lentement les yeux pour mieux se concentrer, et aucun des deux n'entendit qu'on frappait à la porte. Ce n'est que quand Mr Crowle hurla : « T'es là, Damoiseau ? » qu'ils se séparèrent en hâte.

Paulette se plaqua contre la paroi tandis que Zachary s'éclaircissait la gorge.

— Oui, monsieur Crowle. De quoi s'agit-il ?

— Tu peux sortir ?

Entrebâillant la porte de quelques centimètres, Zachary vit Mr Crowle qui attendait dehors en tenant fermement par le cou un Baboo Nob Kissin terrorisé.

— Que se passe-t-il, monsieur Crowle ?

— J'ai quelque chose qu'il te faut voir, Damoiseau, dit le premier officier avec un sourire malveillant. Quelque chose que je tiens de notre ami Babouin ici présent.

Zachary sortit rapidement de sa cabine et tira la porte derrière lui.

— De quoi s'agit-il ?

— J'vais te montrer mais pas ici. Et pas tant que j'ai ce babouin sur les bras. Vaut mieux le mettre au frais dans ta cabine.

Sans attendre de réponse, Mr Crowle poussa la porte et d'un coup de genou dans le bas des reins propulsa le gomusta dans la cabine, sous le nez de Zachary. Le premier officier ne regarda même pas à l'intérieur avant de refermer la porte, qu'il bloqua en enfilant dans les manilles une rame décrochée de son support dans le mur.

— Ça devrait l'empêcher de s'en aller pendant que nous réglons notre petite affaire.

— Et où allons-nous procéder ?

— Ma cabine nous conviendra très bien.

*

Comme à un ours dans sa tanière, l'assurance d'être sur son propre territoire donnait une dimension supplémentaire au physique déjà remarquable du premier officier : une fois que Zachary et lui furent à l'intérieur, la porte fermée derrière eux, il parut gonfler et se répandre, laissant très peu de place à Zachary. Le navire tanguait follement et les deux hommes devaient étendre les mains pour se rattraper aux parois de la cabine. Même alors, tous deux debout les bras en croix, poitrine contre poitrine, se cognant l'un contre l'autre à chaque embardée du navire, Mr Crowle paraissait décidé à user de sa taille et de sa corpulence pour obliger Zachary à s'asseoir sur sa couchette. Mais Zachary s'y refusait : il y avait dans la conduite du premier officier quelque chose qui trahissait une émotion excessive encore plus déplaisante que l'agressivité ouverte du passé. Afin de ne pas céder de terrain au gros homme, il se força à rester debout.

— Eh bien, monsieur Crowle ? Pourquoi vouliez-vous me voir ?

— À propos d'une chose pour laquelle tu me remercieras, Reid. – Le premier officier tira de sa veste une feuille de papier jaunie. – Je l'ai chapardé à cette andouille, ce Pander, non ? Il était en train de l'apporter au capitaine. T'as de la veine que je m'en sois emparé, Reid. Un truc pareil pourrait causer à un marin des tonnes de dégâts. Pourrait s'faire qu'il ne travaillerait plus jamais sur un bateau.

— Qu'est-ce que c'est ?

— Le rôle de l'équipage de l'*Ibis*, lors de son départ de Baltimore.

— Et alors ? dit Zachary en fronçant les sourcils.

654

— Jette un œil, Reid. – L'officier souleva la lampe et tendit le bout de papier froissé à Zachary. – Vas-y ! Lis toi-même !

Quand il s'était engagé sur l'*Ibis*, Zachary ne savait rien des documents ou manifestes d'un bateau, tout comme il ignorait que la manière de les remplir variait d'un bâtiment à l'autre. Il était monté à bord avec son sac, avait crié son nom, son âge et son lieu de naissance au second officier, un point c'est tout. Mais il voyait maintenant que, comme pour quelques autres membres de l'équipage, il y avait une mention supplémentaire à côté de son nom : il plissa les yeux puis, soudain, se figea.

— T'as vu, Reid ? lança Mr Crowle. Tu vois ce que je veux dire ?

Sans lever les yeux, Zachary répondit par un hochement de tête mécanique, et le premier officier reprit d'une voix rauque :

— Regarde, Reid, ça signifie rien pour moi. Je m'en fous, vraiment je m'en fous que tu sois un mulâtre ou pas.

— Je ne suis pas un mulâtre, monsieur Crowle, rétorqua Zachary comme s'il récitait par cœur. Ma mère était une quarteronne, mon père était blanc. Ce qui fait de moi un métis.

— Métis ou mulâtre, c'est du pareil au même. – Mr Crowle leva la main pour caresser d'une jointure la joue pas rasée de Zachary. – Métis ou mulâtre, ça change pas la couleur de ça...

Toujours hypnotisé par le bout de papier, Zachary ne bougea pas, et la main se hissa plus haut pour, d'une pichenette, renvoyer une boucle de cheveux en arrière.

— Et ça ne change pas ça non plus. T'es ce que t'es, Reid, et pour moi ça fait pas de différence. Si tu veux savoir, ça fait de nous une paire.

Zachary leva alors des yeux étonnés.

— Je ne vous comprends pas, monsieur Crowle.

La voix du premier officier se réduisit à un grognement.

— Écoute, Reid, on n'a pas commencé sur une bonne base, y a pas à le nier. Tu m'as fait passer pour un idiot avec tes manières de petit maître et ton parler de velours ; j'te croyais des lieues au-dessus de moi. Mais v'là ce papier, ça change tout – j'aurais jamais pensé pouvoir me tromper autant.

— Que voulez-vous dire, monsieur Crowle ?

— Tu vois donc pas, Damoiseau ? – Mr Crowle posa la main sur l'épaule de Zachary. – On pourrait faire équipe, nous deux. – Il tapota le papier et le reprit à Zachary. – Ça, personne n'a besoin de le savoir. Ni le capitaine ni personne d'autre. Ça restera ici. Avec moi. Penses-y un peu, Reid, moi en commandant et toi mon second. Main dans la main. Pas de mensonges entre nous : on aurait barre l'un sur l'autre. Qu'espérer de mieux pour deux marins comme nous ? Pas besoin d'embrouilles, pas besoin de mentir. Je te ferai la vie facile aussi, Damoiseau ; je suis un homme qui sait l'heure qu'il est et d'où vient le vent. Au port, tu seras libre, libre de faire ce qui te plaît, ça m'est égal ce que tu fous à terre.

— Et en mer ?

— Tout ce que t'auras à faire, c'est de temps à autre traverser le carré. C'est pas si long que ça, non ? Et si c'est pas à ton goût, tu pourras fermer les yeux et t'imaginer au diable, en ce qui me concerne. Vient un jour, Damoiseau, où tout matelot doit apprendre à manœuvrer un bateau vent debout dans la tempête.

Crois-tu que la vie devrait te traiter différemment parce que tu es un mulâtre ?

En dépit de la brutalité de ton du premier officier, Zachary sentait l'homme au bord de la désintégration intérieure, et il éprouva un élan inattendu de sympathie à son endroit. Son regard s'abaissa sur le papier que tenait Mr Crowle, et il s'étonna qu'une chose aussi mince, aussi inoffensive, pût être investie de tant d'autorité : qu'elle fût capable de dissiper la peur, l'invulnérabilité apparente que lui, Zachary, avait possédées sous son déguisement de « gentleman » ; qu'elle pût changer son aspect au point de le rendre désirable pour un homme qui, à l'évidence, ne pouvait désirer que ce qu'il tenait en son pouvoir ; que l'essence de cette transformation se résumât en un seul mot – tout cela témoignait plus du délire du monde que de la perversité de ceux qui venaient y faire leur chemin.

Il sentait monter l'impatience du premier officier dans l'attente d'une réponse et, quand il parla, ce ne fut pas désagréablement mais avec une calme fermeté.

— Écoutez, monsieur Crowle, dit-il, je suis désolé mais votre proposition ne me convient pas. Il peut vous paraître que ce bout de papier ait fait de moi une autre personne, mais en vérité il n'a rien changé du tout. Je suis né libre et je ne suis pas prêt à abandonner quoi que ce soit de cette liberté.

Il fit mouvement vers la porte de la cabine, mais le premier officier s'interposa pour lui barrer la route.

— Remets tes rames dans la barque, Damoiseau, dit-il, en manière d'avertissement. N'essaye pas de t'échapper.

— Écoutez, monsieur Crowle, répliqua Zachary calmement. Aucun de nous n'a besoin de se souvenir de cette conversation. Dès que je serai sorti d'ici, ce sera terminé – il ne s'est rien passé.

— Trop tard pour jeter l'éponge maintenant, Damoiseau, répliqua le premier officier. Ce qui est dit est dit et ne peut pas être oublié.

Zachary le toisa et redressa les épaules.

— Quelles sont donc vos intentions, monsieur Crowle ? Me garder ici jusqu'à ce que j'enfonce la porte ?

— Tu n'oublies pas quelque chose, Damoiseau ? – L'officier tapota le papier qu'il avait fourré sous sa tunique. – Ça ne me prendrait pas deux minutes pour l'apporter au capitaine.

Il y avait dans cette menace de chantage un désespoir touchant au pathétique qui fit sourire Zachary.

— Allez-y, monsieur Crowle, dit-il. Quel que soit ce papier, ce n'est pas un contrat. Portez-le au capitaine – croyez-moi, j'en serai ravi. Et je parie que quand il apprendra le marché que vous étiez décidé à faire, ce n'est pas à cause de moi qu'il explosera.

— Ferme-la, Reid ! – La main du premier officier surgit de l'ombre pour venir frapper Zachary en plein visage. Puis la pointe d'une lame se posa sur sa lèvre supérieure. – J'ai fait mon temps, Damoiseau, et tu le feras aussi. T'es juste qu'un gamin : je te mettrai vite à genoux.

— Avec votre couteau, monsieur Crowle ? – La lame commença à descendre, en ligne droite, du nez de Zachary au bas de son cou en passant par son menton.

— Je vais te dire, Damoiseau, t'es pas assez négro pour laisser Jack Crowle la bite pendante, pas quand il est pris dans les filets. Je marcherai sur ton cadavre avant de te laisser m'échapper.

— Alors faites-le sur l'heure, monsieur Crowle. Il vaut mieux le faire tout de suite.

— Oh, je réfléchirai pas deux fois avant de te tuer, Damoiseau, dit Mr Crowle entre ses dents. N'en doute pas. Ce sera pas la première ni la dernière fois. Ça m'f'ra pas un sou de différence.

Zachary sentait la pointe de métal froid appuyer contre sa gorge.

— Allez-y, monsieur Crowle, dit-il, se raidissant. Allez-y, je suis prêt.

Tout en se préparant au coup final, alors que le couteau commençait à mordre sa peau, Zachary ne cessait de fixer le regard de Mr Crowle. Mais c'est celui-ci qui se détourna le premier, puis le couteau hésita et retomba.

— Dieu maudisse tes yeux, Reid ! – Tête en arrière, l'officier laissa échapper un hurlement venu du fond de ses entrailles. – Le diable t'emporte, Reid. Dieu maudisse tes yeux.

Juste à cet instant, alors que Crowle contemplait, incrédule, le couteau qu'il avait été incapable d'utiliser, la porte de la cabine s'ouvrit avec fracas. Encadrée sur le seuil surgit la frêle silhouette du condamné chinois, brandissant un épissoir affûté non pas à la manière d'un marin mais comme un bretteur, pointe tendue.

Conscient d'une intrusion, Mr Crowle vira sur lui-même, son couteau tout prêt. En voyant de qui il s'agissait, il éclata d'un ricanement d'incrédulité.

— Jacko-chimpanzo ?

La présence d'Ah Fatt parut le revigorer, le ramener instantanément à lui-même : exalté par la perspective de laisser exploser une violence contenue, il effectua un plongeon avec son couteau sur Ah Fatt, qui esquiva aisément l'assaut, sans avoir l'air de bouger, en se balançant simplement sur la plante des pieds. Les yeux presque clos, comme s'il priait, il tenait maintenant son épissoir contre sa poitrine, la pointe nichée sous son menton.

— Je vais te couper la langue, Jacko-chimpanzoo, lança Mr Crowle d'une voix pleine de menace. Et puis je te la ferai manger.

Là-dessus, il fila droit sur le ventre de Ah Fatt qui, d'un mouvement de côté, éluda de nouveau la pointe de la lame. Cette fois, dans son élan, Crowle s'avança trop et exposa son flanc. Tournoyant sur ses talons comme un torero, Ah Fatt lui enfonça son arme presque en entier dans les côtes et l'y maintint jusqu'à ce que le premier officier tombe par terre. Après quoi, il la retira et en brandit la pointe sanglante sur Zachary.

— Reste où tu es. Ou bien toi pareil...

Puis, aussi vite qu'il était entré, il disparut : claquant la porte derrière lui, il fit passer l'épissoir entre les poignées, bloquant ainsi Zachary dans la cabine.

Celui-ci s'agenouilla près de la mare de sang qui s'échappait du flanc du premier officier.

— Monsieur Crowle ?

Il entendit un chuchotement étouffé : «Reid..., Reid...», et il dut baisser la tête pour mieux saisir la voix hésitante. «C'était toi, Reid, celui que je cherchais depuis toujours. C'était toi...»

Les mots du blessé se noyèrent dans l'afflux de sang débordant de sa bouche et de son nez. Puis sa tête se rejeta soudain en arrière et son corps se raidit. Zachary passa une main sous les narines et constata que l'homme ne respirait plus. Une brusque embardée de la goélette fit rouler le cadavre du premier officier. Un bout du vieux manifeste fut soudain visible sous la casaque : Zachary le prit et le fourra dans sa propre poche. Puis il se releva et donna un coup d'épaule dans la porte, qui céda un peu. Il la secoua doucement jusqu'à ce que l'épissoir se dégage et tombe avec un bruit sourd.

*

En se précipitant hors de la cabine de Crowle, Zachary vit que la porte de la sienne était déjà ouverte. Sans s'arrêter pour regarder à l'intérieur, il monta en toute hâte sur la plage arrière. La pluie tombait droit, en rideaux serrés donnant l'impression que les voiles du navire s'étaient détachées pour aller se déchiqueter contre la coque. Instantanément trempé, Zachary porta une main à ses yeux afin de les protéger de la pluie cinglante. Une vague d'éclairs traversa le ciel, s'élargissant à mesure qu'elle avançait vers l'ouest, baignant la mer au-dessous d'une phosphorescence houleuse. Dans cette lumière irréelle, une chaloupe, surgissant de la crête d'une lame, sembla se jeter sur Zachary : bien qu'elle fût déjà à quelque vingt mètres par le travers de la goélette, on distinguait très bien les visages des cinq occupants. Serang Ali tenait la barre tandis que les quatre autres – Jodu, Neel, Ah Fatt et Kalua – s'étaient regroupés au centre. Serang Ali avait lui aussi vu Zachary et il levait la main pour le saluer quand l'embarcation plongea dans un creux et disparut.

Alors que l'orage battait en retraite à l'horizon, Zachary se rendit compte qu'il n'était pas le seul à observer la chaloupe : sur le pont principal, en dessous, se trouvaient trois autres personnes qui se tenaient par le bras. Il en reconnut immédiatement deux : Paulette et Baboo Nob Kissin, mais la troisième était une femme dans un sari trempé qui ne s'était jamais dévoilée en sa présence. À présent, sous la lumière déclinante filtrée par les nuages, elle se tourna pour le regarder et il découvrit qu'elle avait des yeux gris, perçants. Bien que ce fût la première fois qu'il vît son visage, il sut qu'il l'avait aperçue déjà quelque part, tout comme aujourd'hui, dans un sari mouillé, les cheveux dégoulinants et le fixant de ses yeux gris surpris.

Remerciements

Un océan de pavots doit beaucoup à de nombreux spécialistes, dictionnaristes, linguistes et chroniqueurs du XIXᵉ siècle, notamment à Sir George Grierson, pour son *Report on Colonial Emigration from the Bengal Presidency*, 1883, pour sa grammaire de la langue bhojpuri et pour ses articles de 1884 et 1886 sur les chansons populaires bhojpuries; à J.W.S. MacArthur, un temps directeur de la Ghazipur Opium Factory, pour ses *Notes on an Opium Factory* (Thacker, Spink, Calcutta, 1865); au lieutenant Thomas Roebuck pour son lexique nautique, publié à l'origine à Calcutta, *An English and Hindostanee Naval Dictionary of Technical Terms and Sea Phrases as also the Various Words of Command Given in Working a Ship, & C. With Many Sentences of Great Use at Sea; To Which Is Prefixed a short Grammar of The Hindostanee Language* (réimprimé à Londres en 1813 par Black, Parry & Co, libraires de l'Hon. East India Compagnie; revu plus tard par George Small et réédité par W. H. Allen & Co., sous le titre *A Laskari Dictionary or Anglo-Indian Vocabulary of Nautical Terms and Phrases in English And Hindustani*, Londres, 1882); à Sir Henry

663

Yule & A.C. Burnell, auteurs de *Hobson-Jobson : A Glossary of Colloquial Anglo-Indian Words and Phrases, and of Kindred Terms, Etymological, Historical, Geographical and Discursive;* et au président de la Cour suprême de Calcutta pour son verdict à l'issue du procès en falsification en 1829 de Prawnkissen Holdar (reproduit dans Anil Chandra Das Gupta, éd., *The Days of John Company : Selections from Calcutta Gazette 1824-1832*, West Bengal Govt. Press, Calcutta, 1959, p. 366-38).

Ce roman s'est considérablement enrichi du travail de nombreux spécialistes et historiens contemporains. La liste complète des livres, articles et essais qui ont contribué à ma compréhension de l'époque est trop longue pour être reproduite ici, mais il serait trop léger de ma part de ne pas témoigner de ma gratitude et de ma dette envers le travail de ceux dont le nom suit : Clare Anderson, Robert Antony, David Arnold, Jack Beeching, Kingsley Bolton, Sarita Boodhoo, Anne Bulley, B. R. Burg, Marina Carter, Hsin-Pao Chang, Weng Eang Cheong, Tan Chung, Maurice Collis, Saloni Deerpalsingh, Guo Deyan, Jacques M. Downs, Amar Farooqui, Peter Ward Fay, Michael Fisher, Basil Greenhill, Richard H. Grove, Amalendu Guha, Edward O. Henry, Engseng Ho, Hunt Janin, Isaac Lang, C. P. Liang, Brian Lubbock, Dian H. Murray, Helen Myers, Marcus Rediker, John F. Richards, Dingxu Shi, Asiya Siddiqi, Rhadika Singha, Michael Sokolow, Vijaya Teelock, Madhavi Thampi and Rozina Visram.

Pour leur aide et soutien à divers moments dans l'écriture de ce roman, je dois d'immenses remerciements à : Kanti & Champa Banymandhab, Girindre Beeharry, le regretté Sir Satcam Boolell et sa famille, Sanjay Buckory, Pushpa Burrenchobay, My Bo

Ching, Careem Curreemjee, Saloni Deerpalsingh, Parmeshwar K. Dhawan, Greg Gibson, Marc Foo Kune, Surendra Ramgoolam, Vishwamitra Ramphul, Achintyarup Ray, Debashree Roy, Anthony J. Simmonds Vijaya Teelock, Boodhun Teelock et Zhou Xiang. J'éprouve aussi infiniment de reconnaissance pour les institutions suivantes : le National Maritime Museum, de Greenwich, Angleterre ; le Mahatma Gandhi Institute, des îles Maurice, et les Mauritius National Archives.

Les vers cités au chapitre deux (*Ág mor lágal ba...*) proviennent d'une chanson recueillie par Edward O. Henry (*Chant the Names of God : Music and Culture in Bhojpuri-Speaking India*, San Diego State Univ. Press, San Diego, 1988, p. 288). Les vers cités au chapitre trois (*Majha dhära me hai bera merá...*) appartiennent à une chanson recueillie par Helen Myers (*Music of Hindu Trinidad : Songs from the Indian Diaspora*, Univ. of Chicago Press, Chicago, 1998, p. 307). Ceux cités au chapitre cinq (*Sãjh bhailé...*) sont extraits de *Bhojpuri Traditions in Mauritius*, par Sarita Boodhoo (Mauritius Bhojpuri Inst., Port Louis, 1999, p. 63). Enfin les vers cités au chapitre dix-neuf (*Talwa jharailé...*) et ceux cités au chapitre vingt et un (*... uthlé há chhati ke jobanwá...*) appartiennent à des chansons recueillies par Sir George Grierson pour son article intitulé « Some Bhojpuri Folksongs » (*Journal of the Royal Asiatic Society*, 18, p. 207, 1886). Dans tous ces cas, les traductions sont les miennes.

Sans le soutien de Barney Karpfinger et de Roland Philipps, l'*Ibis* n'aurait pas pu traverser la baie du Bengale ; à des moments critiques au cours de son voyage, alors qu'il était encalminé, James Simpson et Chris Clark ont rempli de vent ses voiles ; mes enfants, Lila et Nayan, l'ont vu affronter bien des tempêtes, et mon épouse, Deborah Baker, s'est révélée le meilleur des malums. Et moi, autant que ce fragile esquif, j'ai pour tous une infinie gratitude.

Amitav Ghosh
Kolkata, 2008

Table